2007

大中型批发零售和住宿餐饮企业统计年鉴

国家统计局贸易外经统计司 编

中国统计出版社
China Statistics Press

(京)新登字 041 号

图书在版编目(CIP)数据

大中型批发零售和住宿餐饮企业统计年鉴.2007/国家统计局贸易外经统计司编.
—北京:中国统计出版社,2008.3
ISBN 978-7-5037-5359-6

Ⅰ.大…
Ⅱ.国…
Ⅲ.①批发商业-商业企业-统计资料-中国-2007-年鉴
②零售商业-商业企业-统计资料-中国-2007-年鉴
③饭店-商业企业-统计资料-中国-2007-年鉴
④饮食业-商业企业-统计资料-中国-2007-年鉴
Ⅳ.F721.7-66 F719-66

中国版本图书馆 CIP 数据核字(2008)第 012283 号

大中型批发零售和住宿餐饮企业统计年鉴—2007

作　　者/国家统计局贸易外经统计司
责任编辑/马　平　王贵銮
装帧设计/艺编广告
出版发行/中国统计出版社
通信地址/北京市西城区月坛南街 57 号　邮政编码/100826
办公地址/北京市丰台区西三环南路甲 6 号　邮政编码/100073
电　　话/邮购(010)63376907　书店(010)68783172
印　　刷/河北天普润印刷厂
经　　销/新华书店
开　　本/880×1230mm　1/16
字　　数/1150 千字
印　　张/36.75
版　　别/2008 年 2 月第 1 版
版　　次/2008 年 2 月第 1 次印刷
书　　号/ISBN 978-7-5037-5359-6/F·2601
定　　价/380.00 元

大中型批发零售和住宿餐饮企业统计年鉴—2007

编辑成员

编辑说明

一、《大中型批发零售和住宿餐饮企业统计年鉴—2007》是第一部全面反映中国大中型批发零售和住宿餐饮企业改革和发展状况的资料性年刊。本年鉴系统收录了全国和各省、自治区、直辖市2006年大中型批发零售和住宿餐饮企业基本情况、经营情况和主要财务状况方面的统计数据。

二、本年鉴正文内容分为4个部分：1. 综合篇；2. 地区篇；3. 行业篇；4. 企业篇。同时设有三个附录：Ⅰ. 统计上大中小型企业划分办法；Ⅱ. 批发零售和住宿餐饮业统计限额标准；Ⅲ. 主要统计指标解释。

三、为便于读者使用，本年鉴对所用略语和主要统计指标解释、统计范围和统计方法作了简要说明。

四、本年鉴中涉及的全国性统计资料，均未包括香港、澳门特别行政区和台湾省数据。

五、本年鉴中所使用的度量衡单位，均为国际统一标准计量单位。

六、本年鉴表中的“空格”表示该项统计指标数据不足本表最小单位数、不详或无该项数据。

编辑说明

目　录

CONTENTS

1. 综合篇

2. 地区篇

3. 行业篇

4. 企业篇

附录

1. 综合篇

简要说明:

一、本篇资料主要内容为限额以上和大中型批发零售和住宿餐饮企业的单位数和从业人员数；限额以上和大中型批发和零售业企业的商品购、销、存情况及住宿和餐饮企业的经营情况；限额以上和大中型批发零售和住宿餐饮业企业的主要财务、劳动工资及经济效益分析指标等。

二、限额以上（含全部大中型）批发零售和住宿餐饮企业采用全面调查方法。

三、批发零售和住宿餐饮业大中小型企业划分依据《统计上大中小型企业划分办法（暂行）》，具体见附录Ⅰ。

1－1 大中型批发和零售企业基本情况

项　目	法人企业个数(个)		年末从业人员数(人)	
	限额以上	大中型企业	限额以上	大中型企业
总　计	**51788**	**6635**	**5443149**	**2673329**
一、批发业	**28125**	**2527**	**2248731**	**947167**
(一)按登记注册类型分				
1. 内资企业	**27106**	**2371**	**2111635**	**868702**
国有企业	4234	834	687278	340604
集体企业	1028	100	92511	21525
股份合作企业	292	21	19554	5220
联营企业	186	18	14761	7996
国有联营企业	79	9	8342	5709
集体联营企业	23	3	1630	875
国有与集体联营企业	42	1	1893	177
其他联营企业	42	5	2896	1235
有限责任公司	7606	676	541045	210498
国有独资公司	379	72	53108	27136
其他有限责任公司	7227	604	487937	183362
股份有限公司	1075	319	303510	197820
私营企业	12594	392	444761	80213
私营独资企业	295	8	9822	1009
私营合伙企业	131	2	3980	301
私营有限责任公司	11687	360	412506	73642
私营股份有限公司	481	22	18453	5261
其他企业	91	11	8215	4826
2. 港、澳、台商投资企业	**310**	**44**	**39334**	**22692**
合资经营企业	69	8	8894	4075
合作经营企业	11	5	1868	1658
独资经营企业	222	29	26622	15730
投资股份有限公司	8	2	1950	1229
3. 外商投资企业	**709**	**112**	**97762**	**55773**
中外合资经营企业	127	19	14837	5154
中外合作经营企业	17	2	2205	270
外资企业	551	88	77831	48652
外商投资股份有限公司	14	3	2889	1697

1－1 续表1

项 目	法人企业个数(个)		年末从业人员数(人)	
	限额以上	大中型企业	限额以上	大中型企业
(二)按行业分				
农畜产品批发	1478	165	145299	31052
食品、饮料及烟草制品批发	2918	692	536744	304418
米、面制品及食用油批发	596	69	52110	11299
烟草制品批发	773	387	300520	216892
纺织、服装及日用品批发	2474	176	160484	53561
服装批发	702	51	54604	17971
文化、体育用品及器材批发	772	69	64907	23705
医药及医疗器材批发	1859	324	212225	92087
矿产品、建材及化工产品批发	11216	618	704925	293847
煤炭及制品批发	1135	87	88442	27243
石油及制品批发	1761	319	341081	213790
金属及金属矿批发	4191	79	113647	21316
建材批发	1081	40	44534	7276
化肥批发	632	52	44354	14554
机械设备、五金交电及电子产品批发	5760	398	337387	121565
汽车、摩托车及零配件批发	1246	71	58614	17029
家用电器批发	559	97	72288	41148
计算机、软件及辅助设备批发	850	35	31859	7632
贸易经纪与代理	367	16	18079	5967
其他批发	1281	69	68681	20965
(三)按控股情况分				
国有控股	7072	1365	1137196	632974
集体控股	2704	277	235091	76385
私人控股	17292	736	746546	163367
港澳台控股	328	44	40363	23660
外商控股	729	105	89535	50781

1－1　续表 2

项　　目	法人企业个数(个)		年末从业人员数(人)	
	限额以上	大中型企业	限额以上	大中型企业
二、零售业	**23663**	**4108**	**3194418**	**1726162**
(一)按登记注册类型分				
1. 内资企业	**23129**	**3863**	**2908534**	**1528148**
国有企业	2642	533	312575	137027
集体企业	2000	216	150210	50987
股份合作企业	482	72	44698	22625
联营企业	191	20	17186	10618
国有联营企业	66	7	7474	5398
集体联营企业	37	4	4013	2488
国有与集体联营企业	50	3	2827	1707
其他联营企业	38	6	2872	1025
有限责任公司	6224	1452	1042783	595610
国有独资公司	151	38	45165	35399
其他有限责任公司	6073	1414	997618	560211
股份有限公司	1086	395	486580	359857
私营企业	10350	1159	833433	339738
私营独资企业	1029	65	62944	20353
私营合伙企业	270	24	18310	7232
私营有限责任公司	8446	988	699527	290690
私营股份有限公司	605	82	52652	21463
其他企业	154	16	21069	11686
2. 港、澳、台商投资企业	**183**	**84**	**83677**	**55650**
合资经营企业	86	43	50990	39706
合作经营企业	25	9	8089	5759
独资经营企业	70	32	24111	10185
投资股份有限公司	2		487	
3. 外商投资企业	**351**	**161**	**202207**	**142364**
中外合资经营企业	174	88	122373	92294
中外合作经营企业	53	17	31041	19086
外资企业	114	53	44271	27908
外商投资股份有限公司	10	3	4522	3076

1－1 续表 3

项　目	法人企业个数(个)		年末从业人员数(人)	
	限额以上	大中型企业	限额以上	大中型企业
(二)按行业分				
综合零售	6270	2260	1806264	1194848
百货零售	2852	1035	827162	530139
超级市场零售	2500	1102	870616	603132
食品、饮料及烟草制品专门零售	945	178	105787	48565
纺织、服装及日用品专门零售	1156	252	149983	65080
服装零售	587	164	98983	43498
文化、体育用品及器材专门零售	1882	265	161622	60060
体育用品零售	46	13	7265	5104
图书零售	1347	208	105783	46573
医药及医疗器材专门零售	1514	460	206038	116859
药品零售	1329	444	196179	112530
汽车、摩托车、燃料及零配件专门零售	6861	221	399979	90143
汽车零售	4527	119	225167	25414
机动车燃料零售	1567	87	151330	61586
家用电器及电子产品专门零售	3337	303	258039	111319
家用电器零售	1415	204	177724	89580
计算机、软件及辅助设备零售业	1184	38	39352	7947
通讯设备零售	454	55	33993	12758
五金、家具及室内装修材料专门零售	865	107	59504	25471
无店铺及其他零售	833	62	47202	13817
邮购及电子销售	14	3	2494	985
(三)按控股情况分				
国有控股	4402	1045	808395	504242
集体控股	3632	647	538047	298921
私人控股	15032	2165	1577912	727077
港澳台控股	206	93	82800	56846
外商控股	391	158	187265	139076

1－2 大中型批发和零售企业商品购、销、存总额

单位:万元

项 目	购进总额		进 口	
	限额以上	大中型企业	限额以上	大中型企业
总 计	**1031389834**	**364791658**	**74469577**	**15199923**
一、批发业	**833798561**	**277051759**	**71642225**	**14830263**
(一)按登记注册类型分				
1. 内资企业	**777367660**	**248422205**	**56536327**	**10310898**
国有企业	222154260	93495771	16679803	3383560
集体企业	15539916	5139060	1734459	587866
股份合作企业	5393058	763597	790529	
联营企业	4750349	1150715	289265	3743
国有联营企业	2804752	774932	195616	
集体联营企业	227013	58763	4844	
国有与集体联营企业	717052	6237	33554	986
其他联营企业	1001532	310783	55252	2756
有限责任公司	211148674	52357298	18831589	3225775
国有独资公司	18804008	5326291	3056974	951451
其他有限责任公司	192344667	47031007	15774615	2274324
股份有限公司	152458626	80737461	7020768	2828287
私营企业	163906416	13448588	11178916	281668
私营独资企业	1917096	222453	88284	2120
私营合伙企业	993807	20745	33605	
私营有限责任公司	154009464	10420430	10785709	278767
私营股份有限公司	6986049	2784960	271318	782
其他企业	2016360	1329717	10999	
2. 港、澳、台商投资企业	**9898582**	**4014928**	**1712555**	**319588**
合资经营企业	2650507	773610	98584	
合作经营企业	496024	292790		
独资经营企业	6453817	2849884	1610373	319588
投资股份有限公司	298233	98644	3598	
3. 外商投资企业	**46532320**	**24614626**	**13393343**	**4199777**
中外合资经营企业	10396659	6444636	2142225	1074390
中外合作经营企业	364497	24180	4090	
外资企业	34489171	17677244	11212343	3090727
外商投资股份有限公司	1281993	468566	34685	34659

1－2 续表1

项目	销售总额		批发	
	限额以上	大中型企业	限额以上	大中型企业
总计	**1100548484**	**390916821**	**868347701**	**281675417**
一、批发业	**875943333**	**289062907**	**830307033**	**262184776**
(一)按登记注册类型分				
1. 内资企业	**810529137**	**255605804**	**765927296**	**229372253**
国有企业	233171926	98809073	226872697	95506347
集体企业	16931882	5448517	16293672	5312052
股份合作企业	5608510	879028	5139556	590485
联营企业	5210146	1337826	4980261	1234368
国有联营企业	3110904	901182	2981563	820624
集体联营企业	289733	88581	280091	86281
国有与集体联营企业	764170	10969	700731	10969
其他联营企业	1045339	337094	1017876	316494
有限责任公司	228258008	58812029	217804798	52956547
国有独资公司	20253578	5288450	20012538	5127032
其他有限责任公司	208004430	53523579	197792261	47829515
股份有限公司	149284834	75179053	128925895	59742213
私营企业	170013967	13885062	163996945	12870891
私营独资企业	2191522	243441	2048192	230557
私营合伙企业	1075771	32553	1025073	32553
私营有限责任公司	159915483	11146030	154301867	10210238
私营股份有限公司	6831191	2463038	6621813	2397543
其他企业	2049864	1255217	1913473	1159350
2. 港、澳、台商投资企业	**11066696**	**4434953**	**10619875**	**4114133**
合资经营企业	2978886	933825	2884636	924142
合作经营企业	580893	326163	562806	310721
独资经营企业	7154347	3048129	6822924	2755495
投资股份有限公司	352570	126836	349509	123775
3. 外商投资企业	**54347499**	**29022151**	**53759862**	**28698390**
中外合资经营企业	11330973	6830871	11064172	6677783
中外合作经营企业	410628	26194	363187	11517
外资企业	41310168	21728680	41085003	21611881
外商投资股份有限公司	1295729	436406	1247501	397209

单位:万元

出 口		零 售		年末库存总额	
限额以上	大中型企业	限额以上	大中型企业	限额以上	大中型企业
95697779	**23301277**	**232200783**	**109241404**	**76295617**	**29382162**
95354221	**23148912**	**45636300**	**26878131**	**56326086**	**20351507**
88750386	**21531865**	**44601842**	**26233551**	**51894988**	**18340188**
21054453	8290743	6299230	3302726	16756732	6968994
1281504	219320	638210	136465	1750599	388953
719404		468954	288543	315391	50058
656502		229885	103458	242714	90582
255954		129341	80558	136641	72864
73004		9643	2300	12582	5725
94139		63439		52066	803
233405		27463	20600	41425	11191
36063756	5410969	10453210	5855482	15845935	5419461
4380628	726946	241040	161418	3186837	1705674
31683128	4684023	10212169	5694064	12659098	3713787
11921984	6853610	20358940	15436840	6420242	3961370
16972408	757223	6017022	1014172	10410624	1355852
140258		143330	12884	128267	8986
27991		50698		63921	2236
16322706	688278	5613616	935792	9626477	1072174
481452	68945	209378	65496	591960	272456
80376		136391	95868	152751	104917
756988	**51161**	**446821**	**320820**	**853025**	**345606**
122409	47015	94250	9683	130683	40395
		18087	15442	25718	22242
628140	4146	331423	292634	677752	269381
6439		3061	3061	18872	13588
5846847	**1565886**	**587637**	**323761**	**3578073**	**1665713**
1167662	672705	266802	153088	607449	239365
232		47442	14676	15872	1042
4678294	892555	225166	116799	2865826	1357421
659	626	48228	39197	88927	67885

1－2 续表2

项目	购进总额		进口		销售总额	
	限额以上	大中型企业	限额以上	大中型企业	限额以上	大中型企业
(二)按行业分						
农畜产品批发	17507661	3159451	3457891	184892	19246255	4661771
食品、饮料及烟草制品批发	88342586	48078716	2457502	260150	105479975	58205286
米、面制品及食用油批发	7041530	1428209	859103	45908	7087827	1190913
烟草制品批发	57919904	38046012	249479	62890	71163627	47165490
纺织、服装及日用品批发	56447986	15347871	6339103	2686380	64610307	18748209
服装批发	22576835	7673475	2819729	1365404	25231990	8258958
文化、体育用品及器材批发	11680136	3850783	944078	105741	12287561	3872545
医药及医疗器材批发	33640846	16838910	2062214	653020	36383238	18229803
矿产品、建材及化工产品批发	460946153	137521354	32736695	5078045	465305307	128599718
煤炭及制品批发	25616740	4738412	311827	800	30254347	6810664
石油及制品批发	217055638	95491278	8024640	1555950	203806088	82088809
金属及金属矿批发	144594168	26817132	13622652	2175698	153061612	28646978
建材批发	16688579	1517517	2078673	406463	17630167	1709657
化肥批发	12144802	4540738	783979	276629	12630556	4706765
机械设备、五金交电及电子产品批发	127932306	43793752	15684190	3682395	132113609	47645334
汽车、摩托车及零配件批发	25471021	8519083	3002423	23842	27049057	9238885
家用电器批发	22607581	11710647	1481615	933842	22835018	12309900
计算机、软件及辅助设备批发	11651536	2360545	1624902	169796	11991355	2453018
贸易经纪与代理	9681015	2410438	3072506	1294256	10680854	2475469
其他批发	27619872	6050483	4888046	885384	29836227	6624773
(三)按控股情况分						
国有控股	464529064	208847306	34592108	9341036	476370253	213486649
集体控股	65080889	17229707	5976691	1307186	69602813	18468181
私人控股	253902080	28450565	17473189	657976	270680660	30075863
港澳台控股	11112516	5590778	1777742	339438	12415818	6089092
外商控股	39174012	16933403	11822496	3184627	46873788	20943121

单位:万元

批 发		出 口		零 售		年末库存总额	
限额以上	大中型企业	限额以上	大中型企业	限额以上	大中型企业	限额以上	大中型企业
18993444	4624966	1179262	84861	252811	36805	8214676	2164027
102865687	56557967	6110441	2002263	2614288	1647319	7147988	3715799
6902024	1151836	1043700	269235	185804	39078	1785096	393803
70576101	46762172	814848	441823	587526	403318	3508818	2680824
63865257	18416280	37034897	10038234	745050	331929	3120172	1281669
24952462	8115108	16228994	4522143	279528	143850	1158391	490862
11614128	3607181	2410241	626394	673434	265365	1595501	698615
29993843	13538663	1274168	473149	6389395	4691141	3401467	1576992
437682631	111171252	18144535	4092699	27622677	17428466	21146426	6414108
29765693	6740553	1895153	276650	488654	70111	1096900	174057
178856046	65045108	1604735	656342	24950042	17043701	6245219	3262322
152120486	28544208	7307404	1737434	941126	102770	8034630	1846076
17007228	1607363	2006630	654199	622938	102293	1234964	160647
12471886	4669823	158642	95400	158670	36942	1601043	673681
125192306	45314203	18624273	3848339	6921303	2331130	9050902	3245290
22707132	7481357	1129885	32729	4341924	1757527	1759425	391324
22480268	12155662	2515144	147114	354750	154239	1934822	1128996
11094412	2251791	1053427	355	896943	201227	560890	138817
10595516	2454078	5919022	1542842	85338	21391	417981	149527
29504222	6500186	4657381	440131	332005	124587	2230973	1105480
449107417	192221414	46671428	17071300	27262836	21265234	31329268	14686050
65848325	16939724	9410710	2370670	3851865	1528457	4956415	1339684
257381770	26451150	33105459	2670682	13448701	3624713	15767543	2544783
11885546	5768273	775365	60753	523128	320820	1122306	623411
46083975	20804215	5391258	975506	549769	138906	3150553	1157579

1－2　续表 3

项　　目	购进总额		进　口		销售总额	
	限额以上	大中型企业	限额以上	大中型企业	限额以上	大中型企业
二、零售业	**197591273**	**87739899**	**2827352**	**369659**	**224605152**	**101853914**
(一)按登记注册类型分						
1. 内资企业	**176560346**	**73933235**	**2646253**	**343806**	**199873296**	**86180574**
国有企业	14863217	6335050	226809	55627	15952013	6494660
集体企业	4663887	1409290	4586	1024	4995852	1544011
股份合作企业	2324321	1037630	6344	231	2489383	1167514
联营企业	1482818	434671	2993		1534773	456147
国有联营企业	631988	148753	2669		638924	143237
集体联营企业	180615	41754	324		196603	51409
国有与集体联营企业	448887	214654			466883	225340
其他联营企业	221328	29511			232363	36162
有限责任公司	59091473	23372548	726615	124237	66752373	27486612
国有独资公司	3344689	2767712	82711	82711	3611547	2973230
其他有限责任公司	55746784	20604836	643904	41526	63140826	24513382
股份有限公司	38942261	27193990	201700	121027	48718010	33588945
私营企业	54199427	13628234	1474854	41660	58328285	14862041
私营独资企业	2949180	1337587	5363		3001638	1285752
私营合伙企业	974011	133513	12532		1010934	141933
私营有限责任公司	47276374	11262205	1283422	41660	51111652	12502237
私营股份有限公司	2999862	894929	173537		3204061	932119
其他企业	992943	521822	2354		1102608	580645
2. 港、澳、台商投资企业	**5946256**	**3752254**	**72502**	**4237**	**7142570**	**4678687**
合资经营企业	3941810	2870034	49396	4237	4915766	3599525
合作经营企业	785591	431828			862034	483421
独资经营企业	1116792	450392	21822		1256172	595741
投资股份有限公司	102063		1284		108598	
3. 外商投资企业	**15084671**	**10054411**	**108597**	**21616**	**17589286**	**10994654**
中外合资经营企业	8314005	6056003	32632	21413	9268963	6633718
中外合作经营企业	3531453	1934273	29002		3946758	1873955
外资企业	3053253	1942260	46963	203	4145657	2354238
外商投资股份有限公司	185959	121874			227907	132743

单位:万元

批 发				零 售		年末库存总额	
		出 口					
限额以上	大中型企业	限额以上	大中型企业	限额以上	大中型企业	限额以上	大中型企业
38040669	**19490641**	**343558**	**152366**	**186564483**	**82363273**	**19969531**	**9030656**
34458470	**16957727**	**341922**	**151120**	**165414826**	**69222847**	**18212553**	**7827392**
3000933	1434906	28222	12504	12951080	5059754	1610314	770245
898491	235108	69		4097360	1308903	539986	188934
359562	150436	652		2129821	1017077	207687	82070
292506	136702			1242267	319445	112867	47249
121424	16718			517500	126519	46046	18566
39601	13000			157001	38409	16459	10203
111942	101017			354941	124323	21359	15155
19538	5968			212825	30194	29003	3325
8627518	3741212	108190	54336	58124855	23745400	6411350	2744878
825948	663933	21589	21589	2785600	2309297	308759	227399
7801570	3077279	86602	32748	55339256	21436103	6102591	2517479
14153648	9606566	170584	84254	34564363	23982379	2965134	2140234
6876601	1430166	34206	25	51451684	13431874	6233986	1794149
119598	12297			2882040	1273455	349352	171536
29549	387			981386	141546	129118	23919
6161904	1316825	33692	25	44949747	11185412	5374177	1496348
565550	100657	514		2638511	831462	381339	102347
249211	222630			853396	358015	131230	59633
627818	**433372**	**324**		**6514752**	**4245315**	**448955**	**231862**
425742	351000	324		4490025	3248525	239740	180434
74421				787613	483421	52807	7186
126285	82372			1129887	513369	149682	44242
1370				107228		6726	
2954381	**2099543**	**1312**	**1246**	**14634905**	**8895111**	**1308022**	**971401**
1018124	724171	61		8250839	5909547	705509	551321
1123375	1096141	267	262	2823383	777814	310419	213061
803298	275328	984	984	3342359	2078910	279385	199268
9584	3903			218324	128840	12709	7752

1-2 续表4

项目	购进总额		进口		销售总额	
	限额以上	大中型企业	限额以上	大中型企业	限额以上	大中型企业
（二）按行业分						
综合零售	71300661	51185731	241306	108111	86719090	62234107
百货零售	35675530	25031547	185960	68072	44362381	31147591
超级市场零售	32674450	24674226	50910	38957	39084568	29351064
食品、饮料及烟草制品专门零售	3723342	1319675	81930	50659	4402124	1556340
纺织、服装及日用品专门零售	4582201	1922568	42327	22113	4932728	1917041
服装零售	2811706	1307216	27901	21653	2934106	1300668
文化、体育用品及器材专门零售	6465317	2375094	152555	4975	6198858	1950013
体育用品零售	302989	185978	7250		328031	210610
图书零售	4447032	1982800	68890	409	3901946	1479145
医药及医疗器材专门零售	7328427	3419520	103087	24134	8243896	3787799
药品零售	6726098	3293798	29696	23085	7557138	3639243
汽车、摩托车、燃料及零配件专门零售	75997820	15743858	1931682	132138	84339376	18006590
汽车零售	47675338	3945546	1785631	58919	50114910	4060575
机动车燃料零售	26581872	11734497	116729	73219	32176644	13687101
家用电器及电子产品专门零售	22283974	10146702	190973	4617	23074268	10606587
家用电器零售	14983953	8710684	16695	4244	15361088	9073737
计算机、软件及辅助设备零售业	4060578	665432	117702	373	4277330	712738
通讯设备零售	2627530	741494	25696		2782150	785213
五金、家具及室内装修材料专门零售	2961402	915069	42416	9883	3320108	1024988
无店铺及其他零售	2948129	711684	41076	13030	3374703	770449
邮购及电子销售	125553	23421			269554	38552
（三）按控股情况分						
国有控股	53637961	32014416	593052	225448	61634067	38265403
集体控股	26641037	13463600	78484	22835	30894000	16283131
私人控股	97924209	29021645	2017411	89797	108779142	32368932
港澳台控股	5514175	3667887	26755	4594	6864544	4509031
外商控股	13873890	9572352	111649	26985	16433399	10427418

单位:万元

批 发		出 口		零 售		年末库存总额	
限额以上	大中型企业	限额以上	大中型企业	限额以上	大中型企业	限额以上	大中型企业
10433318	8649008	211505	118516	76285772	53585099	7731667	5317125
2960684	2325291	205766	117148	41401697	28822300	3661272	2488178
6717381	6043384	193	193	32367187	23307680	3730503	2706124
873439	335578	5576	4033	3528685	1220762	482193	149383
870538	471016	9583	1284	4062190	1446024	811231	340842
516155	360264	422	300	2417951	940404	486609	217850
994771	305897	9866	35	5204087	1644116	1404853	582832
112893	82150			215137	128460	63388	35780
408406	181080	4132	35	3493540	1298065	854897	434351
2053032	857482	3079	527	6190864	2930317	1124016	579847
1753386	805909	2329	527	5803752	2833335	1027959	565375
18229990	7712387	40606	17779	66109386	10294204	5366534	817095
6022911	1207638	24242	9520	44091999	2852936	4310129	424769
11773970	6448795	16114	8259	20402674	7238306	809542	375357
3121536	821330	6638		19952732	9785258	2324100	995804
1297124	660879	432		14063964	8412858	1590372	850570
1200779	51841	5152		3076552	660897	342137	50855
433182	107490			2348968	677723	301378	87408
465324	56164	4564		2854784	968824	525554	200237
998719	281779	52142	10192	2375984	488670	199384	47492
16950				252604	38552	7514	3170
14944651	10686026	128342	72338	46689416	27579377	4689213	2799663
6598533	3541742	12100	9665	24421639	12741389	2859047	1428787
12706159	2804964	198665	65986	95918991	29563968	10761506	3605587
780242	502866	40	40	6073357	4006165	430383	248232
3011084	1955045	4411	4337	13461080	8472374	1229382	948387

1－3 大中型批发和

项 目	流动资产合计		固定资产原价	
	限额以上	大中型企业	限额以上	大中型企业
总 计	**296991229**	**104786923**	**71317521**	**41116298**
一、批发业	**235045917**	**74833370**	**40132256**	**21569837**
(一)按登记注册类型分				
1. 内资企业	**216748862**	**65410970**	**38629490**	**20706918**
国有企业	64318111	27402119	14914197	8045625
集体企业	6999884	1879154	1100088	276517
股份合作企业	1423502	215795	239670	57219
联营企业	1273384	394809	225878	121370
国有联营企业	631873	207006	165674	107307
集体联营企业	142974	24623	9757	3027
国有与集体联营企业	129823	9336	23701	1122
其他联营企业	368714	153845	26747	9915
有限责任公司	73549710	19953581	8256230	3364132
国有独资公司	10437341	3392650	1470887	668486
其他有限责任公司	63112370	16560931	6785343	2695646
股份有限公司	20354498	11298312	9911721	8246112
私营企业	48432411	4140649	3850223	501834
私营独资企业	537212	50001	104189	4641
私营合伙企业	294548	17398	21286	2489
私营有限责任公司	45755426	3553349	3513719	448733
私营股份有限公司	1845226	519902	211029	45971
其他企业	397363	126552	131483	94110
2. 港、澳、台商投资企业	**2983240**	**1200822**	**224341**	**100465**
合资经营企业	619391	260055	80598	14059
合作经营企业	164548	111658	8394	6520
独资经营企业	2023037	677016	109575	58736
投资股份有限公司	176265	152093	25774	21150
3. 外商投资企业	**15313815**	**8221579**	**1278425**	**762454**
中外合资经营企业	2325824	1212957	395687	152978
中外合作经营企业	57062	7331	35681	1986
外资企业	12661587	6770199	831143	599689
外商投资股份有限公司	269342	231091	15914	7801

零售企业年末资产负债

单位：万元

累计折旧		资产合计		负债合计		所有者权益合计	
限额以上	大中型企业	限额以上	大中型企业	限额以上	大中型企业	限额以上	大中型企业
20171204	**11686485**	**414886391**	**166458053**	**295265172**	**109488838**	**119559775**	**56932187**
11655871	**6197843**	**315230327**	**113471352**	**222496011**	**70939652**	**92688914**	**42494672**
11089422	**5874250**	**291052300**	**99859484**	**206388696**	**61924296**	**84618201**	**37898159**
4577416	2525441	90168818	39559914	59109313	21586950	31051131	17972965
380874	99694	8676154	2223288	7552541	1946119	1123613	277169
75945	16542	1803775	316654	1473554	231758	330221	84896
89287	48181	1571172	528251	1050123	297213	521049	231038
73153	45496	821150	318941	465660	115190	355489	203751
2829	512	152998	27398	118305	24870	34693	2529
7140	380	171494	13697	121646	8441	49848	5256
6165	1793	425530	168215	344511	148712	81019	19503
2347262	999825	94919281	27866959	69763518	19446841	25155764	8420118
446700	216514	14119787	4253485	9599376	2987952	4520411	1265533
1900562	783311	80799494	23613474	60164142	16458889	20635353	7154585
2575968	2025280	35868129	23169625	22630016	14015905	13201084	9116691
1013277	138250	56746274	5250717	44243368	4097281	12502907	1153435
29256	1910	713048	53462	501949	43939	211098	9523
7081	763	329277	19374	241361	18227	87916	1147
932404	126924	53466152	4538044	41815818	3505336	11650333	1032708
44537	8654	2237798	639837	1684239	529780	553559	110058
29394	21036	1298696	944077	566263	302229	732433	641848
96385	**45771**	**3478722**	**1442452**	**2569913**	**1058166**	**908809**	**384286**
33847	4970	729170	303667	559794	222150	169376	81517
5344	4061	169098	115218	126297	97262	42802	17956
44446	25664	2228913	765548	1678349	617812	550564	147736
12749	11075	351541	258020	205474	120942	146067	137078
470065	**277823**	**20699305**	**12169416**	**13537401**	**7957190**	**7161904**	**4212227**
142583	53245	2963299	1529956	2117631	1099633	845668	430324
11172	889	157281	12063	116404	8505	40877	3558
309485	220067	17290203	10386865	11106981	6689787	6183222	3697078
6825	3622	288522	240532	196385	159265	92137	81267

1－3 续表1

项目	流动资产合计		固定资产原价	
	限额以上	大中型企业	限额以上	大中型企业
(二)按行业分				
农畜产品批发	20183681	6508402	3023352	779135
食品、饮料及烟草制品批发	28872393	15272282	9124479	5782255
米、面制品及食用油批发	4777126	1022649	1307783	393338
烟草制品批发	16845293	12038720	5586510	4396773
纺织、服装及日用品批发	17946840	5334551	2240597	865301
服装批发	6386072	2097368	803157	382119
文化、体育用品及器材批发	4637614	1509804	1006603	522662
医药及医疗器材批发	12485142	6048033	1708495	989459
矿产品、建材及化工产品批发	93248437	21299737	17862717	10610197
煤炭及制品批发	8093027	2012225	1359896	516839
石油及制品批发	19570784	6712768	11611946	8642957
金属及金属矿批发	42288253	8085218	2524673	873788
建材批发	6445225	867204	807607	285625
化肥批发	5652031	2444959	577641	138866
机械设备、五金交电及电子产品批发	41629885	13915956	3469182	1291533
汽车、摩托车及零配件批发	7334419	1696506	855032	299921
家用电器批发	6360718	3147914	380532	225182
计算机、软件及辅助设备批发	3094163	550083	158494	29923
贸易经纪与代理	7234596	2139591	541803	208226
其他批发	8807329	2805013	1155027	521069
(三)按控股情况分				
国有控股	122176902	52254342	28568811	18147274
集体控股	21890263	5856385	3372462	1250717
私人控股	73349918	8396356	6915014	1441476
港澳台控股	3488356	1695523	198578	78061
外商控股	14140479	6630765	1077392	652310

单位:万元

累计折旧		资产合计		负债合计		所有者权益合计	
限额以上	大中型企业	限额以上	大中型企业	限额以上	大中型企业	限额以上	大中型企业
946449	247384	28111481	10434477	22771279	7120725	5340202	3313752
2905829	1870945	41895441	22800465	19828409	7815919	22067032	14984546
417305	133459	6993814	1793536	5447500	1124794	1546314	668742
1813263	1429998	24138278	17550039	6951601	4510278	17186677	13039761
622585	245864	24101482	8300949	17417887	5411894	6683596	2889055
218172	99887	9344811	3837625	6407443	2214257	2937368	1623368
274237	137702	6723861	2456605	4294246	1513425	2429616	943180
510629	298477	15380325	7787280	12238867	6113181	3141458	1674099
4793780	2701523	126704056	36253052	91620318	24464015	35038336	11752008
442205	165435	10584296	2842096	7541655	2090331	3042641	751765
2967858	2084177	35746717	17719250	22305889	10283375	13395425	7398846
727662	302041	50804069	9708450	39620684	7650640	11183386	2057810
193808	54477	8458294	1287399	6433388	987340	2024906	300059
177803	41712	6758705	2787142	5421189	2182618	1337515	604524
1057555	415283	51620071	18687641	39071142	13806253	12548929	4881388
219746	74976	9626161	2467775	7311656	1817408	2314505	650368
105826	63959	7941773	4230341	6413971	3338253	1527802	892088
42800	11782	3460814	598000	2570113	461148	890701	136852
144471	54226	8907975	2749139	6741727	1808199	2166248	940940
400337	226441	11785635	4001745	8512137	2886040	3273498	1115705
8283280	5144195	175601293	81939053	116151903	48356736	59403988	33545289
1061381	391995	27629146	7622528	22006041	5879814	5628368	1742714
1828426	384147	88830881	11665427	68823379	8718536	20013885	2946891
82933	34282	3913413	1926853	2883553	1390679	1029330	536174
399850	243224	19255594	10317491	12631135	6593887	6613343	3723605

1－3 续表2

项　目	流动资产合计		固定资产原价	
	限额以上	大中型企业	限额以上	大中型企业
二、零售业	**61945311**	**29953553**	**31185265**	**19546461**
(一)按登记注册类型分				
1. 内资企业	**55444140**	**25162279**	**27226514**	**16325589**
国有企业	4731674	2222300	3666219	1776731
集体企业	1642517	684863	891456	421695
股份合作企业	592398	220870	337375	221588
联营企业	524356	307585	222475	87014
国有联营企业	193304	81435	104100	22672
集体联营企业	34699	10791	49296	18948
国有与集体联营企业	210601	185407	45037	33467
其他联营企业	85752	29952	24043	11927
有限责任公司	19016283	8163305	8590153	4795602
国有独资公司	1213380	944645	1093274	939995
其他有限责任公司	17802903	7218661	7496879	3855607
股份有限公司	10613385	8309556	8752473	7253158
私营企业	18026432	5065214	4620715	1664480
私营独资企业	753538	304818	219981	49296
私营合伙企业	259783	55760	77961	25757
私营有限责任公司	16103790	4392482	4013718	1458545
私营股份有限公司	909322	312155	309055	130881
其他企业	297094	188586	145649	105323
2. 港、澳、台商投资企业	**2079318**	**1259028**	**1368932**	**1127794**
合资经营企业	1216455	964864	1078946	880029
合作经营企业	211576	116253	145910	130029
独资经营企业	648556	177912	142266	117737
投资股份有限公司	2730		1810	
3. 外商投资企业	**4421854**	**3532246**	**2589819**	**2093078**
中外合资经营企业	2254572	1809174	1392320	1106998
中外合作经营企业	874023	686031	397129	305839
外资企业	1230950	985530	729137	619624
外商投资股份有限公司	62310	51512	71232	60617

单位:万元

累计折旧		资产合计		负债合计		所有者权益合计	
限额以上	大中型企业	限额以上	大中型企业	限额以上	大中型企业	限额以上	大中型企业
8515333	**5488642**	**99656064**	**52986701**	**72769162**	**38549186**	**26870861**	**14437515**
7188856	**4396828**	**89113810**	**45001159**	**64798042**	**32420312**	**24299727**	**12580847**
1041363	508261	8524888	3990613	6067260	3015661	2457628	974952
245892	113118	2621829	1102439	2073976	891575	547853	210865
86911	53323	969184	439263	763453	349476	205731	89787
62715	27409	842063	444367	605961	317509	236102	126859
30026	11397	314353	114513	216243	91168	98110	23345
12239	5278	83727	27219	58268	16309	25459	10910
11224	5738	294455	260713	194620	172376	99836	88338
9225	4997	149529	41922	136831	37656	12698	4267
2268917	1311287	29141780	13567778	22539159	10692870	6602620	2874909
212646	170352	2498512	2029054	1766573	1408690	731939	620364
2056271	1140935	26643267	11538724	20772587	9284180	5870681	2254544
2264196	1893783	22203753	17947099	13745990	11096887	8441722	6850212
1183570	462506	24323118	7187180	18606042	5783544	5717077	1403637
54288	10718	996617	358348	680266	269090	316351	89259
14052	4752	353120	82898	295526	75765	57594	7133
1047544	415792	21491639	6207591	16623112	5068559	4868528	1139032
67687	31245	1481742	538343	1007137	370130	474604	168213
35294	27140	487195	322419	396200	272791	90995	49628
473098	**399683**	**3409031**	**2317771**	**2259558**	**1544837**	**1149472**	**772935**
371190	318922	2294585	1819188	1478565	1146252	816020	672936
64508	55916	315212	202085	224813	140373	90399	61712
36336	24844	795542	296498	554436	258211	241107	38286
1064		3692		1745		1947	
853379	**692132**	**7133223**	**5667770**	**5711561**	**4584038**	**1421662**	**1083733**
455648	373026	3792111	3064265	2842353	2316566	949758	747699
172155	127605	1209850	932581	1104863	889001	104987	43580
204038	171423	1987066	1548244	1627227	1269968	359839	278276
21538	20079	144196	122681	137118	108503	7078	14179

1－3　续表3

项　　目	流动资产合计		固定资产原价	
	限额以上	大中型企业	限额以上	大中型企业
(二)按行业分				
综合零售	24078238	17823167	18683169	14238047
百货零售	13389442	9648919	12252340	9207076
超级市场零售	9372432	7636950	5844482	4761686
食品、饮料及烟草制品专门零售	1506956	695787	763675	408777
纺织、服装及日用品专门零售	1876319	762562	944864	451235
服装零售	1198601	476116	589362	337445
文化、体育用品及器材专门零售	2966221	1089466	1919739	812200
体育用品零售	140623	87463	28150	18934
图书零售	1874160	819902	1477826	708790
医药及医疗器材专门零售	3217481	1471375	872537	473345
药品零售	2820131	1395855	818827	451334
汽车、摩托车、燃料及零配件专门零售	18985173	3670841	5958527	2312135
汽车零售	15103211	1663764	2815672	371134
机动车燃料零售	3266082	1964736	2976582	1904010
家用电器及电子产品专门零售	7014147	3717041	757528	341475
家用电器零售	4937638	3277040	518692	252040
计算机、软件及辅助设备零售业	1145883	224370	121660	56918
通讯设备零售	688689	203040	89855	29377
五金、家具及室内装修材料专门零售	1221106	494837	709963	376383
无店铺及其他零售	1079670	228476	575263	132863
邮购及电子销售	126483	19456	15375	1439
(三)按控股情况分				
国有控股	15209802	9300622	11907988	8056263
集体控股	8806751	4817969	5334149	3504238
私人控股	31285284	11058142	10394844	5114477
港澳台控股	2059849	1244620	1052154	891598
外商控股	4583625	3532199	2496131	1979885

单位:万元

累计折旧		资产合计		负债合计		所有者权益合计	
限额以上	大中型企业	限额以上	大中型企业	限额以上	大中型企业	限额以上	大中型企业
5260488	4162389	44774687	33477580	33624122	24774229	11150566	8703351
3209358	2492368	27434270	20237155	19728635	14053242	7705635	6183913
1862753	1580091	15270688	12453442	12268080	9970074	3002608	2483368
255130	136399	2444322	1171093	1593687	721503	850636	449590
272845	114779	2867404	1243691	2089293	946282	778111	297409
135874	78534	1868476	854666	1350749	653963	517727	200703
542857	213252	5125318	1959355	2978359	1230366	2146959	728989
7680	5221	173110	109601	137652	82359	35458	27242
409501	177148	3464037	1581992	1979869	947859	1484168	634133
260549	141155	4441440	2174790	3451469	1673264	989971	501526
242651	134623	3969815	2078199	3072476	1581033	897339	497165
1423900	532483	27437395	6970419	19599006	4560908	7822347	2409511
632924	85555	19493985	2348748	15003616	1898718	4490369	450030
748012	435450	7133452	4543021	3801569	2396659	3315842	2146363
185608	77648	8571839	4590806	6694737	3647105	1877102	943701
111291	53895	6157749	4028809	4929374	3149895	1228375	878914
38484	12946	1342124	307530	970065	292586	372059	14944
26732	9666	795005	237080	601387	191548	193618	45532
135564	62377	2174297	922541	1589554	659186	584743	263355
178392	48160	1819362	476426	1148936	336343	670426	140083
3446	491	143774	21015	144680	43264	-906	-22249
3205830	2173584	29297438	19010115	19175815	12339341	10105582	6670773
1531841	1036751	15044534	8729372	11146701	6529277	3897833	2200095
2637845	1365550	44925706	17459096	34440389	13624653	10485318	3834443
335322	270724	3117101	2145471	2118705	1467617	998396	677854
804495	642034	7271286	5642647	5887552	4588298	1383733	1054350

1－4 大中型批发和零售

项　　目	实收资本		国家资本		集体资本	
	限额以上	大中型企业	限额以上	大中型企业	限额以上	大中型企业
总　　计	**70244286**	**25672893**	**17908194**	**7627799**	**2891216**	**914928**
一、批发业	**50236863**	**15703325**	**14663487**	**5643850**	**1642318**	**349001**
(一)按登记注册类型分						
1. 内资企业	**44742398**	**12971870**	**14547436**	**5583118**	**1629704**	**347827**
国有企业	12090141	4212917	7210080	1991712	87192	41258
集体企业	762389	161366	66410	21028	604728	116648
股份合作企业	296491	49850	20061	1377	36431	3664
联营企业	255422	94289	84671	42528	24549	2748
国有联营企业	171163	79225	71696	41528	1310	
集体联营企业	11573	2848	34		8100	2748
国有与集体联营企业	37211	3927	10716		5456	
其他联营企业	35476	8289	2225	1000	9683	
有限责任公司	13787727	2930669	2840023	756515	633013	128919
国有独资公司	2252666	422102	1206344	287579	65596	7306
其他有限责任公司	11535061	2508567	1633679	468935	567417	121613
股份有限公司	7407520	4722444	4257799	2766386	145373	38911
私营企业	10057416	784396	65940	3572	92546	13592
私营独资企业	164917	9108	401		1565	
私营合伙企业	70447	1050	2158		8548	450
私营有限责任公司	9443913	712803	58076	3572	79068	13142
私营股份有限公司	378138	61435	5305		3366	
其他企业	85292	15941	2452		5873	2086
2. 港、澳、台商投资企业	**499956**	**148207**	**13405**	**8243**	**1709**	
合资经营企业	111687	33966	12254	8243	1607	
合作经营企业	8211	3516				
独资经营企业	304290	80121	1151		102	
投资股份有限公司	75767	30604				
3. 外商投资企业	**4994509**	**2583247**	**102646**	**52489**	**10905**	**1174**
中外合资经营企业	587430	190154	102117	52053	9250	1174
中外合作经营企业	84399	3360				
外资企业	4297140	2373763	529	435	1655	
外商投资股份有限公司	25540	15970				

企业实收资本及构成

单位:万元

法人资本		个人资本		港澳台资本		外商资本	
限额以上	大中型企业	限额以上	大中型企业	限额以上	大中型企业	限额以上	大中型企业
25153389	**9260629**	**16837942**	**3407422**	**1264595**	**687251**	**6188950**	**3774864**
18179429	**5774184**	**10769907**	**1354112**	**452200**	**120686**	**4529521**	**2461492**
17763264	**5680616**	**10734830**	**1350994**	**24904**	**3154**	**42260**	**6162**
4711153	2147560	79550	32387	357		1809	
48495	8944	42678	14746	50		29	
134979	32632	105020	12176				
127292	43548	18845	5464			65	
95581	37697	2576					
2508	100	931					
16296	1688	4744	2238				
12907	4063	10595	3226			65	
7827388	1740089	2475500	300272	4313		7491	4875
969808	124126	10918	3091				
6857580	1615963	2464581	297181	4313		7491	4875
2246015	1509263	749796	405081	2804	2804	5732	
2608710	189565	7245706	576029	17380	350	27134	1287
56010	4908	106467	4200	475			
27143	100	32598	500				
2402863	169667	6869279	526071	16905	350	17722	
122694	14890	237362	45258			9412	1287
59232	9015	17735	4840				
77274	**29258**	**13765**	**2012**	**358189**	**107542**	**35614**	**1152**
46461	10453	2824	1962	42677	13308	5863	
50	50	30		3977	2314	4154	1152
1991	382	4911	50	287165	79689	8972	
28773	18373	6000		24369	12231	16625	
338891	**64310**	**21312**	**1106**	**69107**	**9991**	**4451647**	**2454178**
165454	43482	18147	1050	12442	286	280020	92109
3543		56	56	4166	3110	76634	194
167904	20828	3110		51626	6595	4072317	2345905
1990				874		22676	15970

1－4　续表1

项　目	实收资本		国家资本		集体资本	
	限额以上	大中型企业	限额以上	大中型企业	限额以上	大中型企业
(二)按行业分						
农畜产品批发	2395969	596695	1182132	339215	225414	48784
食品、饮料及烟草制品批发	4731940	1959141	2148192	903238	107056	43715
米、面制品及食用油批发	1084807	241050	627504	102311	23458	16819
烟草制品批发	1533850	1085580	918831	656757	9715	4320
纺织、服装及日用品批发	3563237	1073393	655580	232763	141770	42476
服装批发	1099179	338002	199448	71319	36628	5992
文化、体育用品及器材批发	1290661	314661	632404	194319	11908	2006
医药及医疗器材批发	2571254	970988	291014	142212	76424	32119
矿产品、建材及化工产品批发	23538450	6953031	8295091	3566417	727113	104980
煤炭及制品批发	1685172	315721	492734	160796	105759	14861
石油及制品批发	9037647	4777553	4894236	3074556	92510	21656
金属及金属矿批发	8176278	1178249	2158006	102068	194835	29205
建材批发	1357552	106410	197424	17873	27807	2150
化肥批发	726989	283026	86986	46310	212527	35234
机械设备、五金交电及电子产品批发	8523566	2868365	930956	128368	221469	37255
汽车、摩托车及零配件批发	1721692	358435	165987	35760	40012	520
家用电器批发	1453799	917682	45979	5041	23756	6332
计算机、软件及辅助设备批发	793537	109000	15739	4446	10255	105
贸易经纪与代理	1276480	501050	261909	69165	33399	1228
其他批发	2345308	466002	266209	68154	97765	36440
(三)按控股情况分						
国有控股	26436957	10863141	13956927	5541240	317440	83291
集体控股	3448528	818170	324353	54083	1037374	229633
私人控股	15015201	1432242	286901	39465	273573	32687
港澳台控股	563344	234005	17724	3530	4460	
外商控股	4772832	2355767	77582	5531	9472	3390

单位:万元

法人资本		个人资本		港澳台资本		外商资本	
限额以上	大中型企业	限额以上	大中型企业	限额以上	大中型企业	限额以上	大中型企业
539770	64607	320618	49094	6224	4103	121812	90892
1617257	746759	585261	188519	50471	12730	223702	64180
292728	111472	104884	5100	216	216	36017	5132
592933	418175	12372	6327				
1157022	335457	1093713	264492	94470	14434	420682	183773
472984	168894	347250	77605	14011	3323	28858	10870
275918	60130	282057	27035	14925		73449	31171
1246040	609047	853527	160418	50679	20754	53572	6438
8574887	2650858	5294637	389394	70187	3410	576535	237972
606872	117370	478441	21869	150		1217	826
3165598	1487553	654242	86579	23291	3110	207771	104098
3183155	909648	2566702	137329	3060		70520	
454256	44173	587304	42214	3527		87235	
166247	50373	130629	20509			130600	130600
3088966	615679	1912692	251621	105749	31191	2263733	1804252
810404	172861	578057	60481	13812	6356	113420	82458
212815	61728	108649	12729	8866	2486	1053734	829366
391928	54704	296762	14183	43371	15631	35482	19931
821138	426178	93713	4479	9183		57138	
858433	265470	333689	19060	50313	34065	738898	42814
11305458	4780530	764186	403302	18091	6957	74856	47820
1598023	368803	547400	162674	7367		19488	2977
4941984	567608	9384677	784963	26885	4326	40019	3194
35559	9192	14573	2068	329027	87268	162385	131946
298405	48051	59071	1105	70831	22135	4232773	2275554

1－4　续表2

项　　目	实收资本		国家资本		集体资本	
	限额以上	大中型企业	限额以上	大中型企业	限额以上	大中型企业
二、零售业	**20007423**	**9969569**	**3244707**	**1983950**	**1248898**	**565927**
（一）按登记注册类型分						
1. 内资企业	**16946650**	**7628024**	**3139578**	**1914813**	**1221033**	**550207**
国有企业	1679040	910102	1323358	728153	58603	32047
集体企业	483605	161390	16545	2776	370998	135873
股份合作企业	183716	54569	13516	6489	39462	17592
联营企业	178298	96479	30906	5890	34041	17779
国有联营企业	74524	32690	24942	2890		
集体联营企业	25398	10579	134		23671	10579
国有与集体联营企业	52967	44200	5611	3000	2660	1200
其他联营企业	25409	9010	219		7710	6000
有限责任公司	5349788	2188577	688270	352717	482460	207587
国有独资公司	257312	188128	181601	137774	1439	
其他有限责任公司	5092476	2000449	506669	214943	481022	207587
股份有限公司	3803370	2884018	1031430	807636	154396	108105
私营企业	5198337	1297779	25716	2960	76937	29525
私营独资企业	236033	27796	1926		2252	
私营合伙企业	76733	11677	265		1847	
私营有限责任公司	4502196	1131151	21576	2960	66663	28443
私营股份有限公司	383376	127154	1949		6177	1082
其他企业	70496	35110	9836	8194	4136	1700
2. 港、澳、台商投资企业	**868836**	**631336**	**43765**	**18952**	**1385**	
合资经营企业	600986	483683	35716	13563	414	
合作经营企业	78256	49563	7288	5389	941	
独资经营企业	188206	98090			30	
投资股份有限公司	1388		762			
3. 外商投资企业	**2191938**	**1710209**	**61364**	**50185**	**26480**	**15720**
中外合资经营企业	1332727	1079093	49850	40775	18528	10765
中外合作经营企业	311055	210214	11515	9410	7952	4955
外资企业	521637	399887				
外商投资股份有限公司	26519	21015				

单位:万元

法人资本		个人资本		港澳台资本		外商资本	
限额以上	大中型企业	限额以上	大中型企业	限额以上	大中型企业	限额以上	大中型企业
6973960	**3486445**	**6068035**	**2053310**	**812395**	**566565**	**1659429**	**1313372**
6407879	**3039984**	**6037815**	**2038979**	**72329**	**33347**	**68016**	**50694**
278831	144929	18047	4974	201			
42989	10529	52448	12212			625	
61144	16646	69512	13843	81			
75882	45010	10670	1000			26800	26800
21636	3000	1146				26800	26800
1320		273					
44231	40000	464					
8695	2010	8786	1000				
2750870	1176064	1373222	425519	35761	14848	19204	11843
68463	48487	3192	125			2617	1742
2682407	1127577	1370030	425394	35761	14848	16587	10101
1520406	1125357	1069216	815309	16937	16937	10984	10674
1647223	504436	3418708	757919	19349	1562	10403	1377
62472	7931	165389	18346	3926	1519	67	
25629	2329	48992	9349				
1398428	399892	2991270	698437	13923	44	10336	1377
160694	94284	213057	31788	1500			
30534	17013	25991	8203				
133332	**107521**	**8426**	**4464**	**674313**	**495950**	**7616**	**4450**
114560	99079	6115	4464	442382	365377	1800	1200
13486	5812	210		50515	35112	5816	3250
5286	2630	2100		180790	95460		
				627			
432749	**338940**	**21795**	**9867**	**65753**	**37269**	**1583797**	**1258228**
317312	259754	11406	9467	32278	27446	903353	730885
42504	17332	2892	400	21674	7717	224519	170400
50833	41039	5367		11801	2106	453636	356743
22100	20815	2130				2289	200

1-4 续表 3

项 目	实收资本		国家资本		集体资本	
	限额以上	大中型企业	限额以上	大中型企业	限额以上	大中型企业
(二)按行业分						
综合零售	8299007	6050218	1047806	744678	615810	407634
百货零售	4830376	3363108	834689	585918	410102	281466
超级市场零售	3119023	2530179	157980	116698	119751	95862
食品、饮料及烟草制品专门零售	520097	244973	196561	99692	28507	12983
纺织、服装及日用品专门零售	715372	341878	25712	8759	51708	21157
服装零售	482405	258820	12760	7448	9550	5412
文化、体育用品及器材专门零售	934744	354056	518203	207484	16285	5499
体育用品零售	33077	14353				
图书零售	574393	284369	427820	201027	6716	3951
医药及医疗器材专门零售	929892	464802	146763	92688	30648	16580
药品零售	826020	456704	141926	91181	28667	16342
汽车、摩托车、燃料及零配件专门零售	5816478	1420256	1150402	774116	247761	38573
汽车零售	3864957	316090	139130	9284	179881	28337
机动车燃料零售	1760551	1085120	990559	754078	59180	9532
家用电器及电子产品专门零售	1513870	623927	33401	13544	44960	11254
家用电器零售	803229	436807	19442	8788	21121	9519
计算机、软件及辅助设备零售业	381573	90197	8736	4752	21484	1326
通讯设备零售	266000	94038	4890	5	1734	408
五金、家具及室内装修材料专门零售	691823	334096	33637	5630	69156	38828
无店铺及其他零售	586141	135364	92222	37359	144063	13420
邮购及电子销售	21514	1978	181			
(三)按控股情况分						
国有控股	15644238	3583122	2928962	1798692	136445	85396
集体控股	772574	1259834	153730	90726	822103	350298
私人控股	2727388	2957466	97534	42748	261257	112698
港澳台控股	234083	577372	18099	13472	2548	
外商控股	629141	1591774	46383	38313	26544	17536

单位:万元

法人资本		个人资本		港澳台资本		外商资本	
限额以上	大中型企业	限额以上	大中型企业	限额以上	大中型企业	限额以上	大中型企业
3005104	2222824	1849654	1243826	599931	470788	1180702	960468
1726716	1226945	1226070	861239	243861	139986	388937	267554
1187852	960585	546514	354709	350039	324902	756888	677423
144305	57836	120868	56770	6152	5690	23704	12002
208821	80936	214076	76753	79578	30866	135477	123406
140481	57688	136981	54875	59975	17304	122658	116092
240379	90015	127443	43924	14579	2550	17855	4584
10616	7923	12157	4400	660		9644	2030
102560	59837	29498	17000			7799	2554
443926	247533	296423	102518	7245	1345	4887	4139
427423	246369	220219	101468	7245	1345	540	
2027287	439160	2324664	168406	28661		37703	
1450849	144650	2077145	133819	9643		8308	
514965	290228	150303	31283	18468		27076	
525518	215341	756842	240953	9232	4100	143917	138735
309295	145121	315839	140844	6067	2100	131465	130435
141272	54487	198323	19333	2549	2000	9211	8300
59404	15219	199338	78406	416		217	
196305	93603	260631	85712	53151	47579	78943	62744
182315	39197	117434	34446	13866	3647	36241	7294
18612	262	835	230			1886	1486
1953616	1219474	3396118	363263	45711	37992	84097	78306
973607	505954	246188	281772	54409	9243	25849	21841
3536174	1383860	2393510	1377800	30594	9824	61037	30536
111816	83569	3635	4449	621056	469623	9426	6260
398749	293588	28585	26026	60625	39883	1479021	1176429

1－5 大中型批发和

项 目	营业收入合计		主营业务收入		主营业务成本	
	限额以上	大中型企业	限额以上	大中型企业	限额以上	大中型企业
总 计	**975590035**	**376717698**	**963952920**	**371166622**	**891328439**	**333011593**
一、批发业	**785444638**	**284098895**	**777244766**	**280350483**	**723928023**	**252953356**
(一)按登记注册类型分						
1. 内资企业	**728107558**	**252002643**	**720639469**	**248700055**	**675036592**	**226382469**
国有企业	205023326	95462631	201562377	92648441	183492071	81212062
集体企业	15261910	5269670	15197886	5243015	14546804	5036485
股份合作企业	4987437	770662	4967478	767201	4713439	717692
联营企业	5475250	1926657	5442645	1908917	5053241	1672699
国有联营企业	3504087	1481817	3480583	1464150	3196137	1254981
集体联营企业	269912	83593	269570	83521	249213	77395
国有与集体联营企业	678330	9376	677435	9376	639916	6669
其他联营企业	1022921	351871	1015057	351871	967975	333654
有限责任公司	207568145	54170322	206716154	54010330	195274070	50063406
国有独资公司	18560237	4870664	18469062	4845303	16631815	4141029
其他有限责任公司	189007907	49299658	188247092	49165026	178642255	45922377
股份有限公司	133095665	80487056	132832742	80296578	125513752	75009460
私营企业	154725116	12674618	151958636	12593025	144729666	11638171
私营独资企业	1917291	249012	1914550	249012	1786629	234366
私营合伙企业	973303	32777	972065	32467	921269	29500
私营有限责任公司	145847387	10416491	143097182	10335373	136301603	9461266
私营股份有限公司	5987135	1976338	5974838	1976173	5720165	1913040
其他企业	1970710	1241027	1961552	1232547	1713549	1032494
2. 港、澳、台商投资企业	**9190047**	**4153882**	**9127839**	**4121595**	**8163789**	**3670165**
合资经营企业	2215097	862475	2182024	836053	1821580	629128
合作经营企业	522967	308961	522666	308892	469541	275012
独资经营企业	6239606	2863871	6210965	2858268	5721328	2701889
投资股份有限公司	212377	118575	212183	118381	151339	64136
3. 外商投资企业	**48147033**	**27942370**	**47477459**	**27528833**	**40727642**	**22900722**
中外合资经营企业	9961933	6094940	9908416	6060643	9175594	5635561
中外合作经营企业	211498	26194	211398	26194	187375	24020
外资企业	37379711	21346409	36764003	20967183	30835185	16821930
外商投资股份有限公司	593891	474828	593641	474814	529489	419212

零售企业损益及分配

单位:万元

主营业务税金及附加		主营业务利润		其他业务利润		营业费用	
限额以上	大中型企业	限额以上	大中型企业	限额以上	大中型企业	限额以上	大中型企业
1503630	**677775**	**67291858**	**35763520**	**6074610**	**3598094**	**33418287**	**17470072**
937344	**403463**	**49766899**	**25826534**	**2178797**	**809188**	**21773381**	**10245986**
902591	**380178**	**42220828**	**20860765**	**1670875**	**473641**	**17515318**	**7275231**
333361	185311	16795364	10629498	567980	187971	4529078	2491745
19641	7369	539893	177022	60798	14359	279984	88348
5565	1134	237282	46778	19310	5715	118543	18760
11638	4430	350727	211849	12356	1913	138931	63626
5105	3930	256178	185300	8371	1660	82709	45967
4187	33	15498	6093	622	153	10198	4697
1644	69	33273	2637	1609		15225	508
701	398	45778	17819	1755	100	30800	12454
242073	84165	10545693	3618403	618320	166565	5165553	1853905
31969	10752	1692441	609801	84513	22479	480779	167315
210104	73413	8853252	3008603	533807	144086	4684773	1686590
119095	77523	7015037	5184267	108167	61521	3214156	2174787
169735	19954	6579101	873655	281876	35497	3944984	482638
6929	176	110428	13341	1904	205	61080	8724
2079	46	45902	2921	1289		23884	1349
154692	18706	6194220	797000	268495	33960	3735273	451794
6036	1026	228550	60393	10189	1332	124746	20771
1483	292	157731	119292	2069	101	124089	101422
3305	**1038**	**891379**	**387306**	**56712**	**35274**	**544721**	**360154**
631	14	358483	205911	2911	952	167392	129584
123	114	42934	23698	1554	1154	34032	28622
2236	910	430268	103451	51695	32906	310552	176746
315		59693	54246	552	261	32745	25202
31448	**22247**	**6654692**	**4578464**	**451210**	**300272**	**3713343**	**2610601**
2517	932	710881	412391	31047	11762	380387	211071
16		18225	2174	1203		17865	1179
28321	21315	5862231	4108298	407707	277523	3295282	2382177
594		63354	55601	11252	10987	19809	16174

1－5 续表1

项目	管理费用		财务费用		营业利润	
	限额以上	大中型企业	限额以上	大中型企业	限额以上	大中型企业
总计	**20467102**	**10582269**	**3408679**	**1157952**	**21573994**	**12471836**
一、批发业	**13311353**	**6557705**	**2449208**	**679798**	**18202019**	**10705933**
(一)按登记注册类型分						
1. 内资企业	**11179600**	**5113841**	**2409066**	**660101**	**16258802**	**9659808**
国有企业	4697747	2837103	541751	142009	9135800	6215538
集体企业	239373	68542	154711	24190	69891	34558
股份合作企业	90984	15964	18242	3680	55979	15333
联营企业	83248	41630	11807	1752	170278	125385
国有联营企业	56825	32608	5473	1346	147673	125669
集体联营企业	4054	1600	2508	147	463	－199
国有与集体联营企业	10456	1166	1959	190	11154	774
其他联营企业	11913	6256	1867	68	10988	－859
有限责任公司	2936200	993902	791557	207323	3036667	1003659
国有独资公司	486917	203801	94300	20968	833216	310712
其他有限责任公司	2449283	790101	697257	186354	2203451	692947
股份有限公司	1178593	826430	368323	226863	2593305	2063534
私营企业	1937900	323877	517599	53544	1091364	109959
私营独资企业	35513	5697	5175	52	22482	202
私营合伙企业	15778	1082	3273	85	8850	405
私营有限责任公司	1817501	302836	489121	46542	1007425	87561
私营股份有限公司	69108	14262	20030	6865	52607	21791
其他企业	15554	6393	5077	740	105518	91844
2. 港、澳、台商投资企业	**239510**	**129048**	**13160**	**2221**	**325808**	**73595**
合资经营企业	73551	58173	4023	707	136907	19937
合作经营企业	10801	9039	－1437	－1144	11378	－1527
独资经营企业	142052	48415	5368	420	167498	41540
投资股份有限公司	13107	13422	5205	2238	10025	13646
3. 外商投资企业	**1892243**	**1314815**	**26982**	**17477**	**1617409**	**972530**
中外合资经营企业	113174	55838	17611	8380	254561	162127
中外合作经营企业	8456	433	317	23	－562	539
外资企业	1737196	1229176	5423	6610	1344688	790512
外商投资股份有限公司	33417	29369	3632	2464	18722	19352

单位:万元

利润总额		应交所得税		劳动、失业保险费		住房公积金和住房补贴	
限额以上	大中型企业	限额以上	大中型企业	限额以上	大中型企业	限额以上	大中型企业
23833279	**13570262**	**6394313**	**3651463**	**1420425**	**843001**	**650149**	**404665**
20540305	**11839040**	**5366284**	**3047627**	**880809**	**503806**	**479145**	**301691**
18065757	**10250287**	**4959695**	**2813095**	**815762**	**473233**	**416456**	**262147**
9752798	6322869	2930018	1943431	370890	245815	223220	161903
92791	41467	25203	13358	16426	4786	9865	1507
61666	15329	14873	1929	6584	1974	1196	121
175014	129213	47191	37898	3613	1740	2489	1624
150596	128296	42075	37648	2620	1570	2070	1603
8	-156	138	12	181	77	25	
12134	1375	2598	138	597	76	287	8
12276	-302	2380	100	215	17	108	12
3999025	1311424	1031744	343375	231516	114320	97325	37555
1026422	334348	271253	100884	30197	14467	18122	9334
2972603	977076	760491	242491	201319	99853	79202	28221
2714367	2212865	646375	443258	114744	94414	67207	57331
1162685	125160	259482	29317	69818	9944	14984	2043
18840	425	3728	199	878	161	222	52
8826	403	1764	155	333		17	3
1078232	101055	240528	22789	65289	8909	14379	1861
56787	23277	13462	6174	3318	873	366	127
107409	91959	4808	530	2171	241	171	63
235539	**88331**	**47498**	**21128**	**10606**	**5005**	**5044**	**2460**
23565	20134	8812	5470	1615	872	1092	654
12332	-989	4015	1977	870	770	201	139
178676	43524	31014	10037	7215	2650	3366	1331
20966	25662	3657	3644	905	713	386	336
2239009	**1500422**	**359092**	**213404**	**54441**	**25568**	**57645**	**37084**
275986	173344	62499	41307	5506	2007	5252	3253
105	514	173	170	602	47	496	11
1942146	1304734	296295	171928	47920	23256	51380	33340
20773	21830	124		414	258	516	481

1－5 续表 2

项　目	营业收入合计		主营业务收入		主营业务成本	
	限额以上	大中型企业	限额以上	大中型企业	限额以上	大中型企业
（二）按行业分						
农畜产品批发	18062068	4493425	17983389	4468697	17031022	4210391
食品、饮料及烟草制品批发	88590108	52402871	87930901	52150299	72858429	41724245
米、面制品及食用油批发	6517769	1176329	6458452	1168492	6179344	1090210
烟草制品批发	59831428	42317277	59444740	42184168	47316744	33134133
纺织、服装及日用品批发	61059943	18706920	60693535	18596983	56352179	16642426
服装批发	24326381	8455080	24075260	8391193	22392004	7605378
文化、体育用品及器材批发	10604720	3185211	10388038	3156887	9360253	2742031
医药及医疗器材批发	31868293	16446101	31821526	16424439	29541593	15279111
矿产品、建材及化工产品批发	411399081	130589152	409626646	129624611	390734957	121841116
煤炭及制品批发	28304513	7679946	28206655	7665093	25734065	7067612
石油及制品批发	176514611	84619384	176099058	84489393	166998732	78944118
金属及金属矿批发	136213151	26940600	135692506	26670809	131601158	25708066
建材批发	16270847	1820934	16188913	1808270	15478673	1688164
化肥批发	11831442	4692974	11798246	4689568	11255665	4430955
机械设备、五金交电及电子产品批发	121458748	46007488	116633831	43727912	108170484	39074830
汽车、摩托车及零配件批发	25498000	8119058	23178201	8066955	22001668	7623811
家用电器批发	18954103	10781445	18881955	10728182	17292277	9518483
计算机、软件及辅助设备批发	10797934	2150397	10767238	2143740	10336518	2079949
贸易经纪与代理	14225075	5733613	14134306	5691225	13510602	5518859
其他批发	28176602	6534113	28032595	6509429	26368504	5920347
（三）按控股情况分						
国有控股	437417296	212197041	432893003	209060896	401720854	189624413
集体控股	61091208	18056677	60950700	17989585	57782753	16878825
私人控股	234178705	27463218	231283670	27306819	219744057	25204284
港澳台控股	10703273	5782463	10675111	5774658	9647866	5276599
外商控股	42054156	20599498	41442282	20218525	35032493	15969236

单位:万元

主营业务税金及附加		主营业务利润		其他业务利润		营业费用	
限额以上	大中型企业	限额以上	大中型企业	限额以上	大中型企业	限额以上	大中型企业
15096	3097	833241	232542	109777	24428	519571	118978
269661	173647	13826262	9638762	288373	150796	3127799	2020490
5183	365	225024	63759	51234	12426	216698	57175
203966	148842	11299397	8386400	70119	54883	1637317	1281838
38138	10230	4056524	1817261	163445	54488	2462388	1136694
11208	3374	1515427	671340	41072	13153	861467	393421
19098	5646	902422	350506	60210	18773	438963	174307
43568	16783	2140228	1096355	79199	38735	1185447	610050
375840	120286	17849703	7534332	595061	124854	8691119	3314384
70103	16912	2269340	543661	118147	17311	1237484	275870
158183	75048	8830114	5414988	172300	49718	4009803	2358489
85677	15785	3801792	937113	139414	33801	1830237	314345
16814	2269	646778	113533	54290	11613	372619	64101
10734	6941	454840	237247	18950	2990	272166	136746
119218	45813	8023581	4427173	671007	333895	4301819	2544979
19159	3557	1125439	433727	59779	8468	615411	266486
15882	7664	1443913	1084226	99666	62546	1252571	1022705
9248	3513	394111	47073	29268	6579	227269	83798
16358	3917	562640	168255	82339	37094	263015	48418
40367	24045	1572298	561347	129385	26126	783262	277687
599476	301621	29136433	18315196	1206339	346738	10077095	5857909
80628	43405	2794682	988550	150439	51274	1456760	528747
226731	35399	10527893	1892337	406907	86130	6130208	1072326
3968	2810	951314	432163	46269	34163	578496	383703
26540	20228	6356576	4198289	368843	290883	3530821	2403302

1－5 续表3

项目	管理费用		财务费用		营业利润	
	限额以上	大中型企业	限额以上	大中型企业	限额以上	大中型企业
（二）按行业分						
农畜产品批发	444792	125236	338673	81971	－212123	－41001
食品、饮料及烟草制品批发	3779747	2605359	240295	50875	8230572	5897516
米、面制品及食用油批发	203995	52584	106832	20306	－178746	－30623
烟草制品批发	2797363	2166847	－18239	－2645	7750617	5651539
纺织、服装及日用品批发	1136001	449926	215442	59226	712301	372507
服装批发	411379	172510	74524	17356	375619	213721
文化、体育用品及器材批发	322544	129892	40488	5272	227904	97494
医药及医疗器材批发	734799	352051	121652	73766	300599	141886
矿产品、建材及化工产品批发	3386728	1147987	1128674	326216	6419170	3107157
煤炭及制品批发	443403	120943	97053	23166	1000009	187426
石油及制品批发	1119919	650476	335689	172754	3753163	2425765
金属及金属矿批发	979377	231967	424403	70011	981394	368625
建材批发	217362	41704	66874	19018	133142	9764
化肥批发	126464	42942	67177	26984	83167	49239
机械设备、五金交电及电子产品批发	2763014	1496531	259456	60015	1907565	930411
汽车、摩托车及零配件批发	323519	85839	62354	13904	237009	83691
家用电器批发	369396	268923	40044	15765	32304	－33548
计算机、软件及辅助设备批发	151784	40457	17688	4316	152099	14529
贸易经纪与代理	242808	72502	18334	4104	201439	82305
其他批发	500920	178221	86195	18353	414593	117660
（三）按控股情况分						
国有控股	7366817	4308499	1228452	497265	13744675	9072702
集体控股	844416	251637	276750	70734	710265	299741
私人控股	2987816	587279	908947	101592	1939260	406520
港澳台控股	243626	125130	12997	5573	345781	94358
外商控股	1868678	1285159	22062	4634	1462037	832612

单位:万元

利润总额		应交所得税		劳动、失业保险费		住房公积金和住房补贴	
限额以上	大中型企业	限额以上	大中型企业	限额以上	大中型企业	限额以上	大中型企业
257014	148084	39917	11393	27138	6708	12992	2428
8588490	6036342	2643211	1882850	305662	224539	200495	157690
41509	34067	14507	2442	19853	5536	4862	1575
7968409	5734440	2476341	1810332	220817	183180	173774	145389
889757	481749	208836	95889	60044	21917	35580	14501
437370	252324	89661	41817	22415	8152	11176	6133
219776	73469	51933	17201	30020	15788	10710	6092
372364	219828	91052	47094	83237	59329	16558	10455
7018262	3182569	1695647	715561	233078	122793	114567	70409
933249	244576	200561	55648	26904	5537	12039	3819
3997486	2389836	1065024	536563	105262	83529	61337	49053
1270755	388335	264159	92561	46872	22212	21655	12456
178139	14413	37177	5936	9324	2144	4096	644
115314	63564	25988	16071	18128	3292	4567	1863
2393047	1419244	462515	221539	104814	38571	64961	31607
280401	90882	80689	31888	15308	5295	5350	1750
39343	-45203	28434	11671	16768	10894	6778	4902
45765	18194	10975	2158	8592	2818	3867	1850
277432	106626	74541	30982	12195	4374	8057	1786
524164	171128	98633	25117	24622	9788	15225	6723
15476212	9639111	4283947	2685771	630566	428617	359401	252367
760570	299896	201474	73892	66780	22070	26670	6309
2044841	436623	483142	77424	120023	24034	32967	6126
247490	104471	57142	29089	10156	4262	5574	2840
2011193	1358939	340580	179451	53283	24824	54533	34050

1－5 续表4

项 目	营业收入合计		主营业务收入		主营业务成本	
	限额以上	大中型企业	限额以上	大中型企业	限额以上	大中型企业
二、零售业	**190145397**	**92618803**	**186708154**	**90816139**	**167400416**	**80058237**
（一）按登记注册类型分						
1. 内资企业	**170110620**	**77571582**	**167178637**	**76134638**	**150711223**	**67310229**
国有企业	12371953	5690125	12201553	5611126	10570435	4908541
集体企业	4272651	1403633	4234468	1383910	3845145	1213950
股份合作企业	2098953	1096827	2089049	1093024	1898007	986069
联营企业	2240132	1275688	2227132	1270933	2118624	1213758
国有联营企业	579640	132901	570374	129201	527702	109612
集体联营企业	179243	47503	178843	47503	163100	42339
国有与集体联营企业	1270436	1063447	1268966	1063447	1234867	1036613
其他联营企业	210813	31837	208949	30782	192955	25194
有限责任公司	58017822	24657460	56910479	23922029	51237809	20933392
国有独资公司	3010413	2552592	2988583	2534916	2600196	2207096
其他有限责任公司	55007409	22104868	53921896	21387113	48637613	18726296
股份有限公司	37064011	29102897	36537589	28732556	32469568	25458942
私营企业	53182526	13861856	52119974	13638380	47808387	12169571
私营独资企业	2818099	1323212	2806852	1321203	2541945	1224744
私营合伙企业	925035	144794	917364	139169	818749	123021
私营有限责任公司	46619965	11565338	45585998	11352294	41886862	10099690
私营股份有限公司	2819428	828513	2809760	825714	2560831	722116
其他企业	862572	483096	858393	482680	763249	426008
2. 港、澳、台商投资企业	**5973527**	**4135015**	**5865536**	**4074961**	**4835827**	**3419577**
合资经营企业	3902378	3141944	3838752	3110784	3223835	2588384
合作经营企业	817372	463974	809008	460195	699085	389456
独资经营企业	1251106	529098	1215773	503982	911098	441736
投资股份有限公司	2671		2003		1810	
3. 外商投资企业	**14061251**	**10912206**	**13663982**	**10606540**	**11853366**	**9328432**
中外合资经营企业	7386916	5945413	7156008	5772419	6190658	5027076
中外合作经营企业	3488016	2672351	3370026	2569241	3031413	2386234
外资企业	3001112	2164073	2952931	2134512	2491632	1819804
外商投资股份有限公司	185206	130369	185017	130369	139663	95318

单位:万元

主营业务税金及附加		主营业务利润		其他业务利润		营业费用	
限额以上	大中型企业	限额以上	大中型企业	限额以上	大中型企业	限额以上	大中型企业
566286	274312	17524960	9936986	3895814	2788907	11644906	7224086
515472	250180	14811600	8073052	2948276	1964026	9432330	5491568
46384	19514	1444546	628837	186207	106125	744053	341729
20763	7693	325211	148336	58357	29323	174205	86993
7238	2476	174914	100894	39958	24907	96198	55370
1947	775	100486	55583	25304	16479	74264	47374
558	127	40778	19347	15545	9371	36423	25469
486	147	12477	4806	674	189	9740	4002
477	334	33284	26500	5453	4531	18906	14264
426	168	13946	4929	3632	2388	9195	3639
169577	86517	5125839	2748093	1301962	845684	3631205	2116913
10194	9154	371809	314319	56821	49270	153060	130786
159382	77362	4754030	2433774	1245141	796414	3478146	1986127
113476	84357	3776780	3054028	622198	534489	1885606	1609435
152677	46982	3781125	1286418	706182	403285	2770726	1195950
17162	3739	218748	88055	29695	19926	163789	97950
5409	1050	87967	15075	9226	5867	95247	14156
118445	38529	3258481	1095965	633624	361951	2383605	1038544
11662	3665	215929	87322	33637	15541	128085	45299
3410	1866	82700	50865	8108	3733	56073	37806
12731	**10236**	**983130**	**621304**	**264399**	**223466**	**621851**	**483805**
10159	9089	593763	506309	208083	188529	414222	379965
1541	699	95846	62764	17532	12207	44316	31726
1032	448	293328	52232	38167	22730	163261	72114
		194		617		52	
38082	**13896**	**1730230**	**1242629**	**683139**	**601415**	**1590725**	**1248712**
6592	3156	944278	729866	320414	281053	855776	709046
7421	6450	317396	176557	205526	186013	325667	217423
23420	3727	423852	301720	148408	127395	375679	294422
650	563	44704	34488	8791	6954	33603	27820

1－5 续表5

项　目	管理费用		财务费用		营业利润	
	限额以上	大中型企业	限额以上	大中型企业	限额以上	大中型企业
二、零售业	**7155749**	**4024564**	**959471**	**478153**	**3371975**	**1765903**
(一)按登记注册类型分						
1. 内资企业	**6183589**	**3318464**	**889177**	**428219**	**2755840**	**1419483**
国有企业	759684	359743	63567	35745	251572	59691
集体企业	158846	72926	27716	11659	63542	22527
股份合作企业	92337	56292	14254	5509	21500	11136
联营企业	38634	15774	9268	4554	18996	5165
国有联营企业	17940	5419	1887	1173	1593	－3240
集体联营企业	3928	514	1094	－40	3243	730
国有与集体联营企业	8384	6292	3369	3391	8470	7085
其他联营企业	8383	3549	2918	31	5690	590
有限责任公司	2150643	1124967	297881	122690	847949	420171
国有独资公司	190171	157901	31687	27768	66795	52305
其他有限责任公司	1960473	967066	266194	94922	781154	367866
股份有限公司	1338300	1112627	207471	163886	1184298	860949
私营企业	1606827	552782	263877	81136	365117	44907
私营独资企业	64690	28657	12511	3060	60172	12262
私营合伙企业	16114	5729	3755	1091	－12723	8
私营有限责任公司	1425097	468724	234636	71089	282306	17727
私营股份有限公司	100925	49672	12975	5897	35362	14910
其他企业	38318	23352	5142	3040	2866	－5062
2. 港、澳、台商投资企业	**327489**	**223720**	**16054**	**11873**	**328606**	**153510**
合资经营企业	199556	151283	14657	9589	194233	164895
合作经营企业	51028	32332	221	－327	32381	18531
独资经营企业	76660	40105	1179	2611	101477	－29917
投资股份有限公司	245		－2		516	
3. 外商投资企业	**644671**	**482381**	**54240**	**38062**	**287529**	**192910**
中外合资经营企业	315492	247760	13495	8188	101756	64687
中外合作经营企业	141603	102693	8806	5980	138180	108067
外资企业	186127	131779	27756	20486	33328	10093
外商投资股份有限公司	1450	150	4183	3409	14266	10063

单位:万元

利润总额		应交所得税		劳动、失业保险费		住房公积金和住房补贴	
限额以上	大中型企业	限额以上	大中型企业	限额以上	大中型企业	限额以上	大中型企业
3292974	**1731222**	**1028029**	**603836**	**539616**	**339195**	**171005**	**102974**
2767515	**1484067**	**814307**	**474221**	**468296**	**279852**	**141793**	**78122**
235838	60795	69391	29203	84588	42334	45011	14150
64280	23546	15221	6613	16150	8707	2113	1071
23874	19768	8782	6133	5556	3024	1523	1010
9885	3869	5662	2561	3304	1797	826	348
860	-4232	1801	179	1517	651	343	36
1007	686	631	162	311	7	82	1
9476	7066	2647	1973	987	844	259	215
-1457	349	583	248	490	295	141	96
778614	355024	285052	144747	162736	88307	42649	22184
64814	55374	14589	12407	9544	7240	5343	4272
713800	299650	270462	132340	153192	81068	37306	17912
1319258	967491	279130	231186	117673	99672	33128	29055
318741	41529	146764	50274	74864	33306	16102	10005
50276	9580	10305	4197	1671	441	487	8
-15757	160	2307	306	722	394	275	14
252930	21035	123327	41695	68604	30613	10808	5671
31291	11074	10826	4076	3867	1858	4533	4313
17025	12045	4305	3504	3424	2705	440	299
332684	**159393**	**104791**	**47423**	**16681**	**12195**	**7295**	**6131**
192661	162734	45310	35813	11025	9758	6001	5400
32099	22334	10968	7875	2002	1617	461	282
107405	-25675	48369	3734	3653	820	831	449
519		145		1		2	
192775	**87761**	**108931**	**82192**	**54640**	**47149**	**21917**	**18721**
84788	59598	48308	42128	40621	37416	14401	12865
82475	29455	31207	20463	5299	3146	2979	2432
18720	-8473	28923	19601	8637	6568	4483	3424
6793	7182	493		83	19	54	

1－5 续表6

项目	营业收入合计		主营业务收入		主营业务成本	
	限额以上	大中型企业	限额以上	大中型企业	限额以上	大中型企业
(二)按行业分						
综合零售	71950832	54531310	70195024	53184795	60926659	46285554
百货零售	36369008	26183000	35651444	25694849	30416271	21987531
超级市场零售	32607154	26700834	31853003	26096565	28184266	23122018
食品、饮料及烟草制品专门零售	3470587	1510034	3402412	1471052	2845062	1178119
纺织、服装及日用品专门零售	4048751	1678711	3970027	1652814	3039874	1272761
服装零售	2597524	1132683	2537956	1116754	1895934	876838
文化、体育用品及器材专门零售	5432351	1732597	5336811	1698188	4097092	1245505
体育用品零售	299039	190584	297678	190530	248510	160867
图书零售	3365068	1299214	3291575	1266685	2443400	910453
医药及医疗器材专门零售	7232070	3421322	7187289	3392715	6324109	2923684
药品零售	6584644	3254070	6549875	3232923	5784767	2803341
汽车、摩托车、燃料及零配件专门零售	70855554	17244965	70015142	17219831	65851368	16009769
汽车零售	46967198	4620366	46227806	4602898	43843098	4345019
机动车燃料零售	22029849	12370535	21937705	12363017	20309516	11449765
家用电器及电子产品专门零售	21250293	10798071	20864108	10535020	19351247	9745160
家用电器零售	14257730	9295185	13953589	9063687	12922548	8413526
计算机、软件及辅助设备零售业	3890049	743804	3852088	731671	3592206	653351
通讯设备零售	2507562	727460	2467540	708041	2298025	651525
五金、家具及室内装修材料专门零售	2877747	997429	2781584	961215	2299468	770615
无店铺及其他零售	3027212	704365	2955757	700510	2665536	627071
邮购及电子销售	262901	33320	260948	33234	228792	19475
(三)按控股情况分						
国有控股	52996837	33669933	52106543	33065204	46146460	29184682
集体控股	25673666	14846510	25240484	14600000	22579172	12857837
私人控股	91544684	29644499	89922408	29051926	81959917	25703776
港澳台控股	5893598	3975377	5774268	3905431	4821270	3331250
外商控股	14036612	10482485	13664452	10193578	11893597	8980693

单位：万元

主营业务税金及附加		主营业务利润		其他业务利润		营业费用	
限额以上	大中型企业	限额以上	大中型企业	限额以上	大中型企业	限额以上	大中型企业
301876	195287	8465892	6399193	2773982	2196385	6349421	4896142
179495	123853	4799081	3424490	1133824	817447	2326644	1610454
110434	66484	3340234	2771522	1545064	1314706	3729982	3071783
15287	7458	470828	240620	70042	39586	257496	120290
20352	7331	839236	358746	85959	48091	536663	253722
12667	5309	571781	224017	46778	24538	365785	164712
46078	9524	1124437	424156	93521	38496	484805	194215
713	318	47718	29344	3101	1062	27754	14190
15760	5302	783782	335375	58592	31113	331184	143305
19678	9812	783798	437554	67011	46119	493082	295091
17385	9506	690358	398697	55245	37679	409190	242906
89903	19649	3839963	1154988	160231	22239	1837007	578016
55391	5893	2162848	231983	133357	20177	1013677	100835
27242	13134	1542295	886185	19797	1722	767066	468850
41860	16505	1320272	684682	516164	340363	1174811	664218
25489	12546	883719	554669	431274	311239	890901	560402
8260	2256	241103	75028	31869	11247	132696	58412
6318	1498	148311	50328	48064	17270	126680	43646
21496	6825	426178	169454	96375	52652	351009	176694
9757	1921	254357	67592	32529	4977	160613	45697
635	51	30257	13708	2575	318	21670	8337
168814	101865	5543684	3667408	892406	645098	2811544	1957707
85406	49399	2408004	1625305	555697	366516	1576228	1124376
259684	98920	7019215	2954652	1521744	977619	5030714	2462184
11541	8846	892012	534849	271951	227151	672866	498307
40841	15281	1662044	1154772	654016	572522	1553554	1181512

1－5 续表7

项　　目	管理费用		财务费用		营业利润	
	限额以上	大中型企业	限额以上	大中型企业	限额以上	大中型企业
（二）按行业分						
综合零售	3805379	2815749	456755	331837	1367941	1012894
百货零售	2547278	1824795	353522	260790	1053207	740971
超级市场零售	1132918	922384	88695	67814	312577	284854
食品、饮料及烟草制品专门零售	203527	100666	20545	8478	97138	63163
纺织、服装及日用品专门零售	310565	159354	28270	14503	142712	4343
服装零售	198881	101332	18174	10359	112733	－6526
文化、体育用品及器材专门零售	563821	221155	24162	8340	227756	60638
体育用品零售	18029	8698	1728	885	4674	6634
图书零售	424702	188205	11002	5610	138383	46067
医药及医疗器材专门零售	362389	192452	38477	18603	54396	26418
药品零售	324363	178255	36348	17730	52363	28679
汽车、摩托车、燃料及零配件专门零售	1138938	199753	293240	55584	1076789	383978
汽车零售	879420	98878	247611	33238	384416	34444
机动车燃料零售	217548	97532	38625	21882	636542	322860
家用电器及电子产品专门零售	501589	247745	56320	24508	313260	211771
家用电器零售	311190	196505	29185	13072	244744	205555
计算机、软件及辅助设备零售业	96904	26072	19043	8260	45001	1283
通讯设备零售	67257	22246	7369	3043	17689	4482
五金、家具及室内装修材料专门零售	161016	60916	23845	10729	40017	524
无店铺及其他零售	108525	26774	17859	5571	51967	2173
邮购及电子销售	15252	7400	567	569	－2250	－1159
（三）按控股情况分						
国有控股	2381474	1519448	226393	146280	1388922	825733
集体控股	986153	630882	156765	84381	443771	237106
私人控股	2891328	1238599	505665	196308	997807	406116
港澳台控股	278900	188971	11951	10455	264015	99367
外商控股	617894	446665	58697	40730	277460	197580

单位：万元

利润总额		应交所得税		劳动、失业保险费		住房公积金和住房补贴	
限额以上	大中型企业	限额以上	大中型企业	限额以上	大中型企业	限额以上	大中型企业
1333261	973926	526678	404373	275424	217937	78556	66123
1096366	789053	347535	252922	156854	118879	48191	39941
203259	182933	168865	144059	105437	89986	27796	24486
141450	78298	39349	22199	27075	15084	6898	4250
142568	1992	57226	10088	21888	12189	6583	2381
109344	-8254	45256	4220	13245	7650	1842	1290
217302	62753	49509	11711	60929	25815	36124	9650
5376	7391	532	321	1780	1291	409	257
118747	46423	30986	8047	45386	22261	28323	8428
55685	34135	23640	12591	41746	19999	13020	5766
51692	35537	21530	12381	39726	18840	12079	5014
1009319	372797	233078	88273	64678	25319	17420	8183
362858	37945	115407	12827	32878	4903	6510	830
596090	309809	112543	74358	29945	19926	10564	7277
292428	203028	74638	48802	30814	16771	6184	4152
223935	193944	57459	45364	20816	13742	4396	3319
46415	3974	10377	2091	4539	906	1106	584
15775	4676	5481	1277	4342	1980	487	221
54947	-1878	12386	4055	8829	3724	3052	1497
46014	6171	11525	1745	8233	2357	3168	972
-647	-1368	1266	1	720	22	198	62
1434733	855790	357743	240581	224224	146088	91849	46101
477847	270182	139316	89142	93496	57971	18100	12937
931243	412123	331376	156557	157468	83262	34676	21517
264289	104156	90037	35962	13596	9147	6120	5242
184861	88971	109557	81594	50832	42727	20260	17177

1－6 大中型批发和零售企业工资、福利费及增值税

单位:万元

项目	本年应付工资总额		本年应付福利费总额		本年应交增值税	
	限额以上	大中型企业	限额以上	大中型企业	限额以上	大中型企业
总计	**10759875**	**5946281**	**1506490**	**825458**	**11042492**	**5873389**
一、批发业	**6579190**	**3488797**	**910830**	**473586**	**8032339**	**4212609**
(一)按登记注册类型分						
1. 内资企业	**5465453**	**2768946**	**807278**	**403923**	**6946887**	**3453113**
国有企业	2243635	1402287	337839	209291	2696226	1670201
集体企业	120350	30464	14612	4422	61523	18859
股份合作企业	37252	9170	4946	1251	40819	8080
联营企业	51820	27892	6353	3601	133955	39280
国有联营企业	36497	23426	4490	3022	120595	32208
集体联营企业	2466	1395	281	164	1845	271
国有与集体联营企业	6767	601	901	84	2496	329
其他联营企业	6091	2471	682	331	9019	6473
有限责任公司	1445962	582310	240504	87713	1738422	663155
国有独资公司	231426	111506	42410	15069	244083	91363
其他有限责任公司	1214536	470805	198093	72645	1494340	571792
股份有限公司	698634	543761	100630	77251	1112858	833938
私营企业	858715	167486	101518	19936	1152624	218136
私营独资企业	14953	2665	2605	698	18593	1091
私营合伙企业	6092	392	670	16	4526	443
私营有限责任公司	804529	153663	93854	17842	1099787	212912
私营股份有限公司	33142	10766	4390	1379	29718	3691
其他企业	9084	5575	876	459	10460	1464
2. 港、澳、台商投资企业	**136416**	**70084**	**10763**	**4913**	**131376**	**74911**
合资经营企业	29576	17895	2753	1727	38954	31190
合作经营企业	4053	2931	136	7	8422	4509
独资经营企业	93375	41240	7412	2812	73337	30013
投资股份有限公司	9413	8018	462	367	10664	9200
3. 外商投资企业	**977321**	**649767**	**92789**	**64750**	**954075**	**684584**
中外合资经营企业	62944	29799	9172	4468	85416	45714
中外合作经营企业	5055	500	202	21	8317	352
外资企业	893901	605030	78337	55287	851374	630574
外商投资股份有限公司	15421	14439	5078	4974	8968	7945

1－6　续表 1

单位:万元

项　目	本年应付工资总额		本年应付福利费总额		本年应交增值税	
	限额以上	大中型企业	限额以上	大中型企业	限额以上	大中型企业
(二)按行业分						
农畜产品批发	221609	71078	31646	8722	112580	201804
食品、饮料及烟草制品批发	1874981	1297564	274394	190880	2241240	1545392
米、面制品及食用油批发	91517	25324	12772	2707	15313	1445
烟草制品批发	1387811	1074070	204655	156491	1918221	1399662
纺织、服装及日用品批发	573073	246960	84872	34474	666533	210317
服装批发	205153	87392	27702	10398	217471	48903
文化、体育用品及器材批发	162982	71418	24272	12820	124472	64592
医药及医疗器材批发	414578	212596	52738	25507	350565	182521
矿产品、建材及化工产品批发	1628209	756840	248461	104251	2988507	1241858
煤炭及制品批发	180846	58589	44065	8091	386675	82341
石油及制品批发	671833	480536	92393	65934	1594458	922567
金属及金属矿批发	415109	139892	63856	20102	554609	78809
建材批发	86580	19655	11566	1765	89461	10596
化肥批发	57130	20139	8835	3308	101139	90660
机械设备、五金交电及电子产品批发	1352880	714299	150695	76462	1300990	707041
汽车、摩托车及零配件批发	167035	45342	20717	8188	166927	55903
家用电器批发	221024	164718	18933	12841	234646	187014
计算机、软件及辅助设备批发	89303	28455	8705	2362	76538	23373
贸易经纪与代理	95502	29183	14021	5869	58159	26334
其他批发	255377	88859	29732	14602	189292	32750
(三)按控股情况分						
国有控股	3759605	2319213	562205	345083	4797157	3009476
集体控股	430143	152265	74221	20647	379151	126573
私人控股	1311665	316385	173347	41137	1790039	348971
港澳台控股	137026	70343	12808	6940	127187	67478
外商控股	940751	630591	88249	59779	938804	660111

1－6　续表2

单位:万元

项　　目	本年应付工资总额		本年应付福利费总额		本年应交增值税	
	限额以上	大中型企业	限额以上	大中型企业	限额以上	大中型企业
二、零售业	**4180685**	**2457484**	**595661**	**351871**	**3010153**	**1660780**
(一)按登记注册类型分						
1. 内资企业	**3603259**	**2005446**	**515147**	**287225**	**2597507**	**1398286**
国有企业	462327	215595	72277	29387	280015	144210
集体企业	116121	47161	13981	6774	50701	23539
股份合作企业	51258	31461	7189	4486	25171	13098
联营企业	29766	16776	5502	1398	19813	7193
国有联营企业	13778	8651	1245	604	9295	5003
集体联营企业	5817	3344	571	274	5362	439
国有与集体联营企业	4616	2740	551	356	3283	1390
其他联营企业	5555	2041	3135	164	1874	360
有限责任公司	1307173	736920	187100	110113	918011	454846
国有独资公司	89116	74237	15517	12597	52325	44648
其他有限责任公司	1218058	662683	171583	97517	865686	410198
股份有限公司	646652	541503	96816	81293	662374	517805
私营企业	971271	404511	130642	53242	632307	234032
私营独资企业	55857	21791	6811	2980	29288	15323
私营合伙企业	16677	6746	2346	556	10457	1429
私营有限责任公司	843038	350372	113647	45989	554869	203811
私营股份有限公司	55698	25603	7837	3717	37692	13469
其他企业	18690	11519	1641	533	9116	3564
2. 港、澳、台商投资企业	**173198**	**125496**	**25915**	**20672**	**130674**	**63889**
合资经营企业	113858	101241	14355	13689	62621	47112
合作经营企业	12223	6870	6757	4397	13352	9992
独资经营企业	47047	17385	4803	2586	54675	6785
投资股份有限公司	71				27	
3. 外商投资企业	**404228**	**326543**	**54599**	**43974**	**281972**	**198606**
中外合资经营企业	222251	186354	21412	17850	148365	113892
中外合作经营企业	72203	53959	16262	11966	60976	37536
外资企业	103128	80774	15901	13223	69388	45325
外商投资股份有限公司	6646	5455	1024	934	3244	1854

1－6　续表3

单位:万元

项　目	本年应付工资总额		本年应付福利费总额		本年应交增值税	
	限额以上	大中型企业	限额以上	大中型企业	限额以上	大中型企业
(二)按行业分						
综合零售	2062231	1584710	296445	233676	1407252	1017466
百货零售	1030602	760492	147993	110825	831202	581284
超级市场零售	922274	749669	129857	107750	532001	405030
食品、饮料及烟草制品专门零售	137294	74076	21068	12893	64846	34613
纺织、服装及日用品专门零售	197998	99891	21096	9705	128567	50702
服装零售	122616	59005	12727	5877	87463	31157
文化、体育用品及器材专门零售	343177	136928	59915	19388	175506	84211
体育用品零售	12252	7986	2084	1288	32433	30028
图书零售	237492	112872	43354	15861	109339	45357
医药及医疗器材专门零售	284199	146369	32418	18444	124909	67650
药品零售	260860	133781	30686	17815	111961	62036
汽车、摩托车、燃料及零配件专门零售	643051	174738	88181	24740	749198	251712
汽车零售	404069	45737	54383	6106	366992	33692
机动车燃料零售	209226	125005	28993	18185	364195	215334
家用电器及电子产品专门零售	357656	176364	51848	23155	267945	122912
家用电器零售	233840	135484	30641	17885	202912	109649
计算机、软件及辅助设备零售业	61843	20806	13288	3081	31166	6785
通讯设备零售	48715	18378	5957	1926	25199	5828
五金、家具及室内装修材料专门零售	89504	42295	15316	6179	55647	23166
无店铺及其他零售	65575	22114	9374	3692	36283	8348
邮购及电子销售	6210	2691	649	164	4406	383
(三)按控股情况分						
国有控股	1305122	838977	206748	131898	1030087	618390
集体控股	534610	337510	76930	51039	366234	245871
私人控股	1794360	858803	241375	113326	1202619	531412
港澳台控股	163573	116214	15545	10578	124356	54679
外商控股	383020	305981	55063	45030	286856	210428

1－7 大中型批发和零售

项　目	负债比率(%)		商品销售毛利率(%)	
	限额以上	大中型企业	限额以上	大中型企业
总　计	**71.2**	**65.8**	**7.5**	**10.3**
一、批发业	**70.6**	**62.5**	**6.9**	**9.8**
(一)按登记注册类型分				
1. 内资企业	**70.9**	**62.0**	**6.3**	**9.0**
国有企业	65.6	54.6	9.0	12.3
集体企业	87.0	87.5	4.3	3.9
股份合作企业	81.7	73.2	5.1	6.5
联营企业	66.8	56.3	7.2	12.4
国有联营企业	56.7	36.1	8.2	14.3
集体联营企业	77.3	90.8	7.6	7.3
国有与集体联营企业	70.9	61.6	5.5	28.9
其他联营企业	81.0	88.4	4.6	5.2
有限责任公司	73.5	69.8	5.5	7.3
国有独资公司	68.0	70.2	9.9	14.5
其他有限责任公司	74.5	69.7	5.1	6.6
股份有限公司	63.1	60.5	5.5	6.6
私营企业	78.0	78.0	4.8	7.6
私营独资企业	70.4	82.2	6.7	5.9
私营合伙企业	73.3	94.1	5.2	9.1
私营有限责任公司	78.2	77.2	4.7	8.5
私营股份有限公司	75.3	82.8	4.3	3.2
其他企业	43.6	32.0	12.6	16.2
2. 港、澳、台商投资企业	**73.9**	**73.4**	**10.6**	**11.0**
合资经营企业	76.8	73.2	16.5	24.8
合作经营企业	74.7	84.4	10.2	11.0
独资经营企业	75.3	80.7	7.9	5.5
投资股份有限公司	58.4	46.9	28.7	45.8
3. 外商投资企业	**65.4**	**65.4**	**14.2**	**16.8**
中外合资经营企业	71.5	71.9	7.4	7.0
中外合作经营企业	74.0	70.5	11.4	8.3
外资企业	64.2	64.4	16.1	19.8
外商投资股份有限公司	68.1	66.2	10.8	11.7

注：费用率等于营业费用、管理费用、财务费用三项之和除以营业收入合计(下表同)。

企业经济效益分析指标

人均营业收入(万元)		流动资产周转次数(次)		费用率(%)	
限额以上	大中型企业	限额以上	大中型企业	限额以上	大中型企业
185.9	**131.9**	**3.3**	**3.6**	**5.9**	**7.8**
373.4	**281.9**	**3.3**	**3.8**	**4.8**	**6.2**
343.8	**250.5**	**3.4**	**3.9**	**4.3**	**5.2**
305.2	244.0	3.2	3.5	4.8	5.7
153.8	239.8	2.2	2.8	4.4	3.4
233.2	93.4	3.5	3.6	4.6	5.0
357.1	214.5	4.3	4.9	4.3	5.6
393.0	232.5	5.5	7.2	4.1	5.4
140.4	70.0	1.9	3.4	6.2	7.7
317.9	58.2	5.2	1.0	4.1	19.9
433.8	281.3	2.8	2.3	4.4	5.3
387.5	248.8	2.8	2.7	4.3	5.6
357.7	171.6	1.8	1.4	5.7	8.0
390.7	260.3	3.0	3.0	4.1	5.4
413.8	300.9	6.5	7.1	3.6	4.0
347.5	148.6	3.2	3.1	4.1	6.8
210.5	192.4	3.6	5.0	5.3	5.8
283.5	113.0	3.3	1.9	4.4	7.7
352.9	135.2	3.2	2.9	4.1	7.7
308.6	295.7	3.2	3.8	3.6	2.1
260.5	244.3	5.0	9.8	7.3	8.7
246.1	**172.7**	**3.1**	**3.5**	**8.7**	**11.8**
274.9	191.6	3.6	3.3	11.1	21.9
286.2	187.7	3.2	2.8	8.3	11.8
253.5	184.3	3.1	4.2	7.3	7.9
74.8	50.0	1.2	0.8	24.0	34.5
542.6	**519.1**	**3.1**	**3.4**	**11.7**	**14.1**
730.1	1086.1	4.3	5.0	5.1	4.5
137.2	97.0	3.7	3.6	12.6	6.2
524.3	463.4	3.0	3.2	13.5	16.9
263.5	253.0	2.2	2.1	9.6	10.1

1－7　续表 1

项　　目	负债比率(%)		商品销售毛利率(%)	
	限额以上	大中型企业	限额以上	大中型企业
(二)按行业分				
农畜产品批发	81.0	68.2	5.3	5.8
食品、饮料及烟草制品批发	47.3	34.3	17.1	20.0
米、面制品及食用油批发	77.9	62.7	4.3	6.7
烟草制品批发	28.8	25.7	20.4	21.5
纺织、服装及日用品批发	72.3	65.2	7.2	10.5
服装批发	68.6	57.7	7.0	9.4
文化、体育用品及器材批发	63.9	61.6	9.9	13.1
医药及医疗器材批发	79.6	78.5	7.2	7.0
矿产品、建材及化工产品批发	72.3	67.5	4.6	6.0
煤炭及制品批发	71.3	73.5	8.8	7.8
石油及制品批发	62.4	58.0	5.2	6.6
金属及金属矿批发	78.0	78.8	3.0	3.6
建材批发	76.1	76.7	4.4	6.6
化肥批发	80.2	78.3	4.6	5.5
机械设备、五金交电及电子产品批发	75.7	73.9	7.3	10.6
汽车、摩托车及零配件批发	76.0	73.6	5.1	5.5
家用电器批发	80.8	78.9	8.4	11.3
计算机、软件及辅助设备批发	74.3	77.1	4.0	3.0
贸易经纪与代理	75.7	65.8	4.4	3.0
其他批发	72.2	72.1	5.9	9.0
(三)按控股情况分				
国有控股	66.1	59.0	7.2	9.3
集体控股	79.6	77.1	5.2	6.2
私人控股	77.5	74.7	5.0	7.7
港澳台控股	73.7	72.2	9.6	8.6
外商控股	65.6	63.9	15.5	21.0

人均营业收入(万元)		流动资产周转次数(次)		费用率(%)	
限额以上	大中型企业	限额以上	大中型企业	限额以上	大中型企业
121.5	132.9	0.9	0.7	7.2	7.3
164.3	149.0	3.1	3.4	8.1	8.9
131.0	102.0	1.4	1.2	8.1	11.1
196.3	165.8	3.6	3.5	7.4	8.1
364.5	314.4	3.4	3.5	6.2	8.8
426.7	391.5	3.8	4.0	5.5	6.9
172.5	127.5	2.3	2.1	7.6	9.7
148.2	167.3	2.6	2.7	6.4	6.3
595.2	360.8	4.4	6.1	3.2	3.7
325.6	285.3	3.5	3.8	6.3	5.5
524.4	308.4	9.0	12.6	3.1	3.8
1161.6	873.2	3.2	3.3	2.4	2.3
429.5	196.3	2.5	2.1	4.0	6.9
314.2	429.0	2.1	1.9	3.9	4.4
361.1	362.0	2.9	3.3	6.0	8.9
430.6	417.8	3.5	4.8	3.9	4.5
275.6	247.8	3.0	3.4	8.8	12.1
345.3	284.9	3.5	3.9	3.7	6.0
736.9	899.1	2.0	2.7	3.7	2.2
428.7	322.7	3.2	2.3	4.9	7.3
372.1	281.9	3.6	4.1	4.3	5.0
253.6	214.1	2.8	3.1	4.2	4.7
330.6	158.6	3.2	3.3	4.3	6.4
284.4	245.3	3.1	3.4	7.8	8.9
491.2	411.0	3.0	3.1	12.9	17.9

1－7　续表 2

项　目	负债比率(%)		商品销售毛利率(%)	
	限额以上	大中型企业	限额以上	大中型企业
二、零售业	**73.0**	**72.8**	**10.3**	**11.8**
(一)按登记注册类型分				
1. 内资企业	**72.7**	**72.0**	**9.9**	**11.6**
国有企业	71.2	75.6	13.4	12.5
集体企业	79.1	80.9	9.2	12.3
股份合作企业	78.8	79.6	9.1	9.8
联营企业	72.0	71.5	4.9	4.5
国有联营企业	68.8	79.6	7.5	15.2
集体联营企业	69.6	59.9	8.8	10.9
国有与集体联营企业	66.1	66.1	2.7	2.5
其他联营企业	91.5	89.8	7.7	18.2
有限责任公司	77.3	78.8	10.0	12.5
国有独资公司	70.7	69.4	13.0	12.9
其他有限责任公司	78.0	80.5	9.8	12.4
股份有限公司	61.9	61.8	11.1	11.4
私营企业	76.5	80.5	8.3	10.8
私营独资企业	68.3	75.1	9.4	7.3
私营合伙企业	83.7	91.4	10.7	11.6
私营有限责任公司	77.3	81.7	8.1	11.0
私营股份有限公司	68.0	68.8	8.9	12.5
其他企业	81.3	84.6	11.1	11.7
2. 港、澳、台商投资企业	**66.3**	**66.7**	**17.6**	**16.1**
合资经营企业	64.4	63.0	16.0	16.8
合作经营企业	71.3	69.5	13.6	15.4
独资经营企业	69.7	87.1	25.1	12.4
投资股份有限公司	47.3		9.7	
3. 外商投资企业	**80.1**	**80.9**	**13.3**	**12.1**
中外合资经营企业	75.0	75.6	13.5	12.9
中外合作经营企业	91.3	95.3	10.0	7.1
外资企业	81.9	82.0	15.6	14.7
外商投资股份有限公司	95.1	88.4	24.5	26.9

人均营业收入(万元)		流动资产周转次数(次)		费用率(%)	
限额以上	大中型企业	限额以上	大中型企业	限额以上	大中型企业
67.2	**65.0**	**3.1**	**3.1**	**10.4**	**12.7**
62.1	**49.7**	**3.1**	**3.1**	**9.7**	**11.9**
41.4	39.6	2.6	2.6	12.7	13.0
31.9	27.3	2.6	2.0	8.4	12.2
46.8	43.5	3.5	5.0	9.7	10.7
134.6	122.6	4.3	4.1	5.5	5.3
80.6	26.3	3.0	1.6	9.7	24.1
45.2	19.1	5.2	4.4	8.2	9.4
468.6	623.0	6.0	5.7	2.4	2.3
75.8	27.5	2.5	1.1	9.7	22.7
59.7	41.7	3.1	3.0	10.5	13.6
69.5	74.4	2.5	2.7	12.5	12.4
59.2	39.7	3.1	3.1	10.4	13.8
81.5	76.5	3.5	3.5	9.3	9.9
66.1	39.5	3.0	2.7	8.7	13.2
47.0	62.2	3.7	4.3	8.6	9.8
53.8	19.1	3.6	2.6	12.4	14.5
68.5	38.4	2.9	2.6	8.7	13.6
59.2	39.1	3.1	2.7	8.6	12.2
60.1	61.1	2.9	2.6	11.5	13.3
80.2	**73.6**	**2.9**	**3.3**	**16.2**	**17.4**
83.8	75.7	3.2	3.3	16.1	17.2
111.4	93.9	3.9	4.0	11.7	13.7
61.0	54.5	1.9	3.0	19.3	21.7
92.1		1.0		11.1	
74.9	**70.7**	**3.2**	**3.1**	**16.3**	**16.2**
62.5	58.2	3.3	3.3	16.0	16.2
131.2	129.4	4.0	3.9	13.6	12.2
77.0	76.0	2.4	2.2	19.6	20.6
46.0	41.5	3.0	2.5	21.2	24.1

1－7 续表3

项目	负债比率(%)		商品销售毛利率(%)	
	限额以上	大中型企业	限额以上	大中型企业
(二)按行业分				
综合零售	75.1	74.0	13.2	13.0
百货零售	71.9	69.4	14.7	14.4
超级市场零售	80.3	80.1	11.5	11.4
食品、饮料及烟草制品专门零售	65.2	61.6	16.4	19.9
纺织、服装及日用品专门零售	72.9	76.1	23.4	23.0
服装零售	72.3	76.5	25.3	21.5
文化、体育用品及器材专门零售	58.1	62.8	23.2	26.7
体育用品零售	79.5	75.1	16.5	15.6
图书零售	57.2	59.9	25.8	28.1
医药及医疗器材专门零售	77.7	76.9	12.0	13.8
药品零售	77.4	76.1	11.7	13.3
汽车、摩托车、燃料及零配件专门零售	71.4	65.4	5.9	7.0
汽车零售	77.0	80.8	5.2	5.6
机动车燃料零售	53.3	52.8	7.4	7.4
家用电器及电子产品专门零售	78.1	79.4	7.3	7.5
家用电器零售	80.1	78.2	7.4	7.2
计算机、软件及辅助设备零售业	72.3	95.1	6.7	10.7
通讯设备零售	75.6	80.8	6.9	8.0
五金、家具及室内装修材料专门零售	73.1	71.5	17.3	19.8
无店铺及其他零售	63.2	70.6	9.8	10.5
邮购及电子销售	100.6	205.9	12.3	41.4
(三)按控股情况分				
国有控股	65.5	64.9	11.4	11.7
集体控股	74.1	74.8	10.5	11.9
私人控股	76.7	78.0	8.9	11.5
港澳台控股	68.0	68.4	16.5	14.7
外商控股	81.0	81.3	13.0	11.9

人均营业收入(万元)		流动资产周转次数(次)		费用率(%)	
限额以上	大中型企业	限额以上	大中型企业	限额以上	大中型企业
42.6	44.8	3.0	3.1	14.7	14.8
46.0	48.6	2.7	2.7	14.4	14.1
40.7	43.0	3.5	3.5	15.2	15.2
35.5	30.3	2.3	2.2	13.9	15.2
28.0	25.9	2.2	2.2	21.6	25.5
26.2	25.8	2.2	2.4	22.4	24.4
33.6	28.5	1.8	1.6	19.7	24.5
46.3	45.0	2.1	2.2	15.9	12.5
29.8	27.0	1.8	1.6	22.8	25.9
35.8	28.2	2.2	2.3	12.4	14.8
34.3	27.8	2.3	2.3	11.7	13.5
192.9	177.1	3.7	4.7	4.6	4.8
207.5	169.4	3.1	2.8	4.6	5.0
185.5	185.3	6.7	6.3	4.6	4.8
87.4	90.3	3.0	2.9	8.2	8.7
85.4	95.3	2.9	2.8	8.6	8.3
111.6	92.1	3.4	3.3	6.4	12.5
73.3	56.3	3.6	3.6	8.0	9.5
51.2	38.5	2.4	2.0	18.6	24.9
72.4	48.6	2.8	3.1	9.5	11.1
108.7	36.4	2.1	1.7	14.3	48.9
67.2	65.0	3.5	3.6	10.2	10.8
52.3	47.3	2.9	3.1	10.6	12.4
62.7	40.3	2.9	2.7	9.2	13.1
73.9	67.1	2.9	3.2	16.4	17.6
76.4	71.6	3.1	3.0	15.9	15.9

1－8 大中型住宿和餐饮企业基本情况

项 目	法人企业个数(个)		年末从业人员数(人)	
	星级及限额以上	大中型企业	星级及限额以上	大中型企业
总 计	**22091**	**674**	**3112210**	**524738**
一、住宿业	**10269**	**454**	**1622808**	**255225**
(一)按登记注册类型分				
1. 内资企业	**9396**	**303**	**1355514**	**171839**
国有企业	3058	116	479280	70993
集体企业	715	6	79235	2870
股份合作企业	202	1	22952	452
联营企业	97	3	16490	1667
国有联营企业	46	2	9295	1210
集体联营企业	21		2055	
国有与集体联营企业	20	1	3214	457
其他联营企业	10		1926	
有限责任公司	1957	104	352010	55054
国有独资公司	99	11	21669	6811
其他有限责任公司	1858	93	330341	48243
股份有限公司	374	22	69121	11995
私营企业	2890	49	325414	27916
私营独资企业	829	6	63343	4038
私营合伙企业	192	1	15593	447
私营有限责任公司	1684	40	223980	22056
私营股份有限公司	185	2	22498	1375
其他企业	103	2	11012	892
2. 港、澳、台商投资企业	**484**	**82**	**156175**	**48685**
合资经营企业	292	56	94986	32330
合作经营企业	85	15	33111	10732
独资经营企业	94	9	24328	4459
投资股份有限公司	13	2	3750	1164
3. 外商投资企业	**389**	**69**	**111119**	**34701**
中外合资经营企业	212	37	59775	19431
中外合作经营企业	71	16	22553	8648
外资企业	99	14	26319	5549
外商投资股份有限公司	7	2	2472	1073
(二)按行业分				
旅游饭店	9183	440	1499710	
一般旅馆	959	14	107620	6923
其他住宿服务	127		15478	
(三)按控股情况分				
国有控股	3976	212	680522	124968
集体控股	1268	32	172702	16288
私人控股	4306	105	558012	56653
港澳台控股	377	61	117709	37226
外商控股	340	44	93863	20090

1－8 续表

项　　目	法人企业个数(个)		年末从业人员数(人)	
	星级及限额以上	大中型企业	星级及限额以上	大中型企业
二、餐饮业	**11822**	**220**	**1489402**	**269513**
(一)按登记注册类型分				
1. 内资企业	**10939**	**143**	**1159526**	**101431**
国有企业	584	11	76252	7132
集体企业	430		34130	
股份合作企业	327	3	26958	1786
联营企业	39	1	4380	550
国有联营企业	9		1267	
集体联营企业	12		796	
国有与集体联营企业	3		203	
其他联营企业	15	1	2114	550
有限责任公司	1650	41	224339	22289
国有独资公司	21		2803	
其他有限责任公司	1629	41	221536	22289
股份有限公司	274	11	41794	11285
私营企业	7359	73	727901	57084
私营独资企业	2219	5	158435	2374
私营合伙企业	434	2	36512	1210
私营有限责任公司	4340	65	496948	52901
私营股份有限公司	366	1	36006	599
其他企业	276	3	23772	1305
2. 港、澳、台商投资企业	**412**	**19**	**74052**	**19243**
合资经营企业	144	7	24570	6545
合作经营企业	50	3	8773	1419
独资经营企业	215	9	40270	11279
投资股份有限公司	3		439	
3. 外商投资企业	**471**	**58**	**255824**	**148839**
中外合资经营企业	176	13	84838	57884
中外合作经营企业	73	11	34970	9968
外资企业	213	34	134220	80987
外商投资股份有限公司	9		1796	
(二)按行业分				
正餐服务	11073	152	1222390	122084
快餐服务	439	54	227088	137398
饮料及冷饮服务	77	3	7951	3149
其他餐饮服务	233	11	31973	6882
(三)按控股情况分				
国有控股	809	20	116078	16093
集体控股	925	16	98708	15275
私人控股	9164	106	969170	75223
港澳台控股	407	21	81080	20143
外商控股	517	57	224366	142779

1－9 大中型住宿和

项 目	营业额		客房收入	
	星级及限额以上	大中型企业	星级及限额以上	大中型企业
总 计	**31254896**	**7152087**	**8203156**	**1838285**
一、住宿业	**15518746**	**3676729**	**7422361**	**1747795**
（一）按登记注册类型分				
1. 内资企业	**11520284**	**2187628**	**5361161**	**973268**
国有企业	3999939	836651	1961893	394444
集体企业	570137	40017	250355	12491
股份合作企业	177482	5468	83019	2959
联营企业	197306	30234	106636	15582
国有联营企业	103562	22480	56782	11951
集体联营企业	15855		5750	
国有与集体联营企业	62166	7755	36091	3632
其他联营企业	15724		8012	
有限责任公司	3272470	725348	1501959	322899
国有独资公司	223400	104890	103500	44745
其他有限责任公司	3049070	620458	1398459	278153
股份有限公司	735740	192275	341819	86001
私营企业	2490917	348361	1080350	136417
私营独资企业	432317	42481	178620	14992
私营合伙企业	100457	5115	37493	2405
私营有限责任公司	1786567	287858	788007	113743
私营股份有限公司	171575	12908	76230	5277
其他企业	76294	9274	35129	2475
2. 港、澳、台商投资企业	**2339239**	**866723**	**1198111**	**458666**
合资经营企业	1462775	566803	783596	304313
合作经营企业	554838	222002	260577	118154
独资经营企业	262628	60715	122753	29320
投资股份有限公司	58998	17202	31186	6879
3. 外商投资企业	**1659223**	**622377**	**863089**	**315861**
中外合资经营企业	857851	354020	445505	183291
中外合作经营企业	312772	142397	155222	67450
外资企业	453098	107457	244707	59170
外商投资股份有限公司	35502	18503	17656	5950
（二）按行业分				
旅游饭店	14642629	3562835	7002486	1699023
一般旅馆	766897	113894	370211	48772
其他住宿服务	109220		49664	
（三）按控股情况分				
国有控股	6386916	1657386	3152422	789618
集体控股	1419209	212360	655992	84113
私人控股	4585739	709559	2004923	285337
港澳台控股	1827394	718687	935331	383266
外商控股	1299487	378736	673693	205461

餐饮企业经营情况

单位：万元

餐费收入		商品销售收入		其他收入	
星级及限额以上	大中型企业	星级及限额以上	大中型企业	星级及限额以上	大中型企业
20177629	**4661023**	**979375**	**158344**	**1894736**	**494435**
6071648	**1403691**	**437573**	**79164**	**1587164**	**446079**
4687226	**883484**	**348157**	**62153**	**1123741**	**268724**
1519977	325986	132997	27745	385072	88477
237150	16495	19572	5556	63060	5475
75143	2219	3712	90	15608	200
67608	9152	2563		20500	5500
33652	6584	1307		11821	3946
8088		787		1230	
18441	2569	411		7222	1554
7427		59		226	
1320910	284412	84246	18717	365355	99321
82892	40583	6142	1857	30866	17705
1238018	243829	78104	16860	334488	81616
296611	73661	30286	5622	67024	26990
1138415	166682	71589	3957	200562	41305
205779	21787	15247		32671	5702
51497	2395	3512	161	7956	154
801522	136855	48978	3797	148060	33463
79618	5645	3853		11875	1986
31412	4877	3192	465	6560	1456
802138	**301700**	**61517**	**6515**	**277472**	**99843**
500332	189863	15523	2237	163323	70391
190047	80486	40799	2394	63415	20968
91205	24628	3732	529	44938	6239
20553	6723	1463	1355	5796	2245
582285	**218507**	**27898**	**10496**	**185951**	**77512**
295312	115053	12259	2029	104776	53647
113432	57234	8330	6269	35788	11445
158150	34877	6458	2106	43784	11304
15390	11344	852	93	1604	1117
5723356	1358102	410888	77772	1505900	427937
306734	45589	23523	1392	66429	18142
41559		3163		14835	
2338932	601417	201447	42904	694116	223448
588181	93950	37815	9153	137163	25144
2049888	320373	125205	15912	404902	87937
622091	252587	52755	4065	217492	78769
472557	135364	20350	7130	133491	30783

1－9 续表

项 目	营业额		客房收入	
	星级及限额以上	大中型企业	星级及限额以上	大中型企业
二、餐饮业	**15736150**	**3475358**	**780795**	**90490**
（一）按登记注册类型分				
1. 内资企业	**11342063**	**1114434**	**717812**	**78077**
国有企业	604560	81644	138633	18379
集体企业	291353		32942	
股份合作企业	270909	18942	17694	1827
联营企业	46843	7580	6768	2860
国有联营企业	10046		2784	
集体联营企业	8183		695	
国有与集体联营企业	1272		338	
其他联营企业	27342	7580	2952	2860
有限责任公司	2178530	306071	180943	23030
国有独资公司	24508		3251	
其他有限责任公司	2154022	306071	177692	23030
股份有限公司	439283	185448	38465	12266
私营企业	7289017	497266	295158	19714
私营独资企业	1531729	23848	61705	336
私营合伙企业	391056	9597	17697	642
私营有限责任公司	5043268	459809	198425	18737
私营股份有限公司	322964	4012	17332	
其他企业	221567	17483	7209	
2. 港、澳、台商投资企业	**1042701**	**291736**	**32244**	**6014**
合资经营企业	329674	79796	17002	6014
合作经营企业	129589	17090	5096	
独资经营企业	579108	194850	9998	
投资股份有限公司	4330		149	
3. 外商投资企业	**3351387**	**2069189**	**30739**	**6399**
中外合资经营企业	1077852	698761	20984	3661
中外合作经营企业	386997	157161	3724	2738
外资企业	1865371	1213267	4832	
外商投资股份有限公司	21167		1199	
（二）按行业分				
正餐服务	12173111	1314078	764688	86480
快餐服务	3037783	2005375	1910	
饮料及冷饮服务	140036	55890	252	
其他餐饮服务	385221	100017	13946	4010
（三）按控股情况分				
国有控股	1067798	248970	193297	29432
集体控股	1059524	203595	74054	10236
私人控股	9514734	726055	447607	38409
港澳台控股	1159806	320401	39833	7553
外商控股	2934288	1976338	26004	4861

单位:万元

餐费收入		商品销售收入		其他收入	
星级及限额以上	大中型企业	星级及限额以上	大中型企业	星级及限额以上	大中型企业
14105981	**3257332**	**541802**	**79180**	**307572**	**48356**
9898695	**932719**	**482860**	**67915**	**242696**	**35723**
393506	52132	41739	4476	30682	6657
233245		14470		10696	
230089	10590	18099	5735	5026	790
37121	4720	1197		1756	
6516		164		583	
6969		509		10	
904		31			
22732	4720	494		1164	
1803263	240482	122569	33453	71755	9107
14800		5571		886	
1788463	240482	116998	33453	70869	9107
359537	150908	25802	14538	15479	7737
6638981	456405	249036	9714	105843	11433
1383215	22476	70678	625	16131	411
358815	8955	10172		4373	
4612302	420962	151366	9089	81176	11021
284649	4012	16821		4163	1
202952	17483	9949		1458	
946010	**271624**	**27725**	**6380**	**36722**	**7718**
272774	64053	17485	3599	22413	6130
118376	14744	1639	758	4479	1588
551082	192827	8201	2023	9826	
3778		400		4	
3261277	**2052989**	**31217**	**4886**	**28154**	**4915**
1033642	691597	10325	2745	12901	758
365964	150502	6979		10330	3922
1842286	1210891	13363	2140	4890	236
19384		550		33	
10638412	1114596	489891	70747	280120	42255
3008260	2000403	20817	4736	6796	236
133663	53951	4550	1938	1571	
325646	88382	26544	1760	19085	5865
743740	193231	79660	14403	51100	11905
890581	163368	63713	23897	29996	6094
8567978	642858	337576	26559	160610	18230
1048067	296173	31685	9437	39534	7238
2855615	1961702	29168	4886	26331	4889

1－10 大中型住宿企业年末资产负债

单位:万元

项　目	流动资产合　计	固定资产原　价	累计折旧	资产合计	负债合计	所有者权益合　计
总　计	**2830666**	**9981318**	**3847997**	**11199704**	**7711955**	**3487748**
一、按登记注册类型分						
1.内资企业	**1591523**	**5449099**	**1800886**	**6760613**	**3809882**	**2950731**
国有企业	433185	2337749	832708	2487671	1254014	1233657
集体企业	41480	84630	26780	149156	117683	31474
股份合作企业	751	19750	8402	12501	5562	6939
联营企业	22982	73110	40196	68262	43696	24566
国有联营企业	7744	57084	31560	41430	30431	11000
集体联营企业						
国有与集体联营企业	15238	16026	8636	26832	13265	13566
其他联营企业						
有限责任公司	691828	1963964	566964	2678879	1509464	1169415
国有独资公司	111392	216194	94370	276660	99003	177656
其他有限责任公司	580435	1747770	472594	2402219	1410461	991758
股份有限公司	159477	449127	162899	559551	283817	275734
私营企业	233973	501468	158364	768429	583558	184871
私营独资企业	17558	35177	10755	56666	28324	28341
私营合伙企业	1820	8462	5235	10014	769	9245
私营有限责任公司	211224	415458	136440	652591	531539	121052
私营股份有限公司	3372	42371	5934	49158	22926	26233
其他企业	7848	19301	4575	36165	12089	24077
2.港、澳、台商投资企业	**685853**	**2577712**	**1127803**	**2624880**	**2280575**	**344305**
合资经营企业	462402	1792503	765630	1803783	1511721	292061
合作经营企业	150498	579140	258670	575654	571353	4301
独资经营企业	63578	168946	82029	216757	185610	31147
投资股份有限公司	9376	37123	21474	28686	11890	16796
3.外商投资企业	**553290**	**1954507**	**919308**	**1814211**	**1621499**	**192713**
中外合资经营企业	246364	1117268	510534	960286	815639	144647
中外合作经营企业	220507	355285	200917	449780	432751	17029
外资企业	51685	438585	189387	323598	317225	6372
外商投资股份有限公司	34734	43370	18470	80548	55884	24664
二、按行业分						
旅游饭店	2679114	9686670	3756260	10785476	7479767	3305708
一般旅馆	151552	294648	91737	414228	232188	182040
其他住宿服务						
三、按控股情况分						
国有控股	1183790	4758633	1711042	5166280	2844467	2321812
集体控股	269240	636015	239922	844300	519723	324577
私人控股	565225	1405470	422141	2099850	1484422	615429
港澳台控股	477611	2057456	928135	2023668	1868631	155038
外商控股	334802	1123743	546758	1065606	994714	70893

1－11 大中型住宿企业实收资本及构成

单位:万元

项 目	实收资本	国家资本	集体资本	法人资本	个人资本	港澳台资本	外商资本
总 计	**3518869**	**1507304**	**65679**	**916274**	**155052**	**495761**	**350494**
一、按登记注册类型分							
1. 内资企业	**2065638**	**1218413**	**41451**	**644995**	**147482**	**7036**	**3200**
国有企业	886355	659285		218950	1858		3200
集体企业	12600		8000	4600			
股份合作企业	16000	16000					
联营企业	11393	3094		6263		2036	
国有联营企业	7357	1094		6263			
集体联营企业							
国有与集体联营企业	4036	2000				2036	
其他联营企业							
有限责任公司	833190	439795	32933	280943	79519		
国有独资公司	140418	105972		34447			
其他有限责任公司	692771	333824	32933	246496	79519		
股份有限公司	138272	94077	200	24854	19141		
私营企业	145179	6161	318	86735	46965	5000	
私营独资企业	25399	6161		1800	17437		
私营合伙企业							
私营有限责任公司	114756		318	84935	24503	5000	
私营股份有限公司	5024				5024		
其他企业	22650			22650			
2. 港、澳、台商投资企业	**769401**	**125202**	**4659**	**177538**	**7314**	**420181**	**27007**
合资经营企业	548683	76590	4659	162489	5814	284390	7241
合作经营企业	125139	48546		15049		55802	5742
独资经营企业	84139	66				70050	14024
投资股份有限公司	11439				1500	9939	
3. 外商投资企业	**683831**	**163689**	**19570**	**93740**	**255**	**68544**	**320287**
中外合资经营企业	423410	114531	17860	68596	255	45058	177110
中外合作经营企业	99174	31834	1710	9119		21636	34875
外资企业	141207	17324		9980		1850	94308
外商投资股份有限公司	20040			6046			13994
二、按行业分							
旅游饭店	3435449	1462035	63789	892155	155012	489758	344395
一般旅馆	83420	45269	1890	24119	40	6003	6100
其他住宿服务							
三、按控股情况分							
国有控股	1851507	1264896		459872	17445	40020	66215
集体控股	215624	82867	37340	66355	9780	10723	1059
私人控股	396023	15961	7511	222233	125982	11435	12902
港澳台控股	618573	78414	9159	109957	1845	398911	20288
外商控股	437142	65167	11670	57857		34673	250031

1－12 大中型住宿

项 目	营业收入合计	主营业务收入	主营业务成本	主营业务税金及附加	主营业务利润	其他业务利润
总 计	**4109596**	**4041750**	**1145592**	**204742**	**2645425**	**31535**
一、按登记注册类型分						
1. 内资企业	**2350103**	**2319467**	**687455**	**124052**	**1449848**	**22935**
国有企业	849501	836675	210732	45089	537685	10516
集体企业	42046	41673	14702	2030	24942	350
股份合作企业	5468	5468	1050	291	4127	
联营企业	30234	30234	5242	1518	23474	360
国有联营企业	22480	22480	4200	1079	17202	360
集体联营企业						
国有与集体联营企业	7755	7755	1043	439	6273	
其他联营企业						
有限责任公司	866113	851139	293075	41040	514231	8655
国有独资公司	105438	105182	21197	5729	78256	666
其他有限责任公司	760675	745957	271879	35311	435975	7989
股份有限公司	196000	193635	42138	10503	132434	2103
私营企业	352525	352428	117868	22999	210018	492
私营独资企业	42328	42322	15852	5420	19533	－15
私营合伙企业	5115	5115	1231	273	3610	
私营有限责任公司	292307	292246	97985	16604	177631	477
私营股份有限公司	12776	12745	2800	701	9244	31
其他企业	8215	8215	2649	584	2937	460
2. 港、澳、台商投资企业	**1105781**	**1077367**	**326715**	**47946**	**724799**	**4996**
合资经营企业	795775	775629	270775	32854	487336	3735
合作经营企业	231440	230831	40388	11050	179394	355
独资经营企业	61298	53640	12318	3166	44913	861
投资股份有限公司	17268	17267	3234	877	13156	44
3. 外商投资企业	**653713**	**644917**	**131422**	**32744**	**470779**	**3604**
中外合资经营企业	383332	376091	66680	18998	289423	640
中外合作经营企业	141391	140299	40332	6984	86577	1491
外资企业	110487	110487	19276	5811	82824	1034
外商投资股份有限公司	18503	18040	5135	951	11954	439
二、按行业分						
旅游饭店	3995138	3927439	1121771	198947	2565158	31247
一般旅馆	114458	114311	23821	5795	80267	288
其他住宿服务						
三、按控股情况分						
国有控股	1911423	1882164	551335	91758	1201170	16558
集体控股	346898	342270	173675	12243	152620	4616
私人控股	725883	713359	210630	43649	448802	5608
港澳台控股	736423	720321	130833	36870	565601	2689
外商控股	388969	383636	79119	20223	277232	2064

企业损益及分配

单位：万元

营业费用	管理费用	财务费用	营业利润	利润总额	应交所得税	劳动、失业保险费	住房公积金和住房补贴
1122690	**1605529**	**185749**	**236586**	**210080**	**72971**	**65424**	**22877**
705951	**1036714**	**104694**	**59511**	**51527**	**30720**	**44038**	**14080**
272838	621309	33480	9589	2842	12668	20613	7541
10194	10796	1464	2837	2546	355	562	274
1289	2394	286	159	160	53	182	52
10220	8304	178	5132	5141	1128	747	160
7309	6782	204	3266	3201	1128	739	160
2911	1522	-26	1866	1940		8	
241654	235420	39457	25800	26014	8940	13005	3736
36944	28502	2243	11233	11253	4707	3901	1591
204709	206917	37214	14567	14761	4233	9103	2144
53578	62077	9349	18235	19983	4308	5899	1326
114132	93271	20312	-2326	-5246	3250	2908	991
18234	4176	618	-1914	-3835	86	34	
1676	1493	22	420	415		225	56
89677	81799	19082	830	-175	3164	2326	936
4545	5804	591	-1662	-1651		324	
2046	3143	168	86	87	19	122	
245598	**313672**	**52009**	**126266**	**115904**	**20596**	**13745**	**5449**
165767	212649	38661	80163	71939	18346	9991	4186
58444	71975	9086	40244	39577	1796	3123	790
16820	23486	3842	3207	1742	265	599	333
4567	5562	420	2651	2647	189	33	140
171142	**255144**	**29047**	**50809**	**42649**	**21655**	**7641**	**3349**
81917	147989	17928	46933	47485	15154	4981	2333
30732	48772	7098	8140	8058	4424	1830	774
52780	53793	2991	-5325	-13854	1658	492	158
5713	4590	1030	1061	960	420	339	84
1083691	1570337	183045	227802	202518	68392	62435	21568
38998	35192	2704	8784	7562	4579	2989	1310
508539	939859	67450	99659	91343	43152	41137	14928
67019	77980	11326	8420	13425	3378	4117	891
237057	195177	47448	9325	4804	6796	5956	1248
187277	244173	47910	93150	84773	10462	9497	3710
122798	148340	11615	26032	15735	9183	4718	2100

1－13 大中型住宿企业工资及福利

单位:万元

项 目	本年应付工资总额	本年应付福利费总额
总 计	**577429**	**88393**
一、按登记注册类型分		
1. 内资企业	**353997**	**52741**
国有企业	154550	24185
集体企业	5630	683
股份合作企业	887	109
联营企业	5690	158
国有联营企业	4420	126
集体联营企业		
国有与集体联营企业	1271	32
其他联营企业		
有限责任公司	111573	18134
国有独资公司	18701	5684
其他有限责任公司	92872	12451
股份有限公司	28487	3848
私营企业	45979	5465
私营独资企业	5618	703
私营合伙企业	835	117
私营有限责任公司	37388	4256
私营股份有限公司	2138	389
其他企业	1201	160
2. 港、澳、台商投资企业	**133222**	**21437**
合资经营企业	89620	15110
合作经营企业	30884	4975
独资经营企业	10382	1119
投资股份有限公司	2336	233
3. 外商投资企业	**90210**	**14216**
中外合资经营企业	49243	8115
中外合作经营企业	23198	3945
外资企业	15019	1777
外商投资股份有限公司	2750	380
二、按行业分		
旅游饭店	560497	82646
一般旅馆	16932	5747
其他住宿服务		
三、按控股情况分		
国有控股	292416	43945
集体控股	34100	5579
私人控股	95307	11653
港澳台控股	99052	16636
外商控股	56554	10581

1－14 大中型住宿企业经济效益分析指标

项　　目	负债比率（%）	毛利率（%）	人均营业收入（万元）	流动资产周转次　数（次）	费用率（%）
总　　计	**68.9**	**71.7**	**15.5**	**0.4**	**70.9**
一、按登记注册类型分					
1. 内资企业	**56.4**	**70.4**	**13.3**	**1.5**	**78.6**
国有企业	50.4	74.8	12.2	2.0	109.2
集体企业	78.9	64.7	13.8	1.6	53.4
股份合作企业	44.5	80.8	12.1	7.3	72.6
联营企业	64.0	82.7	18.1	1.3	61.9
国有联营企业	73.5	81.3	18.6	2.9	63.6
集体联营企业					
国有与集体联营企业	49.4	86.6	16.9	0.5	56.8
其他联营企业					
有限责任公司	56.3	65.6	14.9	1.3	59.6
国有独资公司	35.8	79.8	14.7	0.9	64.2
其他有限责任公司	58.7	63.6	14.9	1.3	59.0
股份有限公司	50.7	78.2	14.1	1.2	63.8
私营企业	75.9	66.6	12.0	1.5	64.6
私营独资企业	50.0	62.5	10.5	2.4	54.4
私营合伙企业	7.7	75.9	11.7	2.8	62.4
私营有限责任公司	81.5	66.5	12.4	1.4	65.2
私营股份有限公司	46.6	78.0	9.3	3.8	85.6
其他企业	33.4	67.8	8.1	1.0	65.2
2. 港、澳、台商投资企业	**86.9**	**69.7**	**22.2**	**1.6**	**55.3**
合资经营企业	83.8	65.1	24.0	1.7	52.4
合作经营企业	99.3	82.5	21.9	1.5	60.3
独资经营企业	85.6	77.0	12.4	1.0	72.0
投资股份有限公司	41.4	81.3	15.0	1.8	61.1
3. 外商投资企业	**89.4**	**79.6**	**17.2**	**1.2**	**69.7**
中外合资经营企业	84.9	82.3	18.6	1.6	64.7
中外合作经营企业	96.2	71.3	15.5	0.6	61.2
外资企业	98.0	82.6	15.4	2.1	99.2
外商投资股份有限公司	69.4	71.5	17.8	0.5	61.2
二、按行业分					
旅游饭店	69.4	71.4	15.6	1.5	71.0
一般旅馆	56.1	79.2	14.3	0.8	67.2
其他住宿服务					
三、按控股情况分					
国有控股	55.1	70.7	15.4	1.6	79.3
集体控股	61.6	49.3	19.1	1.3	45.1
私人控股	70.7	70.5	12.0	1.3	66.1
港澳台控股	92.3	81.8	19.6	1.5	65.1
外商控股	93.3	79.4	9.5	1.2	72.7

注：费用率等于营业费用、管理费用、财务费用三项之和除以营业收入合计（下表同）。

1－15 大中型餐饮

项　　目	流动资产合计		固定资产原价	
	限额以上	大中型企业	限额以上	大中型企业
总　　计	**5103113**	**987681**	**7874067**	**1942194**
一、按登记注册类型分				
1. 内资企业	**4068739**	**596602**	**5817239**	**765141**
国有企业	258778	56386	805762	152588
集体企业	102465		260935	
股份合作企业	85661	4704	189608	13764
联营企业	11421	452	49282	9850
国有联营企业	3645		31643	
集体联营企业	5693		5197	
国有与集体联营企业	531		34	
其他联营企业	1552	452	12408	9850
有限责任公司	897518	168440	1284415	148855
国有独资公司	8181		19698	
其他有限责任公司	889337	168440	1264717	148855
股份有限公司	202537	75799	330614	141434
私营企业	2456635	285150	2819191	295594
私营独资企业	382603	2706	704303	17429
私营合伙企业	75099	2595	112337	11419
私营有限责任公司	1885070	279225	1832381	265976
私营股份有限公司	113864	624	170171	772
其他企业	53726	5672	77433	3055
2. 港、澳、台商投资企业	**442740**	**108111**	**587688**	**154553**
合资经营企业	166726	30367	235098	73264
合作经营企业	58002	6764	55278	12052
独资经营企业	217504	70980	296221	69237
投资股份有限公司	507		1092	
3. 外商投资企业	**591635**	**282967**	**1469140**	**1022500**
中外合资经营企业	228793	117017	553674	339375
中外合作经营企业	82922	34725	187699	136746
外资企业	276757	131226	723065	546379
外商投资股份有限公司	3163		4702	
二、按行业分				
正餐服务	4526787	715865	6530045	948898
快餐服务	365273	221722	1148983	948528
饮料及冷饮服务	70677	14125	64347	12558
其他餐饮服务	140377	35969	130692	32209
三、按控股情况分				
国有控股	478395	115656	1310338	274752
集体控股	383134	127682	696201	128130
私人控股	3217338	354313	3833652	394706
港澳台控股	446449	112858	632915	160422
外商控股	577797	277172	1400962	984184

企业年末资产负债

单位:万元

累计折旧		资产合计		负债合计		所有者权益合计	
限额以上	大中型企业	限额以上	大中型企业	限额以上	大中型企业	限额以上	大中型企业
2432451	**726983**	**13401476**	**2847254**	**8932175**	**1758954**	**4469301**	**1088300**
1621732	**237069**	**10467944**	**1496434**	**7018851**	**948908**	**3449093**	**547526**
233018	45692	990736	207952	570487	84913	420249	123039
72280		344097		262518		81579	
67127	1284	257001	23171	173607	16606	83394	6565
14604	459	52019	10302	34985	3571	17034	6731
10575		26066		18065		8001	
2594		10343		8808		1534	
24		572		466		106	
1412	459	15038	10302	7645	3571	7393	6731
348688	47495	2374081	365600	1678225	249046	695855	116555
3937		35846		17602		18244	
344751	47495	2338234	365600	1660624	249046	677611	116555
93300	41922	576239	253672	350031	167404	226208	86268
778572	99537	5702087	627455	3835374	419935	1866713	207519
160502	3111	1181374	17237	575619	10872	605754	6364
24265	1362	179953	14488	106113	8306	73840	6182
553808	94788	4012622	593603	2925515	398448	1087107	195155
39997	276	328138	2128	228126	2310	100012	-183
14143	680	171685	8282	113625	7433	58061	849
208676	**52969**	**1076269**	**268118**	**750377**	**151234**	**325892**	**116884**
75587	16325	449466	101447	344053	75636	105413	25811
25039	6797	103044	17749	52949	9572	50095	8177
107811	29846	521224	148921	351555	66026	169670	82896
240		2535		1821		715	
602043	**436946**	**1857263**	**1082702**	**1162947**	**658811**	**694316**	**423891**
243732	160728	752328	415323	477566	224722	274763	190601
80691	53845	246028	146886	150621	93346	95407	53540
276790	222373	850390	520493	528589	340743	321802	179750
830		8517		6171		2345	
1905572	308689	11557776	1766716	7870961	1113556	3686815	653160
478544	407764	1318605	981397	851106	599001	467499	382396
10929	4004	247456	28648	47609	14068	199847	14580
37406	6526	277640	70493	162499	32329	115141	38164
378485	84167	1718821	411827	970419	194631	748402	217196
197816	46059	1117153	278772	815590	218514	301563	60258
1059024	121450	7660990	834342	5244419	557964	2416571	276377
225586	57668	1121007	281012	781730	156373	339277	124640
571540	417641	1783506	1041302	1120017	631472	663489	409829

1－16 大中型餐饮

项　目	实收资本		国家资本		集体资本	
	限额以上	大中型企业	限额以上	大中型企业	限额以上	大中型企业
总　计	**4391894**	**665636**	**478137**	**90697**	**177477**	**6802**
一、按登记注册类型分						
1. 内资企业	**3146992**	**298824**	**438326**	**86280**	**168382**	**6802**
国有企业	362186	67369	330181	65106	4205	1412
集体企业	105502		1851		83799	
股份合作企业	67670	2050	3160	2015	11320	
联营企业	13821	1081	2942		589	
国有联营企业	6850		2942			
集体联营企业	4059				377	
国有与集体联营企业	35				5	
其他联营企业	2877	1081			206	
有限责任公司	768778	64475	66109	5457	37064	1875
国有独资公司	8673		1938			
其他有限责任公司	760105	64475	64171	5457	37064	1875
股份有限公司	149995	39557	22401	13702	12952	1905
私营企业	1630925	122325	9751		17632	1610
私营独资企业	362374	1694	2127		929	50
私营合伙企业	72490	5851	40		632	
私营有限责任公司	1090060	114480	7512		14993	1560
私营股份有限公司	106001	300	72		1079	
其他企业	48116	1968	1932		822	
2. 港、澳、台商投资企业	**501938**	**63307**	**26254**	**4417**	**3404**	
合资经营企业	193548	28035	15187	3434	3144	
合作经营企业	82131	7227	11067	983	235	
独资经营企业	224244	28045			25	
投资股份有限公司	2015					
3. 外商投资企业	**742964**	**303505**	**13557**		**5691**	
中外合资经营企业	278103	103248	11625		5024	
中外合作经营企业	146536	68254	1932		349	
外资企业	301386	132003			318	
外商投资股份有限公司	16939					
二、按行业分						
正餐服务	3819020	357000	465500	86103	171548	6802
快餐服务	434576	276604	7328	4573	1659	
饮料及冷饮服务	41017	15841	1545		15	
其他餐饮服务	97282	16191	3765	21	4254	
三、按控股情况分						
国有控股	563095	115266	418623	79536	9545	2637
集体控股	310561	42677	8329	4730	115146	2305
私人控股	2311856	156221	18510		43713	1860
港澳台控股	522453	70607	25229	6432	3472	
外商控股	683930	280866	7447		5601	

企业实收资本及构成

单位:万元

法人资本		个人资本		港澳台资本		外商资本	
限额以上	大中型企业	限额以上	大中型企业	限额以上	大中型企业	限额以上	大中型企业
1200602	**155216**	**1523385**	**99246**	**476111**	**90073**	**536183**	**223602**
1036307	**110072**	**1489853**	**95510**	**11819**		**2306**	**160**
19923	416	7657	436	220			
13111		6742					
18129	30	35061	5				
8019		2271	1081				
3908							
3461		221					
30							
620		2051	1081				
435394	43202	227994	13781	1225		992	160
6655		80					
428739	43202	227914	13781	1225		992	160
59513	15304	51707	8646	3422			
466331	50741	1128996	69974	6952		1264	
84960	306	270189	1338	3878		291	
21081	5851	50489		249			
319849	44584	744998	68336	1736		973	
40441		63320	300	1089			
15887	380	29425	1588			50	
50553	**5253**	**19670**	**2573**	**374968**	**50389**	**27088**	**675**
32925	2656	12100		119459	21271	10734	675
6325	1040	1878		61752	5204	874	
11303	1557	5692	2573	191743	23914	15481	
				2015			
113742	**39890**	**13863**	**1163**	**89324**	**39684**	**506788**	**222767**
87712	38234	11005	1163	26316	900	136421	62950
6160		1004		44789	30727	92303	37527
5782	1656	1100		17219	8057	276967	122290
14088		755		1000		1097	
1121347	121171	1457737	88572	364670	40169	238218	14184
51453	29126	30129	6037	79810	41409	264196	195459
4377		4253		11964	4201	18863	11640
23424	4919	31267	4638	19667	4294	14905	2319
107697	24963	23452	8130	2652		1126	
121190	15047	46483	5924	9553	6246	9707	8425
810520	69982	1405431	80768	24040	3451	8215	160
52137	5253	25393	2573	374318	55674	41761	675
109057	39970	22627	1851	65547	24702	475374	214343

1－17 大中型餐饮

项　　目	营业收入合计		主营业务收入		主营业务成本	
	限额以上	大中型企业	限额以上	大中型企业	限额以上	大中型企业
总　　计	**14757845**	**3777218**	**14651361**	**3762108**	**7312430**	**1488537**
一、按登记注册类型分						
1. 内资企业	**10712122**	**1220348**	**10623790**	**1207600**	**5739947**	**591358**
国有企业	545782	85370	530722	85182	265067	34492
集体企业	264739		261514		146856	
股份合作企业	271353	21204	270095	21204	149733	11117
联营企业	37485	7980	36678	7980	17222	3960
国有联营企业	8950		8232		3075	
集体联营企业	7072		6984		3297	
国有与集体联营企业	1272		1272		374	
其他联营企业	20191	7980	20189	7980	10476	3960
有限责任公司	2055015	311020	2036843	306116	1029958	149119
国有独资公司	16772		16642		8924	
其他有限责任公司	2038244	311020	2020201	306116	1021034	149119
股份有限公司	427906	204949	424247	202637	216757	96888
私营企业	6930499	573342	6886485	568499	3810836	286522
私营独资企业	1407899	23850	1396181	23848	836607	11330
私营合伙企业	283284	9574	280868	9574	159661	5445
私营有限责任公司	4926124	535906	4898604	531065	2645515	267994
私营股份有限公司	313192	4012	310833	4012	169053	1754
其他企业	179344	16483	177206	15983	103518	9260
2. 港、澳、台商投资企业	**1016991**	**297845**	**1005746**	**297090**	**433347**	**104997**
合资经营企业	310937	81662	309783	81662	140236	27360
合作经营企业	126224	17875	117638	17154	48556	5323
独资经营企业	576903	198308	575398	198275	242989	72314
投资股份有限公司	2927		2927		1567	
3. 外商投资企业	**3028732**	**2259025**	**3021825**	**2257418**	**1139136**	**792183**
中外合资经营企业	1062772	851904	1061525	851524	394763	299007
中外合作经营企业	386483	253033	385635	252908	147470	89884
外资企业	1569442	1154088	1564668	1152986	591505	403292
外商投资股份有限公司	10035		9997		5398	
二、按行业分						
正餐服务	11536784	1454572	11439921	1443600	6048890	663654
快餐服务	2728035	2162819	2720002	2158820	1019992	763088
饮料及冷饮服务	129545	58896	129387	58896	40195	15853
其他餐饮服务	363482	100931	362052	100793	203353	45942
三、按控股情况分						
国有控股	1010124	270426	990156	266695	477988	119776
集体控股	907733	209602	900919	207099	468798	86660
私人控股	8808158	803252	8751477	798237	4775675	401947
港澳台控股	1082530	328772	1070746	328017	463727	119910
外商控股	2923550	2165167	2912313	2162060	1098572	760246

企业损益及分配

单位:万元

主营业务税金及附加		主营业务利润		其他业务利润		营业费用	
限额以上	大中型企业	限额以上	大中型企业	限额以上	大中型企业	限额以上	大中型企业
775944	**190999**	**5923615**	**1860513**	**59272**	**8598**	**4455223**	**1406477**
573044	**62385**	**3899036**	**515285**	**57701**	**15785**	**2874260**	**348152**
24954	3935	212509	41108	7212	1306	152949	25427
13776		91407		1268		62917	
15816	876	97934	9211	624		73071	3080
2062	415	13085	3605	764		8796	1325
486		4671		664		3019	
388		1542		90		1389	
102		165		9		306	
1087	415	6707	3605	2		4083	1325
107446	15898	827772	133753	14042	7215	614460	85091
657		6319		144		6238	
106790	15898	821452	133753	13899	7215	608222	85091
20490	9238	178325	94970	8122	5330	109694	52026
378245	30749	2419849	227188	24011	1935	1812407	176711
74570	1140	419010	7960	5101	-2	270360	5308
16635	552	94557	3578	771		65990	2034
270190	28835	1794472	213614	17023	1936	1387250	167436
16849	221	111810	2037	1115	1	88808	1934
10256	1275	58156	5448	1658		39966	4492
52404	**14769**	**484964**	**159204**	**2529**	**526**	**371839**	**121056**
15909	4156	146430	48585	679	47	109784	30259
6721	543	60363	11287	944	343	35844	2539
29624	10071	277266	99331	906	136	225489	88258
151		905				721	
150496	**113845**	**1539616**	**1186024**	**-959**	**-7713**	**1209124**	**937269**
53483	42901	580926	487709	-3309	-4541	431487	360376
19639	12534	211680	144378	-111	-975	160335	111999
76904	58411	743163	553937	2454	-2197	614269	464895
470		3847		7		3034	
619419	74119	4351011	665646	54020	12796	3196376	453029
136005	109061	1381376	1123821	220	-5728	1120543	899470
6083	2763	63668	23769	564		57180	28747
14436	5056	127560	47277	4468	1531	81124	25232
46368	12080	425136	127653	16761	7686	281604	72318
46265	10511	363805	109928	6147	2531	251026	66911
480509	43377	3146866	320120	35298	5569	2361667	236871
55796	16090	518258	175458	2830	461	394466	134065
146950	108941	1471528	1127353	-1852	-7648	1165065	896313

1－17 续表

项目	管理费用		财务费用		营业利润	
	限额以上	大中型企业	限额以上	大中型企业	限额以上	大中型企业
总计	**1605905**	**351527**	**187309**	**39817**	**424680**	**280621**
一、按登记注册类型分						
1. 内资企业	**1200633**	**154298**	**150002**	**23448**	**189282**	**37758**
国有企业	98649	21185	9498	1712	－8126	－2340
集体企业	29030		2763		8461	
股份合作企业	28198	4884	3543	579	3407	668
联营企业	6950	1405	276	88	1281	788
国有联营企业	3006		82		－353	
集体联营企业	1362		23		322	
国有与集体联营企业	256		3		－24	
其他联营企业	2326	1405	168	88	1337	788
有限责任公司	276849	43704	32363	5277	3070	12005
国有独资公司	2158		89		－1226	
其他有限责任公司	274690	43704	32274	5277	4296	12005
股份有限公司	56630	28184	7420	4006	23189	17570
私营企业	690672	52833	91459	11275	146745	9262
私营独资企业	121247	2058	17347	491	82575	205
私营合伙企业	25826	755	2242	212	11271	577
私营有限责任公司	513173	49875	66736	10555	49982	8539
私营股份有限公司	30425	145	5134	17	2917	－58
其他企业	13656	2104	2680	511	11254	－194
2. 港、澳、台商投资企业	**131085**	**35183**	**15254**	**1479**	**9031**	**19577**
合资经营企业	48300	17089	5430	833	－8378	451
合作经营企业	21335	6391	2984	87	4139	2613
独资经营企业	60266	11703	6830	558	13977	16513
投资股份有限公司	1185		9		－706	
3. 外商投资企业	**274187**	**162046**	**22053**	**14890**	**226367**	**223287**
中外合资经营企业	77001	40382	7556	3848	94645	100815
中外合作经营企业	39940	21924	4559	3199	8020	6281
外资企业	156591	99740	9720	7844	123447	116190
外商投资股份有限公司	655		219		255	
二、按行业分						
正餐服务	1339716	184609	166710	26805	168941	46349
快餐服务	198747	146483	16847	12751	229360	217107
饮料及冷饮服务	18637	6163	688	182	7796	5188
其他餐饮服务	48805	14272	3063	79	18583	11977
三、按控股情况分						
国有控股	177071	46748	17123	5136	11417	16026
集体控股	115338	30548	11747	4145	19522	10603
私人控股	911930	82368	121908	14975	162638	16471
港澳台控股	138509	36634	16109	1479	13362	21306
外商控股	260576	155230	20401	14083	217741	216215

单位:万元

利润总额		应交所得税		劳动、失业保险费		住房公积金和住房补贴	
限额以上	大中型企业	限额以上	大中型企业	限额以上	大中型企业	限额以上	大中型企业
380772	**294985**	**176260**	**77682**	**104128**	**33396**	**22219**	**11377**
165556	**62309**	**100630**	**15351**	**76036**	**16131**	**12006**	**3380**
2286	7889	2683	989	11474	3290	2705	534
4533		1995		1689		313	
4597	2650	3229	296	2977	188	384	36
799	788	388	118	330	8	120	62
-1071		106		255		47	
492		34		13			
-58		79		9			
1437	788	170	118	53	8	73	62
2756	19201	18351	4722	19206	4048	3504	893
-489		66		116		49	
3245	19201	18286	4722	19089	4048	3455	893
23521	18998	6896	4835	7844	5336	2210	1346
117549	12979	65160	4388	32104	3241	2748	509
68916	798	13429	238	4483	138	241	18
9283	421	3171	155	1290	23	61	
38225	11820	46682	3995	25080	3041	2287	491
1125	-60	1877		1252	39	159	
9515	-196	1929	3	414	20	23	
6241	**21268**	**11856**	**5366**	**5539**	**1220**	**1724**	**970**
-8070	1418	2374	733	1554	88	1188	927
2112	2592	1013	347	1015	122	120	7
12901	17258	8470	4287	2964	1010	416	36
-702				7			
208975	**211409**	**63773**	**56965**	**22553**	**16046**	**8489**	**7028**
90565	98628	27172	25953	8284	6742	4272	3814
7236	6062	2138	926	5396	3382	952	594
110760	106719	34182	30086	8864	5922	3265	2621
414		282		9			
139282	71931	107411	17959	79935	17294	13613	4836
213232	205801	61946	56636	18573	14382	6676	5662
7918	4966	2769	1760	1380	482	604	269
20341	12289	4133	1328	4241	1237	1326	610
23345	27669	10479	5666	21718	8398	5353	1857
18075	16848	8812	3593	10371	3695	2121	1009
127457	22254	79865	5854	43685	4083	5165	1065
8389	22860	13128	6246	6650	1732	1509	661
203506	205354	63976	56323	21704	15488	8069	6786

1－18　大中型餐饮企业工资及福利

单位:万元

项　目	本年应付工资总额		本年应付福利费总额	
	限额以上	大中型企业	限额以上	大中型企业
总　计	**1689054**	**380043**	**181262**	**54593**
一、按登记注册类型分				
1. 内资企业	**1270201**	**143646**	**136190**	**20942**
国有企业	87412	14694	12321	2482
集体企业	33674		3248	
股份合作企业	29911	2436	3143	246
联营企业	4499	545	545	76
国有联营企业	1398		236	
集体联营企业	795		93	
国有与集体联营企业	182		5	
其他联营企业	2124	545	210	76
有限责任公司	267532	41619	34042	6496
国有独资公司	2719		258	
其他有限责任公司	264813	41619	33784	6496
股份有限公司	54264	22867	7676	3509
私营企业	771871	59599	73435	7902
私营独资企业	151631	1949	12512	187
私营合伙企业	34748	1345	2565	2
私营有限责任公司	547997	55854	54769	7650
私营股份有限公司	37495	451	3590	63
其他企业	21039	1888	1779	232
2. 港、澳、台商投资企业	**120568**	**33756**	**6589**	**1345**
合资经营企业	37705	10829	2262	510
合作经营企业	16198	2765	1366	135
独资经营企业	66154	20162	2932	700
投资股份有限公司	512		29	
3. 外商投资企业	**298284**	**202642**	**38483**	**32306**
中外合资经营企业	113091	85172	21239	19416
中外合作经营企业	42042	25821	5543	4086
外资企业	141675	91649	11433	8805
外商投资股份有限公司	1477		267	
二、按行业分				
正餐服务	1386601	172609	142601	25096
快餐服务	248653	192189	32829	27812
饮料及冷饮服务	14309	5258	1636	416
其他餐饮服务	39491	9988	4196	1269
三、按控股情况分				
国有控股	154463	37588	21129	5515
集体控股	112477	24977	14466	4441
私人控股	1001035	87195	100115	10996
港澳台控股	127393	36934	7012	1498
外商控股	293686	193350	38539	32142

1－19 大中型餐饮企业经济效益分析指标

项 目	负债比率(%)		毛利率(%)	
	限额以上	大中型企业	限额以上	大中型企业
总 计	**66.7**	**61.8**	**50.1**	**60.4**
一、按登记注册类型分				
1. 内资企业	**67.1**	**63.4**	**46.0**	**51.0**
国有企业	57.6	40.8	50.1	59.5
集体企业	76.3		43.8	
股份合作企业	67.6	71.7	44.6	47.6
联营企业	67.3	34.7	53.0	50.4
国有联营企业	69.3		62.6	
集体联营企业	85.2		52.8	
国有与集体联营企业	81.4		70.6	
其他联营企业	50.8	34.7	48.1	50.4
有限责任公司	70.7	68.1	49.4	51.3
国有独资公司	49.1		46.4	
其他有限责任公司	71.0	68.1	49.5	51.3
股份有限公司	60.7	66.0	48.9	52.2
私营企业	67.3	66.9	44.7	49.6
私营独资企业	48.7	63.1	40.1	52.5
私营合伙企业	59.0	57.3	43.2	43.1
私营有限责任公司	72.9	67.1	46.0	49.5
私营股份有限公司	69.5	108.6	45.6	56.3
其他企业	66.2	89.7	41.6	42.1
2. 港、澳、台商投资企业	**69.7**	**56.4**	**56.9**	**64.7**
合资经营企业	76.5	74.6	54.7	66.5
合作经营企业	51.4	53.9	58.7	69.0
独资经营企业	67.4	44.3	57.8	63.5
投资股份有限公司	71.8		46.5	
3. 外商投资企业	**62.6**	**60.8**	**62.3**	**64.9**
中外合资经营企业	63.5	54.1	62.8	64.9
中外合作经营企业	61.2	63.5	61.8	64.5
外资企业	62.2	65.5	62.2	65.0
外商投资股份有限公司	72.5		46.0	
二、按行业分				
正餐服务	68.1	63.0	47.1	54.0
快餐服务	64.5	61.0	62.5	64.7
饮料及冷饮服务	19.2	49.1	68.9	73.1
其他餐饮服务	58.5	45.9	43.8	54.4
三、按控股情况分				
国有控股	56.5	47.3	51.7	55.1
集体控股	73.0	78.4	47.9	58.2
私人控股	68.5	66.9	45.3	49.6
港澳台控股	69.7	55.6	56.6	63.4
外商控股	62.8	60.6	62.2	64.8

注：费用率等于营业费用、管理费用、财务费用三项之和除以营业收入合计（下表同）。

1－19 续表

项　目	人均营业收入(万元)		流动资产周转次数(次)		费用率(%)	
	限额以上	大中型企业	限额以上	大中型企业	限额以上	大中型企业
总　计	**10.9**	**13.4**	**2.9**	**3.8**	**42.3**	**47.6**
一、按登记注册类型分						
1. 内资企业	**10.1**	**11.3**	**2.6**	**2.0**	**39.4**	**43.1**
国有企业	7.8	11.5	2.1	1.5	47.8	56.6
集体企业	8.6		2.6		35.8	
股份合作企业	10.2	12.3	3.2	4.5	38.6	40.3
联营企业	10.2	13.1	3.3	17.7	42.7	35.3
国有联营企业	8.8		2.5		68.2	
集体联营企业	10.5		1.2		39.2	
国有与集体联营企业	6.3		2.4		44.4	
其他联营企业	11.4	13.1	13.0	17.7	32.6	35.3
有限责任公司	9.9	12.4	2.3	1.8	44.9	43.1
国有独资公司	8.2		2.1		50.6	
其他有限责任公司	9.9	12.4	2.3	1.8	44.9	43.1
股份有限公司	11.2	17.8	2.1	2.7	40.6	41.1
私营企业	10.4	9.6	2.8	2.0	37.4	42.0
私营独资企业	9.7	9.1	3.7	8.8	29.0	32.9
私营合伙企业	8.5	8.1	3.8	3.7	33.2	31.3
私营有限责任公司	10.8	9.6	2.6	1.9	39.9	42.5
私营股份有限公司	8.8	8.4	2.8	6.4	39.7	52.2
其他企业	9.4	11.8	3.3	2.9	31.4	43.1
2. 港、澳、台商投资企业	**14.3**	**14.9**	**2.3**	**2.8**	**51.0**	**53.0**
合资经营企业	13.3	11.9	1.9	2.7	52.6	59.0
合作经营企业	15.9	12.6	2.2	2.6	47.7	50.4
独资经营企业	14.6	16.9	2.7	2.8	50.7	50.7
投资股份有限公司	7.6		5.8		65.4	
3. 外商投资企业	**14.2**	**14.6**	**5.1**	**8.0**	**49.7**	**49.3**
中外合资经营企业	14.2	15.1	4.6	7.3	48.6	47.5
中外合作经营企业	13.9	13.3	4.7	7.3	53.0	54.2
外资企业	14.3	14.6	5.7	8.8	49.7	49.6
外商投资股份有限公司	9.0		3.2		38.9	
二、按行业分						
正餐服务	10.4	12.3	2.5	2.0	40.8	45.7
快餐服务	13.6	14.1	7.5	9.8	49.0	49.0
饮料及冷饮服务	17.0	19.8	1.8	4.2	59.1	59.6
其他餐饮服务	13.7	13.2	2.6	2.8	36.6	39.2
三、按控股情况分						
国有控股	9.5	16.4	2.1	2.3	47.1	45.9
集体控股	9.9	12.8	2.4	1.6	41.6	48.5
私人控股	10.2	10.1	2.7	2.3	38.5	41.6
港澳台控股	14.4	15.0	2.4	2.9	50.7	52.4
外商控股	13.7	14.6	5.1	7.8	49.4	49.2

2. 地区篇

简要说明：

一、本篇资料主要内容为大中型批发零售和住宿餐饮企业分地区的单位数和从业人员数；大中型批发和零售企业分地区的商品购、销、存情况及住宿和餐饮企业的经营情况；大中型批发零售业和住宿餐饮企业分地区的主要财务、劳动工资及经济效益分析指标等。

二、批发零售业和住宿餐饮业统计采用“在地统计”原则，即按企业（单位）经营地确定企业所在地区。

2-1 各地区大中型批发和零售企业基本情况

地区	大中型		大型		中型	
	法人企业（个）	年末从业人数（人）	法人企业（个）	年末从业人数（人）	法人企业（个）	年末从业人数（人）
全国	**6635**	**2673329**	**1917**	**1815369**	**4718**	**857960**
北京	391	189719	133	143661	258	46058
天津	115	47614	41	32665	74	14949
河北	243	106063	65	67873	178	38190
山西	208	72120	49	40996	159	31124
内蒙古	113	41184	34	26867	79	14317
辽宁	244	104951	81	75697	163	29254
吉林	107	37958	34	23670	73	14288
黑龙江	154	63483	58	44496	96	18987
上海	419	307981	166	264689	253	43292
江苏	484	216804	131	149378	353	67426
浙江	404	104933	125	60169	279	44764
安徽	219	76836	76	50113	143	26723
福建	208	54977	49	27182	159	27795
江西	115	51787	40	36911	75	14876
山东	612	230850	134	142042	478	88808
河南	472	122841	63	44035	409	78806
湖北	249	106029	68	73479	181	32550
湖南	213	89375	47	58539	166	30836
广东	620	243737	202	176510	418	67227
广西	118	35063	34	19045	84	16018
海南	16	5416	4	3059	12	2357
重庆	111	76099	29	61655	82	14444
四川	219	83988	74	58385	145	25603
贵州	52	20641	19	15309	33	5332
云南	149	53714	54	37845	95	15869
西藏	7	1023	1	292	6	731
陕西	133	63586	43	47081	90	16505
甘肃	68	16689	17	7569	51	9120
青海	25	7444	7	4524	18	2920
宁夏	31	8283	7	3167	24	5116
新疆	116	32141	32	18466	84	13675

2-2 各地区大中型批发和零售企业商品购、销、存总额

单位:万元

地区	购进总额	进口	销售总额	批发	出口	零售	年末库存总额
全国	**364791658**	**15199923**	**390916821**	**281675417**	**23301277**	**109241404**	**29382162**
北京	49057540	2923139	57351078	47129657	1821243	10221421	3905519
天津	19677135	102643	20718465	18281692	264147	2436773	457758
河北	8840544	13352	9552870	6153645	225873	3399225	1256420
山西	6357261	2400	7032497	5067451	410784	1965046	490779
内蒙古	3489603	16368	4033065	2234954	11802	1798110	332348
辽宁	14592037	560375	15783586	11004630	368780	4778956	1448785
吉林	2982989	1091	3784938	1493363	760	2291574	263219
黑龙江	6638438	128325	7654107	4949852	54905	2704254	683238
上海	35497353	3312788	42110346	28617740	2751967	13492606	3322750
江苏	27694136	1460332	28812521	19944362	4063285	8868160	2138820
浙江	30169862	1589085	25544490	20527575	5132034	5016915	1570878
安徽	9663513	321070	10713965	7924497	800034	2789468	640778
福建	11117369	850578	12093738	9335465	1228072	2758273	733894
江西	4020552	38	4914937	3125658		1789279	279755
山东	26790927	1130673	20701849	12581220	971708	8120629	1764367
河南	10483199	26106	11410904	8955634	101518	2455270	859375
湖北	10375578	787766	10872971	6492282	488156	4380689	636231
湖南	5637808	16808	6641241	3943536	74350	2697705	505837
广东	38327899	1764898	43764726	31132970	4163871	12631757	2275388
广西	2343939	18289	2669377	1773039	21129	896338	221938
海南	824921	2186	908449	479710		428738	28246
重庆	7160122	38176	7897191	5151887	72786	2745304	544832
四川	10706389	114758	11559933	7014148	161401	4545784	907012
贵州	1663935	163	2606793	2181138		425655	343911
云南	5743668	5957	6532377	5575784	234	956593	2086532
西藏	117012		116944	4513		112431	15881
陕西	5888321	4749	5580834	3311724	67601	2269110	330050
甘肃	4801757	1	4791000	4173880	10319	617120	579846
青海	310908		785589	410938		374651	56979
宁夏	438641		491652	259134	136	232518	47407
新疆	3378304	7810	3484391	2443338	34385	1041053	653394

2－3 各地区大型批发和零售企业商品购、销、存总额

单位:万元

地区	购进总额	进口	销售总额	批发	出口	零售	年末库存总额
全国	**333491937**	**14516103**	**356926751**	**265759624**	**22343402**	**91167127**	**23978041**
北京	47291766	2844188	55301848	46109100	1780350	9192748	3572850
天津	19114730	85367	20104990	17990409	240630	2114581	355085
河北	7354991	11362	8430248	5704467	199259	2725781	1073277
山西	5202360		5802132	4319559	410784	1482574	364520
内蒙古	2960388		3484044	1958186	8837	1525858	207855
辽宁	13651666	560310	14679284	10636178	357956	4043106	1273994
吉林	2573703	751	3343032	1321938	619	2021093	176836
黑龙江	6156897	128325	7066855	4697550	50183	2369304	516505
上海	33276923	3074866	39602228	27186103	2591502	12416125	2813537
江苏	25442172	1460326	26303576	19317462	4034967	6986115	1829818
浙江	27837699	1583020	23006518	19329911	4990003	3676608	1267851
安徽	8709314	295021	9767721	7586630	789785	2181091	425865
福建	10078148	843385	10858591	8642418	1101866	2216173	596118
江西	3620094	38	4435326	2948756		1486570	214813
山东	24402212	1113687	18012351	11650668	916602	6361683	1256415
河南	8296231	25292	9201531	7788925	65704	1412606	500422
湖北	9383724	787762	9754498	6012972	488156	3741526	439479
湖南	4640526		5596933	3552996	4160	2043936	332344
广东	35075841	1552367	40173097	29253864	4032579	10919233	1807062
广西	1764958	1473	2029722	1471666	3148	558056	135645
海南	776682		852012	462239		389774	17899
重庆	6530936	38170	7208639	4717631	72027	2491009	477654
四川	9667448	103520	10453581	6423273	149832	4030308	766270
贵州	1436603		2353335	2013360		339975	314348
云南	5036224		5685352	5010842		674510	1988298
西藏	65647		63019			63019	5017
陕西	5452110		5100609	3159089	54456	1941519	255961
甘肃	4445167		4433554	3943244		490310	512106
青海	217328		688477	371045		317432	38332
宁夏	326584		373773	214157		159616	18113
新疆	2702868	6874	2759876	1964987		794889	423754

2-4 各地区中型批发和零售企业商品购、销、存总额

单位:万元

地区	购进总额	进口	销售总额	批发	出口	零售	年末库存总额
全国	**31299721**	**683820**	**33990071**	**15915793**	**957875**	**18074278**	**5404121**
北京	1765774	78951	2049231	1020558	40893	1028673	332670
天津	562405	17276	613475	291283	23517	322192	102673
河北	1485553	1990	1122622	449178	26615	673444	183144
山西	1154901	2400	1230364	747892		482472	126259
内蒙古	529215	16368	549020	276768	2965	272252	124493
辽宁	940371	65	1104302	368453	10825	735849	174792
吉林	409286	340	441906	171425	141	270481	86383
黑龙江	481542		587252	252302	4723	334950	166733
上海	2220430	237922	2508118	1431637	160465	1076481	509213
江苏	2251964	6	2508945	626900	28318	1882045	309002
浙江	2332163	6066	2537972	1197664	142031	1340308	303028
安徽	954199	26049	946244	337867	10249	608377	214912
福建	1039221	7193	1235148	693048	126206	542100	137776
江西	400459		479611	176902		302709	64941
山东	2388715	16985	2689499	930552	55105	1758946	507951
河南	2186968	814	2209373	1166709	35813	1042664	358953
湖北	991855	4	1118472	479309		639163	196752
湖南	997282	16808	1044308	390540	70190	653768	173493
广东	3252057	212531	3591629	1879106	131292	1712524	468326
广西	578981	16816	639655	301373	17982	338282	86293
海南	48239	2186	56436	17472		38965	10347
重庆	629185	6	688551	434256	759	254295	67178
四川	1038941	11238	1106352	590876	11570	515476	140742
贵州	227332	163	253459	167778		85680	29563
云南	707444	5957	847025	564942	234	282083	98234
西藏	51365		53925	4513		49412	10864
陕西	436211	4749	480225	152634	13145	327591	74089
甘肃	356589	1	357446	230636	10319	126810	67740
青海	93580		97112	39893		57219	18647
宁夏	112057		117879	44978	136	72902	29294
新疆	675436	936	724515	478352	34385	246163	229640

2-5 各地区大中型批发企业商品购、销、存总额

单位：万元

地区	购进总额	进口	销售总额	批发	出口	零售	年末库存总额
全国	**277051759**	**14830263**	**289062907**	**262184776**	**23148912**	**26878131**	**20351507**
北京	38909576	2894012	46112460	44889106	1820590	1223354	3108884
天津	17439913	102440	18308671	17976199	264147	332472	284145
河北	5962723	11362	6595984	5694535	224246	901450	905860
山西	4868148		5279628	4843801	410784	435827	349146
内蒙古	2088523	6211	2513929	1874738	11802	639191	221445
辽宁	10702618	555623	10969701	10105266	356080	864435	752561
吉林	1372196	1091	1613826	1356217	760	257609	160416
黑龙江	5233328	128325	5820199	4763720	54905	1056479	516476
上海	21617986	3227865	24775645	21868548	2737866	2907097	1944867
江苏	20832397	1454491	20766617	19121664	4012823	1644953	1468889
浙江	26028102	1562277	21102313	19953988	5104342	1148325	1125136
安徽	7824811	299494	8588992	7617624	800034	971369	422555
福建	9532032	847699	9987234	8861596	1226896	1125639	611933
江西	3302764	38	4077954	3014998		1062956	207328
山东	19919023	1130293	12732418	11233824	965858	1498594	1013634
河南	8802742	26106	9330945	8680166	101518	650779	563685
湖北	5999873	787762	6393946	5828869	488156	565076	271623
湖南	3428016	13406	3978153	3628572	70190	349581	253069
广东	28493339	1632200	32494110	29362908	4154723	3131202	1389600
广西	1666265	16849	1927533	1646056	17982	281477	96378
海南	793649	2186	869484	479710		389774	20464
重庆	4939180	9515	5528897	4689842	51190	839055	368883
四川	8580353	114758	9144559	6738774	161366	2405785	630970
贵州	1504697		2433165	2179678		253487	318589
云南	4961446	986	5570446	5438827	215	131619	1952958
西藏	86653		85374	934		84440	8842
陕西	4410397	4749	3839623	3143913	67601	695709	204461
甘肃	4522759	1	4510728	4165186	10319	345542	531287
青海	238644		683216	408802		274414	41817
宁夏	232006		267607	253978	136	13629	24234
新疆	2757602	527	2759555	2362741	34385	396814	581370

2－6 各地区大中型零售企业商品购、销、存总额

单位:万元

地区	购进总额	进口	销售总额	批发	出口	零售	年末库存总额
全国	**87739899**	**369659**	**101853914**	**19490641**	**152366**	**82363273**	**9030656**
北京	10147964	29128	11238619	2240551	653	8998067	796635
天津	2237222	203	2409795	305493		2104301	173613
河北	2877821	1990	2956886	459110	1627	2497775	350561
山西	1489114	2400	1752869	223650		1529219	141633
内蒙古	1401080	10158	1519136	360217		1158919	110903
辽宁	3889420	4752	4813885	899365	12701	3914520	696224
吉林	1610793		2171112	137147		2033966	102802
黑龙江	1405111		1833908	186133		1647775	166762
上海	13879367	84923	17334701	6749192	14101	10585509	1377883
江苏	6861738	5841	8045905	822698	50463	7223207	669930
浙江	4141760	26809	4442178	573587	27692	3868591	445743
安徽	1838702	21576	2124973	306874		1818099	218223
福建	1585337	2879	2106504	473870	1176	1632634	121961
江西	717789		836983	110660		726323	72427
山东	6871904	380	7969431	1347396	5850	6622035	750733
河南	1680457		2079960	275468		1804492	295690
湖北	4375706	4	4479025	663413		3815612	364608
湖南	2209792	3403	2663088	314964	4160	2348124	252767
广东	9834559	132698	11270617	1770062	9148	9500555	885788
广西	677673	1440	741844	126983	3148	614862	125560
海南	31272		38965			38965	7781
重庆	2220942	28661	2368294	462045	21595	1906249	175949
四川	2126036		2415374	275374	35	2140000	276042
贵州	159238	163	173628	1460		172168	25322
云南	782222	4971	961932	136958	19	824974	133574
西藏	30359		31570	3580		27990	7038
陕西	1477924		1741211	167810		1573401	125589
甘肃	278998		280272	8694		271578	48558
青海	72263		102373	2136		100238	15161
宁夏	206636		224045	5157		218889	23173
新疆	620702	7283	724836	80598		644238	72023

2-7 各地区大中型批发和零售企业年末资产负债

单位:万元

地 区	流动资产合计	固定资产原价	累计折旧	资产总计	负债合计	所有者权益合计
全 国	**104786923**	**41116298**	**11686485**	**166458053**	**109488838**	**56932187**
北 京	19637599	3406823	1061872	32643840	20914526	11729314
天 津	2469848	987977	256624	3623002	2609458	1013544
河 北	1948087	1371204	341055	3443785	2435941	1019337
山 西	2345111	1227225	302380	3849303	2628019	1221284
内蒙古	1188369	622582	183028	1907054	1294348	622713
辽 宁	3847075	1771158	475798	6332592	4148419	2125644
吉 林	680560	718449	206964	1686614	1230975	455638
黑龙江	1832931	1002388	292502	2789526	2041492	748034
上 海	10323840	4050362	1333564	15945464	10894967	5050498
江 苏	7989963	3080348	886843	12114291	7566546	4547745
浙 江	5852582	2251010	564198	9295223	6184994	3110229
安 徽	2618825	852585	231363	3782020	2611089	1170931
福 建	3031712	835256	243664	4705663	2541140	2164523
江 西	905287	677296	130158	1680338	956770	723568
山 东	6328769	2966443	848714	10306200	6981929	3324271
河 南	2436820	1687678	373246	4392650	3138657	1253993
湖 北	3459233	1627890	490161	5491908	3550264	1941643
湖 南	1855467	1178896	340014	3117497	1946247	1171251
广 东	11603419	4323964	1265967	17282515	11266658	6015857
广 西	719054	767401	207603	1628820	867300	761520
海 南	69616	161764	36461	232301	93737	138564
重 庆	2354802	1107739	252562	3673007	2708544	964463
四 川	2441696	1152898	348554	3822390	2338231	1484159
贵 州	905464	375876	121383	1338808	720631	618176
云 南	3705069	851001	299896	4647818	2952282	1695536
西 藏	24951	26859	7488	61860	27513	34348
陕 西	1209129	711324	197740	2125959	1493998	631961
甘 肃	947867	290309	104481	1286697	898132	388565
青 海	131318	146974	34543	276618	180692	95926
宁 夏	150338	94359	24661	282198	139029	143169
新 疆	1772122	790262	223001	2692092	2126310	565782

2-8 各地区大型批发和零售企业年末资产负债

单位:万元

地　区	流动资产合　计	固定资产原　价	累计折旧	资产总计	负债合计	所有者权益合　计
全　国	**89246263**	**34110599**	**9700634**	**141769049**	**90566552**	**51165468**
北　京	18157751	2855274	906006	30105231	19122562	10982669
天　津	2206038	839265	221540	3167311	2280743	886568
河　北	1511498	1131266	278967	2718770	1832742	897521
山　西	1762692	958592	236471	2962887	1926561	1036326
内蒙古	919386	481281	146867	1492984	993877	509114
辽　宁	3296889	1405722	387816	5399738	3328448	2012761
吉　林	453254	576812	159997	1303890	907962	395927
黑龙江	1422404	802155	235356	2177253	1556101	621152
上　海	9210875	3653491	1198859	14190127	9678837	4511290
江　苏	7151343	2578772	725478	10686001	6433623	4252379
浙　江	4835600	1759185	448174	7656696	4960761	2695935
安　徽	2119796	701669	193948	3119863	2026359	1093503
福　建	2581899	651491	187808	4017418	2083085	1934333
江　西	734242	554778	105161	1336380	724630	611750
山　东	5078379	2345158	685735	8323672	5237980	3085692
河　南	1356356	1263494	257620	2825940	1810277	1015663
湖　北	2898101	1427574	431732	4331735	2901213	1430523
湖　南	1434789	1014532	293159	2465587	1425751	1039836
广　东	10246127	3811530	1073783	15363081	9744025	5619056
广　西	483007	671419	180967	1264244	570185	694059
海　南	33409	134848	30258	169037	42302	126735
重　庆	2128696	995333	221315	3314392	2377218	937175
四　川	2025348	990798	302603	3188252	1852177	1336074
贵　州	772098	333906	109095	1161335	582641	578694
云　南	3397154	698383	248175	4161705	2646616	1515089
西　藏	5337	5966	1361	16239	6539	9700
陕　西	966926	596466	169330	1729530	1176422	553108
甘　肃	755548	216932	80166	1014026	692632	321394
青　海	83351	111172	25955	191029	125126	65903
宁　夏	87140	45236	12125	174688	50776	123913
新　疆	1130831	498100	144808	1740009	1468385	271624

2－9 各地区中型批发和零售企业年末资产负债

单位：万元

地 区	流动资产合 计	固定资产原 价	累计折旧	资产总计	负债合计	所有者权益合 计
全 国	**15540660**	**7005699**	**1985851**	**24689004**	**18922286**	**5766719**
北 京	1479849	551549	155865	2538609	1791964	746644
天 津	263810	148712	35084	455691	328715	126976
河 北	436589	239938	62088	725015	603199	121816
山 西	582419	268633	65909	886416	701458	184958
内蒙古	268983	141302	36160	414071	300471	113600
辽 宁	550186	365436	87982	932854	819971	112883
吉 林	227306	141638	46967	382724	323013	59711
黑龙江	410527	200233	57146	612273	485391	126882
上 海	1112965	396871	134705	1755337	1216130	539208
江 苏	838621	501576	161364	1428290	1132923	295367
浙 江	1016981	491825	116024	1638527	1224232	414294
安 徽	499029	150916	37416	662157	584730	77427
福 建	449813	183764	55856	688245	458055	230190
江 西	171044	122518	24997	343958	232140	111818
山 东	1250390	621285	162979	1982528	1743949	238579
河 南	1080464	424184	115626	1566710	1328380	238330
湖 北	561132	200316	58429	1160172	649052	511121
湖 南	420679	164364	46855	651910	520496	131414
广 东	1357293	512434	192184	1919434	1522633	396801
广 西	236047	95982	26636	364576	297115	67461
海 南	36207	26915	6204	63264	51435	11829
重 庆	226106	112406	31247	358615	331327	27288
四 川	416348	162101	45952	634138	486054	148085
贵 州	133366	41969	12288	177473	137991	39482
云 南	307916	152617	51721	486112	305666	180447
西 藏	19614	20893	6127	45621	20974	24648
陕 西	242203	114859	28409	396429	317577	78853
甘 肃	192319	73378	24315	272671	205500	67171
青 海	47968	35803	8588	85589	55566	30023
宁 夏	63198	49123	12536	107510	88254	19256
新 疆	641291	292162	78193	952084	657925	294159

2-10 各地区大中型批发企业年末资产负债

单位:万元

地区	流动资产合计	固定资产原价	累计折旧	资产总计	负债合计	所有者权益合计
全国	**74833370**	**21569837**	**6197843**	**113471352**	**70939652**	**42494672**
北京	16006854	1460238	468602	26169224	16399629	9769595
天津	1740092	353604	98960	2206254	1581014	625240
河北	1044806	708161	167790	1813082	1154244	670331
山西	1738686	940998	227355	2910037	1852295	1057742
内蒙古	808837	367910	113670	1232722	826927	415802
辽宁	2457141	553446	182639	3444447	2119363	1266555
吉林	406849	222027	68074	818556	437589	380966
黑龙江	1370231	476550	164540	1843574	1227248	616326
上海	6807793	1219824	418732	9121259	6198979	2922281
江苏	5467180	1719134	476652	7811510	4541953	3269558
浙江	4421291	1400834	345494	6805531	4373826	2431705
安徽	1977476	501130	146243	2663899	1762366	901533
福建	2642473	603744	181602	3982385	2087481	1894904
江西	649373	474267	91511	1188153	580503	607650
山东	3433426	1245772	378395	5533631	3283450	2250180
河南	1613826	1204565	261215	3010605	1977185	1033420
湖北	2513410	725134	242721	3651333	2206210	1445123
湖南	1112673	535372	165202	1710874	801589	909285
广东	7236712	2615158	724147	10956196	6968799	3987398
广西	470221	534574	145583	1143475	494286	649188
海南	47492	138125	30958	190134	52585	137549
重庆	1705983	586053	155856	2500031	1767314	732717
四川	1714101	853985	262039	2754423	1607098	1147325
贵州	832252	325907	103990	1222882	633773	589109
云南	3365197	702953	248317	4169048	2629275	1539773
西藏	13009	13336	4170	32084	14641	17442
陕西	668977	295772	93816	1129235	784749	344486
甘肃	835390	146243	56881	1017930	715774	302157
青海	89596	89104	18136	183760	118950	64810
宁夏	81425	28172	6715	109882	53385	56497
新疆	1560597	527749	147840	2145197	1687170	458028

2-11 各地区大中型零售企业年末资产负债

单位:万元

地 区	流动资产合计	固定资产原价	累计折旧	资产总计	负债合计	所有者权益合计
全 国	**29953553**	**19546461**	**5488642**	**52986701**	**38549186**	**14437515**
北 京	3630746	1946585	593270	6474616	4514897	1959719
天 津	729756	634373	157664	1416749	1028444	388305
河 北	903281	663044	173265	1630703	1281697	349006
山 西	606425	286227	75025	939266	775724	163542
内蒙古	379532	254672	69358	674333	467421	206912
辽 宁	1389934	1217712	293159	2888145	2029056	859089
吉 林	273710	496422	138890	868058	793386	74672
黑龙江	462700	525838	127961	945952	814244	131708
上 海	3516047	2830538	914832	6824205	4695988	2128217
江 苏	2522783	1361215	410191	4302781	3024593	1278188
浙 江	1431290	850175	218704	2489692	1811167	678524
安 徽	641349	351455	85120	1118121	848723	269398
福 建	389240	231512	62063	723278	453659	269619
江 西	255913	203029	38647	492185	376267	115918
山 东	2895343	1720671	470319	4772570	3698479	1074091
河 南	822994	483113	112031	1382046	1161472	220573
湖 北	945823	902756	247439	1840575	1344054	496520
湖 南	742795	643524	174812	1406623	1144658	261965
广 东	4366707	1708806	541820	6326319	4297859	2028459
广 西	248833	232827	62020	485345	373014	112332
海 南	22124	23638	5504	42167	41152	1015
重 庆	648819	521686	96706	1172977	941231	231746
四 川	727595	298914	86516	1067967	731133	336834
贵 州	73212	49969	17393	115926	86859	29067
云 南	339872	148047	51579	478770	323008	155762
西 藏	11942	13524	3319	29777	12871	16906
陕 西	540153	415552	103924	996725	709249	287475
甘 肃	112476	144067	47600	268767	182358	86409
青 海	41723	57871	16407	92858	61742	31116
宁 夏	68912	66187	17946	172317	85644	86672
新 疆	211525	262513	75162	546895	439140	107755

2－12 各地区大中型批发和零售企业实收资本及构成

单位：万元

地区	实收资本	国家资本	集体资本	法人资本	个人资本	港澳台资本	外商资本
全国	**25672893**	**7627799**	**914928**	**9260629**	**3407422**	**687251**	**3774864**
北京	5525274	429535	57788	2650806	147601	60593	2178952
天津	813904	141863	31333	455805	100774	7683	76447
河北	472622	112632	25212	171758	161056	40	1924
山西	442930	173763	32813	161086	68931	100	6236
内蒙古	297036	119330	32104	60022	85280	300	
辽宁	963106	226322	9592	397620	238559	22257	68756
吉林	213135	73518	9847	55024	65564	8787	394
黑龙江	489254	226760	32584	187677	35281	6452	501
上海	3042883	681536	39971	1063919	314332	179052	764075
江苏	1627979	594849	67572	342809	357386	42223	223141
浙江	1539651	607905	94722	465095	338840	7447	25642
安徽	397877	143437	17419	120983	104439	4321	7278
福建	634037	351094	26699	122418	129707	800	3319
江西	259270	89050	12127	107330	46110	4653	
山东	1374465	391882	119536	470908	279804	22146	90190
河南	750853	442771	50251	147578	95618	2100	12535
湖北	759719	201057	28003	358763	137667	17400	16829
湖南	364403	127840	35587	110475	46038	1029	43435
广东	2789893	963652	24241	1010445	334320	280223	177012
广西	375309	278700	9742	48422	36101	44	2301
海南	111699	96391		7773	7219		316
重庆	304684	91235	11635	145244	30950	640	24980
四川	649883	422138	12551	136885	45603	14042	18664
贵州	106811	47320	794	45600	12612	86	400
云南	295192	82659	4279	140112	44285	4305	19552
西藏	25579	23351		2228			
陕西	308440	131586	67543	73502	34979	531	300
甘肃	252439	138226	11719	67830	34663		
青海	73157	33032	8258	20265	1601		10000
宁夏	52343	19131		19593	12172		1447
新疆	359069	165236	41008	92654	59931		240

2-13 各地区大型批发和零售企业实收资本及构成

单位:万元

地区	实收资本	国家资本	集体资本	法人资本	个人资本	港澳台资本	外商资本
全国	**20611449**	**6668684**	**488116**	**7457257**	**2086797**	**574187**	**3336409**
北京	4914932	354997	36420	2337155	93889	47356	2045115
天津	653829	129301	17241	407205	62095	3219	34769
河北	346315	89228	7774	137052	112261		
山西	292256	137296	11425	123106	14193		6236
内蒙古	219845	97521	20306	41061	60957		
辽宁	746012	179752	730	356561	171288	13957	23724
吉林	123542	40337	3387	30561	41770	7487	
黑龙江	407240	200336	30172	147418	22862	6452	
上海	2588751	620826	25249	885255	240563	142299	674559
江苏	1323510	547339	25309	269761	251411	29774	199917
浙江	1224025	582592	60003	345348	221866	5200	9015
安徽	282809	105137	12966	86661	69242	2802	6000
福建	484627	318118	12863	79119	73527		1000
江西	180156	69698	5127	72439	32892		
山东	881356	324711	75097	265131	147523	20600	48295
河南	476222	347633	11676	89553	25259	2100	
湖北	636361	172255	15670	312944	105059	15126	15307
湖南	253124	114011	15995	65749	15549		41821
广东	2396123	895766	13184	842917	206933	265291	172032
广西	319194	271585	33	32392	12884		2301
海南	94572	91448		3124			
重庆	239657	75864	6712	116799	16032		24251
四川	536267	402898	5680	102474	4830	8220	12164
贵州	73686	37500	10	32723	3453		
云南	191480	46497	100	123059	7615	4305	9904
西藏							
陕西	214713	107893	49136	40561	17124		
甘肃	186481	135582	210	27675	23014		
青海	50894	30032	2265	8596			10000
宁夏	28067	2376		17802	7889		
新疆	245409	140155	23376	57060	24818		

2-14 各地区中型批发和零售企业实收资本及构成

单位:万元

地区	实收资本	国家资本	集体资本	法人资本	个人资本	港澳台资本	外商资本
全国	**5061444**	**959115**	**426812**	**1803372**	**1320625**	**113065**	**438455**
北京	610342	74538	21368	313650	53712	13237	133837
天津	160075	12562	14092	48601	38679	4464	41678
河北	126307	23404	17438	34706	48795	40	1924
山西	150674	36468	21388	37980	54738	100	
内蒙古	77192	21809	11799	18961	24324	300	
辽宁	217094	46570	8862	41060	67270	8300	45032
吉林	89593	33181	6460	24464	23795	1300	394
黑龙江	82014	26424	2411	40259	12419		501
上海	454133	60709	14722	178663	73769	36753	89516
江苏	304469	47510	42263	73048	105975	12449	23224
浙江	315626	25313	34719	119746	116974	2247	16627
安徽	115068	38300	4452	34323	35197	1519	1278
福建	149410	32977	13836	43299	56180	800	2319
江西	79114	19351	7000	34891	13218	4653	
山东	493109	67170	44439	205777	132281	1546	41895
河南	274631	95138	38574	58026	70359		12535
湖北	123358	28803	12333	45820	32608	2274	1522
湖南	111279	13829	19592	44726	30489	1029	1614
广东	393770	67886	11058	167529	127386	14932	4980
广西	56115	7115	9709	16031	23217	44	
海南	17127	4943		4649	7219		316
重庆	65027	15371	4923	28446	14918	640	730
四川	113616	19239	6871	34410	40773	5823	6500
贵州	33125	9820	784	12877	9159	86	400
云南	103712	36161	4179	17053	36670		9648
西藏	25579	23351		2228			
陕西	93727	23693	18407	32941	17855	531	300
甘肃	65958	2645	11509	40155	11649		
青海	22263	3000	5993	11669	1601		
宁夏	24276	16755		1791	4283		1447
新疆	113661	25081	17632	35594	35113		240

2－15 各地区大中型批发企业实收资本及构成

单位:万元

地 区	实收资本	国家资本	集体资本	法人资本	个人资本	港澳台资本	外商资本
全 国	**15703325**	**5643850**	**349001**	**5774184**	**1354112**	**120686**	**2461492**
北 京	4242959	281424	15070	1924139	20808	5728	1995790
天 津	492807	122372	1310	357048	6786		5291
河 北	212831	89391	5042	85264	33094	40	
山 西	268898	145524	15063	86714	21597		
内蒙古	145369	90737	304	27239	27090		
辽 宁	505112	136501	5980	247280	115068		284
吉 林	78916	55046	5116	16016	2544		194
黑龙江	327395	219434	4506	88720	14735		
上 海	1383023	237797	21287	554486	123218	64194	382042
江 苏	842882	545363	31614	135879	118688	8638	2700
浙 江	1121067	564702	54813	306490	194603		460
安 徽	224458	101502	10689	58135	50330	2802	1000
福 建	537198	339698	15505	93399	88217		380
江 西	186559	85136	5127	74989	21307		
山 东	564903	273374	43010	132120	111253	200	4946
河 南	492252	399393	14058	57309	21491		
湖 北	461796	132263	7180	281982	33052	6356	963
湖 南	160127	78079	21183	46558	14307		
广 东	1512472	442830	11077	742835	228793	31581	55356
广 西	302899	271242	1454	19600	10604		
海 南	103515	95091		3424	5000		
重 庆	187132	33885	9184	125391	18671		
四 川	432748	350978	1422	54776	25042	531	
贵 州	81980	42669	398	36938	1488	86	400
云 南	207552	73235	1328	121124	11865		
西 藏	7813	7813					
陕 西	121860	99190	6534	13700	1906	531	
甘 肃	175786	136421	6281	27433	5650		
青 海	48043	30032		7944	67		10000
宁 夏	13656	7050		3137	2022		1447
新 疆	259318	155677	34465	44116	24819		240

2－16　各地区大中型零售企业实收资本及构成

单位:万元

地　区	实收资本	国家资本	集体资本	法人资本	个人资本	港澳台资本	外商资本
全　国	**9969569**	**1983950**	**565927**	**3486445**	**2053310**	**566565**	**1313372**
北　京	1282315	148111	42718	726666	126793	54864	183162
天　津	321098	19491	30023	98757	93987	7683	71156
河　北	259791	23241	20170	86495	127962		1924
山　西	174031	28239	17750	74373	47334	100	6236
内蒙古	151667	28593	31801	32783	58191	300	
辽　宁	457994	89821	3612	150341	123490	22257	68473
吉　林	134219	18472	4731	39008	63020	8787	200
黑龙江	161859	7327	28078	98957	20546	6452	501
上　海	1659860	443739	18684	509432	191114	114858	382033
江　苏	785097	49486	35958	206930	238698	33585	220441
浙　江	418583	43204	39908	158605	144238	7447	25182
安　徽	173419	41934	6729	62849	54110	1519	6278
福　建	96839	11396	11194	29019	41490	800	2939
江　西	72711	3914	7000	32341	24803	4653	
山　东	809562	118508	76525	338788	168551	21946	85244
河　南	258601	43378	36192	90269	74126	2100	12535
湖　北	297923	68794	20823	76781	104615	11044	15866
湖　南	204277	49761	14404	63917	31731	1029	43435
广　东	1277421	520822	13164	267611	105527	248642	121656
广　西	72410	7458	8288	28823	25497	44	2301
海　南	8184	1300		4349	2219		316
重　庆	117553	57350	2450	19853	12279	640	24980
四　川	217135	71160	11129	82109	20562	13512	18664
贵　州	24831	4650	396	8662	11124		
云　南	87640	9424	2951	18987	32420	4305	19552
西　藏	17766	15538		2228			
陕　西	186580	32396	61009	59802	33073		300
甘　肃	76653	1805	5438	40397	29013		
青　海	25113	3000	8258	12321	1534		
宁　夏	38687	12081		16456	10151		
新　疆	99752	9559	6543	48538	35112		

2－17 各地区大中型批发和零售企业损益及分配

单位:万元

地 区	营业收入合计	主营业务收入	主营业务成本	主营业务税金及附加
全 国	**376717698**	**371166622**	**333011593**	**677775**
北 京	54904020	53999592	48585376	59135
天 津	18864459	18045247	17007671	12739
河 北	8423886	8394353	7568385	17775
山 西	6768967	6741251	5873929	22366
内蒙古	3940326	3928393	3413018	13257
辽 宁	14113653	14050946	12772247	34085
吉 林	3312807	3304022	2935565	7956
黑龙江	6868424	6845091	6180829	11418
上 海	38930812	38448972	34051375	59838
江 苏	28516781	28346883	25203544	54396
浙 江	27776858	27565859	25587333	36934
安 徽	9623621	9587777	8558735	15448
福 建	10960804	10933653	9949799	23108
江 西	4440021	4426055	3735353	11675
山 东	20892666	20714941	18440483	69008
河 南	10251280	10179419	9245502	19240
湖 北	13082620	13043303	11818799	29715
湖 南	6874166	6845499	5783464	20827
广 东	42752892	40646129	36841556	58767
广 西	4517129	4478714	3884116	10269
海 南	860498	858236	784252	1411
重 庆	7141890	7111793	6304484	16634
四 川	10584197	10499956	9172191	23286
贵 州	2384200	2372164	1828878	8460
云 南	5834744	5783462	4667295	16572
西 藏	92959	92416	73448	185
陕 西	4926444	4903129	4480885	10977
甘 肃	4685105	4678517	4346124	4178
青 海	715855	705441	649119	723
宁 夏	398628	395664	332996	1742
新 疆	3276991	3239747	2934844	5650

2－17 续表

地区	主营业务利润	其他业务利润	营业费用	管理费用
全国	**35763520**	**3598094**	**17470072**	**10582269**
北京	5355081	690339	2919559	1986625
天津	959037	88771	455137	180582
河北	747110	82857	321483	276477
山西	773813	39634	261451	226416
内蒙古	476207	14281	174956	110966
辽宁	1186338	151930	444988	507006
吉林	360500	35470	181157	115289
黑龙江	616817	56505	294943	205715
上海	4216808	597207	2974036	1109243
江苏	2756766	265659	1288822	689026
浙江	1941592	204433	863934	488171
安徽	915663	42466	354054	257361
福建	906189	44694	293902	213342
江西	631783	11671	221204	107696
山东	1997207	173352	895391	677685
河南	914678	64449	375273	294824
湖北	1161781	131436	429125	434901
湖南	1041209	73362	369434	300439
广东	3687227	536198	2007672	931600
广西	519544	26294	186085	150141
海南	65872	3114	23956	23441
重庆	755349	35069	346607	265041
四川	1187936	73901	599207	207525
贵州	519553	10641	110436	191465
云南	992259	25829	357703	292060
西藏	9133	268	6440	2912
陕西	400487	62229	271048	146329
甘肃	278904	21681	218069	54779
青海	53610	6321	34405	18985
宁夏	60468	6409	23200	16745
新疆	274603	21626	166396	99483

单位:万元

财务费用	营业利润	利润总额	应 交 所得税	劳动、失业 保 险 费	住房公积金 和住房补贴
1157952	**12471836**	**13570262**	**3651463**	**843001**	**404665**
108124	1033568	1948641	370408	85799	49079
27773	453889	449405	164436	16260	6942
31724	275993	273604	69945	20271	8180
40827	374382	334778	110983	8751	3451
24095	221779	216743	42375	8712	5440
35632	432110	444643	124124	42514	23352
17820	88605	99589	37042	10828	5869
38415	185864	153991	63062	17054	9513
107432	863894	988386	250650	76297	31284
96841	1313440	1283255	402193	65734	25430
71276	722643	810390	264291	79445	14258
20237	445612	440426	113164	19971	9985
19068	449103	509268	135127	14147	7828
12417	358824	335133	85074	9869	4489
84720	752828	764595	183613	56085	34256
38781	270247	288118	98670	25032	8810
38127	474977	459495	123615	28325	13078
22927	426060	435594	127872	33574	21252
123388	1275640	1361255	300246	83275	36830
11944	255505	227136	63077	4395	7854
2242	27253	27868	7805	1750	992
32837	153971	143433	50232	22045	17232
30612	563261	542003	148855	51061	21631
29489	250009	283048	77382	9847	11586
6454	472977	432330	136824	16363	11476
357	9476	7332	-102	308	239
23815	208327	200533	53449	9731	7528
21916	52789	46331	24319	12248	1592
3298	5580	6772	885	420	321
2685	24705	29341	8816	2308	1076
32678	28528	26829	13034	10587	3813

2－18　各地区大型批发和

地　区	营业收入合　计	主营业务收　入	主营业务成　本	主营业务税金及附加	主营业务利　润	其他业务利　润	营业费用
全　国	**344591191**	**339585426**	**305383351**	**563307**	**32283553**	**2886344**	**14826185**
北　京	52896284	52104227	46996775	52252	5055199	598524	2691387
天　津	18308379	17495275	16537645	11057	901924	70817	398135
河　北	7352799	7331669	6611895	15131	664970	60217	246671
山　西	5619895	5600673	4861924	16726	670320	24035	193067
内蒙古	3389221	3384376	2939422	10984	416402	4783	146781
辽　宁	13083998	13033499	11878093	27330	1092501	114899	342057
吉　林	2867012	2865606	2548166	6074	311366	17615	140939
黑龙江	6323615	6311247	5705992	10075	568339	45533	256007
上　海	36297677	35871174	31905863	52633	3817809	519927	2695263
江　苏	26258422	26125869	23270748	47364	2533790	208946	1071253
浙　江	25515593	25352219	23625473	31370	1695377	152463	690128
安　徽	8769825	8737999	7783228	12652	854062	27930	288992
福　建	9787519	9766195	8931774	19765	772676	27942	199652
江　西	3997421	3985858	3345825	9596	586500	7964	184604
山　东	18465784	18325032	16341278	55179	1742062	138154	750885
河　南	8270385	8234354	7517713	10574	706067	37784	272070
湖　北	12002987	11968990	10871946	25761	1052169	106263	359110
湖　南	5883971	5864829	4954677	15769	894384	56901	247256
广　东	39286717	37232584	33878505	48631	3272453	450367	1674911
广　西	3916896	3887092	3361773	9045	475892	16505	151531
海　南	805449	804834	736529	1090	61474	412	19046
重　庆	6510694	6485346	5747611	14905	694115	27361	297287
四　川	9492856	9420736	8196133	20657	1099573	57933	535863
贵　州	2144937	2141222	1629115	7463	492678	8555	95352
云　南	5027159	4992810	3992911	13523	889316	17138	304679
西　藏	39024	38931	29577	77			1591
陕　西	4471167	4457138	4027104	9455	414508	52790	214698
甘　肃	4334296	4330934	4033071	3181	254079	14479	190922
青　海	621718	611452	570526	447	39107	4458	24888
宁　夏	309561	306871	256124	1377	49370	3873	16438
新　疆	2539934	2516387	2295937	3167	205075	11777	124724

零售企业损益及分配

单位:万元

管理费用	财务费用	营业利润	利润总额	应交所得税	劳动、失业保险费	住房公积金和住房补贴
8784068	**908604**	**12389630**	**13406558**	**3503592**	**655496**	**358052**
1813307	93679	1056923	1927495	357427	68794	43328
144258	23069	455219	454308	161257	13642	5865
219322	24744	276358	282736	67105	15695	7438
168797	31802	364230	320222	105913	6250	2703
81294	18588	199578	199277	38501	7080	4937
439140	24290	453325	469694	122147	36701	21844
85471	12045	93629	95537	33978	9252	5247
171402	26274	201851	190642	60633	14296	8223
911604	98087	839955	948528	237439	61959	26359
572755	82976	1310027	1285016	394714	53243	22610
374929	52134	730648	784497	252658	36373	11718
225788	12761	461562	449864	111939	16607	9351
157763	12648	439083	496296	128039	9643	5369
89110	6310	362892	336265	82136	8850	4111
544542	56337	730384	743067	174692	42216	29215
194760	23158	253862	253978	83599	16324	6999
372761	29171	460793	451375	121010	25097	11566
262995	17803	425533	430667	125554	31804	19327
751107	106602	1255479	1334471	282751	68521	33497
122047	8925	257652	225745	62280	3556	7366
17616	1318	29648	30542	7647	1481	978
237202	28485	159070	159953	49430	19634	16785
164685	23916	555195	530315	144062	48107	20907
178439	28521	246385	280327	76073	9284	11045
249918	3690	447127	403374	127947	12161	9560
1503	-1	6183	5982		196	141
120712	19081	206001	202860	52398	8406	6462
29017	19984	52899	48539	22725	1476	1327
12635	2415	5348	6324	537	159	192
10099	30	26675	30890	8710	992	672
59093	19764	26118	27773	10291	7700	2909

2－19 各地区中型批发和

地 区	营业收入合 计	主营业务收 入	主营业务成 本	主营业务税金及附加	主营业务利 润	其他业务利 润	营业费用
全 国	**32126507**	**31581196**	**27628242**	**114469**	**3479967**	**711751**	**2643887**
北 京	2007736	1895365	1588601	6883	299882	91815	228173
天 津	556080	549972	470027	1683	57113	17954	57002
河 北	1071087	1062684	956490	2644	82140	22640	74812
山 西	1149073	1140578	1012005	5640	103493	15599	68384
内 蒙 古	551105	544017	473596	2273	59804	9498	28174
辽 宁	1029655	1017446	894154	6754	93837	37031	102931
吉 林	445795	438416	387399	1883	49134	17855	40217
黑 龙 江	544809	533843	474837	1343	48478	10972	38937
上 海	2633136	2577798	2145512	7205	398998	77280	278773
江 苏	2258359	2221014	1932796	7032	222975	56714	217568
浙 江	2261265	2213640	1961860	5565	246215	51970	173806
安 徽	853796	849777	775507	2796	61601	14536	65062
福 建	1173285	1167458	1018025	3344	133514	16751	94251
江 西	442600	440198	389528	2079	45283	3707	36600
山 东	2426883	2389909	2099205	13829	255145	35197	144505
河 南	1980895	1945065	1727789	8666	208611	26665	103203
湖 北	1079634	1074313	946852	3954	109612	25172	70015
湖 南	990195	980670	828787	5058	146825	16461	122179
广 东	3466175	3413545	2963051	10136	414775	85832	332761
广 西	600233	591623	522343	1225	43652	9790	34554
海 南	55049	53401	47723	321	4398	2701	4910
重 庆	631196	626446	556873	1729	61234	7708	49320
四 川	1091341	1079220	976059	2630	88363	15968	63344
贵 州	239264	230942	199762	997	26875	2086	15084
云 南	807585	790653	674384	3049	102943	8690	53025
西 藏	53935	53486	43871	109	9133	268	4849
陕 西	455276	445991	453780	1522	－14021	9440	56350
甘 肃	350809	347583	313053	997	24826	7202	27147
青 海	94137	93989	78593	276	14504	1863	9518
宁 夏	89066	88793	76872	365	11099	2537	6762
新 疆	737057	723360	638907	2483	69527	9850	41672

零售企业损益及分配

单位:万元

管理费用	财务费用	营业利润	利润总额	应交所得税	劳动、失业保险费	住房公积金和住房补贴
1798201	**249348**	**82206**	**163703**	**147871**	**187505**	**46613**
173319	14445	-23355	21146	12981	17004	5751
36324	4705	-1330	-4903	3178	2618	1077
57155	6979	-366	-9132	2840	4576	742
57619	9025	10152	14555	5070	2501	748
29672	5507	22201	17466	3874	1632	504
67866	11342	-21215	-25052	1977	5813	1508
29818	5775	-5024	4052	3064	1576	622
34313	12141	-15987	-36651	2429	2758	1289
197639	9345	23938	39858	13211	14339	4925
116271	13865	3413	-1761	7478	12491	2821
113242	19142	-8005	25893	11633	43072	2540
31572	7476	-15950	-9438	1225	3364	634
55579	6420	10020	12973	7088	4504	2459
18586	6107	-4068	-1132	2938	1020	378
133143	28383	22444	21528	8922	13869	5041
100065	15624	16385	34139	15071	8708	1811
62140	8957	14183	8121	2605	3228	1511
37445	5124	527	4927	2318	1770	1925
180493	16786	20161	26783	17495	14753	3333
28094	3020	-2147	1391	797	840	489
5825	925	-2396	-2674	158	269	14
27840	4352	-5099	-16520	801	2411	446
42841	6695	8067	11688	4793	2954	724
13027	969	3624	2721	1310	563	541
42142	2765	25850	28956	8877	4202	1915
1408	358	3293	1349	-102	113	98
25617	4734	2326	-2327	1051	1324	1067
25761	1931	-110	-2209	1594	10772	265
6351	883	233	448	348	261	129
6645	2655	-1970	-1549	106	1315	405
40390	12914	2410	-944	2742	2887	904

2-20 各地区大中型

地 区	营业收入合计	主营业务收入	主营业务成本	主营业务税金及附加	主营业务利润	其他业务利润	营业费用
全 国	**284098895**	**280350483**	**252953356**	**403463**	**25826534**	**809188**	**10245986**
北 京	44809817	44325179	40154956	34271	4135952	312292	2028627
天 津	16674700	15926050	15102868	7951	775521	13234	241588
河 北	5964950	5956656	5392206	10500	536885	3848	168488
山 西	5118740	5106878	4381967	17754	657636	11405	185491
内蒙古	2484407	2483171	2104373	7771	363303	995	109557
辽 宁	9806711	9804418	9035665	17531	724138	13039	198842
吉 林	1550292	1548986	1326250	3427	219309	1286	67760
黑龙江	5343636	5333734	4865004	5765	433031	2188	198170
上 海	22851324	22749317	20233642	24766	2403165	101069	1461423
江 苏	21430629	21398902	19182040	33166	1999651	73751	766331
浙 江	23646393	23576644	22040170	23642	1512832	53372	524604
安 徽	7633547	7604264	6752400	9808	753154	7435	244937
福 建	9071260	9050792	8281959	18128	735094	17001	175449
江 西	3706143	3698310	3093028	7342	553364	2430	171787
山 东	12177101	12148208	10707416	42543	1242322	23654	514226
河 南	8525873	8493719	7728915	11362	753442	2281	236772
湖 北	9839241	9827241	8992552	17118	798107	13568	229095
湖 南	4258867	4256158	3567588	9902	678669	5650	143191
广 东	32401284	30422148	27877178	30355	2483994	97370	951839
广 西	3821393	3807875	3310240	7915	437075	4066	139640
海 南	822920	822306	752399	1109	62890	511	20097
重 庆	5113511	5097349	4519885	8123	536747	-5407	205911
四 川	8390559	8345348	7319791	17733	914056	15421	407612
贵 州	2230895	2222372	1705057	7432	497560	6961	96708
云 南	4951276	4913801	3933679	14183	864598	6922	281037
西 藏	61389	61040	48046	155	3562	157	3299
陕 西	3526290	3524213	3268918	6058	243181	2178	148449
甘 肃	4409747	4408788	4126486	2881	243653	9398	191450
青 海	620422	610156	570343	468	39133	2501	22914
宁 夏	224536	223004	184982	673	37348	1878	11070
新 疆	2631043	2603455	2393353	3632	187166	8734	99623

批发企业损益及分配

单位:万元

管理费用	财务费用	营业利润	利润总额	应交所得税	劳动、失业保险费	住房公积金和住房补贴
6557705	**679798**	**10705933**	**11839040**	**3047627**	**503806**	**301691**
1491036	74661	855349	1701253	262262	33920	32103
83630	8091	498517	496349	160201	5171	3220
140914	13545	239647	260007	57689	7653	6022
170346	27432	349431	315271	105369	6660	2970
72276	14387	181731	178860	39363	5466	4481
232314	6191	343851	378205	97793	20679	16720
60158	3055	92770	92032	31109	5422	4190
91076	23484	161626	155335	47043	11272	6588
563969	66966	515617	650942	129054	37659	21265
382939	57137	1069772	1048017	338501	33601	13444
302998	46149	692453	746511	239573	60005	9933
187079	8091	429599	418765	106026	14974	8987
168490	14597	406288	470593	120975	9776	6944
71433	2828	358845	334064	82327	7183	4150
303908	30723	595339	595833	136522	32348	26615
213469	27228	278254	287198	95405	17857	8253
230421	15299	401657	394998	104697	16018	10112
197565	10786	332991	335998	100928	26406	18848
580889	91104	1002769	1111978	241214	49449	25399
103252	5941	244101	215206	60500	3175	6176
18232	1331	29650	30541	7687	1524	978
161097	18267	151369	143585	45002	19463	15823
111219	21746	499015	496712	143178	31173	15402
179995	28190	247691	281408	76729	9090	11287
247193	3432	443190	405045	130458	13698	10623
1584	87	8026	6230	25	308	157
74143	13256	177072	185092	46023	5527	6144
32232	16939	45466	46977	23629	11155	1481
11558	2265	5457	6610	622	208	213
6282	720	21154	21625	6492	460	485
66012	25870	27237	27798	11231	6507	2680

2－21 各地区大中型

地　区	营业收入合　计	主营业务收　入	主营业务成　本	主营业务税金及附加	主营业务利　润	其他业务利　润	营业费用
全　国	**92618803**	**90816139**	**80058237**	**274312**	**9936986**	**2788907**	**7224086**
北　京	10094203	9674413	8430420	24864	1219130	378047	890932
天　津	2189758	2119197	1904804	4788	183515	75537	213549
河　北	2458935	2437697	2176179	7275	210225	79009	152995
山　西	1650228	1634373	1491962	4612	116177	28229	75960
内蒙古	1455919	1445222	1308646	5486	112904	13286	65399
辽　宁	4306942	4246527	3736582	16554	462200	138891	246146
吉　林	1762515	1755036	1609315	4529	141192	34185	113397
黑龙江	1524788	1511356	1315825	5652	183786	54317	96774
上　海	16079488	15699654	13817732	35072	1813643	496137	1512612
江　苏	7086152	6947981	6021504	21230	757115	191908	522491
浙　江	4130465	3989215	3547163	13292	428760	151061	339331
安　徽	1990074	1983513	1806334	5640	162509	35031	109117
福　建	1889544	1882861	1667841	4980	171096	27693	118454
江　西	733878	727746	642325	4333	78418	9241	49418
山　东	8715565	8566732	7733066	26465	754885	149697	381165
河　南	1725407	1685700	1516587	7878	161235	62168	138501
湖　北	3243379	3216062	2826246	12597	363674	117868	200030
湖　南	2615300	2589341	2215876	10925	362539	67712	226243
广　东	10351608	10223981	8964378	28412	1203234	438828	1055833
广　西	695735	670840	573877	2354	82469	22228	46444
海　南	37577	35930	31854	303	2982	2602	3859
重　庆	2028379	2014444	1784599	8511	218602	40476	140696
四　川	2193638	2154609	1852400	5554	273880	58480	191595
贵　州	153305	149791	123820	1028	21993	3680	13728
云　南	883468	869661	733616	2389	127660	18906	76666
西　藏	31570	31377	25403	30	5572	111	3141
陕　西	1400154	1378915	1211966	4919	157306	60052	122599
甘　肃	275358	269729	219638	1297	35252	12283	26619
青　海	95433	95285	78776	255	14478	3821	11491
宁　夏	174091	172660	148014	1069	23121	4531	12130
新　疆	645948	636292	541491	2019	87437	12892	66774

零售企业损益及分配

单位:万元

管理费用	财务费用	营业利润	利润总额	应 交 所得税	劳动、失业 保 险 费	住房公积金 和住房补贴
4024564	**478153**	**1765903**	**1731222**	**603836**	**339195**	**102974**
495589	33463	178220	247388	108146	51878	16975
96952	19682	-44627	-46944	4234	11088	3722
135563	18179	36346	13597	12256	12618	2158
56070	13395	24950	19506	5614	2091	481
38691	9708	40048	37883	3011	3245	960
274692	29442	88260	66437	26331	21835	6632
55132	14765	-4165	7557	5933	5405	1680
114640	14930	24238	-1344	16020	5782	2925
545275	40466	348277	337445	121596	38638	10020
306087	39704	243668	235238	63692	32133	11987
185174	25126	30190	63879	24718	19439	4326
70281	12147	16013	21661	7138	4997	998
44852	4471	42815	38675	14153	4371	884
36263	9590	-21	1069	2746	2687	339
373778	53997	157489	168762	47092	23737	7641
81355	11554	-8007	920	3265	7175	558
204481	22828	73320	64497	18917	12307	2965
102875	12141	93069	99595	26944	7168	2404
350711	32284	272871	249277	59032	33826	11431
46889	6003	11404	11930	2577	1221	1678
5209	911	-2397	-2673	118	226	14
103944	14570	2602	-152	5230	2582	1409
96306	8865	64246	45291	5677	19889	6229
11470	1300	2317	1640	654	757	299
44867	3022	29787	27285	6366	2665	852
1328	271	1450	1101	-127		82
72187	10559	31255	15441	7426	4204	1385
22547	4977	7323	-647	689	1093	111
7427	1033	123	162	263	212	108
10462	1965	3551	7716	2325	1847	592
33471	6808	1291	-969	1803	4081	1133

2－22 各地区大中型批发和

地区	大中型		
	本年应付工资总额	本年应付福利费总额	本年应交增值税
全国	**5946281**	**825458**	**5873389**
北京	903797	101246	993260
天津	119013	15174	84925
河北	153249	20522	129363
山西	94536	20706	119657
内蒙古	78359	17147	80076
辽宁	220190	27815	166774
吉林	75196	13703	103879
黑龙江	112595	20811	171960
上海	684191	121828	641341
江苏	377744	50845	420100
浙江	319210	45760	249165
安徽	123100	17713	231944
福建	136478	15138	120994
江西	80667	11081	81174
山东	313367	53262	300169
河南	180452	23477	146647
湖北	184689	23841	175649
湖南	129281	17633	160550
广东	699252	75977	553795
广西	81244	11447	127528
海南	11968	1916	13089
重庆	164881	24297	120764
四川	213905	28334	191079
贵州	97429	12668	68684
云南	166888	23400	144937
西藏	3620	309	1047
陕西	101036	12462	144828
甘肃	29583	4014	28922
青海	11961	1716	6187
宁夏	10934	1784	10195
新疆	67466	9434	84709

零售企业工资、福利及增值税

单位:万元

大型			中型		
本年应付工资总额	本年应付福利费总额	本年应交增值税	本年应付工资总额	本年应付福利费总额	本年应交增值税
4787762	**669988**	**5202901**	**1158519**	**155470**	**670487**
798232	87865	952663	105565	13381	40597
97153	12606	74084	21860	2568	10841
121100	15268	119872	32149	5254	9491
65960	15904	84946	28576	4803	34712
59928	14726	70687	18432	2421	9389
181517	23918	153984	38673	3897	12790
61690	11962	100666	13506	1741	3213
93262	17247	162838	19333	3564	9122
571509	106052	496861	112682	15775	144480
296904	38998	388919	80841	11847	31181
241457	34565	210799	77753	11196	38366
97324	13507	220709	25776	4206	11235
90265	10244	102393	46213	4894	18602
63424	7942	73757	17243	3138	7417
228621	37904	263493	84746	15357	36676
110451	15637	118404	70001	7840	28242
150636	19706	161766	34053	4135	13884
96723	13760	142091	32558	3873	18459
559769	61951	479333	139483	14026	74462
64060	8582	110705	17184	2865	16823
9225	1463	11940	2744	454	1149
149432	22318	113826	15449	1980	6938
185040	24025	163217	28865	4309	27862
87158	11585	64993	10272	1083	3691
138366	19721	128993	28523	3679	15944
1921	181	537	1699	128	511
84413	10720	115394	16623	1742	29433
20205	2746	25485	9378	1268	3437
9290	1210	4997	2671	506	1190
6434	1240	9118	4500	545	1076
46295	6435	75432	21171	2999	9276

2－23 各地区大中型批发和零售企业经济效益分析指标

地 区	负债比率（%）	商品销售毛利率（%）	人均营业收入（万元）	流动资产周转次数（次）	费用率（%）
全 国	**65.8**	**10.3**	**131.9**	**3.6**	**7.8**
北 京	64.1	10.0	291.7	2.8	9.1
天 津	72.0	5.7	346.8	7.6	3.5
河 北	70.7	9.8	75.3	4.3	7.5
山 西	68.3	12.9	92.5	2.9	7.8
内蒙古	67.9	13.1	78.2	3.3	7.9
辽 宁	65.5	9.1	127.9	3.7	7.0
吉 林	73.0	11.2	85.3	4.9	9.5
黑龙江	73.2	9.7	87.8	3.7	7.8
上 海	68.3	11.4	130.2	3.8	10.8
江 苏	62.5	11.1	128.5	3.6	7.3
浙 江	66.5	7.2	214.8	4.7	5.1
安 徽	69.0	10.7	121.3	3.7	6.6
福 建	54.0	9.0	172.5	3.6	4.8
江 西	56.9	15.6	84.7	4.9	7.7
山 东	67.7	11.0	91.5	3.3	7.9
河 南	71.5	9.2	78.5	4.2	6.9
湖 北	64.6	9.4	109.0	3.8	6.9
湖 南	62.4	15.5	70.9	3.7	10.1
广 东	65.2	9.4	162.5	3.7	7.2
广 西	53.2	13.3	93.2	6.3	7.7
海 南	40.4	8.6	160.3	12.4	5.8
重 庆	73.7	11.4	93.1	3.0	9.0
四 川	61.2	12.6	100.9	4.3	7.9
贵 州	53.8	22.9	57.8	2.6	13.9
云 南	63.5	19.3	101.3	1.6	11.2
西 藏	44.5	20.5	88.8	3.7	10.4
陕 西	70.3	8.6	77.7	4.1	9.0
甘 肃	69.8	7.1	241.3	4.9	6.3
青 海	65.3	8.0	94.8	5.5	7.9
宁 夏	49.3	15.8	50.4	2.7	10.7
新 疆	79.0	9.4	99.0	1.8	9.1

注：费用率等于营业费用、管理费用、财务费用三项之和除以营业收入合计（下表同）。

2-24 各地区大型批发和零售企业经济效益分析指标

地 区	负债比率（%）	商品销售毛利率（%）	人均营业收入（万元）	流动资产周转次数（次）	费用率（%）
全 国	**63.9**	**10.1**	**171.8**	**3.9**	**7.1**
北 京	63.5	9.8	375.8	2.9	8.7
天 津	72.0	5.5	434.1	8.3	3.1
河 北	67.4	9.8	98.2	4.9	6.7
山 西	65.0	13.2	129.6	3.2	7.0
内蒙古	66.6	13.1	96.4	3.7	7.3
辽 宁	61.6	8.9	160.6	4.0	6.2
吉 林	69.6	11.1	111.4	6.3	8.3
黑龙江	71.5	9.6	107.6	4.4	7.2
上 海	68.2	11.1	141.8	3.9	10.2
江 苏	60.2	10.9	168.1	3.7	6.6
浙 江	64.8	6.8	311.2	5.3	4.4
安 徽	65.0	10.9	168.8	4.1	6.0
福 建	51.9	8.5	278.1	3.8	3.8
江 西	54.2	16.1	107.8	5.4	7.0
山 东	62.9	10.8	130.2	3.6	7.3
河 南	64.1	8.7	142.1	6.1	5.9
湖 北	67.0	9.2	137.9	4.1	6.3
湖 南	57.8	15.5	89.9	4.1	9.0
广 东	63.4	9.0	203.6	3.8	6.4
广 西	45.1	13.5	117.4	8.1	7.2
海 南	25.0	8.5	262.4	24.1	4.7
重 庆	71.7	11.4	104.1	3.1	8.6
四 川	58.1	13.0	119.6	4.7	7.6
贵 州	50.2	23.9	60.6	2.8	14.1
云 南	63.6	20.0	121.5	1.5	11.1
西 藏	40.3	24.0	133.6	7.3	7.9
陕 西	68.0	9.6	96.2	4.6	7.9
甘 肃	68.3	6.9	437.7	5.7	5.5
青 海	65.5	6.7	134.5	7.5	6.4
宁 夏	29.1	16.5	97.7	3.6	8.6
新 疆	84.4	8.8	128.9	2.2	8.0

2-25 各地区中型批发和零售企业经济效益分析指标

地区	负债比率（%）	商品销售毛利率（%）	人均营业收入（万元）	流动资产周转次数（次）	费用率（%）
全国	**76.6**	**12.5**	**37.7**	**2.1**	**14.6**
北京	70.6	16.2	42.3	1.4	20.7
天津	72.1	14.5	45.5	2.1	17.6
河北	83.2	10.0	29.0	2.5	13.0
山西	79.1	11.3	38.5	2.0	11.8
内蒙古	72.6	12.9	36.2	2.0	11.5
辽宁	87.9	12.1	35.6	1.9	17.7
吉林	84.4	11.6	34.0	2.0	17.0
黑龙江	79.3	11.1	28.0	1.3	15.7
上海	69.3	16.8	61.3	2.4	18.4
江苏	79.3	13.0	34.4	2.7	15.4
浙江	74.7	11.4	47.8	2.2	13.5
安徽	88.3	8.7	31.2	1.7	12.2
福建	66.6	12.8	41.4	2.6	13.3
江西	67.5	11.5	28.8	2.6	13.8
山东	88.0	12.2	28.0	1.9	12.6
河南	84.8	11.2	27.4	1.8	11.1
湖北	55.9	11.9	32.8	1.9	13.1
湖南	79.8	15.5	31.5	2.4	16.6
广东	79.3	13.2	49.4	2.6	15.3
广西	81.5	11.7	39.7	2.5	10.9
海南	81.3	10.6	24.0	1.5	21.2
重庆	92.4	11.1	44.6	2.8	12.9
四川	76.6	9.6	42.7	2.6	10.3
贵州	77.8	13.5	40.6	1.8	12.2
云南	62.9	14.7	49.7	2.6	12.1
西藏	46.0	18.0	71.4	2.7	12.3
陕西	80.1	-1.7	26.8	1.9	19.0
甘肃	75.4	9.9	36.9	1.8	15.6
青海	64.9	16.4	32.2	2.0	17.8
宁夏	82.1	13.4	18.8	1.4	18.0
新疆	69.1	11.7	55.0	1.1	12.9

2－26　各地区大中型批发企业经济效益分析指标

地　区	负债比率（%）	商品销售毛利率（%）	人均营业收入（万元）	流动资产周转次数（次）	费用率（%）
全　国	**62.5**	**9.8**	**262.1**	**3.8**	**6.2**
北　京	62.7	9.4	753.1	2.8	8.0
天　津	71.7	5.2	994.7	9.6	2.0
河　北	63.7	9.5	132.6	5.7	5.4
山　西	63.7	14.2	163.0	2.9	7.5
内蒙古	67.1	15.3	110.2	3.1	7.9
辽　宁	61.5	7.8	345.7	4.0	4.5
吉　林	53.5	14.4	124.1	3.8	8.4
黑龙江	66.6	8.8	200.3	3.9	5.9
上　海	68.0	11.1	311.4	3.4	9.2
江　苏	58.1	10.4	266.6	3.9	5.6
浙　江	64.3	6.5	507.0	5.3	3.7
安　徽	66.2	11.2	217.6	3.9	5.8
福　建	52.4	8.5	293.6	3.4	4.0
江　西	48.9	16.4	137.2	5.7	6.6
山　东	59.3	11.9	167.6	3.5	7.0
河　南	65.7	9.0	169.4	5.3	5.6
湖　北	60.4	8.5	240.1	3.9	4.8
湖　南	46.9	16.2	157.4	3.8	8.3
广　东	63.6	8.4	309.9	4.5	5.0
广　西	43.2	13.1	132.8	8.1	6.5
海　南	27.7	8.5	240.5	17.3	4.8
重　庆	70.7	11.3	129.4	3.0	7.5
四　川	58.3	12.3	154.2	4.9	6.4
贵　州	51.8	23.3	63.1	2.7	13.7
云　南	63.1	19.9	148.7	1.5	10.7
西　藏	45.6	21.3	104.0	4.7	8.1
陕　西	69.5	7.2	153.3	5.3	6.7
甘　肃	70.3	6.4	470.7	5.3	5.5
青　海	64.7	6.5	166.2	6.9	5.9
宁　夏	48.6	17.0	102.7	2.8	8.0
新　疆	78.6	8.1	141.3	1.7	7.3

2－27 各地区大中型零售企业经济效益分析指标

地 区	负债比率（%）	商品销售毛利率（%）	人均营业收入（万元）	流动资产周转次数（次）	费用率（%）
全 国	**72.8**	**11.8**	**52.2**	**3.1**	**12.7**
北 京	69.7	12.9	78.4	2.8	14.1
天 津	72.6	10.1	58.2	3.0	15.1
河 北	78.6	10.7	36.8	2.7	12.5
山 西	82.6	8.7	39.5	2.7	8.8
内蒙古	69.3	9.5	52.3	3.8	7.8
辽 宁	70.3	12.0	52.5	3.1	12.8
吉 林	91.4	8.3	66.9	6.4	10.4
黑龙江	86.1	12.9	29.6	3.3	14.8
上 海	68.8	12.0	71.3	4.6	13.0
江 苏	70.3	13.3	50.1	2.8	12.3
浙 江	72.7	11.1	50.0	2.9	13.3
安 徽	75.9	8.9	45.0	3.1	9.6
福 建	62.7	11.4	57.9	4.9	8.9
江 西	76.4	11.7	28.9	2.9	13.0
山 东	77.5	9.7	56.0	3.0	9.3
河 南	84.0	10.0	21.5	2.1	13.4
湖 北	73.0	12.1	41.1	3.4	13.2
湖 南	81.4	14.4	37.4	3.5	13.0
广 东	67.9	12.3	65.3	2.4	13.9
广 西	76.9	14.5	35.3	2.8	14.3
海 南	97.6	11.3	19.3	1.7	26.6
重 庆	80.2	11.4	54.5	3.1	12.8
四 川	68.5	14.0	43.4	3.0	13.5
贵 州	74.9	17.3	25.8	2.1	17.3
云 南	67.5	15.6	36.3	2.6	14.1
西 藏	43.2	19.0	69.1	2.6	15.0
陕 西	71.2	12.1	34.6	2.6	14.7
甘 肃	67.8	18.6	27.4	2.4	19.7
青 海	66.5	17.3	25.0	2.3	20.9
宁 夏	49.7	14.3	30.4	2.5	14.1
新 疆	80.3	14.9	44.6	3.1	16.6

2-28 各地区大中型住宿和餐饮企业基本情况

地区	大中型		大型		中型	
	法人企业（个）	年末从业人数（人）	法人企业（个）	年末从业人数（人）	法人企业（个）	年末从业人数（人）
全国	**674**	**524738**	**95**	**230906**	**579**	**293832**
北京	91	87347	24	54339	67	33008
天津	14	13418	2	7603	12	5815
河北	12	6286			12	6286
山西	11	5159	1	125	10	5034
内蒙古	3	1582			3	1582
辽宁	19	17969	3	10062	16	7907
吉林	10	4466			10	4466
黑龙江	7	3324			7	3324
上海	44	56845	14	41599	30	15246
江苏	47	36523	4	15977	43	20546
浙江	63	46938	6	14742	57	32196
安徽	9	3851			9	3851
福建	11	6816	2	3393	9	3423
江西	9	5362	1	1442	8	3920
山东	29	22703	4	10639	25	12064
河南	11	5514			11	5514
湖北	16	16657	5	11668	11	4989
湖南	18	12040	2	3510	16	8530
广东	149	104209	18	34943	131	69266
广西	11	5430	1	553	10	4877
海南	10	5563			10	5563
重庆	17	21390	2	13635	15	7755
四川	16	7567	3	1450	13	6117
贵州	2	1119			2	1119
云南	10	5183			10	5183
西藏	1	489			1	489
陕西	17	11802	3	5226	14	6576
甘肃	6	3603			6	3603
青海						
宁夏	2	958			2	958
新疆	9	4625			9	4625

2－29 各地区大中型住宿和餐饮企业经营情况

单位:万元

地区	营业额	客房收入	餐费收入	商品销售收入	其他收入
全国	**7152087**	**1838285**	**4661023**	**158344**	**494435**
北京	1414375	455719	806012	25059	127585
天津	213457	37728	165522	587	9620
河北	60851	20983	30698	1772	7397
山西	68034	7501	57938	1126	1469
内蒙古	19419	7988	10684		747
辽宁	263432	36225	220233	3676	3298
吉林	46494	17530	23365	898	4700
黑龙江	39752	15513	20760	1154	2324
上海	979589	138419	800594	13591	26985
江苏	527732	107546	390717	8579	20891
浙江	504145	150836	302069	18954	32287
安徽	46505	14144	21946	4333	6082
福建	100366	13046	84315	78	2927
江西	55814	18912	29192	2922	4789
山东	275012	68506	165350	15606	25549
河南	60929	24198	24057	3856	8819
湖北	179900	13374	162171	1188	3168
湖南	127013	34545	82056	522	9890
广东	1451707	409166	879261	20050	143229
广西	68162	18427	45025	2777	1934
海南	61006	36191	19665	205	4945
重庆	114390	34150	66495	3692	10052
四川	143650	57248	68539	5410	12453
贵州	10156	5350	3822	411	573
云南	65453	21686	32307	3603	7857
西藏	3752	2775	869	108	
陕西	159379	41289	96390	13910	7791
甘肃	32818	8532	22759	690	837
青海					
宁夏	10638	2894	5579	632	1533
新疆	48160	17866	22633	2956	4705

2-30 各地区大型住宿和餐饮企业经营情况

单位:万元

地 区	营业额	客房收入	餐费收入	商品销售收入	其他收入
全 国	**3510851**	**524782**	**2788174**	**36522**	**161373**
北 京	925952	259299	585071	10462	71121
天 津	134365		134365		
河 北					
山 西	28104		28104		
内蒙古					
辽 宁	171811		171811		
吉 林					
黑龙江					
上 海	738844	79423	638256	4543	16623
江 苏	229083		228903	180	
浙 江	104730	11923	89799	329	2678
安 徽					
福 建	55844		55844		
江 西	19733		19733		
山 东	133780	17162	93231	5644	17743
河 南					
湖 北	128382		128382		
湖 南	37843	9019	26835		1988
广 东	614289	119563	448152	3792	42782
广 西	16081		16081		
海 南					
重 庆	27553		27553		
四 川	64852	21048	35583	2456	5765
贵 州					
云 南					
西 藏					
陕 西	79607	7345	60471	9117	2674
甘 肃					
青 海					
宁 夏					
新 疆					

2－31 各地区中型住宿和餐饮企业经营情况

单位:万元

地 区	营业额	客房收入	餐费收入	商品销售收入	其他收入
全 国	**3641236**	**1313503**	**1872849**	**121822**	**333062**
北 京	488423	196420	220942	14597	56465
天 津	79091	37728	31157	587	9620
河 北	60851	20983	30698	1772	7397
山 西	39930	7501	29834	1126	1469
内 蒙 古	19419	7988	10684		747
辽 宁	91621	36225	48422	3676	3298
吉 林	46494	17530	23365	898	4700
黑 龙 江	39752	15513	20760	1154	2324
上 海	240745	58996	162338	9048	10363
江 苏	298649	107546	161814	8399	20891
浙 江	399415	138913	212270	18625	29609
安 徽	46505	14144	21946	4333	6082
福 建	44522	13046	28471	78	2927
江 西	36081	18912	9459	2922	4789
山 东	141232	51344	72120	9962	7807
河 南	60929	24198	24057	3856	8819
湖 北	51518	13374	33789	1188	3168
湖 南	89170	25526	55221	522	7902
广 东	837417	289603	431109	16258	100447
广 西	52082	18427	28944	2777	1934
海 南	61006	36191	19665	205	4945
重 庆	86837	34150	38942	3692	10052
四 川	78798	36200	32956	2954	6688
贵 州	10156	5350	3822	411	573
云 南	65453	21686	32307	3603	7857
西 藏	3752	2775	869	108	
陕 西	79772	33944	35919	4792	5117
甘 肃	32818	8532	22759	690	837
青 海					
宁 夏	10638	2894	5579	632	1533
新 疆	48160	17866	22633	2956	4705

2－32 各地区大中型住宿企业经营情况

单位：万元

地 区	营业额	客房收入	餐费收入	商品销售收入	其他收入
全 国	**3676729**	**1747795**	**1403691**	**79164**	**446079**
北 京	862972	455632	276428	10860	120053
天 津	67604	37728	19669	587	9620
河 北	54170	20983	24017	1772	7397
山 西	19593	6432	11691	469	1001
内蒙古	19419	7988	10684		747
辽 宁	67605	35889	25778	3051	2887
吉 林	34108	13337	16575	602	3594
黑龙江	29413	15513	11196	379	2324
上 海	251335	138278	81986	6853	24218
江 苏	182512	86335	77899	2284	15993
浙 江	369324	147177	180002	10566	31579
安 徽	33474	14144	11001	2247	6082
福 建	24399	11055	10548	78	2718
江 西	27788	14960	5957	2684	4188
山 东	139266	58144	52535	5828	22758
河 南	56628	24198	20553	3273	8604
湖 北	24008	12122	8228	490	3168
湖 南	86791	34545	41835	522	9890
广 东	884415	384174	362230	8097	129913
广 西	45844	18427	22706	2777	1934
海 南	61006	36191	19665	205	4945
重 庆	60836	27189	23756	3374	6517
四 川	96631	55655	26962	3607	10407
贵 州	10156	5350	3822	411	573
云 南	43218	21434	15431	1928	4425
西 藏	3752	2775	869	108	
陕 西	58605	33675	19562	1840	3529
甘 肃	15854	8532	5795	690	837
青 海					
宁 夏	4971	2067	803	627	1474
新 疆	41035	17866	15508	2956	4705

2-33 各地区大中型餐饮企业经营情况

单位:万元

地区	营业额	客房收入	餐费收入	商品销售收入	其他收入
全国	**3475358**	**90490**	**3257332**	**79180**	**48356**
北京	551403	88	529585	14199	7532
天津	145853		145853		
河北	6681		6681		
山西	48441	1069	46247	657	468
内蒙古					
辽宁	195827	336	194455	625	411
吉林	12387	4193	6790	296	1107
黑龙江	10339		9564	775	
上海	728254	141	718608	6738	2767
江苏	345220	21211	312817	6295	4898
浙江	134821	3659	122067	8388	708
安徽	13031		10946	2085	
福建	75967	1991	73767		209
江西	28026	3951	23235	238	601
山东	135746	10362	112815	9778	2791
河南	4301		3504	583	215
湖北	155892	1252	153943	698	
湖南	40222		40221		1
广东	567292	24992	517031	11953	13316
广西	22319		22319		
海南					
重庆	53554	6962	42739	319	3535
四川	47019	1593	41577	1803	2046
贵州					
云南	22235	251	16877	1675	3432
西藏					
陕西	100774	7615	76828	12070	4261
甘肃	16964		16964		
青海					
宁夏	5667	827	4776	5	59
新疆	7125		7125		

2-34 各地区大中型住宿和餐饮企业年末资产负债

单位:万元

地 区	流动资产合计	固定资产原价	累计折旧	资产总计	负债合计	所有者权益合计
全 国	**3818347**	**11923511**	**4574980**	**14046958**	**9470909**	**4576049**
北 京	608116	2565279	1011693	2759641	1793282	966359
天 津	171254	275869	105226	538181	318479	219702
河 北	33319	200815	42727	219375	125102	94273
山 西	18880	48187	15334	71747	42905	28842
内蒙古	5945	62563	20117	56279	17461	38818
辽 宁	42616	329015	105615	286757	154487	132270
吉 林	62071	192393	60206	224174	93473	130701
黑龙江	29509	190165	52065	190171	115985	74186
上 海	290564	830139	382989	904900	598391	306509
江 苏	187535	851793	312657	934383	720626	213757
浙 江	390221	967428	342107	1340587	946075	394513
安 徽	23818	60734	24871	77628	39808	37820
福 建	33570	93449	40133	104911	89226	15685
江 西	23257	115936	35522	114520	56742	57778
山 东	158193	369379	132973	505548	364848	140700
河 南	37703	97820	37364	132196	101844	30351
湖 北	62247	128633	48541	176783	144980	31803
湖 南	114802	304795	97737	382302	207759	174544
广 东	990335	2369129	1033911	2919931	2039307	880623
广 西	22017	168824	64641	133041	142806	-9765
海 南	49161	300832	99009	322813	224758	98055
重 庆	161624	315450	122459	459379	316627	142752
四 川	93803	353530	111503	410345	323422	86923
贵 州	3205	17813	8763	14428	11465	2963
云 南	110481	174562	69243	252703	80353	172350
西 藏	6473	28778	12113	23361	5258	18103
陕 西	56499	271670	117443	260902	290851	-29948
甘 肃	8600	80933	31328	70521	49899	20622
青 海						
宁 夏	2218	5514	1637	16215	2385	13830
新 疆	20312	152085	35052	143237	52307	90930

2－35 各地区大型住宿和餐饮企业年末资产负债

单位：万元

地区	流动资产合计	固定资产原价	累计折旧	资产总计	负债合计	所有者权益合计
全国	**1069085**	**3428418**	**1454808**	**3900190**	**2186674**	**1713516**
北京	328359	1288733	535476	1409693	764844	644849
天津	25386	64056	27845	65150	38990	26160
河北						
山西	3493	12475	4443	12215	4958	7258
内蒙古						
辽宁	11231	83195	27014	73490	32079	41411
吉林						
黑龙江						
上海	98663	452456	211667	427700	286754	140945
江苏	22390	104065	44689	87217	55472	31745
浙江	121238	189700	60495	336483	223546	112936
安徽						
福建	5762	30247	12815	26007	10780	15227
江西	1260	10880	5018	7122	1790	5332
山东	38654	140277	50849	155734	93479	62255
河南						
湖北	39209	64428	23822	95342	81202	14140
湖南	61579	88410	33509	144386	68698	75688
广东	162494	693669	352259	665973	333853	332120
广西	1045	8506	2395	8053	3489	4563
海南						
重庆	102726	33018	13248	163187	69478	93709
四川	20826	97170	29763	113613	58405	55208
贵州						
云南						
西藏						
陕西	24770	67136	19504	108827	58857	49969
甘肃						
青海						
宁夏						
新疆						

2－36 各地区中型住宿和餐饮企业年末资产负债

单位：万元

地区	流动资产合计	固定资产原价	累计折旧	资产总计	负债合计	所有者权益合计
全国	**2749262**	**8495093**	**3120172**	**10146768**	**7284235**	**2862533**
北京	279757	1276547	476217	1349948	1028438	321510
天津	145868	211814	77381	473031	279489	193542
河北	33319	200815	42727	219375	125102	94273
山西	15387	35713	10891	59532	37948	21584
内蒙古	5945	62563	20117	56279	17461	38818
辽宁	31384	245820	78601	213268	122409	90859
吉林	62071	192393	60206	224174	93473	130701
黑龙江	29509	190165	52065	190171	115985	74186
上海	191901	377682	171323	477201	311637	165564
江苏	165145	747727	267968	847166	665155	182012
浙江	268983	777728	281612	1004105	722528	281577
安徽	23818	60734	24871	77628	39808	37820
福建	27809	63202	27318	78904	78446	458
江西	21997	105057	30505	107398	54952	52446
山东	119539	229103	82124	349813	271369	78445
河南	37703	97820	37364	132196	101844	30351
湖北	23037	64205	24720	81440	63778	17662
湖南	53223	216385	64228	237917	139060	98856
广东	827841	1675460	681653	2253958	1705454	548503
广西	20972	160318	62246	124989	139317	－14328
海南	49161	300832	99009	322813	224758	98055
重庆	58898	282432	109212	296192	247149	49043
四川	72977	256360	81740	296733	265017	31715
贵州	3205	17813	8763	14428	11465	2963
云南	110481	174562	69243	252703	80353	172350
西藏	6473	28778	12113	23361	5258	18103
陕西	31729	204534	97939	152076	231993	－79918
甘肃	8600	80933	31328	70521	49899	20622
青海						
宁夏	2218	5514	1637	16215	2385	13830
新疆	20312	152085	35052	143237	52307	90930

2-37 各地区大中型住宿企业年末资产负债

单位:万元

地区	流动资产合计	固定资产原价	累计折旧	资产总计	负债合计	所有者权益合计
全国	**2830666**	**9981318**	**3847997**	**11199704**	**7711955**	**3487748**
北京	480019	2320223	902916	2395113	1577114	817999
天津	138944	210529	76797	461972	271365	190606
河北	31432	200286	42490	216841	123828	93013
山西	9066	29241	8355	46648	28632	18016
内蒙古	5945	62563	20117	56279	17461	38818
辽宁	26264	227990	75020	191124	112196	78928
吉林	58634	153094	52875	187786	80411	107375
黑龙江	24136	186975	50542	177394	110712	66682
上海	96241	587730	291141	482589	303259	179329
江苏	85786	619011	219415	640882	521801	119082
浙江	341984	883895	312980	1165793	830157	335636
安徽	14757	54880	23010	57309	24512	32797
福建	19369	60211	26041	63443	68434	-4992
江西	17803	83663	30128	82139	38339	43800
山东	105475	274214	100267	327621	244839	82781
河南	34814	94871	36879	124401	94359	30042
湖北	14140	59754	22438	65528	57569	7958
湖南	106294	270860	85772	344679	178971	165708
广东	872085	1974118	875132	2461961	1797391	664570
广西	20477	155307	61085	120310	134638	-14328
海南	49161	300832	99009	322813	224758	98055
重庆	34489	224962	96411	216745	181956	34789
四川	78440	323358	97245	370859	298368	72491
贵州	3205	17813	8763	14428	11465	2963
云南	103287	156119	64034	226304	54464	171841
西藏	6473	28778	12113	23361	5258	18103
陕西	24804	193423	93687	137154	220976	-83822
甘肃	7415	74167	28367	64161	46833	17328
青海						
宁夏	551	5376	1621	14171	743	13429
新疆	19180	147077	33351	139898	51146	88752

2－38 各地区大中型餐饮企业年末资产负债

单位:万元

地 区	流动资产合 计	固定资产原 价	累计折旧	资产总计	负债合计	所有者权益合 计
全 国	**987681**	**1942194**	**726983**	**2847254**	**1758954**	**1088300**
北 京	128097	245057	108777	364528	216168	148360
天 津	32310	65340	28429	76209	47114	29096
河 北	1887	529	237	2534	1274	1260
山 西	9814	18947	6979	25100	14274	10826
内蒙古						
辽 宁	16352	101025	30595	95633	42291	53342
吉 林	3437	39299	7331	36388	13062	23326
黑龙江	5374	3190	1524	12777	5273	7504
上 海	194324	242409	91849	422312	295132	127180
江 苏	101749	232781	93242	293501	198826	94675
浙 江	48237	83532	29128	174794	115917	58877
安 徽	9061	5854	1862	20319	15296	5022
福 建	14202	33238	14092	41468	20791	20677
江 西	5454	32273	5395	32381	18403	13979
山 东	52719	95166	32706	177927	120009	57918
河 南	2890	2949	485	7795	7486	309
湖 北	48107	68879	26104	111255	87411	23845
湖 南	8507	33935	11966	37623	28788	8836
广 东	118250	395011	158780	457970	241916	216054
广 西	1541	13517	3556	12731	8168	4563
海 南						
重 庆	127134	90488	26048	242634	134670	107964
四 川	15364	30172	14258	39487	25054	14432
贵 州						
云 南	7194	18444	5209	26399	25890	509
西 藏						
陕 西	31695	78247	23756	123748	69874	53874
甘 肃	1186	6766	2960	6360	3066	3294
青 海						
宁 夏	1667	138	17	2043	1642	401
新 疆	1132	5008	1701	3339	1161	2179

2-39 各地区大中型住宿和餐饮企业实收资本及构成

单位:万元

地区	实收资本	国家资本	集体资本	法人资本	个人资本	港澳台资本	外商资本
全　国	**4184505**	**1598001**	**72481**	**1071490**	**254298**	**585834**	**574096**
北　京	782092	253246	4590	261172	17697	128559	116826
天　津	113362	54385		32688	3550	1854	20885
河　北	128839	78878		47711	1750	500	
山　西	23766	9800		9882	2346		1739
内蒙古	50189	49989		200			
辽　宁	91958	23233		27475	1300	6741	33210
吉　林	114358	110143		3077	80		1059
黑龙江	78889	240		53580	5000	2842	17227
上　海	281305	102593	570	98501	13991	18214	47435
江　苏	321541	127965	2523	52830	25919	30405	81900
浙　江	307406	121429	15354	69564	33625	43942	23491
安　徽	26378	3599		9157	1772	1850	10000
福　建	25683	5023		6128	95	6719	7718
江　西	38764	14580			10123		14061
山　东	123209	54813	21905	18207	2804	3760	21721
河　南	34636	19530	1890	5200	2163	1200	4653
湖　北	46695	3354		7436	14672	6447	14785
湖　南	94524	68588	16260	4151	300	1000	4224
广　东	836982	283507	6830	169479	63772	235749	77644
广　西	60243	25034		1323	100	1502	3978
海　南	122821	32972		70727		10920	8202
重　庆	110501	15478	850	41971	2757	29901	19543
四　川	113394	17737		26725	42494	20222	6216
贵　州	5385	4885				500	
云　南	55842	8138		24860	1125	21719	
西　藏	9733	9733					
陕　西	74390	27827	1710	5908	6361	10491	22093
甘　肃	31354	9041		7446			14867
青　海							
宁　夏	14916			14416	500		
新　疆	65352	62260		1675		797	621

2-40 各地区大型住宿和餐饮企业实收资本及构成

单位:万元

地区	实收资本	国家资本	集体资本	法人资本	个人资本	港澳台资本	外商资本
全 国	**1007944**	**194566**	**6117**	**280685**	**81131**	**173902**	**271544**
北 京	390073	42016		167296	3493	91118	86149
天 津	14328						14328
河 北							
山 西	1739						1739
内蒙古							
辽 宁	15939						15939
吉 林							
黑龙江							
上 海	153193	64399		30946	500	12991	44357
江 苏	22375			813	1163		20399
浙 江	54177	16752	4212	16971	1688	6329	8225
安 徽							
福 建	7718						7718
江 西	2109						2109
山 东	16691	4846	1905	975		2335	6630
河 南							
湖 北	24418				9747	6246	8425
湖 南	19025	17284					1741
广 东	178206	34243		28008	21066	46943	47947
广 西	2235						2235
海 南							
重 庆	35575			35301	273		
四 川	44667	4064			37000		3604
贵 州							
云 南							
西 藏							
陕 西	25477	10961		375	6201	7940	
甘 肃							
青 海							
宁 夏							
新 疆							

2-41 各地区中型住宿和餐饮企业实收资本及构成

单位:万元

地区	实收资本	国家资本	集体资本	法人资本	个人资本	港澳台资本	外商资本
全国	**3176561**	**1403435**	**66364**	**790805**	**173167**	**411932**	**302553**
北京	392019	211230	4590	93876	14204	37441	30677
天津	99034	54385		32688	3550	1854	6557
河北	128839	78878		47711	1750	500	
山西	22028	9800		9882	2346		
内蒙古	50189	49989		200			
辽宁	76019	23233		27475	1300	6741	17270
吉林	114358	110143		3077	80		1059
黑龙江	78889	240		53580	5000	2842	17227
上海	128112	38194	570	67556	13491	5223	3078
江苏	299166	127965	2523	52017	24756	30405	61500
浙江	253229	104677	11142	52594	31938	37613	15266
安徽	26378	3599		9157	1772	1850	10000
福建	17965	5023		6128	95	6719	
江西	36655	14580			10123		11952
山东	106518	49967	20000	17232	2804	1426	15091
河南	34636	19530	1890	5200	2163	1200	4653
湖北	22276	3354		7436	4925	201	6360
湖南	75499	51304	16260	4151	300	1000	2484
广东	658775	249264	6830	141471	42706	188807	29698
广西	58008	25034		1323	100	1502	1743
海南	122821	32972		70727		10920	8202
重庆	74926	15478	850	6670	2484	29901	19543
四川	68727	13673		26725	5494	20222	2612
贵州	5385	4885				500	
云南	55842	8138		24860	1125	21719	
西藏	9733	9733					
陕西	48913	16866	1710	5533	160	2551	22093
甘肃	31354	9041		7446			14867
青海							
宁夏	14916			14416	500		
新疆	65352	62260		1675		797	621

2－42　各地区大中型住宿企业实收资本及构成

单位:万元

地　区	实收资本	国家资本	集体资本	法人资本	个人资本	港澳台资本	外商资本
全　国	**3518869**	**1507304**	**65679**	**916274**	**155052**	**495761**	**350494**
北　京	707704	249971	4500	226544	10534	128259	87895
天　津	95084	54385		32288		1854	6557
河　北	128639	78878		47711	1550	500	
山　西	17799	9800		7782	217		
内蒙古	50189	49989		200			
辽　宁	71319	23233		26095		5841	16150
吉　林	93197	89061		3077			1059
黑龙江	71407	240		53580		360	17227
上　海	190299	95099	400	78654		4867	11279
江　苏	259547	125689	2523	31315	13137	29069	57815
浙　江	274509	116297	12617	62445	23942	43942	15266
安　徽	21588	3599		5200	939	1850	10000
福　建	11948	1023		6123		4801	
江　西	26902	4827			10123		11952
山　东	95061	40208	20000	16646	1839	3760	12608
河　南	34328	19530	1890	5200	1855	1200	4653
湖　北	16256	3354		6295	205	201	6200
湖　南	84348	68588	14460	300		1000	
广　东	699163	271389	6830	152501	47326	192580	28538
广　西	56265	25034		1323	100	1502	
海　南	122821	32972		70727		10920	8202
重　庆	63251	15478	750	5211	2250	20018	19543
四　川	105668	17737		26675	41034	20222	
贵　州	5385	4885				500	
云　南	54567	8138		24710		21719	
西　藏	9733	9733					
陕　西	43593	16866	1710	2923			22093
甘　肃	29155	9041		6657			13457
青　海							
宁　夏	14416			14416			
新　疆	64731	62260		1675		797	

2－43　各地区大中型餐饮企业实收资本及构成

单位:万元

地　区	实收资本	国家资本	集体资本	法人资本	个人资本	港澳台资本	外商资本
全　国	**665636**	**90697**	**6802**	**155216**	**99246**	**90073**	**223602**
北　京	74388	3275	90	34628	7163	300	28931
天　津	18278			400	3550		14328
河　北	200				200		
山　西	5967			2100	2129		1739
内蒙古							
辽　宁	20639			1380	1300	900	17059
吉　林	21161	21081			80		
黑龙江	7482				5000	2482	
上　海	91006	7494	170	19848	13991	13348	36156
江　苏	61995	2276		21515	12782	1336	24085
浙　江	32897	5132	2737	7119	9683		8225
安　徽	4790			3957	833		
福　建	13735	4000		5	95	1917	7718
江　西	11863	9754					2109
山　东	28149	14605	1905	1561	965		9113
河　南	308				308		
湖　北	30439			1141	14467	6246	8585
湖　南	10175		1800	3851	300		4224
广　东	137819	12118		16978	16446	43169	49107
广　西	3978						3978
海　南							
重　庆	47250		100	36760	507	9884	
四　川	7726			50	1460		6216
贵　州							
云　南	1275			150	1125		
西　藏							
陕　西	30798	10961		2985	6361	10491	
甘　肃	2199			789			1410
青　海							
宁　夏	500				500		
新　疆	621						621

2－44　各地区大中型住宿和餐饮企业损益及分配

单位：万元

地　　区	营业收入合　　计	主营业务收　　入	主营业务成　　本	主营业务税金及附加
全　　国	**7886814**	**7803859**	**2634129**	**395741**
北　　京	1502503	1495050	382645	76473
天　　津	213457	213457	64229	10713
河　　北	60628	60413	32814	3108
山　　西	70616	70616	29164	3822
内 蒙 古	20051	20051	4966	1110
辽　　宁	263892	256253	94246	14473
吉　　林	46607	46309	12665	2552
黑 龙 江	40031	40031	10480	2099
上　　海	845121	843833	270886	42147
江　　苏	513243	511352	169813	26547
浙　　江	1002430	992530	505015	35490
安　　徽	46478	40637	14921	2779
福　　建	99202	99202	33389	5526
江　　西	56310	53904	16691	2842
山　　东	289081	288598	100510	14119
河　　南	61623	61140	16292	3304
湖　　北	180282	173382	70655	9719
湖　　南	158957	151501	48907	8294
广　　东	1624395	1607152	497043	88476
广　　西	68463	67155	17373	3039
海　　南	61019	59821	10410	5950
重　　庆	189556	185299	82994	9212
四　　川	143878	141869	29226	7212
贵　　州	10182	10156	1793	544
云　　南	57500	56087	14589	2857
西　　藏	3752	3752	393	206
陕　　西	159379	156595	62479	7238
甘　　肃	32770	32544	13631	1953
青　　海				
宁　　夏	10638	10638	3744	764
新　　疆	54772	54532	22165	3173

2-44 续表

地区	主营业务利润	其他业务利润	营业费用	管理费用
全国	**4505938**	**40133**	**2529167**	**1957057**
北京	1035932	5377	438240	362067
天津	95701	-796	75353	40776
河北	21919	388	30276	14219
山西	33539	-174	22196	8852
内蒙古	13975	3	4734	8579
辽宁	150002	-1178	86971	366327
吉林	25695	37	12961	20585
黑龙江	26809	-12	13317	14630
上海	452595	9722	309430	133453
江苏	237765	1887	171698	107313
浙江	452025	9069	235595	141754
安徽	28777	4	14743	9308
福建	59345	534	58442	16585
江西	26504	1367	18561	13717
山东	156693	1735	84419	63422
河南	41545	461	18627	22261
湖北	96489	10	62883	23331
湖南	96247	694	44014	42535
广东	1019050	1007	585418	334584
广西	36923	468	26536	16068
海南	45148		16372	38811
重庆	81179	4108	52225	38260
四川	91456	1111	44511	44495
贵州	7818	25	4142	3865
云南	38641	1368	17680	20646
西藏	1193		1959	652
陕西	86878	2619	47131	30862
甘肃	14471	23	10460	5134
青海				
宁夏	6130		4384	1447
新疆	25496	278	15891	12522

单位:万元

财务费用	营业利润	利润总额	应 交 所得税	劳动、失业 保 险 费	住房公积金 和住房补贴
225567	**517207**	**505065**	**150653**	**98820**	**34255**
46415	199147	193674	43251	25943	10336
7260	12833	12509	5302	3093	765
6702	-9975	-13422	554	1132	372
1087	5328	5331	1933	11	60
735	-70	-71	17	109	22
121	24703	25148	6931	1120	580
1791	-3956	-3936	365	776	143
2827	-3974	-3974	400	203	78
14778	72677	83119	15778	9030	4335
17529	23763	22598	11987	7137	2644
28154	55592	67688	22841	8736	3407
1772	2959	2801	133	720	55
2409	1199	1084	1062	460	185
1506	2932	4611	1206	623	167
6257	25633	21252	6510	2711	1211
2928	-1811	-2008	376	998	266
4573	5482	5051	772	781	259
6627	10625	11308	3766	569	62
43203	89628	78129	20996	25338	6714
4431	-4920	-5088	382	258	583
2728	-10495	-18893	101	771	31
4004	-855	634	56	1021	97
8738	9546	7383	1444	2457	638
162	-326	-312		113	20
1400	1340	1599	349	1142	341
140	333	332	210	173	63
6439	8176	7000	2885	2126	456
230	1161	343	331	190	86
55	245	217	32	63	14
568	288	959	685	1015	266

2-45 各地区大型住宿和

地区	营业收入合计	主营业务收入	主营业务成本	主营业务税金及附加	主营业务利润	其他业务利润
全国	**4159304**	**4148088**	**1498830**	**191792**	**2274746**	**8373**
北京	993033	989058	240289	50339	698430	2423
天津	134365	134365	48079	6710	42851	-796
河北						
山西	28104	28104	9660	1418	17026	-233
内蒙古						
辽宁	171811	171811	59827	8742	103242	-1251
吉林						
黑龙江						
上海	584883	584883	186541	29252	313357	1357
江苏	214593	214593	72113	10827	66954	-1537
浙江	595958	592817	372525	13896	206396	5014
安徽						
福建	54891	54891	18531	3012	33348	194
江西	19734	19734	6897	987	4965	
山东	144297	144297	55918	6756	81622	69
河南						
湖北	128389	128389	53762	7029	67598	
湖南	61982	61982	17529	3186	41268	218
广东	770199	770199	245457	37867	486874	-1884
广西	16081	16081	5690	820	9571	-131
海南						
重庆	98080	93980	50333	4561	34384	3397
四川	63299	63299	13014	3196	33114	-193
贵州						
云南						
西藏						
陕西	79607	79607	42666	3194	33746	1726
甘肃						
青海						
宁夏						
新疆						

餐饮企业损益及分配

单位:万元

营业费用	管理费用	财务费用	营业利润	利润总额	应交所得税	劳动、失业保险费	住房公积金和住房补贴
1381727	**529777**	**64797**	**499422**	**499034**	**116243**	**44774**	**16315**
309111	188989	22149	180605	179658	37633	16594	6152
50152	9725	696	18206	17830	4972		
9419	2068	1	5305	5318	1672	10	60
66616	13808	583	20985	20919	6226	125	54
228376	72534	6564	62438	61207	9431	4094	2873
79842	17669	1475	31477	29055	10285	2396	1031
121045	34726	5892	49747	58277	17537	3556	1671
23530	5492	319	4202	4033	640	9	54
6886	1284	69	3513	3436	1004	25	15
43883	19625	2053	16130	15770	5437	821	451
50178	9848	2891	4344	3751	414	357	200
16348	12733	3930	8474	10667	2875	182	53
292810	117358	12411	74966	70160	14619	14000	3364
6722	1133	10	1578	1464	371	20	24
29950	4664	1002	3464	3465	123		
20521	14837	2241	9601	9122	1149	1398	271
26337	3284	2513	4388	4903	1858	1187	42

2－46 各地区中型住宿和

地　区	营业收入合　计	主营业务收　入	主营业务成　本	主营业务税金及附加	主营业务利　润	其他业务利　润
全　国	**3727511**	**3655771**	**1135300**	**203949**	**2231192**	**31760**
北　京	509470	505992	142357	26134	337502	2954
天　津	79092	79092	16150	4003	52850	
河　北	60628	60413	32814	3108	21919	388
山　西	42512	42512	19504	2404	16513	59
内蒙古	20051	20051	4966	1110	13975	3
辽　宁	92081	84442	34419	5732	46760	73
吉　林	46607	46309	12665	2552	25695	37
黑龙江	40031	40031	10480	2099	26809	－12
上　海	260238	258950	84345	12895	139238	8366
江　苏	298649	296758	97701	15720	170811	3424
浙　江	406472	399714	132490	21594	245630	4055
安　徽	46478	40637	14921	2779	28777	4
福　建	44311	44311	14858	2515	25996	339
江　西	36577	34170	9795	1855	21540	1367
山　东	144785	144302	44592	7363	75071	1666
河　南	61623	61140	16292	3304	41545	461
湖　北	51893	44994	16893	2690	28892	10
湖　南	96975	89519	31378	5108	54979	476
广　东	854196	836953	251586	50609	532175	2891
广　西	52382	51074	11684	2219	27352	599
海　南	61019	59821	10410	5950	45148	
重　庆	91476	91320	32660	4651	46795	711
四　川	80579	78570	16212	4015	58342	1304
贵　州	10182	10156	1793	544	7818	25
云　南	57500	56087	14589	2857	38641	1368
西　藏	3752	3752	393	206	1193	
陕　西	79772	76988	19813	4043	53131	893
甘　肃	32770	32544	13631	1953	14471	23
青　海						
宁　夏	10638	10638	3744	764	6130	
新　疆	54772	54532	22165	3173	25496	278

餐饮企业损益及分配

单位:万元

营业费用	管理费用	财务费用	营业利润	利润总额	应 交 所得税	劳动、失业 保 险 费	住房公积金 和住房补贴
1147440	**1427280**	**160769**	**17785**	**6032**	**34410**	**54046**	**17940**
129129	173078	24266	18542	14016	5619	9349	4184
25201	31051	6563	-5373	-5321	330	3093	765
30276	14219	6702	-9975	-13422	554	1132	372
12777	6784	1087	23	14	261	2	
4734	8579	735	-70	-71	17	109	22
20355	352520	-462	3719	4229	705	995	526
12961	20585	1791	-3956	-3936	365	776	143
13317	14630	2827	-3974	-3974	400	203	78
81054	60919	8214	10239	21912	6348	4936	1462
91856	89645	16054	-7714	-6457	1702	4742	1613
114550	107028	22262	5845	9411	5304	5180	1736
14743	9308	1772	2959	2801	133	720	55
34913	11093	2091	-3003	-2949	422	451	131
11675	12432	1437	-581	1175	202	598	153
40536	43797	4203	9502	5482	1074	1890	760
18627	22261	2928	-1811	-2008	376	998	266
12704	13483	1682	1138	1300	358	423	59
27666	29801	2697	2151	642	890	387	9
292608	217226	30793	14663	7969	6377	11338	3350
19814	14935	4421	-6498	-6552	11	238	559
16372	38811	2728	-10495	-18893	101	771	31
22274	33596	3002	-4318	-2831	-66	1021	97
23990	29658	6497	-55	-1739	295	1059	366
4142	3865	162	-326	-312		113	20
17680	20646	1400	1340	1599	349	1142	341
1959	652	140	333	332	210	173	63
20794	27578	3926	3788	2097	1027	939	414
10460	5134	230	1161	343	331	190	86
4384	1447	55	245	217	32	63	14
15891	12522	568	288	959	685	1015	266

2-47 各地区大中型

地　区	营业收入合　计	主营业务收　入	主营业务成　本	主营业务税金及附加	主营业务利　润	其他业务利　润
全　国	**4109596**	**4041750**	**1145592**	**204742**	**2645425**	**31535**
北　京	903840	901808	139037	46991	715779	1821
天　津	67604	67604	9748	3327	49936	
河　北	53947	53732	28443	3108	20863	388
山　西	22175	22175	8600	1239	9035	18
内蒙古	20051	20051	4966	1110	13975	3
辽　宁	67991	60426	21740	4441	37346	3
吉　林	34221	33922	8465	1874	18186	37
黑龙江	29691	29691	6149	1492	21408	15
上　海	256722	256722	60762	13114	165660	6304
江　苏	182512	180629	48144	9553	115703	2423
浙　江	725438	715968	395100	21325	299542	8545
安　徽	33474	27633	8029	2055	23390	4
福　建	24188	24188	5681	1350	16215	339
江　西	28284	25878	5336	1450	18111	1367
山　东	138642	138265	43857	6485	72665	1239
河　南	57322	56839	13880	3086	39873	461
湖　北	24203	17304	4122	1365	18715	7
湖　南	88476	81021	23508	4716	54743	758
广　东	905205	890253	207113	50800	633990	3739
广　西	46270	44962	11684	2219	27352	599
海　南	61019	59821	10410	5950	45148	
重　庆	60823	60733	20373	3083	32711	497
四　川	95921	95237	14438	4780	76019	542
贵　州	10182	10156	1793	544	7818	25
云　南	42981	41568	7755	2084	31730	1188
西　藏	3752	3752	393	206	1193	
陕　西	58605	55821	9051	2936	43835	893
甘　肃	15806	15580	7144	908	7527	143
青　海						
宁　夏	4971	4971	1170	452	3349	
新　疆	45281	45042	18704	2698	23609	177

住宿企业损益及分配

单位:万元

营业费用	管理费用	财务费用	营业利润	利润总额	应交所得税	劳动、失业保险费	住房公积金和住房补贴
1122690	**1605529**	**185749**	**236586**	**210080**	**72971**	**65424**	**22877**
224016	306037	43655	148452	143248	28762	15727	6893
23147	30196	6410	-5224	-5226	330	2297	765
29023	14045	6640	-10795	-14287	554	1087	372
7540	4386	941	-505	-544		1	
4734	8579	735	-70	-71	17	109	22
13733	350475	-950	2712	2829	340	875	517
11764	14198	1341	-3430	-3390		562	140
9129	13151	2654	-3509	-3585	198	195	78
54537	81784	9017	35142	37043	8943	4773	1692
55395	69528	13286	-9379	-9584	555	2997	1264
126351	126846	24677	30212	33827	13424	7142	2572
10743	8113	1239	3300	3055	133	574	52
26833	9029	1875	-2427	-2378	255	212	18
10354	8977	908	1297	1023	202	518	125
36370	44069	4543	8150	4207	956	2172	923
17576	21641	2930	-1812	-2009	376	913	246
6738	9590	1607	787	825	211	415	59
15165	33648	4795	7703	9538	2354	456	55
306934	271766	36293	50213	38636	13464	18022	4890
19814	14935	4421	-6498	-6552	11	238	559
16372	38811	2728	-10495	-18893	101	771	31
15140	24713	2416	-4492	-3263	-189	811	80
27420	36923	8152	4264	4176	215	1613	474
4142	3865	162	-326	-312		113	20
15074	17713	860	326	592	39	646	223
1959	652	140	333	332	210	173	63
13933	25311	3648	3759	2064	1027	880	414
3970	4111	163	-573	-1390		190	86
2564	687	-1	99	121		61	13
12224	11752	468	-629	47	485	884	232

2-48 各地区大中型

地 区	营业收入合 计	主营业务收 入	主营业务成 本	主 营 业 务税金及附加	主营业务利 润	其他业务利 润
全 国	**3777218**	**3762108**	**1488537**	**190999**	**1860513**	**8598**
北 京	598663	593242	243608	29482	320153	3555
天 津	145853	145853	54481	7386	45764	-796
河 北	6681	6681	4372		1056	
山 西	48441	48441	20564	2584	24504	-192
内蒙古						
辽 宁	195901	195827	72506	10032	112656	-1181
吉 林	12387	12387	4200	678	7508	
黑龙江	10339	10339	4331	607	5402	-27
上 海	588398	587111	210124	29033	286936	3418
江 苏	330731	330723	121670	16995	122062	-537
浙 江	276992	276563	109915	14165	152483	525
安 徽	13004	13004	6892	724	5387	
福 建	75014	75014	27708	4176	43130	195
江 西	28027	28027	11356	1392	8393	
山 东	150439	150333	56654	7634	84028	495
河 南	4301	4301	2412	218	1671	
湖 北	156079	156079	66533	8354	77774	4
湖 南	70481	70480	25399	3577	41504	-64
广 东	719190	716899	289930	37676	385060	-2732
广 西	22193	22193	5690	820	9571	-131
海 南						
重 庆	128733	124566	62621	6129	48468	3611
四 川	47957	46632	14788	2431	15438	569
贵 州						
云 南	14519	14519	6835	773	6911	181
西 藏						
陕 西	100774	100774	53429	4302	43043	1726
甘 肃	16964	16964	6487	1044	6944	-121
青 海						
宁 夏	5667	5667	2574	312	2781	
新 疆	9490	9490	3462	475	1887	101

餐饮企业损益及分配

单位:万元

营业费用	管理费用	财务费用	营业利润	利润总额	应交所得税	劳动、失业保险费	住房公积金和住房补贴
1406477	**351527**	**39817**	**280621**	**294985**	**77682**	**33396**	**11377**
214224	56030	2760	50695	50427	14490	10216	3443
52206	10580	850	18057	17735	4972	796	
1253	174	62	820	865		44	
14656	4465	147	5834	5876	1933	11	60
73239	15853	1071	21991	22319	6591	246	63
1197	6387	450	-526	-546	365	214	3
4188	1478	173	-465	-390	203	8	
254893	51669	5761	37535	46075	6836	4257	2644
116303	37785	4243	33142	32182	11432	4141	1380
109243	14908	3477	25380	33861	9417	1594	835
4000	1195	534	-342	-253		146	3
31609	7557	534	3625	3462	807	248	168
8208	4740	598	1635	3588	1004	105	42
48049	19352	1714	17483	17046	5554	539	287
1051	620	-1	1	1	0	85	21
56145	13741	2965	4695	4226	561	366	200
28849	8887	1832	2922	1770	1411	114	7
278484	62818	6910	39416	39493	7532	7316	1824
6722	1133	10	1578	1464	371	20	24
37085	13548	1588	3638	3896	245	210	17
17091	7572	586	5282	3207	1229	844	163
2606	2932	540	1014	1007	310	496	119
33198	5551	2791	4417	4935	1858	1246	42
6489	1023	67	1734	1733	331		
1820	760	55	146	96	32	2	1
3667	770	100	916	911	201	131	34

2－49 各地区大中型住宿和餐饮企业工资、福利

单位：万元

地　区	大中型		大　型		中　型	
	本年应付工资总额	本年应付福利费总额	本年应付工资总额	本年应付福利费总额	本年应付工资总额	本年应付福利费总额
全　国	**957472**	**142986**	**401649**	**65049**	**555823**	**77937**
北　京	198370	30956	117637	18886	80732	12070
天　津	21256	1428	7678	128	13578	1301
河　北	8118	1831			8118	1831
山　西	6296	864	2000	160	4296	704
内蒙古	2507	467			2507	467
辽　宁	18492	2258	9036	1100	9456	1158
吉　林	7813	862			7813	862
黑龙江	5522	593			5522	593
上　海	100956	19033	58770	13611	42186	5422
江　苏	61818	10866	16844	2949	44975	7918
浙　江	93015	15609	36200	8331	56815	7279
安　徽	7266	681			7266	681
福　建	11436	1712	4173	579	7263	1133
江　西	7236	707	1411	25	5825	681
山　东	29396	4050	11977	1327	17418	2723
河　南	8061	870			8061	870
湖　北	21668	2113	14668	1214	7001	899
湖　南	18107	1633	6275	508	11833	1126
广　东	231160	28727	93897	14112	137263	14614
广　西	9957	1582	796	131	9161	1451
海　南	8642	1620			8642	1620
重　庆	15085	1679	2791	245	12294	1434
四　川	19098	2974	9292	1096	9807	1877
贵　州	1780	243			1780	243
云　南	9622	1811			9622	1811
西　藏	683				683	
陕　西	20250	4297	8205	646	12045	3651
甘　肃	4457	762			4457	762
青　海						
宁　夏	1606	223			1606	223
新　疆	7801	2536			7801	2536

2-50 各地区大中型住宿和餐饮企业经济效益分析指标

地 区	负债比率（%）	毛利率（%）	人均营业收入（万元）	流动资产周转次数（次）	费用率（%）
全 国	**67.4**	**66.2**	**14.4**	**2.1**	**59.7**
北 京	65.0	74.4	18.0	2.5	56.4
天 津	59.2	69.9	15.5	1.2	57.8
河 北	57.0	45.7	9.8	1.8	84.4
山 西	59.8	58.7	10.0	3.7	45.5
内蒙古	31.0	75.2	11.8	3.4	70.1
辽 宁	53.9	63.2	14.2	6.2	171.8
吉 林	41.7	72.7	9.6	0.8	75.8
黑龙江	61.0	73.8	10.8	1.4	76.9
上 海	66.1	67.9	17.5	2.9	54.2
江 苏	77.1	66.8	13.0	2.7	57.8
浙 江	70.6	49.1	20.9	2.6	40.5
安 徽	51.3	63.3	10.9	2.0	55.6
福 建	85.0	66.3	12.9	3.0	78.1
江 西	49.5	69.0	10.3	2.4	60.0
山 东	72.2	65.2	12.5	1.8	53.3
河 南	77.0	73.4	10.3	1.6	71.1
湖 北	82.0	59.2	9.8	2.9	50.4
湖 南	54.3	67.7	11.4	1.4	58.6
广 东	69.8	69.1	13.6	1.6	59.3
广 西	107.3	74.1	9.6	3.1	68.7
海 南	69.6	82.6	11.2	1.2	94.9
重 庆	68.9	55.2	8.6	1.2	49.8
四 川	78.8	79.4	13.6	1.5	67.9
贵 州	79.5	82.3	9.1	3.2	80.2
云 南	31.8	74.0	10.9	0.5	69.1
西 藏	22.5	89.5	9.1	0.6	73.3
陕 西	111.5	60.1	12.6	2.8	53.0
甘 肃	70.8	58.1	9.3	3.8	48.3
青 海					
宁 夏	14.7	64.8	11.0	4.8	55.3
新 疆	36.5	59.4	11.5	2.7	52.9

注：费用率等于营业费用、管理费用、财务费用三项之和除以营业收入合计（下表同）。

2－51 各地区大型住宿和餐饮企业经济效益分析指标

地区	负债比率（%）	毛利率（%）	人均营业收入（万元）	流动资产周转次数（次）	费用率（%）
全国	**56.1**	**63.9**	**17.2**	**3.9**	**47.5**
北京	54.3	75.7	20.2	3.0	52.4
天津	59.8	64.2	17.6	5.3	45.1
河北					
山西	40.6	65.6	14.4	8.0	40.9
内蒙古					
辽宁	43.7	65.2	17.1	15.3	47.1
吉林					
黑龙江					
上海	67.0	68.1	18.1	5.9	52.6
江苏	63.6	66.4	12.0	9.6	46.1
浙江	66.4	37.2	30.4	4.9	27.1
安徽					
福建	41.4	66.2	16.2	9.5	53.5
江西	25.1	65.1	13.7	15.7	41.8
山东	60.0	61.2	14.2	3.7	45.4
河南					
湖北	85.2	58.1	10.1	3.3	49.0
湖南	47.6	71.7	12.6	1.0	53.3
广东	50.1	68.1	16.9	4.7	54.9
广西	43.3	64.6	11.9	15.4	48.9
海南					
重庆	42.6	46.4	7.0	1.0	36.3
四川	51.4	79.4	14.8	3.0	59.4
贵州					
云南					
西藏					
陕西	54.1	46.4	14.7	3.2	40.4
甘肃					
青海					
宁夏					
新疆					

2－52 各地区中型住宿和餐饮企业经济效益分析指标

地 区	负债比率（%）	毛利率（%）	人均营业收入（万元）	流动资产周转次数（次）	费用率（%）
全 国	**71.8**	**68.9**	**12.2**	**1.4**	**73.4**
北 京	76.2	71.9	14.9	1.8	64.1
天 津	59.1	79.6	12.8	0.5	79.4
河 北	57.0	45.7	9.8	1.8	84.4
山 西	63.7	54.1	8.3	2.8	48.6
内蒙古	31.0	75.2	11.8	3.4	70.1
辽 宁	57.4	59.2	10.8	2.9	404.4
吉 林	41.7	72.7	9.6	0.8	75.8
黑龙江	61.0	73.8	10.8	1.4	76.9
上 海	65.3	67.4	16.2	1.4	57.7
江 苏	78.5	67.1	13.9	1.8	66.1
浙 江	72.0	66.9	14.4	1.5	60.0
安 徽	51.3	63.3	10.9	2.0	55.6
福 建	99.4	66.5	10.3	1.6	108.5
江 西	51.2	71.3	9.1	1.7	69.8
山 东	77.6	69.1	11.2	1.2	61.1
河 南	77.0	73.4	10.3	1.6	71.1
湖 北	78.3	62.5	8.9	2.3	53.7
湖 南	58.4	64.9	10.7	1.8	62.0
广 东	75.7	69.9	11.6	1.0	63.3
广 西	111.5	77.1	9.1	2.5	74.8
海 南	69.6	82.6	11.2	1.2	94.9
重 庆	83.4	64.2	11.5	1.6	64.4
四 川	89.3	79.4	12.7	1.1	74.6
贵 州	79.5	82.3	9.1	3.2	80.2
云 南	31.8	74.0	10.9	0.5	69.1
西 藏	22.5	89.5	9.1	0.6	73.3
陕 西	152.6	74.3	11.1	2.5	65.6
甘 肃	70.8	58.1	9.3	3.8	48.3
青 海					
宁 夏	14.7	64.8	11.0	4.8	55.3
新 疆	36.5	59.4	11.5	2.7	52.9

2-53 各地区大中型住宿企业经济效益分析指标

地　区	负债比率（%）	毛利率（%）	人均营业收入（万元）	流动资产周转次数（次）	费用率（%）
全　国	**68.9**	**71.7**	**15.5**	**1.5**	**70.9**
北　京	65.8	84.6	20.2	1.9	63.5
天　津	58.7	85.6	13.4	0.5	88.4
河　北	57.1	47.1	9.5	1.7	92.1
山　西	61.4	61.2	8.4	2.4	58.0
内蒙古	31.0	75.2	11.8	3.4	70.1
辽　宁	58.7	64.0	10.7	2.6	534.3
吉　林	42.8	75.0	8.9	0.6	79.8
黑龙江	62.4	79.3	11.9	1.2	84.0
上　海	62.8	76.3	21.5	2.7	56.6
江　苏	81.4	73.3	14.4	2.1	75.7
浙　江	71.2	44.8	26.0	2.1	38.3
安　徽	42.8	70.9	11.8	2.3	60.0
福　建	107.9	76.5	10.8	1.2	156.0
江　西	46.7	79.4	10.1	1.6	71.6
山　东	74.7	68.3	12.7	1.3	61.3
河　南	75.9	75.6	10.7	1.6	73.5
湖　北	87.9	76.2	9.6	1.7	74.1
湖　南	51.9	71.0	11.3	0.8	60.6
广　东	73.0	76.7	13.9	1.0	67.9
广　西	111.9	74.0	8.8	2.3	84.7
海　南	69.6	82.6	11.2	1.2	94.9
重　庆	83.9	66.5	11.2	1.8	69.5
四　川	80.5	84.8	13.3	1.2	75.6
贵　州	79.5	82.3	9.1	3.2	80.2
云　南	24.1	81.3	11.0	0.4	78.3
西　藏	22.5	89.5	9.1	0.6	73.3
陕　西	161.1	83.8	12.3	2.4	73.2
甘　肃	73.0	54.1	7.1	2.1	52.2
青　海					
宁　夏	5.2	76.5	10.2	9.0	65.4
新　疆	36.6	58.5	11.0	2.4	54.0

2－54 各地区大中型餐饮企业经济效益分析指标

地　区	负债比率（%）	毛利率（%）	人均营业收入（万元）	流动资产周转次数（次）	费用率（%）
全　国	**61.8**	**60.4**	**13.4**	**3.8**	**47.6**
北　京	59.3	58.9	15.5	4.7	45.6
天　津	61.8	62.6	16.7	4.5	43.6
河　北	50.3	34.6	13.6	3.5	22.3
山　西	56.9	57.5	11.0	4.9	39.8
内蒙古					
辽　宁	44.2	63.0	16.0	12.0	46.0
吉　林	35.9	66.1	12.0	3.6	64.9
黑龙江	41.3	58.1	8.6	1.9	56.5
上　海	69.9	64.2	16.2	3.0	53.1
江　苏	67.7	63.2	12.4	3.3	47.9
浙　江	66.3	60.3	13.8	5.7	46.1
安　徽	75.3	47.0	9.1	1.4	44.1
福　建	50.1	63.1	13.8	5.3	52.9
江　西	56.8	59.5	10.6	5.1	48.3
山　东	67.4	62.3	12.3	2.9	45.9
河　南	96.0	43.9	7.3	1.5	38.8
湖　北	78.6	57.4	9.8	3.2	46.7
湖　南	76.5	64.0	11.5	8.3	56.1
广　东	52.8	59.6	13.3	6.1	48.4
广　西	64.2	74.4	11.9	14.4	35.4
海　南					
重　庆	55.5	49.7	7.7	1.0	40.6
四　川	63.5	68.3	14.0	3.1	52.6
贵　州					
云　南	98.1	52.9	10.7	2.0	41.9
西　藏					
陕　西	56.5	47.0	12.8	3.2	41.2
甘　肃	48.2	61.8	12.9	14.3	44.7
青　海					
宁　夏	80.4	54.6	11.8	3.4	46.5
新　疆	34.8	63.5	15.4	8.4	47.8

3. 行 业 篇

简要说明:

一、本篇资料主要内容为大中型批发零售和住宿餐饮企业分行业的单位数和从业人员数；大中型批发和零售企业分行业的商品购、销、存情况及住宿和餐饮企业分行业的经营情况；大中型批发零售和住宿餐饮企业分行业的主要财务、劳动工资及经济效益分析指标等。

二、行业分类按照《国民经济行业分类》（GB/T 4754-2002）列示，包括批发和零售业、住宿和餐饮业两个门类，批发业、零售业、住宿业、餐饮业四个大类和25个行业中类。

3－1 大中型批发企业分行业基本情况

地 区	批发业合计		农畜产品批发		食品、饮料及烟草制品批发	
	法人企业（个）	年末从业人数（人）	法人企业（个）	年末从业人数（人）	法人企业（个）	年末从业人数（人）
全 国	**2527**	**947167**	**165**	**31052**	**692**	**304418**
北 京	145	61079	5	1042	22	6583
天 津	44	14161			4	1489
河 北	76	38892	9	1550	20	10094
山 西	88	29836	4	390	13	5338
内 蒙 古	48	17575	8	981	19	5145
辽 宁	74	23825	5	909	26	8969
吉 林	39	12028	9	1127	12	4956
黑 龙 江	63	24617	16	2122	16	6791
上 海	217	76267	2	423	49	17305
江 苏	122	77573	5	630	27	19857
浙 江	171	33529	6	811	37	8444
安 徽	90	34365	10	1815	23	13422
福 建	90	25976			33	11034
江 西	48	26579	4	585	18	10490
山 东	163	73941	10	1473	45	32343
河 南	130	33501	19	5021	55	14582
湖 北	82	40226	12	3372	22	14897
湖 南	57	21396	3	329	19	11756
广 东	280	92012	1	393	75	26482
广 西	53	14845	2	822	17	6886
海 南	7	3416			3	894
重 庆	55	38527	1	213	10	11092
四 川	107	37068	4	438	34	16007
贵 州	32	14998	1	144	13	10198
云 南	84	29207	3	1008	45	15697
西 藏	3	606				
陕 西	41	21012	1	170	9	8487
甘 肃	33	6847	2	356	7	1675
青 海	8	3632			2	410
宁 夏	11	2132			5	1128
新 疆	66	17499	23	4928	12	1967

3－1 续表1

地区	米、面制品及食用油批发		烟草制品批发		纺织、服装及日用品批发	
	法人企业（个）	年末从业人数（人）	法人企业（个）	年末从业人数（人）	法人企业（个）	年末从业人数（人）
全　国	**69**	**11299**	**387**	**216892**	**176**	**53561**
北　京	4	513	2	1155	13	3069
天　津			2	1204	7	1118
河　北	1	118	12	8935	6	1194
山　西			10	4941		
内蒙古	1	120	11	3824	1	419
辽　宁	6	1065	15	7189	3	697
吉　林	1	145	10	4629		
黑龙江	1	138	12	6219	1	625
上　海	4	781	15	8392	37	12349
江　苏	1	91	13	7438	18	13001
浙　江	5	792	19	4289	26	4156
安　徽	3	397	17	11964	6	1034
福　建	2	276	19	7532	6	1835
江　西	2	350	10	8465		
山　东	2	347	17	18634	9	5065
河　南	6	854	40	12456	2	227
湖　北	2	262	15	13989	1	150
湖　南	2	1105	12	9817	1	180
广　东	7	1303	21	9967	28	7027
广　西	1	172	12	6045	1	165
海　南			3	894		
重　庆	5	830	1	8473	3	421
四　川	5	603	19	12639	2	265
贵　州	1	105	9	9671		
云　南	2	429	43	15268		
西　藏						
陕　西	1	120	8	8367	2	225
甘　肃			7	1675	2	219
青　海			2	410	1	120
宁　夏	1	116	3	828		
新　疆	3	267	8	1583		

3－1 续表2

地 区	服装批发		文化、体育用品及器材批发		医药及医疗器材批发	
	法人企业（个）	年末从业人数（人）	法人企业（个）	年末从业人数（人）	法人企业（个）	年末从业人数（人）
全 国	**51**	**17971**	**69**	**23705**	**324**	**92087**
北 京	4	1340	7	2134	21	5119
天 津	3	558	2	279	9	2218
河 北	3	580	1	410	11	3175
山 西			1	429	2	304
内蒙古					2	283
辽 宁	1	320	1	189	5	524
吉 林			2	419	6	2097
黑龙江			1	228	1	148
上 海	7	2411	4	4628	23	12704
江 苏	5	1570	2	721	20	5046
浙 江	10	2002	3	1429	42	8095
安 徽	1	283	2	362	10	3484
福 建	2	1079	3	530	18	4009
江 西					8	5185
山 东	3	4306	3	877	19	5988
河 南			3	565	9	1445
湖 北			5	923	9	1892
湖 南			4	1087	9	1706
广 东	11	3408	12	1820	36	9859
广 西			4	780	4	641
海 南					2	242
重 庆			1	3382	8	6721
四 川					25	4504
贵 州			1	270	5	761
云 南			2	1097	9	2666
西 藏						
陕 西			2	531	6	2433
甘 肃	1	114			3	304
青 海						
宁 夏			1	76	1	178
新 疆			2	539	1	356

3－1 续表3

地区	矿产品、建材及化工产品批发		煤炭及制品批发		石油及制品批发	
	法人企业（个）	年末从业人数（人）	法人企业（个）	年末从业人数（人）	法人企业（个）	年末从业人数（人）
全　国	**618**	**293847**	**87**	**27243**	**319**	**213790**
北　京	23	10464	1	599	9	4648
天　津	10	6772			3	5519
河　北	21	20834			17	20403
山　西	59	21975	45	18729	10	2672
内蒙古	15	10345	3	1042	10	9037
辽　宁	24	10929	1	107	16	8463
吉　林	8	3018			5	2511
黑龙江	24	13558	2	388	20	12480
上　海	25	6190	3	824	7	2346
江　苏	32	31011	7	1418	7	24371
浙　江	24	4753	1	146	10	2181
安　徽	22	9727	1		16	7607
福　建	17	4959			8	2990
江　西	13	8762			13	8762
山　东	52	17594	7	951	17	7189
河　南	28	9064	2	207	18	7862
湖　北	19	13303			15	12522
湖　南	10	4058			6	3274
广　东	54	30126	2	929	34	23235
广　西	14	2780	1	159	10	2272
海　南	2	2280			1	2165
重　庆	17	10202	2	285	5	8224
四　川	25	12159			16	10096
贵　州	7	2745	1	159	5	2449
云　南	15	2719	2	383	4	756
西　藏	2	448			2	448
陕　西	18	8569	5	812	10	7247
甘　肃	14	3812	1	105	8	2882
青　海	3	2731			3	2731
宁　夏	2	305			2	305
新　疆	19	7655			12	6143

3－1 续表4

地 区	金属及金属矿批发		建材批发		化肥批发	
	法人企业（个）	年末从业人数（人）	法人企业（个）	年末从业人数（人）	法人企业（个）	年末从业人数（人）
全 国	**79**	**21316**	**40**	**7276**	**52**	**14554**
北 京	8	1774	3	830	1	2413
天 津	5	800	1	130		
河 北			2	200	2	231
山 西	1	169			1	195
内蒙古			1	129	1	137
辽 宁	5	1878			1	114
吉 林	1	115			2	392
黑龙江	1	330			1	360
上 海	4	1075	3	537	2	424
江 苏	4	1281	2	1595	3	532
浙 江	10	1866	1	204		
安 徽	2	531			2	623
福 建	3	692	4	479	1	604
江 西						
山 东	6	3198	5	552	15	5277
河 南	2	304	1	39	3	383
湖 北	1	330	1	119	1	118
湖 南	1	149	2	468		
广 东	8	3073	5	953		
广 西			1	60	2	289
海 南					1	115
重 庆	4	758	3	387	2	369
四 川	5	1607	2	203	1	103
贵 州	1	137				
云 南	2	349	2	219	1	100
西 藏						
陕 西	3	510				
甘 肃	2	390	1	172	2	263
青 海						
宁 夏						
新 疆					7	1512

3－1 续表5

地区	机械设备、五金交电及电子产品批发		汽车、摩托车及零配件批发		家用电器批发	
	法人企业（个）	年末从业人数（人）	法人企业（个）	年末从业人数（人）	法人企业（个）	年末从业人数（人）
全　国	**398**	**121565**	**71**	**17029**	**97**	**41148**
北　京	45	29354	4	1440	8	5668
天　津	10	2058	3	464	4	1247
河　北	7	1479	4	1025	1	151
山　西	6	1023	1	119	1	375
内蒙古	2	279	1	215		
辽　宁	9	1438	2	305	1	147
吉　林	2	411			2	411
黑龙江	3	790	1	121	1	450
上　海	49	16445	6	2951	4	2587
江　苏	16	7132	1	315	9	5689
浙　江	32	5692	3	352	7	2046
安　徽	15	3853	5	899	6	2234
福　建	10	1800			6	1373
江　西	5	1557	1	158	2	870
山　东	22	7059	6	1096	4	3525
河　南	12	2381	4	441	2	643
湖　北	12	4192	3	681	3	2500
湖　南	7	1538	1	110	4	1118
广　东	65	14782	6	716	14	4211
广　西	8	2162	1	145	2	750
海　南						
重　庆	13	6176	9	4114	3	1172
四　川	16	3552			4	1174
贵　州	4	748			2	538
云　南	7	1663			1	485
西　藏	1	158	1	158		
陕　西	3	597	1	102	1	365
甘　肃	5	481	3	327	1	67
青　海	2	371			1	170
宁　夏	2	445	1	105	1	340
新　疆	8	1949	3	670	2	842

3－1 续表6

地 区	计算机、软件及辅助设备批发		贸易经纪与代理		其他批发	
	法人企业（个）	年末从业人数（人）	法人企业（个）	年末从业人数（人）	法人企业（个）	年末从业人数（人）
全 国	**35**	**7632**	**16**	**5967**	**69**	**20965**
北 京	4	911	5	1403	4	1911
天 津					2	227
河 北					1	156
山 西	1	108			3	377
内蒙古			1	123		
辽 宁	1	111			1	170
吉 林						
黑龙江					1	355
上 海	9	3217	1	219	27	6004
江 苏					2	175
浙 江	3	351			1	149
安 徽	1	137			2	668
福 建	1	107	1	1438	2	371
江 西	1	414				
山 东					3	3542
河 南					2	216
湖 北			1	1388	1	109
湖 南			1	134	3	608
广 东	9	1502	5	1132	4	391
广 西	2	218			3	609
海 南						
重 庆					2	320
四 川	2	426			1	143
贵 州					1	132
云 南			1	130	2	4227
西 藏						
陕 西	1	130				
甘 肃						
青 海						
宁 夏						
新 疆					1	105

3-2 大中型批发企业分行业商品购、销、存总额

农畜产品批发　　单位:万元

地　区	购进总额	进　口	销售总额	批　发	出　口	零　售	年末库存总　额
全　国	**3159451**	**184892**	**4661771**	**4624966**	**84861**	**36805**	**2164027**
北　京	207399	175100	1886493	1886493			36789
天　津							
河　北	100077		120983	119316		1667	9569
山　西	81517		22656	22656			13686
内蒙古	102581		108833	95044		13789	54417
辽　宁	62898		71123	70353	10825	770	23526
吉　林	76393		99374	95003		4371	18383
黑龙江	98887		151680	151680	1913		101014
上　海	66818		68233	68233			2648
江　苏	35260		39592	39592			13258
浙　江	27124		26360	26357		3	20558
安　徽	118704		93451	93451			94171
福　建							
江　西	18650		29497	29485		12	16403
山　东	68133		101376	99234		2142	54648
河　南	193363	788	214073	207240	35813	6833	70642
湖　北	177464		220883	220883			68413
湖　南	31412	313	34238	34238	24492		7699
广　东	33069	8241	31412	31412	8642		10727
广　西	44512		42803	36575		6228	265
海　南							
重　庆	4900		6560	6560	752		4296
四　川	23037		32792	32792			13235
贵　州	6873		5087	4751		336	2756
云　南	795233		476237	476189		48	1099038
西　藏							
陕　西	10605		10890	10890			1417
甘　肃	13550		11402	11402			30731
青　海							
宁　夏							
新　疆	760992	450	755745	755138	2425	607	395740

3－2 续表1

食品、饮料及烟草制品批发

单位:万元

地区	购进总额	进口	销售总额	批发	出口	零售	年末库存总额
全国	**48078716**	**260150**	**58205286**	**56557967**	**2002263**	**1647319**	**3715799**
北京	1211624	44545	1331195	1288050		43146	81016
天津	444203		406196	406196			17699
河北	1482586		1840243	1826765		13478	66606
山西	1097968		1366089	1360651	150699	5438	48677
内蒙古	677817		947322	924312	8368	23010	56929
辽宁	1896380		2124448	1952846	85646	171602	187367
吉林	687636	751	812720	811348	619	1371	48459
黑龙江	765504		970371	967991	2810	2380	74611
上海	2864553	44361	3396089	2996981		399108	165321
江苏	3406721	253	4500136	4232821		267316	257686
浙江	3469946	19073	4063264	4023319	627254	39946	111462
安徽	1466563		2009696	2009696	3731		104265
福建	3501860	2477	4016261	3928365	41626	87896	107146
江西	949010	38	1379029	1361979		17049	62221
山东	3338206	1766	4189694	3740685	16882	449009	258617
河南	2130217	25318	2503103	2487143	65704	15960	183428
湖北	1455220	60641	1899837	1893439		6398	60200
湖南	1922871		2280727	2276701	13901	4025	113142
广东	4896759	49580	5736765	5691077	866763	45688	169865
广西	853559	33	961206	952121		9085	51727
海南	290350		324710	322386		2324	6431
重庆	897953		1244078	1231260		12819	121033
四川	2078952	11238	2667311	2662954	117909	4358	277827
贵州	1120441		1680821	1676802		4019	268420
云南	2706700		3451077	3433216	215	17861	702955
西藏							
陕西	1566804		1011900	1011900			47896
甘肃	351671		467343	467343			23389
青海	91795		97981	97863		118	2852
宁夏	146639		174713	172923	136	1790	16870
新疆	308208	77	350960	348836		2124	21681

3－2 续表2

米、面制品及食用油批发

单位:万元

地区	购进总额	进口	销售总额	批发	出口	零售	年末库存总额
全国	**1428209**	**45908**	**1190913**	**1151836**	**269235**	**39078**	**393803**
北京	25686	3847	28435	28378		56	4589
天津							
河北	5607		5991	5991			5581
山西							
内蒙古	14565		15474	15474			4782
辽宁	269002		92099	73423		18676	29080
吉林	7073		7066	7066			11126
黑龙江	4316		6161	6161	2810		261
上海	73888	27	65805	65730		75	4897
江苏	9577		7318	7318			7240
浙江	290415	4884	261224	260884	198684	340	19038
安徽	32743		14372	14372			32231
福建	35652		36453	36280		174	21251
江西	9197		9525	9525			14458
山东	25995		30685	30685			41376
河南	211605	25292	169556	168235	65704	1322	77366
湖北	8833		14084	13029		1056	11338
湖南	94616		111888	111888			3112
广东	157747	11858	158652	152407	2037	6245	52199
广西	3394		4847	4761		87	1990
海南							
重庆	62006		65436	55195		10242	9573
四川	17186		21983	21337		646	8979
贵州	6091		6228	6125		104	0
云南	35009		30131	30095		36	15185
西藏							
陕西	1797		4477	4477			70
甘肃							
青海							
宁夏	10722		7650	7650			8593
新疆	15489		15373	15353		20	9491

3－2 续表3

烟草制品批发

单位:万元

地区	购进总额	进口	销售总额	批发	出口	零售	年末库存总额
全国	**38046012**	**62890**	**47165490**	**46762172**	**441823**	**403318**	**2680824**
北京	602162		684774	684596		178	25525
天津	421795		376791	376791			14436
河北	1419329		1764213	1763710		503	55803
山西	1056772		1320642	1318602	150699	2040	47171
内蒙古	593324		726527	726527			36230
辽宁	1186692		1663471	1655768	85646	7703	77226
吉林	678654	751	802277	800906	619	1371	37127
黑龙江	749259		949540	947245		2295	73412
上海	1493216		1744403	1484245		260158	42329
江苏	2513492	253	3524100	3521146		2954	161120
浙江	2663721	204	3199217	3178641	80661	20576	67165
安徽	1309347		1867093	1867093			70986
福建	2934904	378	3397194	3371979		25215	71218
江西	852843	38	1257529	1240480		17048	46631
山东	1938744	71	2574979	2565027	39	9952	114680
河南	1785894	27	2249230	2244261		4969	97667
湖北	1387268	60641	1817535	1813605		3930	36836
湖南	1619772		1925511	1921824		3687	92923
广东	2930834	418	3525919	3521779	13770	4140	79160
广西	791296	33	895967	887583		8385	49228
海南	290350		324710	322386		2324	6431
重庆	777578		1095666	1095666			104582
四川	1866245		2356105	2354171	110174	1934	225097
贵州	1094439		1646480	1642573		3907	267763
云南	2671691		3420946	3403121	215	17825	687770
西藏							
陕西	1565008		1007423	1007423			47827
甘肃	351671		467343	467343			23389
青海	91795		97981	97863		118	2852
宁夏	125583		157030	157030			7758
新疆	282337	77	324894	322790		2104	10483

3－2 续表4

纺织、服装及日用品批发

单位:万元

地区	购进总额	进口	销售总额	批发	出口	零售	年末库存总额
全国	**15347871**	**2686380**	**18748209**	**18416280**	**10038234**	**331929**	**1281669**
北京	509152	24462	713908	707315	122501	6593	54931
天津	354413	34503	334767	332093	238751	2674	7894
河北	344638	10633	322662	319636	161455	3026	19903
山西							
内蒙古	142268		111139	73139	469	38000	37786
辽宁	235839	28726	228283	226108	183571	2176	10407
吉林							
黑龙江	33443	3841	72800	72800	34446		7384
上海	1741764	385529	2864574	2749289	800843	115285	298255
江苏	2530292	878330	4571474	4562350	3202286	9124	294238
浙江	3013901	266879	3114069	3077415	2470179	36654	134402
安徽	449256	60485	507811	507811	414263		23555
福建	1563482	291407	1541640	1541640	533957		122601
江西							
山东	1876392	639774	1400109	1333418	393835	66691	137240
河南	8041		10242	7344		2898	196
湖北	2827		3587	3587			153
湖南	21432		21495	10140		11354	15
广东	2398987	60319	2802608	2767524	1457002	35085	121704
广西	6537		6958	4871		2087	440
海南							
重庆	30598		31890	31628		262	3008
四川	25632		27622	27622	3835		734
贵州							
云南							
西藏							
陕西	26018	1492	27601	27601	10523		2685
甘肃	15744	1	16709	16709	10319		510
青海	17217		16262	16243		19	3629
宁夏							
新疆							

3－2 续表5

服装批发　　　　单位:万元

地区	购进总额	进口	销售总额	批发	出口	零售	年末库存总额
全国	**7673475**	**1365404**	**8258958**	**8115108**	**4522143**	**143850**	**490862**
北京	304055	21604	497630	492978	122501	4652	23397
天津	249320	32560	235611	235611	206634		3412
河北	214821	10633	214815	214109	89907	706	14242
山西							
内蒙古							
辽宁	34152	1528	37653	37653	34936		1440
吉林							
黑龙江							
上海	228750	48160	744319	708599	551614	35720	47372
江苏	274533	15067	435251	430174	310453	5077	29404
浙江	1901842	259160	1936880	1926864	1564773	10016	92452
安徽	118732	1913	144742	144742	144742		2581
福建	1333875	284548	1288718	1288718	293485		106527
江西							
山东	1801179	639774	1322585	1257035	385385	65550	130593
河南							
湖北							
湖南							
广东	1202617	50455	1390436	1368307	807395	22129	39440
广西							
海南							
重庆							
四川							
贵州							
云南							
西藏							
陕西							
甘肃	9601	1	10319	10319	10319		
青海							
宁夏							
新疆							

3-2 续表6

文化、体育用品及器材批发

单位:万元

地区	购进总额	进口	销售总额	批发	出口	零售	年末库存总额
全国	**3850783**	**105741**	**3872545**	**3607181**	**626394**	**265365**	**698615**
北京	197923	16489	273895	260542	10124	13353	61818
天津	27123		27104	26591		512	1295
河北	139050		133020	120006		13014	15994
山西	87123		89570	86256		3314	9099
内蒙古							
辽宁	10257	65	11091	11091			2424
吉林	51422		67542	65162		2379	40221
黑龙江	40589		40193	40140		53	445
上海	310439		313121	190565		122556	90600
江苏	458262		338068	318677		19391	23188
浙江	838256	86010	878657	878657	576977		84736
安徽	26513		25866	25866			11924
福建	16507		18378	15949	14391	2429	3701
江西							
山东	252484		243483	232372		11111	87673
河南	234711		230091	224197		5894	43625
湖北	127889		142182	135833		6349	17411
湖南	241814		226482	216177		10305	63571
广东	212077	3178	239982	228698	6920	11284	58520
广西	99813		110633	107438	17982	3195	14407
海南							
重庆	123634		122719	106921		15798	21210
四川							
贵州	67526		67500	67383		117	229
云南	115864		98207	80648		17559	27213
西藏							
陕西	71896		73673	73042		631	2701
甘肃							
青海							
宁夏	11802		11823	11815		8	828
新疆	87810		89267	83154		6113	15785

3－2 续表7

医药及医疗器材批发

单位:万元

地　区	购进总额	进　口	销售总额	批　发	出　口	零　售	年末库存总　额
全　国	**16838910**	**653020**	**18229803**	**13538663**	**473149**	**4691141**	**1576992**
北　京	1366748	232866	1513376	1144694	76184	368682	125852
天　津	995276	23806	1025456	911086	16633	114370	54755
河　北	510253	729	619449	518040		101409	47046
山　西	11223		12681	11940		741	2301
内蒙古	19668		20146	18953		1193	2108
辽　宁	102071		104658	101112		3546	10659
吉　林	130287		140489	140489			33268
黑龙江	9421		72481	50481		22000	1067
上　海	2407772	282387	2754279	1542068	66091	1212211	284282
江　苏	637637		781296	489463		291834	53490
浙　江	1703177	2025	1780352	1011897	233048	768456	150989
安　徽	1182210		1178297	938925		239372	79276
福　建	412951	6014	515788	370511	3068	145276	66079
江　西	468607		522744	438736		84007	36260
山　东	1100720	9953	1192169	849500	13114	342669	111039
河　南	426051		327409	325272		2137	32964
湖　北	360632		384713	331088		53624	32641
湖　南	362861		369065	338072		30993	31485
广　东	2147864	91938	2270957	1867939	32914	403018	209367
广　西	45642		47890	45943		1947	4434
海　南	11376		11549	11549			2257
重　庆	810484		841538	519706	32097	321831	72852
四　川	826975	45	863110	756615		106495	60516
贵　州	36357		92284	90044		2240	11294
云　南	353450		364283	350899		13384	28321
西　藏							
陕　西	285886	3257	294247	236658		57589	23546
甘　肃	14702		35723	35053		670	683
青　海							
宁　夏	2971		3198	1751		1447	374
新　疆	95641		90178	90178			7788

3－2 续表8

矿产品、建材及化工产品批发　　　　单位:万元

地　区	购进总额	进　口	销售总额	批　发	出　口	零　售	年末库存总　额
全　国	**137521354**	**5078045**	**128599718**	**111171252**	**4092699**	**17428466**	**6414108**
北　京	16315561	550579	18521712	17781337	511276	740375	986081
天　津	15202814	1828	16087147	15903003	1879	184144	155135
河　北	3002313		3160970	2429318		731652	731832
山　西	3319192		3605351	3180817	260085	424534	261696
内蒙古	1080888		1265460	702260		563200	67509
辽　宁	8289432	526832	8304183	7622419	76038	681764	498757
吉　林	359925	340	422405	172918	141	249487	11980
黑龙江	4106583	124485	4336129	3310349	15737	1025780	318528
上　海	6210647	1532808	6278610	6240193	1231917	38417	513314
江　苏	9830847	390665	6514268	5545381	476389	968888	336182
浙　江	14138182	1032189	8261909	8149024	527836	112885	402320
安　徽	3272605	81682	3392835	2776460	52929	616376	71633
福　建	2858536	310306	2712028	1825292	420980	886737	156391
江　西	1701429		1964300	1046286		918015	76681
山　东	11124477	50953	3439498	2930358	19389	509140	149317
河　南	5251113		5481060	4912285		568775	204938
湖　北	2293449		2396764	1898058		498706	36799
湖　南	584051		710902	428946		281955	20636
广　东	12700092	348735	15035816	12560526	437519	2475290	312689
广　西	369386	11467	506156	296025		210132	5053
海　南	491923	2186	533224	145775		387450	11777
重　庆	1668171	9515	1775493	1540067	18341	235426	71933
四　川	5044721	103475	4981680	2735568	39623	2246113	240160
贵　州	195590		501408	254631		246777	22567
云　南	316841		461075	382621		78454	7455
西　藏	86653		71843	934		70909	7253
陕　西	2331341		2329882	1729366	2622	600516	117304
甘　肃	4020636		3871915	3554024		317891	467930
青　海	99158		444026	216049		227977	31757
宁　夏	6129		9337	5865		3472	330
新　疆	1248668		1222332	895101		327231	118174

3－2　续表9

煤炭及制品批发　　　　单位:万元

地　区	购进总额	进　口	销售总额	批　发	出　口	零　售	年末库存总　额
全　国	**4738412**	**800**	**6810664**	**6740553**	**276650**	**70111**	**174057**
北　京	2367183		2404359	2404359			
天　津							
河　北							
山　西	1138482		2788286	2758482	260085	29804	120421
内蒙古	117394		266939	266939			13485
辽　宁	4524		5950	5950			11
吉　林							
黑龙江	35222		35819	35819			490
上　海	492162		563490	543412		20078	12435
江　苏	195433		214049	204979	8309	9070	10971
浙　江	13210		14596	14596			421
安　徽	8366		8366	8366			
福　建							
江　西							
山　东	57073	800	79085	69006	5634	10079	6062
河　南	75501		80365	80365			
湖　北							
湖　南							
广　东	99786		99927	99730		197	4130
广　西	1058		8695	8695			675
海　南							
重　庆	67368		71107	71107			2971
四　川							
贵　州	9895		10151	10151			
云　南	6567		67122	67122			499
西　藏							
陕　西	42872		84301	84301	2622		1474
甘　肃	6316		8059	7176		883	10
青　海							
宁　夏							
新　疆							

3－2 续表10

石油及制品批发

单位:万元

地区	购进总额	进口	销售总额	批发	出口	零售	年末库存总额
全国	**95491278**	**1555950**	**82088809**	**65045108**	**656342**	**17043701**	**3262322**
北京	4782580	62	5015774	4275399		740375	97449
天津	13787921		14614577	14432245		182332	70092
河北	2965441		3109547	2377895		731652	726946
山西	2062513		675227	281106		394122	124113
内蒙古	918490		966572	403373		563200	47247
辽宁	2091497		2360709	1678945		681764	87199
吉林	343949		406123	157374		248749	11222
黑龙江	3495126	2260	3674580	2648800		1025780	236870
上海	2241629	961618	2334787	2331397	654459	3390	149777
江苏	7702994		4264906	3320194		944712	154315
浙江	9713820	313914	3614441	3508624		105816	145121
安徽	1796952		1755457	1139081		616376	38694
福建	1622899		1379250	492513		886737	48814
江西	1701429		1964300	1046286		918015	76681
山东	9897484		2140565	1707531		433034	53841
河南	5119855		5342942	4780514		562428	200602
湖北	1643996		1746954	1248248		498706	-3119
湖南	330163		447092	240156		206937	6367
广东	10869233	278097	13008207	10610285	1883	2397922	164531
广西	348437		473842	267001		206841	2605
海南	486332		527302	139853		387450	11468
重庆	921859		999286	766020		233266	37036
四川	3906157		4070954	1837530		2233424	168407
贵州	172705		478208	231432		246777	21885
云南	212198		217640	163661		53979	699
西藏	86653		71843	934		70909	7253
陕西	1378106		1336231	739845		596386	65903
甘肃	3948477		3795311	3478303		317008	456012
青海	99158		444026	216049		227977	31757
宁夏	6129		9337	5865		3472	330
新疆	837095		842818	518650		324168	22205

3－2 续表11

金属及金属矿批发 单位:万元

地 区	购进总额	进 口	销售总额	批 发	出 口	零 售	年末库存总 额
全 国	**26817132**	**2175698**	**28646978**	**28544208**	**1737434**	**102770**	**1846076**
北 京	7141860	482265	8939528	8939528	429904		563559
天 津	1346357		1400714	1400714			81054
河 北							
山 西	11228		10166	10166			589
内蒙古							
辽 宁	6016902	526832	5765728	5765728	76038		407100
吉 林	9140	340	9245	8506	141	739	346
黑龙江	46287	31446	79340	79340	15737		19308
上 海	1790562	109369	1823209	1823209	284628		165611
江 苏	1051328	950	1084985	1084985	33426		47735
浙 江	3588909	480428	3700992	3693923	252210	7069	208315
安 徽	751989	77325	783839	783839	31116		10202
福 建	1000629	290783	1076478	1076478	327735		70104
江 西							
山 东	258843		288468	269715		18753	27656
河 南	24355		23528	23528			1960
湖 北	375550		364155	364155			14645
湖 南	61293		63675	63675			688
广 东	1027771	65335	1122628	1060513	246877	62115	94574
广 西							
海 南							
重 庆	252782	7150	259476	259476			12773
四 川	1118364	103475	883277	873313	39623	9964	68831
贵 州	12990		13049	13049			682
云 南	5555		33434	33434			148
西 藏							
陕 西	910363		909351	905221		4130	49927
甘 肃	14076		11714	11714			272
青 海							
宁 夏							
新 疆							

3－2　续表12

建材批发

单位:万元

地　区	购进总额	进　口	销售总额	批　发	出　口	零　售	年末库存总额
全　国	**1517517**	**406463**	**1709657**	**1607363**	**654199**	**102293**	**160647**
北　京	57736	369	70249	70249			4890
天　津	4488		5010	3198		1812	777
河　北	24772		38142	38142			2952
山　西							
内蒙古	29348		15471	15471			3253
辽　宁							
吉　林							
黑龙江							
上　海	73791		78051	76845	546	1206	4533
江　苏	390046	387080	449263	449263	416144		69403
浙　江	69486		68851	68851	173		7630
安　徽							
福　建	62593	2245	64511	64511	46878		4217
江　西							
山　东	72098		68316	50081	1699	18235	2447
河　南	2030		3246	1610		1636	934
湖　北	6893		7142	7142			1455
湖　南	189219		195475	120457		75019	13370
广　东	434553	5303	530300	530300	188759		39814
广　西	13077	11467	16478	16478			1488
海　南							
重　庆	18197		22669	20508		2160	670
四　川	11014		17480	15254		2226	1370
贵　州							
云　南	36844		37345	37345			104
西　藏							
陕　西							
甘　肃	21331		21660	21660			1340
青　海							
宁　夏							
新　疆							

3－2 续表13

化肥批发 单位:万元

地 区	购进总额	进 口	销售总额	批 发	出 口	零 售	年末库存总额
全 国	**4540738**	**276629**	**4706765**	**4669823**	**95400**	**36942**	**673681**
北 京	1843122	19849	1915984	1915984	11438		305145
天 津							
河 北	12100		13281	13281			1934
山 西	82043		103117	103117			16065
内 蒙 古	15656		16478	16478			3523
辽 宁	3080		3481	3481			76
吉 林	6836		7037	7037			413
黑 龙 江	529948	90779	546390	546390			61860
上 海	158708	104781	164274	150531		13743	48779
江 苏	41189		43412	43412			3309
浙 江							
安 徽	280449	4357	299638	299638	21813		22737
福 建	158240	17278	177615	177615	32192		33256
江 西							
山 东	517385	35033	538024	527702	11616	10322	44822
河 南	18935		18491	13780		4711	1330
湖 北	13890		14169	14169			4731
湖 南							
广 东							
广 西	6813		7141	3851		3290	285
海 南	5591	2186	5922	5922			309
重 庆	392501	2365	404150	404150	18341		18110
四 川	2822		3679	3180		499	245
贵 州							
云 南	9421		9798	8484		1314	488
西 藏							
陕 西							
甘 肃	30435		35171	35171			10296
青 海							
宁 夏							
新 疆	411573		379514	376451		3063	95969

3－2 续表14

机械设备、五金交电及电子产品批发　　单位：万元

地区	购进总额	进口	销售总额	批发	出口	零售	年末库存总额
全国	**43793752**	**3682395**	**47645334**	**45314203**	**3848339**	**2331130**	**3245290**
北京	16173455	1662723	18606563	18569478	609486	37084	1024056
天津	393979	37523	404496	373769	1913	30727	44491
河北	372367		386432	349228	62791	37204	10662
山西	242944		153703	151903		1800	9659
内蒙古	57005		51647	51647			2535
辽宁	100083		118511	113934		4578	19404
吉林	66533		71296	71296			8105
黑龙江	162695		160778	154512		6266	12494
上海	5929790	405653	6594884	5596323	238965	998561	400237
江苏	3908398	185243	3993221	3905498	334148	87724	489838
浙江	2833974	156100	2973224	2782843	669048	190381	220231
安徽	1270527	157328	1341697	1226076	329111	115621	37731
福建	292975		318364	315107		3257	55666
江西	165068		182384	138511		43873	15764
山东	1766010	427846	1757814	1738482	522638	19332	86655
河南	544588		550438	502156		48282	27724
湖北	849580		851206	851206			55752
湖南	191609		220869	212221		8648	14236
广东	5294152	643645	5526202	5370274	993823	155929	456134
广西	195678	5349	199214	150420		48794	19493
海南							
重庆	1235002		1334905	1081987		252918	70672
四川	560741		551348	503490		47858	37736
贵州	65696		64424	64424			12261
云南	547642	986	578190	577332		858	63837
西藏			13531			13531	1589
陕西	117846		91430	54456	54456	36974	8911
甘肃	106456		107637	80656		26981	8045
青海	30474		124947	78647		46300	3579
宁夏	64464		68536	61624		6912	5831
新疆	254021		247444	186705	31960	60740	21966

3－2 续表15

汽车、摩托车及零配件批发 单位:万元

地 区	购进总额	进 口	销售总额	批 发	出 口	零 售	年末库存总 额
全 国	**8519083**	**23842**	**9238885**	**7481357**	**32729**	**1757527**	**391324**
北 京	4614575		4879243	4876142	350	3101	84604
天 津	88201		96432	67203		29229	7929
河 北	290312		289757	255858	1885	33899	5112
山 西	10435		12235	12235			2470
内蒙古	38743		33955	33955			462
辽 宁	29370		36632	32765		3867	5185
吉 林							
黑龙江	6266		6266			6266	925
上 海	998106	782	1260603	333002	23877	927601	82655
江 苏	106987		118732	71591		47141	8477
浙 江	386129		413799	293780		120019	42208
安 徽	160951	14065	162009	76113		85896	13299
福 建							
江 西	20298		24753	13126		11627	1496
山 东	123068		163217	152440	2171	10776	13694
河 南	123976		114067	65815		48252	13585
湖 北	339708		331013	331013			28270
湖 南	5125		5189	1389		3800	812
广 东	63835	8995	67681	31935		35746	5778
广 西	21682		21679	8650		13029	1858
海 南							
重 庆	840488		932882	680333		252549	49066
四 川							
贵 州							
云 南							
西 藏			13531			13531	1589
陕 西	24922		25328			25328	1999
甘 肃	83773		84153	59024		25130	7218
青 海							
宁 夏	4119		4497	4497			560
新 疆	138014		141234	80495	4446	60740	12072

3－2 续表16

计算机、软件及辅助设备批发 单位:万元

地区	购进总额	进口	销售总额	批发	出口	零售	年末库存总额
全国	**2360545**	**169796**	**2453018**	**2251791**	**355**	**201227**	**138817**
北京	435651	17910	370271	368763	198	1508	34146
天津							
河北							
山西	23451		23651	21851		1800	1427
内蒙古							
辽宁	5194		6305	5595		711	596
吉林							
黑龙江							
上海	1331734	123535	1453049	1383727	157	69322	68715
江苏							
浙江	17284		24634	14233		10401	2208
安徽	21060		23340	23340			1111
福建	8359		8018	4974		3044	342
江西	54914		63716	37405		26310	7918
山东							
河南							
湖北							
湖南							
广东	266794	28351	272208	213173		59035	19602
广西	32816		36132	24221		11911	2614
海南							
重庆							
四川	152018		160049	154510		5539	138
贵州							
云南							
西藏							
陕西	11269		11646			11646	
甘肃							
青海							
宁夏							
新疆							

3－2 续表17

家用电器批发 单位:万元

地区	购进总额	进口	销售总额	批发	出口	零售	年末库存总额
全国	**11710647**	**933842**	**12309900**	**12155662**	**147114**	**154239**	**1128996**
北京	3667927	928085	4091654	4091654	18641		344500
天津	235093		227391	226950		441	18926
河北	17686		18774	18197		577	1838
山西	56215		72092	72092			3309
内蒙古							
辽宁			8581	8581			
吉林	66533		71296	71296			8105
黑龙江	108998		107949	107949			6959
上海	312397		311192	309574		1618	37612
江苏	3313221	5757	3272781	3234826	52829	37955	416339
浙江	362044		417775	368515		49260	41017
安徽	606622		674866	645546		29320	22830
福建	155489		150297	150084		213	14243
江西	68514		72364	72364			5382
山东	482338		443680	443680			31095
河南	149320		160929	160900		30	9109
湖北	249339		251807	251807			13777
湖南	145633		176194	173445		2749	9937
广东	897217		964816	940732	21188	24084	91402
广西	40421		41441	41122		320	5266
海南							
重庆	317935		319041	318671		369	8808
四川	115747		168647	168647			13988
贵州	46307		45889	45889			2869
云南	45413		34822	34822			3025
西藏							
陕西	81655		54456	54456	54456		6912
甘肃	17000		17915	17525		390	283
青海	14961		9198	9198			1377
宁夏	60345		64039	57127		6912	5272
新疆	76278		60015	60015			4822

3－2 续表18

贸易经纪与代理

单位:万元

地区	购进总额	进口	销售总额	批发	出口	零售	年末库存总额
全国	**2410438**	**1294256**	**2475469**	**2454078**	**1542842**	**21391**	**149527**
北京	488643	142710	723970	709849	278086	14121	98251
天津							
河北							
山西							
内蒙古	8296	6211	9382	9382	2965		161
辽宁							
吉林							
黑龙江							
上海	217529	1590	211015	211015	201959		3795
江苏							
浙江							
安徽							
福建	183120	1537	204235	204190	202031	44	2245
江西							
山东							
河南							
湖北	727122	727122	488156	488156	488156		
湖南	8674	7365	19697	19697	19697		246
广东	774530	407723	815902	810995	349949	4908	43796
广西							
海南							
重庆							
四川							
贵州							
云南	2524		3112	794		2318	1032
西藏							
陕西							
甘肃							
青海							
宁夏							
新疆							

3－2 续表19

其他批发

单位:万元

地 区	购进总额	进 口	销售总额	批 发	出 口	零 售	年末库存总额
全 国	**6050483**	**885384**	**6624773**	**6500186**	**440131**	**124587**	**1105480**
北 京	2439069	44540	2541349	2541349	212934		640092
天 津	22105	4780	23506	23461	4970	45	2876
河 北	11440		12226	12226			4249
山 西	28182		29578	29578			4029
内蒙古							
辽 宁	5659		7404	7404			16
吉 林							
黑龙江	16206		15768	15768			932
上 海	1868674	575537	2294840	2273881	198091	20959	186415
江 苏	24981		28560	27883		677	1010
浙 江	3541		4477	4477			438
安 徽	38431		39339	39339			
福 建	702602	235958	660541	660541	10843		98105
江 西							
山 东	392601		408275	309775		98500	128445
河 南	14658		14530	14530			170
湖 北	5691		6618	6618			255
湖 南	63293	5728	94679	92379	12100	2300	2040
广 东	35810	18841	34466	34466	1192		6798
广 西	51139		52673	52664		8	560
海 南							
重 庆	168438		171714	171714			3880
四 川	20296		20695	19734		961	763
贵 州	12215		21642	21642			1063
云 南	123192		138265	137128		1136	23108
西 藏							
陕 西							
甘 肃							
青 海							
宁 夏							
新 疆	2261		3630	3630			237

3-3 大中型批发企业分行业年末资产负债

农畜产品批发

单位:万元

地区	流动资产合计	固定资产原价	累计折旧	资产总计	负债合计	所有者权益合计
全国	**6508402**	**779135**	**247384**	**10434477**	**7120725**	**3313752**
北京	2624370	69107	24786	5694497	3055290	2639207
天津						
河北	80242	27729	8890	104264	83636	20628
山西	44073	9416	2508	55262	50957	4305
内蒙古	70678	13275	5611	79645	73113	6532
辽宁	44004	18333	6011	59545	67516	-7971
吉林	60325	29047	11687	98923	96595	2327
黑龙江	258375	34446	10150	293074	243848	49227
上海	11623	1201	680	13650	5879	7771
江苏	37250	20051	5367	65378	50378	14999
浙江	44252	24865	6360	63160	53260	9901
安徽	151550	28718	7018	218900	180255	38646
福建						
江西	21566	5424	1862	25716	19836	5880
山东	102616	15375	5698	121563	99692	21871
河南	263650	53095	17665	351820	352913	-1093
湖北	279692	57933	17156	414398	367634	46763
湖南	12707	5064	1906	16805	13387	3418
广东	17049	18073	3934	39928	27315	12613
广西	14025	10001	3682	27494	16988	10506
海南						
重庆	7257	537	172	9439	7787	1651
四川	18252	10855	3200	40067	30392	9675
贵州	14259	2572	548	16283	18618	-2335
云南	1360900	68899	28519	1406541	1264635	141907
西藏						
陕西	26873	7576	3105	58585	61281	-2696
甘肃	60574	10106	2576	69948	60959	8990
青海						
宁夏						
新疆	882238	237439	68293	1089592	818564	271028

3－3 续表1

食品、饮料及烟草制品批发 单位：万元

地 区	流动资产合计	固定资产原价	累计折旧	资产总计	负债合计	所有者权益合计
全 国	**15272282**	**5782255**	**1870945**	**22800465**	**7815919**	**14984546**
北 京	335321	179452	56704	947954	300334	647620
天 津	184552	21145	5672	226895	78430	148465
河 北	417995	136668	52982	544442	100757	443685
山 西	244274	113566	23514	384142	70434	313709
内蒙古	224178	204167	59315	443512	179241	264271
辽 宁	571974	209035	67754	886668	302611	584057
吉 林	195609	116154	31092	446949	91948	355002
黑龙江	194211	128081	29861	303068	107746	195322
上 海	691189	312142	103326	1041066	452179	588887
江 苏	1637301	380726	131230	1991172	285127	1706045
浙 江	764021	292214	72855	1203839	672304	531536
安 徽	621878	148733	56695	739928	152322	587606
福 建	892399	277697	88999	1295405	356195	939210
江 西	277352	135580	34720	446972	99346	347626
山 东	905922	413595	131948	1339519	507018	832501
河 南	663024	210602	78915	913440	518819	394621
湖 北	605171	263198	92530	1211521	341993	869528
湖 南	673203	298946	95606	1003343	276459	726885
广 东	1147054	434400	137527	1726520	672397	1054123
广 西	208627	107767	40258	346389	111542	234847
海 南	19994	16785	5748	46463	15221	31242
重 庆	329643	181495	58112	515307	235020	280287
四 川	827788	228757	75256	1054574	374918	679656
贵 州	679056	213471	80482	964988	430263	534725
云 南	1480269	533424	189968	2066568	865936	1200632
西 藏						
陕 西	209309	102786	33127	322156	98289	223867
甘 肃	141630	61795	16330	204392	49211	155181
青 海	8462	2722	1204	13683	4285	9398
宁 夏	51102	17611	4553	65908	22137	43771
新 疆	69779	39540	14660	103682	43440	60242

3-3 续表2

米、面制品及食用油批发 单位:万元

地区	流动资产合计	固定资产原价	累计折旧	资产总计	负债合计	所有者权益合计
全国	**1022649**	**393338**	**133459**	**1793536**	**1124794**	**668742**
北京	21856	62318	23481	392030	57170	334861
天津						
河北	6844	3360	475	10249	7577	2672
山西						
内蒙古	11144	3526	2123	13812	11570	2242
辽宁	89758	43595	19185	161724	140425	21299
吉林	18531	6698	2555	24693	16412	8282
黑龙江	19370	9701	1	29071	17463	11607
上海	23159	13106	3595	34299	17550	16749
江苏	15214	1511	925	29110	26113	2998
浙江	94640	28599	9558	138558	113227	25331
安徽	61700	533	214	62019	60505	1514
福建	27591	6327	2338	32969	27677	5292
江西	17223	3577	1239	21782	21148	634
山东	62068	13904	3166	75540	70958	4582
河南	174401	20745	6468	208845	163061	45784
湖北	15389	2372	829	18061	17787	275
湖南	101520	53794	12005	148508	67260	81248
广东	128433	65130	25154	178550	113954	64596
广西	13436	1829	80	19763	16282	3481
海南						
重庆	27428	20536	7104	46021	51438	-5418
四川	20576	11493	4082	37167	25635	11532
贵州	1348	1733	988	2093	1929	164
云南	24923	4624	2147	50271	30394	19877
西藏						
陕西	5024	1876	654	6745	4098	2646
甘肃						
青海						
宁夏	13942	3313	1063	16248	15776	473
新疆	27134	9139	4032	35409	29386	6024

3－3 续表3

烟草制品批发 单位:万元

地 区	流动资产合 计	固定资产原 价	累计折旧	资产总计	负债合计	所有者权益合 计
全 国	**12038720**	**4396773**	**1429998**	**17550039**	**4510278**	**13039761**
北 京	114835	58350	13765	296177	23836	272341
天 津	169238	18453	4472	208736	68157	140579
河 北	377288	121312	46983	490813	55255	435558
山 西	232936	102198	21034	360742	58513	302229
内蒙古	138228	67659	20318	234036	64485	169551
辽 宁	465805	145953	47744	597368	127529	469840
吉 林	175005	108185	28146	418518	73986	344532
黑龙江	168527	113079	27916	263989	84046	179943
上 海	344663	221745	71511	590769	121755	469015
江 苏	1439713	279636	97398	1670878	66811	1604067
浙 江	494350	186678	43955	774028	408955	365073
安 徽	526642	142477	55018	639949	82305	557643
福 建	806195	234107	78444	1149175	254353	894822
江 西	236291	113031	28889	346910	37334	309576
山 东	475739	282778	94517	770068	87495	682573
河 南	458105	171937	66593	657495	337512	319983
湖 北	571758	253261	90001	1168296	304366	863930
湖 南	504799	234439	77314	767484	186291	581193
广 东	588422	151857	36199	867438	111992	755446
广 西	182373	97510	35482	295140	73802	221338
海 南	19994	16785	5748	46463	15221	31242
重 庆	275760	136496	44466	416260	163244	253016
四 川	718795	201830	65827	914836	287257	627580
贵 州	668472	200618	76923	943418	417376	526042
云 南	1455346	528800	187822	2016297	835542	1180755
西 藏						
陕 西	204285	100910	32474	315411	94191	221221
甘 肃	141630	61795	16330	204392	49211	155181
青 海	8462	2722	1204	13683	4285	9398
宁 夏	35520	12483	3263	46431	4570	41861
新 疆	39546	29688	10243	64838	10605	54233

3-3 续表4

纺织、服装及日用品批发　　　　单位:万元

地　区	流动资产合　计	固定资产原　价	累计折旧	资产总计	负债合计	所有者权益合　计
全　国	**5334551**	**865301**	**245864**	**8300949**	**5411894**	**2889055**
北　京	264133	22776	6024	331086	266153	64933
天　津	67715	14165	3564	86063	65625	20438
河　北	79457	25592	5042	123121	88132	34990
山　西						
内 蒙 古	57200	1923	751	58576	59700	-1124
辽　宁	101068	33642	10140	277740	115447	162293
吉　林						
黑 龙 江	21952	14708	503	37912	19133	18779
上　海	874275	127142	41766	1239168	880783	358385
江　苏	1467722	231456	67766	2009514	1412350	597164
浙　江	762763	95807	22350	980334	726913	253421
安　徽	121181	21981	6359	147997	109280	38717
福　建	390648	24839	6995	781354	494545	286809
江　西						
山　东	303165	122062	25589	1163349	505140	658209
河　南	1984	1837	668	3238	1413	1826
湖　北	428	6	2	432	570	-138
湖　南	3198	155	33	3320	2262	1058
广　东	762100	102433	40358	967073	593580	373494
广　西	1348	35	11	1373	1092	281
海　南						
重　庆	5296	932	244	6553	5290	1263
四　川	21824	15483	5569	45128	29209	15919
贵　州						
云　南						
西　藏						
陕　西	9598	2566	782	11466	20278	-8812
甘　肃	4118	1586	518	6181	4117	2064
青　海	13378	4176	830	19970	10884	9087
宁　夏						
新　疆						

3－3 续表5

服装批发 单位:万元

地 区	流动资产合 计	固定资产原 价	累计折旧	资产总计	负债合计	所有者权益合 计
全 国	**2097368**	**382119**	**99887**	**3837625**	**2214257**	**1623368**
北 京	210592	15278	4532	256808	199395	57413
天 津	48686	8157	2111	58684	44125	14559
河 北	51267	15840	2410	83730	57446	26284
山 西						
内 蒙 古						
辽 宁	9980	2765	904	12213	9265	2947
吉 林						
黑 龙 江						
上 海	173572	33723	10080	262961	118021	144940
江 苏	201269	18406	5555	281533	179402	102131
浙 江	371271	62346	14169	476924	354085	122839
安 徽	45547	18279	5002	62525	49290	13234
福 建	329993	23807	6673	703936	433764	270171
江 西						
山 东	279448	117435	23908	1134525	480982	653543
河 南						
湖 北						
湖 南						
广 东	373413	64685	24087	499523	285953	213570
广 西						
海 南						
重 庆						
四 川						
贵 州						
云 南						
西 藏						
陕 西						
甘 肃	2330	1398	457	4265	2529	1736
青 海						
宁 夏						
新 疆						

3－3 续表6

文化、体育用品及器材批发　　　　单位：万元

地　区	流动资产合　计	固定资产原　价	累计折旧	资产总计	负债合计	所有者权益合　计
全　国	**1509804**	**522662**	**137702**	**2456605**	**1513425**	**943180**
北　京	115288	12281	4415	127638	78928	48710
天　津	3305	4948	1253	7797	5880	1917
河　北	30784	17252	4041	63866	33007	30859
山　西	37584	7406	2935	46182	23170	23012
内蒙古						
辽　宁	8572	3927	932	13206	6504	6702
吉　林	35002	13313	2271	65138	37180	27958
黑龙江	16881	4430	2230	19270	13483	5787
上　海	134914	57045	8248	212995	106338	106657
江　苏	68677	47057	10086	157123	92325	64798
浙　江	307953	76466	20351	610060	324869	285192
安　徽	22521	1114	572	23113	21608	1505
福　建	6094	4703	2112	9440	5751	3690
江　西						
山　东	105039	28002	5738	161484	141597	19887
河　南	76244	30007	5963	119473	75049	44424
湖　北	35172	17588	7322	52016	39358	12657
湖　南	87403	26411	14723	115846	78973	36873
广　东	133660	23243	8250	175421	114896	60525
广　西	57895	18283	5441	90517	63031	27486
海　南						
重　庆	93138	63823	17348	176386	101049	75338
四　川						
贵　州	20244	14241	2135	32432	23149	9283
云　南	48289	6794	2749	67777	49817	17961
西　藏						
陕　西	28015	8891	3028	40598	34157	6441
甘　肃						
青　海						
宁　夏	7139	2896	695	10069	7509	2560
新　疆	29992	32542	4866	58758	35798	22960

3－3 续表7

医药及医疗器材批发

单位:万元

地 区	流动资产合 计	固定资产原 价	累计折旧	资产总计	负债合计	所有者权益合 计
全 国	**6048033**	**989459**	**298477**	**7787280**	**6113181**	**1674099**
北 京	558353	52490	16925	755813	527768	228046
天 津	268994	27718	9223	312190	248177	64013
河 北	222272	18135	5192	257618	254737	2881
山 西	8315	1283	541	22754	12669	10084
内 蒙 古	6826	629	167	7760	6501	1260
辽 宁	50814	9374	2705	59391	52108	7283
吉 林	70932	6555	2294	78385	67602	10783
黑 龙 江	41310	20774	4610	58703	44859	13844
上 海	1010961	268644	93258	1438833	1040480	398353
江 苏	231294	47888	18378	309217	217919	91298
浙 江	530586	113911	31833	685954	515129	170826
安 徽	210359	20647	6099	243182	216353	26829
福 建	161517	37873	8343	216013	161425	54588
江 西	151505	28215	3587	196201	123552	72649
山 东	401094	47013	8817	462860	443465	19395
河 南	66131	7653	1158	76063	63412	12650
湖 北	202470	10777	5032	223345	192592	30753
湖 南	96639	15954	1179	124574	102006	22568
广 东	836463	95586	34188	1095102	821775	273327
广 西	23054	5242	2423	31026	23753	7273
海 南	8124	182	121	10403	4106	6296
重 庆	379461	79423	21516	497831	415613	82218
四 川	244322	32539	9111	303492	259552	43940
贵 州	40599	4375	1008	45651	40984	4667
云 南	107355	14268	4497	123977	102401	21576
西 藏						
陕 西	84691	14815	5282	103708	116421	－12714
甘 肃	8435	1173	433	13421	11874	1547
青 海						
宁 夏	1810	1441	344	2906	2158	748
新 疆	23351	4884	214	30907	23789	7119

3－3 续表8

矿产品、建材及化工产品批发

单位:万元

地区	流动资产合计	固定资产原价	累计折旧	资产总计	负债合计	所有者权益合计
全国	**21299737**	**10610197**	**2701523**	**36253052**	**24464015**	**11752008**
北京	4021651	284117	74169	5646671	3747085	1899586
天津	1076699	260367	74456	1399565	1039601	359964
河北	140769	475822	89248	637925	532046	117372
山西	1359043	798156	194890	2337998	1645028	692970
内蒙古	423761	132556	45215	586425	474969	121464
辽宁	1611621	269958	91273	2069775	1503188	508059
吉林	33741	56580	20631	117591	132182	－14591
黑龙江	805149	266915	115518	1081865	749015	332850
上海	1758629	199408	86436	2372482	1693400	679082
江苏	1137850	931022	226351	2314163	1584639	729524
浙江	1141918	634936	150908	2043787	1212529	831257
安徽	536199	237451	54596	923732	776603	147128
福建	503725	231739	64011	842538	504399	338139
江西	139154	298926	50230	447786	299558	148229
山东	881425	428172	98114	1423406	878443	544963
河南	315618	865786	148461	1270559	744987	525572
湖北	341236	333341	102002	639058	391210	247847
湖南	128407	171827	45557	292461	165117	127344
广东	2419890	1811132	451038	4893397	3003419	1889978
广西	118962	388064	91789	591089	233543	357546
海南	19374	121158	25089	133268	33258	100011
重庆	359969	218967	50413	627261	404784	222478
四川	484947	556607	165932	1183909	796647	387262
贵州	38606	88452	18724	121321	84156	37166
云南	84425	50373	10813	136008	86080	49928
西藏	7672	10267	3144	21660	7916	13743
陕西	283885	157882	48046	565245	427623	137621
甘肃	596918	69936	36580	694713	561138	133575
青海	60225	82195	16100	138150	94610	43540
宁夏	1494	3479	588	5140	1000	4140
新疆	466775	174605	51201	694105	655842	38263

3－3 续表9

煤炭及制品批发 单位:万元

地区	流动资产合计	固定资产原价	累计折旧	资产总计	负债合计	所有者权益合计
全国	**2012225**	**516839**	**165435**	**2842096**	**2090331**	**751765**
北京	279016	15205	3087	382858	163843	219015
天津						
河北						
山西	1071735	403731	120189	1656937	1257340	399598
内蒙古	346666	18422	2335	365543	316681	48862
辽宁	11062	51	20	11093	11043	51
吉林						
黑龙江	1673	851	631	1910	2343	－433
上海	58375	24776	20382	69886	66189	3697
江苏	102379	14029	2281	137264	124893	12371
浙江	3631	1126	390	7088	5064	2024
安徽	4269	371	188	4931	2621	2310
福建						
江西						
山东	30946	14300	6513	55303	43867	11436
河南	15273	1477	751	17793	15003	2791
湖北						
湖南						
广东	33263	7604	3546	41872	29058	12813
广西	1826	2168	1172	2829	3140	－311
海南						
重庆	10837	1430	411	18255	11694	6562
四川						
贵州	3240	2895	671	6627	1387	5239
云南	11151	3763	834	14399	10214	4185
西藏						
陕西	23691	4225	1733	44186	23749	20437
甘肃	3195	416	301	3323	2204	1119
青海						
宁夏						
新疆						

3－3 续表10

石油及制品批发 单位:万元

地　区	流动资产合计	固定资产原价	累计折旧	资产总计	负债合计	所有者权益合计
全　国	**6712768**	**8642957**	**2084177**	**17719250**	**10283375**	**7398846**
北　京	482832	187804	51985	1301083	722910	578174
天　津	487537	239212	68885	740661	441898	298763
河　北	130193	475440	89145	624736	521509	114720
山　西	194089	390569	72859	583774	295380	288394
内蒙古	56080	107646	41743	185727	128990	66744
辽　宁	108771	207480	72486	450458	161301	230628
吉　林	14199	52849	19718	92633	107203	－14570
黑龙江	275968	261591	113881	528612	241847	286766
上　海	546617	87327	43490	722242	448109	274134
江　苏	245131	697542	174007	1036568	553091	483477
浙　江	306246	525168	125699	1007769	405857	601912
安　徽	156598	219604	49086	495265	391614	103651
福　建	80318	183065	47216	245222	75929	169293
江　西	139154	298926	50230	447786	299558	148229
山　东	420080	327625	71497	788649	410099	378550
河　南	287835	860590	146695	1234401	713328	521074
湖　北	107257	309804	94612	359882	164638	195244
湖　南	48163	90326	27942	131362	44039	87322
广　东	1429596	1321511	243751	3427736	2036682	1391055
广　西	113798	385044	90348	583460	225181	358279
海　南	13415	118063	24510	122574	27081	95493
重　庆	53114	198652	43316	286103	106489	179614
四　川	224699	533611	157537	875127	544324	330803
贵　州	30622	83734	17591	108290	75801	32489
云　南	3626	35807	5655	37121	10364	26757
西　藏	7672	10267	3144	21660	7916	13743
陕　西	61463	147868	45076	256846	241553	15293
甘　肃	558725	62966	34038	645222	514262	130961
青　海	60225	82195	16100	138150	94610	43540
宁　夏	1494	3479	588	5140	1000	4140
新　疆	67253	137193	41350	234993	270816	－35823

3－3 续表11

金属及金属矿批发 单位:万元

地 区	流动资产合 计	固定资产原 价	累计折旧	资产总计	负债合计	所有者权益合 计
全 国	**8085218**	**873788**	**302041**	**9708450**	**7650640**	**2057810**
北 京	2491834	68760	13853	2970722	2316491	654231
天 津	578614	17530	4088	645820	585608	60213
河 北						
山 西	3369	272	29	4023	2475	1548
内蒙古						
辽 宁	1470102	52086	14360	1580453	1304723	275730
吉 林	1127	2915	700	5940	2572	3369
黑龙江	48756	2737	781	61119	49275	11844
上 海	581353	44465	13773	653006	590741	62265
江 苏	327067	51485	10707	398266	350723	47543
浙 江	656914	93310	21991	817440	628727	188712
安 徽	155175	3102	2012	168841	157966	10875
福 建	286978	14837	3357	419287	309915	109372
江 西						
山 东	111884	41754	6969	156817	102261	54556
河 南	5221	1378	524	6308	5469	839
湖 北	88060	14762	4677	101121	72139	28982
湖 南	11545	4615	2766	13546	11568	1978
广 东	683227	422542	187711	1006011	617383	388628
广 西						
海 南						
重 庆	90268	9557	3428	98927	88214	10713
四 川	245297	13792	5756	280365	232260	48105
贵 州	4745	1823	462	6405	6968	-563
云 南	36484	3019	1815	39116	35132	3984
西 藏						
陕 西	198732	5788	1237	264213	162322	101891
甘 肃	8467	3258	1048	10706	17709	-7004
青 海						
宁 夏						
新 疆						

3－3 续表12

建材批发

单位:万元

地 区	流动资产合计	固定资产原价	累计折旧	资产总计	负债合计	所有者权益合计
全 国	**867204**	**285625**	**54477**	**1287399**	**987340**	**300059**
北 京	22057	754	233	24915	18766	6148
天 津	1506	496	96	1953	1602	351
河 北	5109	253	66	5306	3290	2017
山 西						
内蒙古	12419	2914	562	23561	18669	4892
辽 宁						
吉 林						
黑龙江						
上 海	59755	9576	1749	68544	55454	13090
江 苏	305839	128538	21287	513465	371308	142158
浙 江	21878	9524	1180	44374	24178	20196
安 徽						
福 建	33460	7697	2138	51946	27575	24371
江 西						
山 东	28916	5135	1294	35299	18685	16614
河 南	282	815	13	1129	795	334
湖 北	20579	1063	133	23249	22636	612
湖 南	68330	75858	14569	146286	108707	37579
广 东	224249	30512	7569	268485	246142	22343
广 西	2217	188	44	2361	2321	40
海 南						
重 庆	37224	2325	488	39680	43444	－3764
四 川	12088	7229	2048	23704	15892	7812
贵 州						
云 南	7638	745	303	8123	4130	3992
西 藏						
陕 西						
甘 肃	3661	2004	705	5021	3747	1274
青 海						
宁 夏						
新 疆						

3－3　续表13

化肥批发　　　　单位：万元

地　区	流动资产合　计	固定资产原　价	累计折旧	资产总计	负债合计	所有者权益合　计
全　国	**2444959**	**138866**	**41712**	**2787142**	**2182618**	**604524**
北　京	645838	5560	2060	746770	425312	321458
天　津						
河　北	5468	128	37	7883	7247	636
山　西	87726	2004	1342	89273	86599	2674
内蒙古	8596	3575	575	11595	10628	967
辽　宁	1151	767	111	1807	1741	66
吉　林	18415	816	214	19018	22408	－3391
黑龙江	478752	1736	225	490224	455551	34673
上　海	73081	5139	1376	83513	68917	14596
江　苏	10395	2932	1366	15339	12864	2475
浙　江						
安　徽	138986	11968	2604	171172	147805	23368
福　建	94559	22326	8981	113672	82940	30732
江　西						
山　东	256431	33357	9660	319476	258921	60555
河　南	5024	899	288	8466	9050	－584
湖　北	20806	1572	604	23938	20786	3152
湖　南						
广　东						
广　西	1121	665	225	2439	2901	－462
海　南	5959	3095	579	10694	6177	4517
重　庆	164559	2422	508	173839	147591	26248
四　川	109	34	6	146	80	66
贵　州						
云　南	5591	1167	614	8325	6856	1469
西　藏						
陕　西						
甘　肃	22871	1292	488	30441	23216	7225
青　海						
宁　夏						
新　疆	399522	37412	9851	459113	385027	74086

3－3 续表14

机械设备、五金交电及电子产品批发

单位：万元

地区	流动资产合计	固定资产原价	累计折旧	资产总计	负债合计	所有者权益合计
全国	**13915956**	**1291533**	**415283**	**18687641**	**13806253**	**4881388**
北京	5755867	487570	178122	8998285	6021157	2977128
天津	132555	21937	3139	164242	137599	26643
河北	70436	6852	2336	78763	58578	20185
山西	37398	7780	1799	51183	40949	10235
内蒙古	14460	12037	1572	38263	24602	13661
辽宁	59145	6974	3376	66401	60993	5408
吉林	11240	378	99	11570	12082	－512
黑龙江	24681	6973	1525	41915	41393	522
上海	1611741	152093	46341	1991736	1406317	585419
江苏	878266	56239	15732	937387	874439	62948
浙江	868699	161114	40323	1216008	867279	348729
安徽	307419	41785	14480	360403	300924	59479
福建	160131	1396	748	179163	147745	31419
江西	59797	6122	1112	71479	38212	33267
山东	620799	70540	21782	697561	614626	82935
河南	227059	34455	7965	272658	215516	57141
湖北	259940	12677	5313	270136	238494	31643
湖南	43592	2167	415	58167	57391	775
广东	1653000	81967	35189	1738565	1453819	284746
广西	44167	2456	899	49688	41084	8604
海南						
重庆	505361	39193	7565	639731	571286	68445
四川	110662	7447	2742	118878	108988	9891
贵州	37533	927	318	38266	33842	4424
云南	251841	23814	11472	326167	239808	86359
西藏	5337	3069	1025	10424	6725	3699
陕西	26606	1257	446	27478	26700	778
甘肃	23715	1647	445	29276	28476	800
青海	7531	10	3	11957	9171	2785
宁夏	19880	2745	534	25859	20581	5278
新疆	87098	37911	8465	166033	107479	58554

3－3 续表15

汽车、摩托车及零配件批发

单位:万元

地 区	流动资产合计	固定资产原价	累计折旧	资产总计	负债合计	所有者权益合计
全 国	**1696506**	**299921**	**74976**	**2467775**	**1817408**	**650368**
北 京	570259	43028	13334	679396	518810	160587
天 津	58959	6479	1285	71847	64035	7812
河 北	36361	3813	1290	40649	27549	13100
山 西	11201	1609	316	14497	11703	2794
内蒙古	1848	11270	1380	24678	12783	11895
辽 宁	15239	1315	678	15894	13622	2271
吉 林						
黑龙江	6575	4873	556	11009	7270	3739
上 海	189316	52411	11933	407585	271230	136355
江 苏	36223	7245	2401	47992	41931	6061
浙 江	148143	28680	7901	229087	154226	74861
安 徽	60259	9946	2018	84832	65645	19188
福 建						
江 西	20313	3568	805	28853	2160	26693
山 东	35131	15797	7372	50629	39098	11530
河 南	81255	32117	6785	120209	76958	43252
湖 北	59149	3042	1124	62401	49330	13071
湖 南	683	695	226	11843	8041	3802
广 东	13319	4857	2501	17613	12601	5012
广 西	5369	1565	525	7130	5545	1585
海 南						
重 庆	264772	36101	5798	396267	334694	61574
四 川						
贵 州						
云 南						
西 藏	5337	3069	1025	10424	6725	3699
陕 西	5771	838	140	6469	5654	815
甘 肃	22467	1117	284	27657	27405	252
青 海						
宁 夏	2075	1821	371	6534	4790	1744
新 疆	46483	24668	4931	94282	55605	38677

3－3 续表16

家用电器批发

单位:万元

地 区	流动资产合计	固定资产原价	累计折旧	资产总计	负债合计	所有者权益合计
全 国	**3147914**	**225182**	**63959**	**4230341**	**3338253**	**892088**
北 京	1220339	140479	39057	2205326	1388159	817167
天 津	37927	11443	1290	49586	48101	1485
河 北	4504	260	51	5074	3949	1125
山 西	16840	31	11	16909	16770	140
内蒙古						
辽 宁	4580	4	4	4580	4018	563
吉 林	11240	378	99	11570	12082	－512
黑龙江	13593	46	21	13668	13638	29
上 海	105785	388	194	106223	103265	2958
江 苏	585675	18490	3990	606795	587313	19482
浙 江	102085	10343	1571	128414	111087	17327
安 徽	166157	21699	9553	182264	163667	18598
福 建	33510	660	263	34125	33637	488
江 西	12062	73	42	12143	12172	－29
山 东	119228	1259	729	119973	120264	－291
河 南	40272	41	25	40336	40377	－40
湖 北	98779	527	334	99082	99499	－417
湖 南	21332	366	134	21591	29043	－7453
广 东	268810	15199	5349	283232	268452	14780
广 西	8903	125	71	9017	8809	208
海 南						
重 庆	199917	608	385	200831	198505	2326
四 川	24387	1070	349	25374	26038	－664
贵 州	6021	84	37	6118	5989	130
云 南	5348	38	20	5416	5295	121
西 藏						
陕 西	10135	29	16	10198	10066	132
甘 肃	598	508	151	955	606	349
青 海	1592	10	3	1599	1160	440
宁 夏	17806	925	163	19325	15790	3534
新 疆	10491	103	45	10620	10508	112

3－3 续表17

计算机、软件及辅助设备批发 单位:万元

地 区	流动资产合 计	固定资产原 价	累计折旧	资产总计	负债合计	所有者权益合 计
全 国	**550083**	**29923**	**11782**	**598000**	**461148**	**136852**
北 京	125531	6767	2146	140406	116204	24202
天 津						
河 北						
山 西	4309	23		4332	3024	1308
内蒙古						
辽 宁	7475	269	121	8224	9201	－977
吉 林						
黑龙江						
上 海	258476	12467	5774	274233	186394	87839
江 苏						
浙 江	5158	494	174	5541	3593	1948
安 徽	5733	822	288	6531	3118	3413
福 建	1763	96	55	1804	1456	347
江 西	25396	2440	251	28424	22417	6007
山 东						
河 南						
湖 北						
湖 南						
广 东	89403	5075	1990	100414	88307	12108
广 西	4530	131	75	4586	3534	1052
海 南						
重 庆						
四 川	11608	949	619	12695	12920	－225
贵 州						
云 南						
西 藏						
陕 西	10700	390	290	10811	10980	－169
甘 肃						
青 海						
宁 夏						
新 疆						

3－3 续表18

贸易经纪与代理

单位:万元

地 区	流动资产合计	固定资产原价	累计折旧	资产总计	负债合计	所有者权益合计
全 国	**2139591**	**208226**	**54226**	**2749139**	**1808199**	**940940**
北 京	861429	116660	20356	1351837	771823	580014
天 津						
河 北						
山 西						
内蒙古	11735	3322	1039	18540	8802	9738
辽 宁						
吉 林						
黑龙江						
上 海	35965	2146	458	39032	26684	12348
江 苏						
浙 江						
安 徽						
福 建	206519	22851	9481	228237	126038	102199
江 西						
山 东						
河 南						
湖 北	788043	28640	12903	838320	633483	204838
湖 南	685	9	8	686	828	－142
广 东	232542	30324	9722	265485	235296	30189
广 西						
海 南						
重 庆						
四 川						
贵 州						
云 南	2672	4275	260	7002	5246	1755
西 藏						
陕 西						
甘 肃						
青 海						
宁 夏						
新 疆						

3－3 续表19

其他批发 单位:万元

地 区	流动资产合 计	固定资产原 价	累计折旧	资产总计	负债合计	所有者权益合 计
全 国	**2805013**	**521069**	**226441**	**4001745**	**2886040**	**1115705**
北 京	1470440	235784	87102	2315442	1631090	684352
天 津	6273	3324	1653	9502	5702	3801
河 北	2851	111	59	3083	3352	－269
山 西	7998	3393	1169	12517	9089	3427
内 蒙 古						
辽 宁	9944	2203	449	11722	10997	725
吉 林						
黑 龙 江	7672	223	142	7767	7772	－6
上 海	678497	100004	38219	772298	586919	185379
江 苏	8821	4693	1741	27557	24776	2781
浙 江	1098	1522	514	2388	1545	843
安 徽	6369	701	425	6645	5022	1624
福 建	321439	2647	912	430234	291385	138850
江 西						
山 东	113367	121012	80709	163888	93469	70420
河 南	116	1131	421	3354	5076	－1721
湖 北	1258	973	461	2108	876	1232
湖 南	66839	14840	5775	95672	105167	－9495
广 东	34955	18000	3942	54705	46302	8403
广 西	2144	2727	1079	5899	3253	2646
海 南						
重 庆	25858	1683	486	27521	26485	1037
四 川	6306	2297	229	8374	7393	981
贵 州	1956	1869	775	3942	2762	1180
云 南	29447	1106	39	35008	15352	19656
西 藏						
陕 西						
甘 肃						
青 海						
宁 夏						
新 疆	1365	827	141	2119	2258	－140

3－4 大中型批发企业分行业实收资本及构成

农畜产品批发 单位:万元

地区	实收资本	国家资本	集体资本	法人资本	个人资本	港澳台资本	外商资本
全国	**596695**	**339215**	**48784**	**64607**	**49094**	**4103**	**90892**
北京	228276	137384					90892
天津							
河北	11536	5331	1857		4348		
山西	3205	2799	406				
内蒙古	6000	4944	1	1008	48		
辽宁	8709	3655		980	4074		
吉林	18052	13697		4197	158		
黑龙江	14212	12269		1580	363		
上海	10263	3143		3850		3270	
江苏	10145	7909		1836	400		
浙江	2864	2864					
安徽	43170	27025	1507	633	14005		
福建							
江西	2618	2518		100			
山东	10016	2709	694	1313	5301		
河南	62723	39155	11282	4006	8281		
湖北	28446	4096	14	20454	3882		
湖南	3311	1950	492	500	369		
广东	14323	11928		1562		833	
广西	6233	1854		3150	1228		
海南							
重庆	312	312					
四川	4254	4254					
贵州	800	800					
云南	10343	9018		1325			
西藏							
陕西	4598		4598				
甘肃	7771		5771	1840	160		
青海							
宁夏							
新疆	84516	39604	22162	16273	6477		

3－4 续表1

食品、饮料及烟草制品批发 单位:万元

地 区	实收资本	国家资本	集体资本	法人资本	个人资本	港澳台资本	外商资本
全 国	**1959141**	**903238**	**43715**	**746759**	**188519**	**12730**	**64180**
北 京	117153	9559		97359	1794	3061	5380
天 津	111660	105143	245	6222	50		
河 北	48073	23243	2771	20760	1300		
山 西	21317	12084	384	2066	6782		
内蒙古	65264	38099	303	13831	13031		
辽 宁	129207	41519		8119	79569		
吉 林	21058	14781		6278			
黑龙江	28250	11990		15871	389		
上 海	223787	37530	11240	144584	2187	216	28030
江 苏	136118	94731		24932	9018	7438	
浙 江	82301	53598	870	13526	14308		
安 徽	30884	8816		21237		831	
福 建	75282	43266	1100	29886	1000		30
江 西	22245	15522		5721	1002		
山 东	109832	59101	5397	9510	31705		4120
河 南	57323	30176	30	21800	5317		
湖 北	71551	51766		18367	1419		
湖 南	63697	39361	14761	8485	1090		
广 东	167989	25583	3590	100506	11146	1184	25980
广 西	29655	21214		3933	4508		
海 南	12839	9715		3124			
重 庆	63583	1823	2473	57663	1625		
四 川	53621	21408		31134	1080		
贵 州	41626	16887		24340			400
云 南	84155	55198		28957			
西 藏							
陕 西	27600	20845		6756			
甘 肃	17710	1285		16425			
青 海	3741			3741			
宁 夏	5355	3587		1568	200		
新 疆	36266	35414	552	60			240

3－4　续表2

米、面制品及食用油批发　　单位:万元

地　区	实收资本	国家资本	集体资本	法人资本	个人资本	港澳台资本	外商资本
全　国	**241050**	**102311**	**16819**	**111472**	**5100**	**216**	**5132**
北　京	64899			64449	450		
天　津							
河　北	1074	1074					
山　西							
内蒙古	2902	2902					
辽　宁	23345	22291		1054			
吉　林	7877	7877					
黑龙江	11252			11252			
上　海	10779	5431				216	5132
江　苏	1060	1060					
浙　江	13162	9992		1594	1577		
安　徽	3301	3301					
福　建	4607	4607					
江　西	926	926					
山　东	1380	1290			90		
河　南	17448	12346		4986	117		
湖　北	1216	316			900		
湖　南	19349		14761	4588			
广　东	21411	1830		19081	500		
广　西	188				188		
海　南							
重　庆	8795	1823	1506	4468	999		
四　川	4175	3895			280		
贵　州	1063	1063					
云　南	14315	14315					
西　藏							
陕　西	1747	1747					
甘　肃							
青　海							
宁　夏	1410	1410					
新　疆	3369	2817	552				

3－4 续表3

烟草制品批发

单位:万元

地区	实收资本	国家资本	集体资本	法人资本	个人资本	港澳台资本	外商资本
全国	**1085580**	**656757**	**4320**	**418175**	**6327**		
北京	6990	6015		974			
天津	105388	105143	245				
河北	40237	20477		19760			
山西	12866	10799		2066			
内蒙古	24835	13480		11356			
辽宁	25173	18787		5059	1327		
吉林	12915	6638		6278			
黑龙江	14893	10274		4618			
上海	139682	26799	4075	108808			
江苏	58480	58480					
浙江	31443	31443					
安徽	21067	4943		16124			
福建	38306	19691		18615			
江西	8632	4908		3725			
山东	47405	46345		1060			
河南	36404	14639		16765	5000		
湖北	66885	49878		17007			
湖南	37201	37201					
广东	36100	15310		20790			
广西	22984	20984		2000			
海南	12839	9715		3124			
重庆	48676			48676			
四川	43827	14243		29584			
贵州	38868	14528		24340			
云南	69840	40883		28957			
西藏							
陕西	25853	19097		6756			
甘肃	17710	1285		16425			
青海	3741			3741			
宁夏	3745	2176		1568			
新疆	32597	32597					

3－4 续表4

纺织、服装及日用品批发 单位:万元

地 区	实收资本	国家资本	集体资本	法人资本	个人资本	港澳台资本	外商资本
全 国	**1073393**	**232763**	**42476**	**335457**	**264492**	**14434**	**183773**
北 京	28092			24100	2325	1667	
天 津	12246	965	300	8069	2913		
河 北	20422	9034		5348	6000	40	
山 西							
内蒙古							
辽 宁	53486	11026		18810	23366		284
吉 林							
黑龙江	14388			14388			
上 海	306472	53886		47557	13934	8106	182989
江 苏	210900	99017	22166	37376	50641	1200	500
浙 江	134969	552	15995	55522	62900		
安 徽	22367	7039		8360	4997	1971	
福 建	70668		2400	34820	33448		
江 西							
山 东	27417	18278	823	4392	3724	200	
河 南	492	414	77				
湖 北	50			50			
湖 南	1008			1008			
广 东	153928	32533	415	71438	48292	1250	
广 西	20			20			
海 南							
重 庆	850			96	755		
四 川	9112				9112		
贵 州							
云 南							
西 藏							
陕 西	1037	19			1018		
甘 肃	1300		300		1000		
青 海	4170			4103	67		
宁 夏							
新 疆							

3-4 续表5

服装批发　　　　单位:万元

地区	实收资本	国家资本	集体资本	法人资本	个人资本	港澳台资本	外商资本
全国	**338002**	**71319**	**5992**	**168894**	**77605**	**3323**	**10870**
北京	19817			17938	212	1667	
天津	8550			7550	1000		
河北	13850	4900		2910	6000	40	
山西							
内蒙古							
辽宁	2641	1778		101	478		284
吉林							
黑龙江							
上海	54432	10000		32680	1000	166	10586
江苏	43156	22118		11258	9580	200	
浙江	57248	552	5992	26024	24680		
安徽	7241	3693		120	3428		
福建	62760			32840	29920		
江西							
山东	22670	18278		4392			
河南							
湖北							
湖南							
广东	44637	10000		33080	307	1250	
广西							
海南							
重庆							
四川							
贵州							
云南							
西藏							
陕西							
甘肃	1000				1000		
青海							
宁夏							
新疆							

3－4　续表6

文化、体育用品及器材批发　　　　单位:万元

地　区	实收资本	国家资本	集体资本	法人资本	个人资本	港澳台资本	外商资本
全　国	**314661**	**194319**	**2006**	**60130**	**27035**		**31171**
北　京	10771	7081		3440	250		
天　津	2630	2630					
河　北	6742	6742					
山　西	13800	13800					
内蒙古							
辽　宁	2957	2957					
吉　林	15075	14793		68	214		
黑龙江	2000	2000					
上　海	52484			17540	5060		29884
江　苏	6555	2555			4000		
浙　江	82553	60000		19024	3529		
安　徽	2200	2000			200		
福　建	400				400		
江　西							
山　东	3834	3834					
河　南	12826	12826					
湖　北	7398	4458	1006	1935			
湖　南	5370	4370	1000				
广　东	34030	15237		8613	8893		1287
广　西	19915	17915		1700	300		
海　南							
重　庆	9944	9944					
四　川							
贵　州	1861	1861					
云　南	12000			7810	4190		
西　藏							
陕　西	2948	2948					
甘　肃							
青　海							
宁　夏	2000	2000					
新　疆	4369	4369					

3－4 续表7

医药及医疗器材批发

单位:万元

地 区	实收资本	国家资本	集体资本	法人资本	个人资本	港澳台资本	外商资本
全 国	**970988**	**142212**	**32119**	**609047**	**160418**	**20754**	**6438**
北 京	110443	5123	2345	93316	9659		
天 津	35432	3005	465	31962			
河 北	58667	224		42092	16351		
山 西	6132	112			6020		
内 蒙 古	2500			1980	520		
辽 宁	9487	277		3356	5854		
吉 林	5250			2900	2156		194
黑 龙 江	9243	5786	2088		1369		
上 海	192766	15381	2300	169556	1730	166	3633
江 苏	37782	11979	1320	17689	6794		
浙 江	85151	28086	10764	27438	18403		460
安 徽	11689	2334	3172	1678	4505		
福 建	33751	9713	284	19500	4255		
江 西	47841			28644	19198		
山 东	24611	8304		10056	6251		
河 南	12296	6108	340	2814	3035		
湖 北	20664		1350	15550	3763		
湖 南	17089	6127		9140	1822		
广 东	134547	14831	3423	72727	20827	20588	2151
广 西	5280	300		4726	254		
海 南	5300			300	5000		
重 庆	36117	7650	3419	15010	10038		
四 川	33349	8544	325	14634	9847		
贵 州	3581	2255	388	500	438		
云 南	17876	145		16722	1010		
西 藏							
陕 西	7181	5561	136	1484			
甘 肃	1662	68		274	1320		
青 海							
宁 夏	300	300					
新 疆	5000			5000			

3－4 续表8

矿产品、建材及化工产品批发

单位:万元

地　区	实收资本	国家资本	集体资本	法人资本	个人资本	港澳台资本	外商资本
全　国	**6953031**	**3566417**	**104980**	**2650858**	**389394**	**3410**	**237972**
北　京	1304030	58326	2600	1098395	133		144576
天　津	310083	5353		301734	2996		
河　北	60878	44303	105	14744	1726		
山　西	218465	113596	14073	83147	7649		
内蒙古	62405	47559		9868	4978		
辽　宁	291641	76067	3587	211417	570		
吉　林	19281	11775	5016	2474	16		
黑龙江	253220	187390	2418	51781	11631		
上　海	311145	101174	6747	81488	66753		54983
江　苏	378654	320218	5650	11441	41345		
浙　江	520623	399663	17558	80594	22808		
安　徽	82349	47432	4211	23633	6074		1000
福　建	278209	218535	2116	8993	48564		
江　西	103183	67097	5027	31059			
山　东	296268	160203	12957	74711	47572		826
河　南	318359	309972	2229	5729	429		
湖　北	153192	59795	1900	68509	22988		
湖　南	55715	25270		23420	7026		
广　东	836107	332733		403415	71409	3410	25140
广　西	236051	229838	1016	5100	97		
海　南	85376	85376					
重　庆	27793	2490	3293	18632	3379		
四　川	326491	316242	1028	6649	2572		
贵　州	31340	19555		11785			
云　南	17709	8874		5105	3730		
西　藏	6538	6538					
陕　西	77065	69017	1800	5360	888		
甘　肃	146414	135068		8576	2770		
青　海	40032	30032					10000
宁　夏	3212	1164		600			1447
新　疆	101202	75762	11651	2500	11290		

3－4 续表9

煤炭及制品批发　　　　单位:万元

地 区	实收资本	国家资本	集体资本	法人资本	个人资本	港澳台资本	外商资本
全 国	**315721**	**160796**	**14861**	**117370**	**21869**		**826**
北 京	50061			50061			
天 津							
河 北							
山 西	161967	112267	12862	31528	5311		
内蒙古	30641	20231		9410	1000		
辽 宁	51		51				
吉 林							
黑龙江	260	151		60	49		
上 海	11330			10810	520		
江 苏	18541	4741		2674	11126		
浙 江	520				520		
安 徽	1197		774		424		
福 建							
江 西							
山 东	9886	2586	1174	4100	1200		826
河 南	1053	53		1000			
湖 北							
湖 南							
广 东	6709	6589			120		
广 西	500			500			
海 南							
重 庆	4922			3323	1599		
四 川							
贵 州	3096			3096			
云 南	1171	1071		100			
西 藏							
陕 西	13107	13107					
甘 肃	709			709			
青 海							
宁 夏							
新 疆							

3-4 续表10

石油及制品批发　　　　单位:万元

地区	实收资本	国家资本	集体资本	法人资本	个人资本	港澳台资本	外商资本
全国	**4777553**	**3074556**	**21656**	**1487553**	**86579**	**3110**	**104098**
北京	523374	3633		505765			13976
天津	283815	4300		279515			
河北	59465	44303		14662	500		
山西	54550	1186		51106	2259		
内蒙古	27299	24910		458	1931		
辽宁	85481	76067	2713	6131	570		
吉林	16388	11388	5000				
黑龙江	232960	187239		45721			
上海	101915	11500	2480	33400	1000		53535
江苏	298297	282097	500	3000	12700		
浙江	405971	395663		9108	1200		
安徽	57815	37432		20383			
福建	198577	189875	2116	2125	4461		
江西	103183	67097	5027	31059			
山东	231320	156794	953	41066	32507		
河南	314306	308773	2068	3466			
湖北	113402	59795		48619	4988		
湖南	29475	23155		6320			
广东	702242	288488		368475	17030	3110	25140
广西	235188	229838	800	4550			
海南	81733	81733					
重庆	1006			638	368		
四川	293246	288643		3843	760		
贵州	25387	19555		5832			
云南	1060			300	760		
西藏	6538	6538					
陕西	56464	55396		180	888		
甘肃	136472	133472		230	2770		
青海	40032	30032					10000
宁夏	3212	1164		600			1447
新疆	57378	54490		1000	1888		

3－4　续表 11

金属及金属矿批发　　单位:万元

地区	实收资本	国家资本	集体资本	法人资本	个人资本	港澳台资本	外商资本
全　国	**1178249**	**102068**	**29205**	**909648**	**137329**		
北　京	541232	781	600	539718	133		
天　津	25119			22219	2900		
河　北							
山　西	80				80		
内蒙古							
辽　宁	202588		630	201958			
吉　林	2490			2474	16		
黑龙江	10000				10000		
上　海	40613	4829	88	14696	21000		
江　苏	25352	10016	3200	318	11818		
浙　江	100452	4000	17558	67326	11568		
安　徽	8637	5000	137	1500	2000		
福　建	48749	12801		2800	33147		
江　西							
山　东	9723	823	900	6865	1135		
河　南	1500	1000		500			
湖　北	18789			18789			
湖　南	1978	1978					
广　东	89049	26576		19442	43031		
广　西							
海　南							
重　庆	6782	2490	3293	1000			
四　川	29092	25624	1000	1967	500		
贵　州	2857			2857			
云　南	4843	4803		40			
西　藏							
陕　西	7494	514	1800	5180			
甘　肃	833	833					
青　海							
宁　夏							
新　疆							

3－4 续表12

建材批发

单位:万元

地区	实收资本	国家资本	集体资本	法人资本	个人资本	港澳台资本	外商资本
全国	**106410**	**17873**	**2150**	**44173**	**42214**		
北京	4850		2000	2850			
天津	160	64			96		
河北	1050			50	1000		
山西							
内蒙古	2076	29			2047		
辽宁							
吉林							
黑龙江							
上海	11297			9297	2000		
江苏	16090	12688		3402			
浙江	5580				5580		
安徽							
福建	15073	3117		1000	10956		
江西							
山东	2079		150		1929		
河南	380				380		
湖北	1000				1000		
湖南	24126			17100	7026		
广东	16328			6800	9528		
广西	50			50			
海南							
重庆	1600			1090	510		
四川	2975	1975		838	162		
贵州							
云南	545			545			
西藏							
陕西							
甘肃	1150			1150			
青海							
宁夏							
新疆							

3-4 续表13

化肥批发

单位:万元

地 区	实收资本	国家资本	集体资本	法人资本	个人资本	港澳台资本	外商资本
全 国	**283026**	**46310**	**35234**	**50373**	**20509**		**130600**
北 京	130600						130600
天 津							
河 北	363		105	32	226		
山 西	1211		1211				
内蒙古	2390	2390					
辽 宁	194		194				
吉 林	403	387	16				
黑龙江	10000		2418	6000	1582		
上 海	4310		4179		131		
江 苏	1548		676		872		
浙 江							
安 徽	13700	5000	3300	1750	3650		
福 建	12742	12742					
江 西							
山 东	34761		9180	22680	2901		
河 南	561	113	161	263	24		
湖 北	3000		1900	1100			
湖 南							
广 东							
广 西	313		216		97		
海 南	3643	3643					
重 庆	11463			10561	902		
四 川	60		28		32		
贵 州							
云 南	690				690		
西 藏							
陕 西							
甘 肃	7251	764		6487			
青 海							
宁 夏							
新 疆	43824	21272	11651	1500	9402		

3－4　续表 14

机械设备、五金交电及电子产品批发　　单位：万元

地　区	实收资本	国家资本	集体资本	法人资本	个人资本	港澳台资本	外商资本
全　国	**2868365**	**128368**	**37255**	**615679**	**251621**	**31191**	**1804252**
北　京	1930090	13951	125	157123	6647	1000	1751244
天　津	17641	2661	100	9062	528		5291
河　北	6353	354	310	2320	3369		
山　西	4601	2001		1500	1100		
内蒙古	5500				5500		
辽　宁	8626	1000	2392	3598	1636		
吉　林	200		100	100			
黑龙江	5497			5100	397		
上　海	185715	22728		71007	29854	18371	43756
江　苏	60129	8954		42605	6370		2200
浙　江	212381	19939	9505	110386	72552		
安　徽	31056	6856	1300	2350	20549		
福　建	10710	355	9605	200	550		
江　西	10672		100	9465	1107		
山　东	27740	10947	3050	2138	11605		
河　南	28113	743	100	22960	4310		
湖　北	23973	11834	2700	1120	1000	6356	963
湖　南	7580	100	3730	750	3000		
广　东	141079	9986	3649	61323	61007	4316	798
广　西	4600			490	4110		
海　南							
重　庆	47617	11668		33533	2417		
四　川	5589	530	69	2360	2099	531	
贵　州	1722	1312	10	314		86	
云　南	56874		100	54106	2668		
西　藏	1276	1276					
陕　西	1431	800		100		531	
甘　肃	928		210	318	400		
青　海	100			100			
宁　夏	2790			968	1822		
新　疆	27784	374	100	20284	7026		

3－4 续表15

汽车、摩托车及零配件批发

单位:万元

地 区	实收资本	国家资本	集体资本	法人资本	个人资本	港澳台资本	外商资本
全 国	**358435**	**35760**	**520**	**172861**	**60481**	**6356**	**82458**
北 京	100603	7774		13185			79644
天 津	8390			8390			
河 北	2615		310	1200	1105		
山 西	1000				1000		
内蒙古	3500				3500		
辽 宁	1700			500	1200		
吉 林							
黑龙江	5000			5000			
上 海	44237	10578		16115	14731		2814
江 苏	2141	1303			838		
浙 江	56848	691		55303	854		
安 徽	15780			1000	14780		
福 建							
江 西	4800			4800			
山 东	6638	25		553	6060		
河 南	19353	43		16000	3310		
湖 北	12456	5100			1000	6356	
湖 南	3000				3000		
广 东	4180			2080	2100		
广 西	1900				1900		
海 南							
重 庆	41817	7797		33433	587		
四 川							
贵 州							
云 南							
西 藏	1276	1276					
陕 西	800	800					
甘 肃	628		210	218	200		
青 海							
宁 夏	1690				1690		
新 疆	18084	374		15084	2626		

3－4　续表16

家用电器批发　　　　单位:万元

地　区	实收资本	国家资本	集体资本	法人资本	个人资本	港澳台资本	外商资本
全　国	**917682**	**5041**	**6332**	**61728**	**12729**	**2486**	**829366**
北　京	828666			500		1000	827166
天　津	2911	2661	100	150			
河　北	1120			1120			
山　西	100				100		
内蒙古							
辽　宁	500		500				
吉　林	200		100	100			
黑龙江	100			100			
上　海	6200			6020	180		
江　苏	47070			42170	2700		2200
浙　江	8747	201	878	3906	3762		
安　徽	5189	204	1300	280	3405		
福　建	1050	355	245	200	250		
江　西	200		100	100			
山　东	400	300		100			
河　南	150		100	50			
湖　北	700	500	100	100			
湖　南	250	100	50	100			
广　东	9959	690	2649	4850	370	1400	
广　西	200			200			
海　南							
重　庆	1930			100	1830		
四　川	230	30		200			
贵　州	110		10	14		86	
云　南	100		100				
西　藏							
陕　西	100			100			
甘　肃	100			100			
青　海	100			100			
宁　夏	1100			968	132		
新　疆	200		100	100			

3－4 续表17

计算机、软件及辅助设备批发

单位:万元

地区	实收资本	国家资本	集体资本	法人资本	个人资本	港澳台资本	外商资本
全国	**109000**	**4446**	**105**	**54704**	**14183**	**15631**	**19931**
北京	39954	170		39734	50		
天津							
河北							
山西	1500			1500			
内蒙古							
辽宁	1000	1000					
吉林							
黑龙江							
上海	38567			3575	1555	13506	19931
江苏							
浙江	1415		105		1310		
安徽	3188	2776		272	140		
福建	300				300		
江西	5072			4565	507		
山东							
河南							
湖北							
湖南							
广东	15643			4768	9811	1064	
广西	800			290	510		
海南							
重庆							
四川	1031	500				531	
贵州							
云南							
西藏							
陕西	531					531	
甘肃							
青海							
宁夏							
新疆							

3-4 续表18

贸易经纪与代理

单位:万元

地　区	实收资本	国家资本	集体资本	法人资本	个人资本	港澳台资本	外商资本
全　国	**501050**	**69165**	**1228**	**426178**	**4479**		
北　京	288399	50000		238399			
天　津							
河　北							
山　西							
内蒙古	3700	136		552	3013		
辽　宁							
吉　林							
黑龙江							
上　海	11100			11100			
江　苏							
浙　江							
安　徽							
福　建	19029	19029					
江　西							
山　东							
河　南							
湖　北	155998			155998			
湖　南	180			180			
广　东	21150			19950	1200		
广　西							
海　南							
重　庆							
四　川							
贵　州							
云　南	1494		1228		266		
西　藏							
陕　西							
甘　肃							
青　海							
宁　夏							
新　疆							

3－4 续表19

其他批发 单位:万元

地区	实收资本	国家资本	集体资本	法人资本	个人资本	港澳台资本	外商资本
全　国	**466002**	**68154**	**36440**	**265470**	**19060**	**34065**	**42814**
北　京	225705		10000	212009			3697
天　津	3115	2615	200		300		
河　北	160	160					
山　西	1379	1133	200		46		
内蒙古							
辽　宁	1000			1000			
吉　林							
黑龙江	585				585		
上　海	89291	3955	1000	7804	3700	34065	38767
江　苏	2599		2479		120		
浙　江	226		123		104		
安　徽	744		500	244			
福　建	49150	48800					350
江　西							
山　东	65185	10000	20090	30000	5095		
河　南	120				120		
湖　北	525	315	210				
湖　南	6176	901	1200	3075	1000		
广　东	9320			3300	6020		
广　西	1144	120	438	480	106		
海　南							
重　庆	916			458	458		
四　川	332				332		
贵　州	1050				1050		
云　南	7100			7100			
西　藏							
陕　西							
甘　肃							
青　海							
宁　夏							
新　疆	180	155			26		

3－5 大中型批发企业

农畜产品批发

地　区	营业收入合　计	主营业务收　入	主营业务成　本	主营业务税金及附加	主营业务利　润	其他业务利　润	营业费用
全　国	**4493425**	**4468697**	**4210391**	**3097**	**232542**	**24428**	**118978**
北　京	1689564	1685708	1661349	1	24358	3557	4666
天　津							
河　北	120239	120229	115593	157	3363	1981	5122
山　西	22259	22259	21564	2	159	29	1328
内蒙古	108725	108713	92127	149	16097	562	4396
辽　宁	75148	75084	71936		2777	－208	2850
吉　林	102500	102500	93028	59	9413	968	8305
黑龙江	152779	151680	143338	35	6393	259	7297
上　海	67319	67319	64933	29	2356	38	2391
江　苏	38164	38162	32491	110	5181	969	2608
浙　江	27092	25483	25621	7	－145	1779	3061
安　徽	100803	100803	84907	71	15195	667	7249
福　建							
江　西	29498	29498	25847		3499		1637
山　东	95198	95168	83523	61	11565	540	6127
河　南	210268	203703	191677	138	11888	487	7774
湖　北	310865	310865	292307	494	17511	3705	11929
湖　南	34074	33109	31780	22	1307	250	1636
广　东	31412	28167	22722	192	5253	188	642
广　西	14730	14730	12967	47	1716		1132
海　南							
重　庆	6560	6560	4506		2055		1039
四　川	30522	30136	22010	127	7463	－29	260
贵　州	5087	5087	4912		175	261	43
云　南	471915	471915	422301	440	47230	1383	18428
西　藏							
陕　西	9034	9034	8767	11	257	205	303
甘　肃	11402	11402	8313	9	1027	244	626
青　海							
宁　夏							
新　疆	728269	721384	671873	937	36452	6591	18130

分行业损益及分配

单位：万元

管理费用	财务费用	营业利润	利润总额	应交所得税	劳动、失业保险费	住房公积金和住房补贴
125236	**81971**	**-41001**	**148084**	**11393**	**6708**	**2428**
30949	31799	-38935	103673	14	1258	821
4120	1158	-1587	741	23	163	45
1579	593	-2777	-328		40	3
3688	2266	7591	9189	160	293	
2911	985	-3806	-1233	375	209	47
2941	2466	-3228	-1877	40	296	11
4522	7586	-10838	-2066	483	404	7
438	20	-453	-435		6	94
2335	1005	592	1037	250	189	43
2909	1197	-5533	479		454	128
5887	4600	-1244	4169	18	448	115
942	250	822	1397	300	117	14
3552	3097	-650	1348	276	217	121
7662	6353	-9413	-980	86	283	78
8371	2163	-666	1166	259	251	91
1181	408	-1646	-203		33	
2954	554	1312	1620	9		51
39	451	94	-2			18
459	109	447	365		1	5
1379	394	5982	6856	2389	122	136
267	168	42	42			
15781	-390	16739	16290	5708	172	281
515	-7	-349	3	1	88	8
723	280	-19	124	4	17	14
19133	14467	6522	6711	999	1649	296

3－5 续表1

食品、饮料及烟草制品批发

地　区	营业收入合计	主营业务收入	主营业务成本	主营业务税金及附加	主营业务利润	其他业务利润	营业费用
全　国	**52402871**	**52150299**	**41724245**	**173647**	**9638762**	**150796**	**2020490**
北　京	1238017	1219739	1082368	2262	135109	16797	63188
天　津	697636	697636	597371	1786	90663	1867	8316
河　北	1634548	1631642	1345604	5800	275236	1781	34678
山　西	1221603	1221555	949545	4594	258720	745	17910
内蒙古	927227	927037	701840	5385	212429	－449	32242
辽　宁	1937755	1937742	1516887	10559	384352	2337	42901
吉　林	807223	806016	651922	2650	151444	268	13027
黑龙江	893350	891546	693161	2979	167686	289	34391
上　海	2567801	2545836	2120924	5886	403028	17498	206528
江　苏	3794758	3794676	2894011	16241	797945	30672	113352
浙　江	3553620	3549498	3047461	8486	493551	12450	73575
安　徽	1808987	1784020	1342458	6006	390382	1880	58049
福　建	3020459	3002752	2535991	8191	449183	5444	36812
江　西	1253904	1253730	953392	4496	255786	970	60702
山　东	3754443	3741844	2924157	14158	736904	7541	240159
河　南	2458270	2444561	2068612	5880	370069	2097	60242
湖　北	1696303	1696265	1272342	8752	398613	11256	70383
湖　南	2609138	2607889	2077428	7923	522538	3096	74266
广　东	5292592	5244694	4531311	10528	690448	17813	179147
广　西	976512	964177	761282	3450	184572	2170	30601
海　南	277533	277532	247965	559	23268	50	5741
重　庆	1077403	1077403	814304	4135	258041	3081	51535
四　川	2460045	2424230	1821873	10066	504162	2378	148234
贵　州	1491977	1491584	1041179	6197	432243	5285	77387
云　南	3019615	2986477	2168218	11000	708105	1843	217876
西　藏							
陕　西	924173	922619	721281	2644	192638	610	31922
甘　肃	447098	446914	351668	1706	82482	435	28377
青　海	83732	83732	77874	88	5558	8	213
宁　夏	144498	144498	114560	547	29391	341	6227
新　疆	332653	332457	297257	694	34221	244	2512

单位:万元

管理费用	财务费用	营业利润	利润总额	应 交 所得税	劳动、失业 保 险 费	住房公积金 和住房补贴
2605359	**50875**	**5897516**	**6036342**	**1882850**	**224539**	**157690**
53195	4722	30803	65839	17011	4946	1460
20919	-684	71796	76537	24828	315	921
71669	-1927	177600	177536	54564	2818	4256
67466	-1176	184032	182637	60563	2595	1688
49985	4897	135984	132096	33432	1504	3012
170576	2108	213983	199918	66252	8952	5013
49954	-1172	92830	90938	30359	3514	3332
43709	61	119322	105498	34178	3475	4310
82791	1817	154530	195116	57024	10812	2824
112174	-7086	701041	688492	231903	11478	4837
96872	-3501	339055	342365	117809	8762	2880
108850	-6026	276908	290516	90309	8706	5764
107814	-3187	319645	331919	96288	5174	5283
42902	179	197088	178986	54024	4790	3503
195993	3849	390427	388558	112624	21883	22283
129441	4023	178460	191116	62940	9962	6831
153093	4380	241568	244965	75299	9509	7187
164175	5679	281516	285448	98153	24278	18123
164127	8635	370770	434076	110320	14394	8522
65766	802	103829	106836	31073	2300	4747
11610	672	11036	10878	1743	1095	776
98550	-637	112596	115659	39356	10576	6188
76814	3150	373441	380425	117849	19347	7337
167466	27301	212995	247278	75795	7678	10397
200370	1720	391037	352745	120823	10699	9529
49431	1124	122354	125611	37657	2644	4619
23169	-98	58772	59348	20145	10678	1095
3178	21	2487	2483	149	37	45
3768	532	19206	19648	6344	297	279
19529	700	12406	12877	4033	1320	649

3-5 续表2

米、面制品及食用油批发

地区	营业收入合计	主营业务收入	主营业务成本	主营业务税金及附加	主营业务利润	其他业务利润	营业费用
全国	**1176329**	**1168492**	**1090210**	**365**	**63759**	**12426**	**57175**
北京	29285	24747	22443	20	2284	4203	2001
天津							
河北	5991	5991	6042		-51	38	19
山西							
内蒙古	15474	15474	13820		-1312	40	966
辽宁	93287	93274	89849	3	3009	799	4640
吉林	7066	7066	4507		2558	28	1190
黑龙江	6161	6161	5311	54	796	134	777
上海	57100	56982	46916	112	5954	480	9473
江苏	7462	7462	7318		144		121
浙江	255347	254707	239779	30	14899	639	7250
安徽	15226	15226	15629		-765	1	1116
福建	36277	36277	32194		166	54	2270
江西	9525	9525	9733		-399		340
山东	30686	29756	24388	2	3850	9	1529
河南	154794	154735	148776	2	5958	94	4163
湖北	15322	15322	15011	4	110	222	601
湖南	112839	111839	100908	50	10881	977	3887
广东	170504	170048	161878	45	8125	2871	10628
广西	4290	4290	4106		184	127	87
海南							
重庆	64088	64088	60996	25	2922	1121	1397
四川	21859	21859	20866		828	123	1159
贵州	6439	6354	6326		28		
云南	30131	30131	29945		186	338	980
西藏							
陕西	4158	4158	2671	17	1470	78	1533
甘肃							
青海							
宁夏	7650	7650	6939		710	74	161
新疆	15373	15373	13862	3	1223	-23	887

单位:万元

管理费用	财务费用	营业利润	利润总额	应交所得税	劳动、失业保险费	住房公积金和住房补贴
52584	**20306**	**-30623**	**34067**	**2442**	**5536**	**1575**
8961	474	-4948	23837	9	502	190
331	359	-721	1		63	12
976	538	2712	-58		4	34
2676	2215	-3409	-88		648	20
903	445	78	48		113	62
25		128	113			
2228	93	-1355	344	90	500	118
467	185	-628	0		129	16
5829	1452	1007	3835	956	420	179
790	11	-2320	434		46	
932	1214	-1028	-338		228	53
730	765	-2042	126		94	
1515	2229	2248	60	7	3	
4111	1905	-4127	1636	124	325	92
688	266	-1027	205	16	62	
6413	1186	373	2727	678	545	98
9185	3200	-10641	1531	438	1008	502
158	66	1	5	1	90	
1935	824	33	262	104	367	15
709	683	-931	-525	4	221	33
176	37	-185	-147			
1203	967	-2625	222	7	52	95
326	40	-351	-351		7	
208	672	-256				
1113	483	-606	187	8	109	57

3－5 续表3

烟草制品批发

地　区	营业收入合　计	主营业务收　入	主营业务成　本	主营业务税金及附加	主营业务利　润	其他业务利　润	营业费用
全　国	**42317277**	**42184168**	**33134133**	**148842**	**8386400**	**54883**	**1281838**
北　京	586868	585278	517901	1422	65955	1522	2563
天　津	670160	670160	576236	1691	87565	65	4668
河　北	1529173	1526267	1251978	5591	264043	1397	29781
山　西	1180470	1180421	913879	4480	254044	291	16850
内蒙古	714990	714889	554504	2784	153184	－1199	10343
辽　宁	1479692	1479692	1166807	5887	282322	663	36065
吉　林	795624	795624	645562	2572	147490	－165	11236
黑龙江	873544	871744	677155	2867	164792	138	32308
上　海	1519245	1500751	1280472	3856	209714	8553	49195
江　苏	3000367	3000367	2169801	15397	778020	1513	52062
浙　江	2738855	2737949	2304818	7226	425905	3100	49072
安　徽	1643265	1642819	1224680	5967	367359	926	43077
福　建	2423708	2406076	1979414	7728	414564	4169	11881
江　西	1137112	1136956	864321	3221	229550	893	44800
山　东	2303268	2299676	1731990	10099	496227	3705	109520
河　南	2156899	2143298	1800510	5482	337306	1751	53389
湖　北	1601450	1601450	1184501	8632	392298	10820	66385
湖　南	2262870	2262785	1807000	7125	448660	1915	64359
广　东	3066585	3066584	2559294	7587	488227	3163	41909
广　西	913341	903796	707742	3368	181935	1022	29801
海　南	277533	277532	247965	559	23268	50	5741
重　庆	936467	936467	697409	3767	235291	789	41903
四　川	2170001	2143019	1594458	8871	464960	1718	117150
贵　州	1460506	1460357	1015295	6089	427007	5264	75573
云　南	2989484	2956346	2138273	10999	707919	1505	216896
西　藏							
陕　西	920015	918462	718610	2628	191168	533	30389
甘　肃	447098	446914	351668	1706	82482	435	28377
青　海	83732	83732	77874	88	5558	8	213
宁　夏	126815	126815	98669	487	27659	80	5600
新　疆	308141	307945	275348	668	31929	261	735

单位：万元

管理费用	财务费用	营业利润	利润总额	应 交 所得税	劳动、失业 保 险 费	住房公积金 和住房补贴
2166847	**-2645**	**5651539**	**5734440**	**1810332**	**183180**	**145389**
25282	-523	40154	43867	14430	2307	599
19228	-653	69055	75504	24499	264	765
66808	-2797	176303	175529	53849	2451	4085
64668	-1050	181959	180543	59858	2300	1666
36968	60	109273	108474	27819	1248	2056
70231	-610	216733	199648	66226	8125	4918
48139	-1617	92459	90582	30258	3307	3241
42601	76	118661	104807	33968	3343	4290
45406	-18	133312	174823	47300	7258	1390
93768	-9636	684802	670694	225353	8369	3926
66973	-5960	318920	316921	109964	6259	2202
104308	-6673	272731	283844	89733	8344	5646
96465	-4953	318629	330036	94861	4039	4016
40324	-1033	190169	169196	50862	4536	3337
140576	-2763	313965	313995	100551	19364	21227
113690	2007	169971	177211	58591	8761	6320
150107	3659	241963	244208	75085	9270	7089
147118	3082	236017	262025	89366	14660	17535
104993	-2714	357801	396747	106916	5958	6732
61721	183	105456	106754	31018	2153	4725
11610	672	11036	10878	1743	1095	776
87133	-1664	108708	111252	37921	8644	5588
68158	1443	361107	367443	115425	18065	6939
164434	27095	212631	246864	75599	7588	10266
199167	753	393662	352523	120816	10647	9434
49106	1084	122705	125962	37657	2638	4619
23169	-98	58772	59348	20145	10678	1095
3178	21	2487	2483	149	37	45
3396	-238	18981	19482	6344	297	279
18122	220	13118	12801	4025	1179	584

3－5 续表4

纺织、服装及日用品批发

地　区	营业收入合　计	主营业务收　入	主营业务成　本	主营业务税金及附加	主营业务利　润	其他业务利　润	营业费用
全　国	**18706920**	**18596983**	**16642426**	**10230**	**1817261**	**54488**	**1136694**
北　京	672052	623673	467643	332	155699	2077	80101
天　津	381674	379458	351078	224	20095	1038	20052
河　北	339515	339207	317752	91	13900	1122	12795
山　西							
内蒙古	111139	111139	107997		3143	－247	51
辽　宁	224856	224831	208566	37	16228	2325	5468
吉　林							
黑龙江	68145	68145	63119	54	4972	582	1402
上　海	2734911	2709138	2007002	1923	679019	22389	540670
江　苏	4522174	4514935	4203202	2713	304175	10023	125348
浙　江	3019857	3011082	2855825	639	154618	4430	79279
安　徽	492999	492999	459783	79	32567	42	18834
福　建	1889568	1889568	1835720	602	53245	2420	34061
江　西							
山　东	1351140	1351126	1138050	856	132220	1974	104489
河　南	8278	8278	7337	18	923	50	343
湖　北	3062	3062	2470	14	579		554
湖　南	16449	16449	15928	10	510	28	142
广　东	2750213	2733300	2491113	2198	237163	5394	109338
广　西	5947	5947	5634	4	116	141	189
海　南							
重　庆	28758	28635	26756	19	1496	143	881
四　川	25010	25010	21792	34	1634	228	190
贵　州							
云　南							
西　藏							
陕　西	25574	25401	23442	8	1951	49	1490
甘　肃	16838	16838	15955	338	545	187	638
青　海	18763	18763	16262	38	2464	94	380
宁　夏							
新　疆							

单位:万元

管理费用	财务费用	营业利润	利润总额	应交所得税	劳动、失业保险费	住房公积金和住房补贴
449926	**59226**	**372507**	**481749**	**95889**	**21917**	**14501**
61227	2354	14631	17181	5787	1274	662
10230	1670	-557	-642	736	1005	404
10831	1614	-2052	-1837	33	903	358
720	2052	73	88		136	
7340	3637	2109	41054	769	349	230
404	499	3248	3234		19	
124995	6168	51225	74388	21975	3517	4172
104970	20602	81009	83841	22697	5174	3257
42112	6549	31108	43982	12200	3331	1597
7305	1044	6102	5228	2008	588	291
5104	4297	12203	35962	2523	466	271
13760	4356	91591	91586	550	898	620
540	-4	95	118	39	39	14
149		-124	-124		3	
403		-5	-5		5	
56244	2833	79616	87301	26400	4021	2573
229	4	28	25		5	
615	107	400	39	8	102	8
845	653	1724	175		32	7
491	746	-728	-726	30	40	5
126	-56	25	-15		1	3
1287	103	788	896	134	10	32

3－5 续表5

服装批发

地　区	营业收入合　计	主营业务收　入	主营业务成　本	主营业务税金及附加	主营业务利　润	其他业务利　润	营业费用
全　国	**8455080**	**8391193**	**7605378**	**3374**	**671340**	**13153**	**393421**
北　京	482915	436740	294583	33	142125	－73	70880
天　津	265504	265504	243483	40	18249	90	13019
河　北	234432	234144	218774	18	7888	547	10179
山　西							
内蒙古							
辽　宁	38450	38450	34735	22	3692	303	1799
吉　林							
黑龙江							
上　海	708924	708748	628212	389	64058	1562	50936
江　苏	395865	395349	361074	73	30388	830	19981
浙　江	1899102	1895646	1796948	181	98517	2807	51141
安　徽	144742	144742	133651	7	11084	22	5960
福　建	1624702	1624702	1581640	578	42484	2089	26853
江　西							
山　东	1277312	1277312	1071961	267	125085	1862	101366
河　南							
湖　北							
湖　南							
广　东	1372684	1359407	1230332	1434	127642	2927	40907
广　西							
海　南							
重　庆							
四　川							
贵　州							
云　南							
西　藏							
陕　西							
甘　肃	10448	10448	9985	334	129	187	401
青　海							
宁　夏							
新　疆							

单位：万元

管理费用	财务费用	营业利润	利润总额	应交所得税	劳动、失业保险费	住房公积金和住房补贴
172510	**17356**	**213721**	**252324**	**41817**	**8152**	**6133**
55254	802	15652	17104	5377	735	545
6237	1040	1775	1331	666	447	192
6642	913	-1132	-1118	1	304	255
1623	300	274	449	119	123	77
22373	499	8066	16111	2433	239	539
8133	4201	2718	4896	1318	341	728
25390	2143	22652	27664	7584	1922	971
3336	-169	1987	1940	640	316	136
3131	3967	10622	30604	2070	377	218
11464	3109	91007	91007	406	779	599
28926	623	60114	62389	21205	2570	1872
	-72	-13	-53			

3－5　续表6

文化、体育用品及器材批发

地　区	营业收入合　计	主营业务收　入	主营业务成　本	主营业务税金及附加	主营业务利　润	其他业务利　润	营业费用
全　国	**3185211**	**3156887**	**2742031**	**5646**	**350506**	**18773**	**174307**
北　京	211946	209360	169035	842	39484	2018	23086
天　津	20555	20555	17491	35	2624	41	1613
河　北	84594	84594	77415	70	7109	103	
山　西	82155	82150	77717	71	4363	124	3246
内蒙古							
辽　宁	9613	9480	8492	15	972	133	124
吉　林	46731	46731	39325	67	7339	104	2009
黑龙江	27478	27478	24541	39	2898	17	926
上　海	193187	192682	156674	236	35771	2032	26660
江　苏	292898	292898	258626	1181	33091	512	16107
浙　江	848569	844555	790068	472	54016	4014	28902
安　徽	19337	18137	16422	34	1681	1099	2073
福　建	16867	16345	13106	7	2971	139	1309
江　西							
山　东	172392	164489	147198	227	17063	687	7230
河　南	151342	145187	131269	288	13630	213	4393
湖　北	105633	105633	96617	196	8820	582	2426
湖　南	145993	145993	125956	261	19777	638	8626
广　东	221312	220129	194252	373	24957	1572	11914
广　西	128014	127515	90554	252	9898	290	6925
海　南							
重　庆	195000	193449	130914	462	33358	2311	16451
四　川							
贵　州	46064	45559	40949	75	4535	505	1450
云　南	41133	39584	26137	166	13281	814	3606
西　藏							
陕　西	56821	56806	50913	109	5784	138	2549
甘　肃							
青　海							
宁　夏	8328	8328	7217	9	1102	16	406
新　疆	59251	59251	51146	160	5982	673	2278

单位:万元

管理费用	财务费用	营业利润	利润总额	应 交 所得税	劳动、失业 保 险 费	住房公积金 和住房补贴
129892	**5272**	**97494**	**73469**	**17201**	**15788**	**6092**
9385	511	8520	9340	3573	820	348
1252	-9	214	214	54	201	86
6054	-73	1230	1325	230	791	244
4129	69	288	261	96	782	196
313	169	500	540	1	48	19
3613	-19	1848	1803	402	395	156
1731	-49	308	311	246	209	91
8353	567	2223	3410	95	3076	629
9463	-306	8339	8477	156	559	377
16834	-143	12436	15122	2561	938	554
1190	-45	-438	-439	121	90	48
1612	203	-14	-158	47	25	33
7838	203	2685	2475	865	1003	353
5290	85	4074	4105	1941	431	102
5324	-22	1674	1695	370	1267	254
7557	322	3910	2903	987	199	227
9573	-491	6080	6396	864	1345	526
4564	988	28975	2020	1065	451	218
12092	1411	5745	4946	742	2053	740
2976	396	218	219	72	355	447
2792	1461	6236	5008	1138	58	11
2786	-153	755	756	521	274	283
619	1	94	92	30	55	17
4551	194	1596	2649	1026	366	134

3-5 续表7

医药及医疗器材批发

地　区	营业收入合　计	主营业务收　入	主营业务成　本	主营业务税金及附加	主营业务利　润	其他业务利　润	营业费用
全　国	**16446101**	**16424439**	**15279111**	**16783**	**1096355**	**38735**	**610050**
北　京	1392913	1388811	1272628	1543	114639	3578	53845
天　津	858079	857892	819764	607	26306	736	15257
河　北	535511	535211	507153	704	25729	489	17681
山　西	11440	11440	10827	8	526	78	605
内蒙古	20146	20146	19134	8	1004	33	735
辽　宁	92770	92770	89340	87	3343	414	1959
吉　林	129549	129548	113833	185	15530	11	13590
黑龙江	72481	72481	64823	289	7080	-15	3629
上　海	2680635	2673278	2407275	3013	258679	8119	151449
江　苏	680499	680396	622619	1095	51139	1934	29667
浙　江	1562642	1560244	1460465	1672	98107	4747	43891
安　徽	1027420	1026788	1006135	333	20321	351	9520
福　建	484220	484215	455011	703	24311	1013	13219
江　西	474299	473008	393743	1278	77829	1291	62650
山　东	1013263	1011763	973085	696	37360	2539	17396
河　南	291296	291296	285925	91	5280	382	2649
湖　北	345227	345227	330665	297	14171	1009	6303
湖　南	322603	322423	308793	316	13314	651	6672
广　东	2020240	2018547	1814918	1661	201603	4816	106082
广　西	46733	46733	42114	94	4358	155	1500
海　南	11549	11549	10188	19	1343		884
重　庆	800826	800652	757641	1054	41348	2762	19517
四　川	803267	801574	778649	554	20186	2635	12847
贵　州	82449	82449	78261	58	3773	2	2042
云　南	318367	318320	300831	279	17210	119	10417
西　藏							
陕　西	252048	252048	245060	88	6899	573	3819
甘　肃	35252	35250	34296	13	559		648
青　海							
宁　夏	3198	3198	2555	14	629	37	416
新　疆	77183	77183	73379	24	3780	275	1164

单位:万元

管理费用	财务费用	营业利润	利润总额	应 交 所得税	劳动、失业 保 险 费	住房公积金 和住房补贴
352051	**73766**	**141886**	**219828**	**47094**	**59329**	**10455**
35964	4947	23537	34698	7899	2659	1160
14009	4249	4742	8893	3376	860	378
9428	5091	-3540	-1832	281	724	298
362	121	-73	51	1	23	8
214	-16	104	93	1		
2051	201	-455	-118	88	151	5
1562	252	138	127	179	25	1
1874	662	7447	5691	2016	95	2
78165	17102	24550	40726	6998	3817	2479
19580	3435	5949	11840	1416	2767	677
34177	7282	17503	22563	5141	35744	965
6388	348	4655	3894	1702	522	365
11185	2515	2782	2992	990	1295	518
9263	1621	5743	5204	1914	424	69
16891	4056	2718	9078	2867	1224	331
2086	345	582	798	459	14	
5013	2417	1541	1538	232	384	37
3398	115	3958	3822	507	170	2
56686	9984	34650	59016	9103	4903	1844
2079	470	465	484	120	72	92
160	35	265	263	40	28	
19438	6011	-247	4332	630	1504	210
9871	1093	2401	2630	471	594	713
1634	154	306	53	35	144	10
4575	871	1467	1967	590	444	155
4799	176	-1321	-1014	37	716	126
298	62	-50	-3		30	
227	72	-49	-75	3		14
677	95	2119	2119			

3－5 续表8

矿产品、建材及化工产品批发

地 区	营业收入合 计	主营业务收 入	主营业务成 本	主营业务税金及附加	主营业务利 润	其他业务利 润	营业费用
全 国	**130589152**	**129624611**	**121841116**	**120286**	**7534332**	**124854**	**3314384**
北 京	18413053	18400438	17836842	9326	554270	8380	247299
天 津	14343442	13597203	12973341	5069	612092	7781	180401
河 北	2852543	2847774	2658378	3364	184175	－2239	81165
山 西	3612476	3600721	3162300	12918	385682	9891	157923
内 蒙 古	1249351	1249351	1120506	2150	126695	615	70325
辽 宁	7348626	7347165	7035839	4489	306067	6426	137597
吉 林	392954	392896	361610	360	30925	48	27084
黑 龙 江	3992321	3985510	3747293	2180	236037	1050	145687
上 海	5945663	5923799	5567367	4191	342045	9166	178608
江 苏	8774455	8757262	8162380	9696	574400	15362	237223
浙 江	11945862	11917712	11358717	9514	549482	15000	202554
安 徽	2997182	2996962	2730588	2179	264025	790	124559
福 建	2598103	2595874	2434181	6811	153110	5264	64923
江 西	1785528	1779309	1566305	1412	209276	－37	41424
山 东	3846843	3844577	3631251	3929	204761	2795	82731
河 南	4906432	4900911	4568661	4457	327794	－3232	137185
湖 北	2943993	2935979	2711863	4686	217431	－6031	97947
湖 南	826573	826520	743187	1114	82219	432	21574
广 东	14147012	14097418	13141077	12211	939117	29989	286157
广 西	2417821	2417426	2177525	3914	231266	－194	93999
海 南	533839	533224	494246	532	38279	461	13473
重 庆	1594930	1594089	1458408	1866	132727	1178	82617
四 川	4475921	4470339	4111384	6222	352403	8960	224510
贵 州	526931	526617	474776	916	50924	3	12456
云 南	481313	480519	446883	1231	32359	1369	11920
西 藏	47858	47755	36240	95	2143	1	3188
陕 西	2180496	2180161	2060257	3131	116774	432	104112
甘 肃	3796104	3795331	3616079	771	156206	8306	158298
青 海	392979	382714	352571	335	29808	2388	21409
宁 夏	8103	8103	6492	13	1598		852
新 疆	1210448	1190955	1094569	1209	90243	503	65183

单位:万元

管理费用	财务费用	营业利润	利润总额	应 交 所得税	劳动、失业 保 险 费	住房公积金 和住房补贴
1147987	**326216**	**3107157**	**3182569**	**715561**	**122793**	**70409**
124639	28084	162627	266307	50510	4059	3770
29257	2577	415209	404378	130133	2182	1138
34184	6929	62231	78015	564	1743	641
91657	27064	167890	132304	44407	3043	1065
16140	4991	37098	35979	5508	3478	1440
44893	-1653	132426	137981	30149	10609	11313
1303	1486	1208	1041	127	1032	686
35595	14274	42622	43145	10114	6808	2147
63754	29934	93606	140421	15020	6238	2469
99292	31887	232993	229040	72836	10924	2973
63423	20280	278225	288602	92844	6774	2896
45739	4200	108334	105536	7976	3665	2091
29113	7537	58573	65921	17946	2523	617
15921	8	154662	147899	25896	1754	565
35586	9328	86709	80915	13830	3683	1753
59342	15887	112148	97492	29566	6984	1095
27943	3093	86128	75209	11456	2977	1937
14784	3491	42802	41507	1095	1545	366
187292	53135	454186	465937	80355	19083	10628
27805	2919	110542	104594	28075	253	1071
6462	625	18349	19400	5904	402	202
17581	6254	29399	14708	2330	4739	8445
15394	15851	114064	103940	21575	10705	7002
4560	96	33816	33192	670	773	249
9316	-23	12652	6795	535	1526	471
1553	-2	6683	5982		196	141
15183	11333	56297	60346	7716	1696	1057
7126	16391	-13234	-12404	3457	429	368
6521	1695	2798	3490	338	146	136
328	73	345	317	11	33	155
16303	8475	5772	4580	4618	2793	1524

3－5 续表9

煤炭及制品批发

地　区	营业收入合　计	主营业务收　入	主营业务成　本	主 营 业 务税金及附加	主营业务利　润	其他业务利　润	营业费用
全　国	**7679946**	**7665093**	**7067612**	**16912**	**543661**	**17311**	**275870**
北　京	3295845	3294432	3241152	694	52586	483	13168
天　津							
河　北							
山　西	2788303	2778457	2442616	12199	287650	9963	123903
内蒙古	281939	281939	234636	1219	46084		22131
辽　宁	5950	5950	5113	22	815		417
吉　林							
黑龙江	34635	34635	33717	10	908		524
上　海	560538	560538	490110	612	69816	299	61223
江　苏	194694	193095	177051	492	15521	815	6822
浙　江	13102	13102	12111	30	961	64	501
安　徽	7403	7403	7351	21	32	264	8
福　建							
江　西							
山　东	80265	78918	75148	116	3654	2885	2251
河　南	71849	71610	67293	107	4211	289	992
湖　北							
湖　南							
广　东	94912	94912	86910	622	7380	1506	4378
广　西	8885	8885	8537	9	203		
海　南							
重　庆	62384	62153	59528	30	1881	220	1767
四　川							
贵　州	14599	14599	9895	214	4490		2109
云　南	67122	67122	65818	64	1204	503	37
西　藏							
陕　西	89283	89283	42695	391	46198	21	35639
甘　肃	8237	8059	7932	60	67		
青　海							
宁　夏							
新　疆							

单位:万元

管理费用	财务费用	营业利润	利润总额	应交所得税	劳动、失业保险费	住房公积金和住房补贴
120943	**23166**	**187426**	**244576**	**55648**	**5537**	**3819**
12161	-59	27799	101730	9529	75	869
65128	14644	138562	109994	38807	2158	822
4955	2081	17438	17314	2102	41	212
47	37	314	314	10	13	
545	-3	-130	-136	2	53	
10214	171	-1493	387	154	1879	791
8208	4019	-2682	-868	879	283	216
503	171	-150	70	17	10	32
312	-2	-23	-23		8	32
3954	578	-232	521	837	34	222
904	-18	2622	3529	878	55	9
4919	118	-529	1049	382	549	171
691		-201	-215		6	58
835	34	179	189	52	67	16
452	-14	1943	1943	641	5	36
1030	86	591	580	114	103	46
6087	1324	3169	7942	1162	193	234
		248	257	83	4	53

3－5 续表10

石油及制品批发

地 区	营业收入合 计	主营业务收 入	主营业务成 本	主营业务税金及附加	主营业务利 润	其他业务利 润	营业费用
全 国	**84619384**	**84489393**	**78944118**	**75048**	**5414988**	**49718**	**2358489**
北 京	4968342	4967330	4802974	3191	161165	724	82386
天 津	12546403	12534549	11920733	4702	603114	5412	174248
河 北	2805155	2800386	2615550	3295	181541	－2247	78601
山 西	682417	681574	586236	688	94650	－285	29785
内蒙古	935464	935464	858432	890	76142	210	46823
辽 宁	2042152	2041984	1867509	2322	171852	1234	81858
吉 林	376672	376613	346845	312	29457	48	25906
黑龙江	3343135	3336673	3141500	1988	193186	700	126682
上 海	2273865	2259095	2072075	1307	180487	961	68803
江 苏	6473438	6469195	6029943	7384	429811	3252	161280
浙 江	7114479	7102383	6678223	8156	416005	10489	133737
安 徽	1556411	1556268	1408089	1921	146087	317	45209
福 建	1246635	1245984	1130706	2473	112033	562	41435
江 西	1785528	1779309	1566305	1412	209276	－37	41424
山 东	2652204	2651435	2487759	2399	160965	－796	66093
河 南	4787602	4782320	4462394	4240	315686	－3947	134575
湖 北	2351471	2344676	2142041	4291	196346	－6306	87327
湖 南	567013	566960	498002	507	68451	19	12361
广 东	11725923	11707310	11060685	6298	640314	22671	239887
广 西	2385317	2384922	2148331	3773	228233	－219	92029
海 南	527916	527302	488564	532	38207	362	13305
重 庆	863456	863456	776920	1564	84692	189	65344
四 川	3553902	3549751	3220717	6226	322807	5275	204789
贵 州	500977	500864	453884	688	46293	58	10304
云 南	245021	245021	227484	669	16867	1	5835
西 藏	47858	47755	36240	95	2143	1	3188
陕 西	1311563	1311347	1273079	1517	36751	287	57116
甘 肃	3717739	3717708	3542746	704	152329	8101	157147
青 海	392979	382714	352571	335	29808	2388	21409
宁 夏	8103	8103	6492	13	1598		852
新 疆	830248	810943	741091	1159	68692	296	48751

单位:万元

管理费用	财务费用	营业利润	利润总额	应 交 所得税	劳动、失业 保 险 费	住房公积金 和住房补贴
650476	**172754**	**2425765**	**2389836**	**536563**	**83529**	**49053**
42926	3515	33062	41962	6829	994	727
21665	6705	412777	402046	128900	1744	694
32826	6700	61883	77564	453	1743	641
24595	11445	28556	21729	5400	756	149
9023	2742	18487	18152	3154	3370	1216
20654	2400	68476	67102	6073	7860	10154
690	1435	1474	1035	127	983	497
28727	6892	32647	32542	6793	6728	2014
18464	14064	85344	107339	11838	2187	807
54422	7789	211631	198601	64041	7139	1960
38312	8743	245702	243529	79398	5513	2284
30019	196	88998	84381	6338	1395	415
18328	3226	50379	51433	17110	1745	462
15921	8	154662	147899	25896	1754	565
19727	3616	73028	65698	10914	2567	994
56600	15794	104771	93594	28464	6820	1025
23304	910	81640	70417	10911	2548	1656
6393	13	49704	48363	792	1060	229
102145	27791	299075	317142	53506	6214	3305
26638	2830	110423	104339	28075	247	1013
6006	646	18612	19664	5904	386	202
8399	3048	9226	8681	640	4178	8272
7256	14269	106896	99343	20534	10005	6616
3748	9	32290	31517	28	706	207
3171	25	7838	2213	28	537	92
1553	-2	6683	5982		196	141
7931	6656	35055	34381	6451	1476	823
4720	15854	-13844	-12757	3347	243	229
6521	1695	2798	3490	338	146	136
328	73	345	317	11	33	155
9468	3671	7152	2139	4271	2257	1373

3－5 续表11

金属及金属矿批发

地区	营业收入合计	主营业务收入	主营业务成本	主营业务税金及附加	主营业务利润	其他业务利润	营业费用
全国	**26940600**	**26670809**	**25708066**	**15785**	**937113**	**33801**	**314345**
北京	8038362	8030023	7815009	3564	211450	5456	77557
天津	1219809	1001077	993503	300	6751	840	4119
河北							
山西	11192	10126	9663	1	462	91	91
内蒙古							
辽宁	5153184	5151890	5019110	2065	130247	4476	54679
吉林	9245	9245	7967	49	1229		1076
黑龙江	67812	67812	60048	182	7582		4289
上海	1690113	1690113	1655274	590	34249	2390	14087
江苏	988347	983307	921386	762	54796	3562	28436
浙江	3962468	3958165	3860726	936	96503	3290	43816
安徽	667621	667544	653537	236	13771	177	5552
福建	1032160	1032160	1004918	112	27129	3306	13950
江西							
山东	257257	257257	242379	220	12498	60	4093
河南	21986	21986	20426	60	1501	392	641
湖北	355513	355513	347677	123	7713	219	3362
湖南	64553	64552	62052	43	2457	23	1513
广东	1440858	1411805	1151953	4877	254975	4823	23499
广西							
海南							
重庆	228980	228424	220514	233	7677	575	3507
四川	894095	893085	866340	－94	26510	3328	17206
贵州	11354	11153	10997	14	141	－55	43
云南	32595	32595	28753	288	3554	632	1406
西藏							
陕西	779649	779531	744483	1224	33825	124	11358
甘肃	13446	13446	11352		2094	93	65
青海							
宁夏							
新疆							

单位:万元

管理费用	财务费用	营业利润	利润总额	应交所得税	劳动、失业保险费	住房公积金和住房补贴
231967	**70011**	**368625**	**388335**	**92561**	**22212**	**12456**
52823	16929	69597	74251	24339	2509	1277
5982	-4282	2295	2196	1215	158	361
25	164	273	239	34		
21583	-4119	63050	70111	24066	2599	1064
426	-1	-272			19	189
2599	928	-234	400	132		
9755	8172	4626	3964	1371	543	479
14238	8747	13319	14681	2233	1092	321
20937	9713	25326	35001	10097	1018	453
3606	3643	1148	1183	398	187	139
5533	2697	8256	12300	318	189	107
2959	1777	5889	5910	1040	297	17
1103	27	122	122	36	67	42
2166	375	2029	2230	541	330	270
397	408	161	145		7	18
71057	19707	146675	142300	25387	11431	6936
3780	688	276	574	132	337	97
7042	1286	7633	4441	1041	643	353
360	101	-417	-267	1	62	5
2599	-314	494	508	73	606	250
1165	3353	18073	18023	103	27	
1832	15	305	22	5	93	78

3－5 续表12

建材批发

地　区	营业收入合　计	主营业务收　入	主营业务成　本	主营业务税金及附加	主营业务利　润	其他业务利　润	营业费用
全　国	**1820934**	**1808270**	**1688164**	**2269**	**113533**	**11613**	**64101**
北　京	61082	60870	55816	66	4989	195	3509
天　津	4282	4282	3839	7	258		178
河　北	37244	37244	33254	67	2066		2333
山　西							
内蒙古	15471	15471	13554	28	1888	427	866
辽　宁							
吉　林							
黑龙江							
上　海	75218	70728	68324	129	1449	2467	1228
江　苏	628766	622955	579650	641	42664	6957	25332
浙　江	58847	58847	56382	85	2381	100	212
安　徽							
福　建	62834	62360	55168	26	6166	282	3234
江　西							
山　东	65797	65797	58765	125	6906		2149
河　南	3218	3218	3157	4	58		13
湖　北	6159	6159	5469	22	669		304
湖　南	190879	190879	180223	551	10105	366	7212
广　东	494213	493968	469057	143	24769	322	11806
广　西	16478	16478	14627	115	1736	16	1708
海　南							
重　庆	19834	19834	18130	16	1593	－36	1016
四　川	18060	17638	14832	82	2724	356	2225
贵　州							
云　南	40331	39882	36843	156	2883	7	455
西　藏							
陕　西							
甘　肃	22224	21660	21076	7	230	154	323
青　海							
宁　夏							
新　疆							

单位:万元

管理费用	财务费用	营业利润	利润总额	应交所得税	劳动、失业保险费	住房公积金和住房补贴
41704	**19018**	**9764**	**14413**	**5936**	**2144**	**644**
828	143	705	742	234	6	38
236	20	1	18	10	43	12
1088	63	441	452	111		
855	92	503	-165	234	41	12
2894	110	510	1057	129	85	21
14497	8792	1512	8793	2805	711	140
1199	502	569	572	200	33	
2196	603	1416	1988	322	134	47
1270	531	2958	2958	721	80	
22	7	16	15	3		
445	274	-353	-359		4	
7534	3070	-7345	-7184	141	423	106
5818	4467	7603	3754	710	391	156
203	3	-162	-12			
863	27	-252	-247	2	30	
919	205	-268	346		40	32
499	23	1912	1672	307	73	72
341	88		13	7	49	8

3－5　续表 13

化肥批发

地　区	营业收入合　计	主营业务收　入	主营业务成　本	主营业务税金及附加	主营业务利　润	其他业务利　润	营业费用
全　国	**4692974**	**4689568**	**4430955**	**6941**	**237247**	**2990**	**136746**
北　京	1858495	1858360	1743402	1682	113275	135	67015
天　津							
河　北	10144	10144	9575	2	567	9	231
山　西	105919	105919	100923	6	1566	71	3425
内蒙古	16478	16478	13885	13	2581	－22	506
辽　宁	3481	3481	3396		84	14	71
吉　林	7037	7037	6798		239		102
黑龙江	546740	546390	512028		34362	350	14192
上　海	163689	163689	159345	1	911	164	3596
江　苏	43731	43386	41289	22	1774	28	1239
浙　江							
安　徽	299476	299476	289945		9530	32	4931
福　建	242301	241196	230213	4199	6784	1104	5632
江　西							
山　东	523530	523469	506609	897	13800	647	7003
河　南	10937	10937	6417	5	4515	31	253
湖　北	15341	14169	14040	37	92	21	73
湖　南							
广　东							
广　西	7141	7141	6030	17	1095	8	261
海　南	5922	5922	5682		73	99	168
重　庆	404202	404150	381806	9	22335	63	10587
四　川	3954	3954	3749	2	202	1	116
贵　州							
云　南	9798	9798	9371		427	71	150
西　藏							
陕　西							
甘　肃	34459	34459	32974		1485	－42	763
青　海							
宁　夏							
新　疆	380200	380012	353478	50	21551	207	16432

单位:万元

管理费用	财务费用	营业利润	利润总额	应交所得税	劳动、失业保险费	住房公积金和住房补贴
42942	**26984**	**49239**	**63564**	**16071**	**3292**	**1863**
8995	6270	31131	37521	9501	71	764
271	167	-92	-1			
1123	784	224	72	68	108	15
1307	76	671	678	19	26	
3		25			41	
187	51	6	6		30	
3724	6457	10339	10339	3187	27	134
2768	1660	-3517	572		250	
842	394	-372	-73		665	186
3130	-240	1740	2696	1241	275	49
2477	1010	-1230	278	119	455	
5928	2532	1183	2075	70	617	518
161	57	4075	-303		28	8
731	2	-123	16		34	5
273	86	483	483			
456	-21	-264	-264		16	
3190	2321	6299	6870	1503	68	34
81	4	3	3		6	
227	138	-16	97		2	
234	434	56	61	17	39	
6835	4803	-1380	2441	348	536	151

3－5 续表 14

机械设备、五金交电及电子产品批发

地　区	营业收入合　计	主营业务收　入	主营业务成　本	主营业务税金及附加	主营业务利　润	其他业务利　润	营业费用
全　国	**46007488**	**43727912**	**39074830**	**45813**	**4427173**	**333895**	**2544979**
北　京	17801523	17440218	14577066	18513	2844639	246183	1428367
天　津	352069	352061	324920	178	21452	1570	15343
河　北	385041	385039	357333	307	27399	611	16958
山　西	139176	139176	133869	70	4844	498	3257
内蒙古	56760	55973	54434	19	1520	233	1260
辽　宁	111616	111019	98951	2344	9723	1612	7782
吉　林	71336	71296	66533	105	4659	－112	3745
黑龙江	121315	121127	113400	111	7617	－28	4758
上　海	6216217	6205022	5728389	8148	434767	23724	220711
江　苏	3301918	3294809	2984514	2089	232664	14240	241434
浙　江	2684919	2664238	2498541	2839	162859	10594	93084
安　徽	1147481	1145216	1073361	1106	28391	2606	24601
福　建	278482	278477	254201	368	23908	989	8907
江　西	162915	162765	153741	155	6975	206	5373
山　东	1535635	1531054	1431256	1888	93886	7579	55215
河　南	486404	486199	461902	484	23813	2263	24145
湖　北	748363	747812	695725	757	51070	626	39004
湖　南	197944	197834	170984	119	26731	417	26052
广　东	7064336	5215094	4848784	2948	353899	28310	239389
广　西	178921	178900	168486	131	5286	1258	5295
海　南							
重　庆	1251005	1237530	1171814	576	64245	－14907	31158
四　川	577848	576114	547035	707	27334	1070	21021
贵　州	56746	56156	50757	156	5243	510	3323
云　南	479829	477881	456365	819	20696	1349	4237
西　藏	13531	13285	11806	60	1419	156	112
陕　西	78145	78145	159199	68	－81122	171	4255
甘　肃	103054	103054	100176	44	2834	227	2864
青　海	124947	124947	123636	8	1304	10	913
宁　夏	60409	58876	54159	90	4627	1484	3170
新　疆	219609	218596	203494	608	14493	449	9249

单位:万元

管理费用	财务费用	营业利润	利润总额	应交所得税	劳动、失业保险费	住房公积金和住房补贴
1496531	**60015**	**930411**	**1419244**	**221539**	**38571**	**31607**
1055915	-9934	616515	1101245	152737	12550	21463
6329	172	6980	6724	986	520	182
4444	722	6095	6182	1994	507	180
2806	560	-888	-554	3	4	
380	18	94	94		1	
3771	767	-985	-15	133	363	94
786	43	-26	-1	2	161	5
2724	292	-186	-178	7	252	18
137565	14423	121067	134652	16602	4985	3663
33963	7582	40058	25173	9232	2395	1270
46302	14463	19604	33343	8997	3961	895
11412	3627	35392	10016	3891	927	295
3970	-328	12472	16162	2057	203	160
2405	770	529	577	194	97	
29181	5085	16031	16046	5504	3372	1153
8870	537	-7476	-5235	375	143	133
7804	795	4948	4975	1023	523	194
1409	424	-737	-560	36	86	
91305	11909	50137	51416	12425	5046	972
2123	160	852	803	114	87	
11881	4733	3000	3514	1885	453	225
6642	507	1272	2634	852	369	208
2276	80	75	356	84	141	170
13887	-256	4178	11284	1640	799	177
30	89	1343	248	25	113	17
937	37	64	116	61	70	46
789	360	-27	-72	23	1	1
571	446	-615	-258		15	
1341	43	1558	1643	104	76	20
4716	1891	-914	-1088	555	353	71

3－5　续表15

汽车、摩托车及零配件批发

地　区	营业收入合　计	主营业务收　入	主营业务成　本	主营业务税金及附加	主营业务利　润	其他业务利　润	营业费用
全　国	**8119058**	**8066955**	**7623811**	**3557**	**433727**	**8468**	**266486**
北　京	4204071	4171498	3961960	96	209442	10125	128896
天　津	82420	82420	80042	43	1893	634	1186
河　北	298885	298885	282318	194	16374		11761
山　西	12435	12435	12235	4	197	45	121
内蒙古	38281	38281	37330	19	931	134	822
辽　宁	38967	38967	34356	191	4420	521	3985
吉　林							
黑龙江	4568	4568	4293	3	272	13	12
上　海	1104179	1104103	1049734	533	53105	5423	31531
江　苏	101480	101480	95219	150	6111	580	3445
浙　江	358744	354930	333346	665	20919	3907	9627
安　徽	140076	140075	133141	104	6825	112	3185
福　建							
江　西	21160	21157	20031	13	1113	3	317
山　东	146866	146043	135121	338	6560	974	6051
河　南	106440	106428	98285	152	7991	583	3957
湖　北	286670	286540	258453	41	27786	247	27214
湖　南	5445	5445	5094	9	343	－11	184
广　东	66759	66759	62351	124	4285	－290	2313
广　西	22506	22506	21962	41	502	216	581
海　南							
重　庆	834089	820615	765643	545	54030	－15363	25021
四　川							
贵　州							
云　南							
西　藏	13531	13285	11806	60	1419	156	112
陕　西	21648	21648	21328	14	307		181
甘　肃	82008	82008	80686	18	1305	116	1220
青　海							
宁　夏	4142	4142	3539	16	587	30	235
新　疆	123688	122737	115539	187	7012	313	4529

单位:万元

管理费用	财务费用	营业利润	利润总额	应交所得税	劳动、失业保险费	住房公积金和住房补贴
85839	**13904**	**83691**	**90882**	**31888**	**5295**	**1750**
25707	-4841	69805	71478	23805	948	1036
1556	-19	246	-138	115	34	16
774	447	3599	3610	1236	108	24
588	122	-589	-582			
132	18	92	92		1	
1250	79	-373	187	80	129	44
547	210	-483	-501			
20706	6656	366	6190	1145	1326	88
3067	178	0	15	5	217	49
8920	2943	3336	4291	1381	1010	15
1793	1106	858	2017	632	102	12
645	571	-417	-417	21	32	
2403	453	2651	2615	803	213	
3011	352	1254	-326	309	120	63
919	-440	601	493	206	238	103
116	220	-188				
1542	159	753	-350	154	126	17
324	8	-192	-193		39	
8362	3910	1771	2335	1431	263	196
30	89	1343	248	25	113	17
58	33	36	36	12		
768	359	-43	-45	16	1	1
317	24	41	93		16	4
2306	1268	-778	-266	513	261	68

3-5 续表16

家用电器批发

地 区	营业收入合 计	主营业务收 入	主营业务成 本	主营业务税金及附加	主营业务利 润	其他业务利 润	营业费用
全 国	**10781445**	**10728182**	**9518483**	**7664**	**1084226**	**62546**	**1022705**
北 京	3714497	3673783	3102133	2182	569468	38798	509532
天 津	200406	200398	189307	117	6147	388	8406
河 北	16046	16046	15209		837		291
山 西	61634	61634	58886	57	2691	130	2132
内蒙古							
辽 宁	7334	7334	7145	12	177	76	99
吉 林	71336	71296	66533	105	4659	-112	3745
黑龙江	72429	72241	67609	108	4525	-243	3401
上 海	235847	235847	218090	210	17547	393	15663
江 苏	2674445	2667336	2402388	1528	192158	10456	220565
浙 江	357293	356845	311649	471	44725	500	36309
安 徽	601184	600324	548051	901	14700	2049	13505
福 建	133985	133981	125661	167	8153	211	6591
江 西	68608	68515	64775	59	3681	149	3160
山 东	379214	379095	335445	439	43211	776	34756
河 南	138952	138952	132531	112	6308	7	4971
湖 北	245357	245247	235906	188	9153	180	7223
湖 南	153285	153175	128501	81	24593	307	24478
广 东	859231	857668	745731	542	106846	6048	100663
广 西	35441	35420	33374	36	2011	97	1461
海 南							
重 庆	345990	345990	340718	31	4743	44	4003
四 川	160828	160795	150768	90	9937	245	9564
贵 州	39396	39219	36851	28	2340	110	1958
云 南	29834	29762	28105	23	1635	140	1228
西 藏							
陕 西	46544	46544	51291	32	-4779	171	2402
甘 肃	15510	15510	14335	24	1151	111	1269
青 海	9198	9198	8600	4	594	10	510
宁 夏	56267	54734	50620	74	4040	1454	2935
新 疆	51357	51294	48273	46	2975	54	1887

单位:万元

管理费用	财务费用	营业利润	利润总额	应交所得税	劳动、失业保险费	住房公积金和住房补贴
268923	**15765**	**-33548**	**-45203**	**11671**	**10894**	**4902**
183843	8944	-94054	-70187	35	3354	2728
2541	173	309	440	4	480	73
526	11	9	9	1	33	
707	-13	-5	6	3		
100	-6	60	68	23		
786	43	-26	-1	2	161	5
888		-7	21	7	161	
5354	289	-3365	-3379	45	568	45
22628	3474	27525	12518	7010	1064	813
6607	1714	596	5426	612	922	171
6553	-155	33518	6425	2657	390	171
1700	60	15	54	91	142	
681	5	-15	-17	2	39	
10127	-1096	213	224	13	1891	721
1347	88	-90	-71	4		
2412	-76	-226	-189	5	172	12
1018	63	-658	-669	1	51	
13491	1836	2054	2168	849	1131	142
592	56	-1	16	1	9	
1303	290	226	177	91		
1687	5	-1075	173	51	107	
435	2	55	27	1	43	
604	-1	-56	17	10	77	
721	-1	-47	5	2		
21	2	13	-30	7		
127	3	-34	1		15	
1024	18	1517	1550	104	60	16
1102	36	4	15	42	25	4

3－5　续表17

计算机、软件及辅助设备批发

地　区	营业收入合　计	主营业务收　入	主营业务成　本	主 营 业 务税金及附加	主营业务利　润	其他业务利　润	营业费用
全　国	**2150397**	**2143740**	**2079949**	**3513**	**47073**	**6579**	**83798**
北　京	325522	322167	311251	226	10690	3191	7435
天　津							
河　北							
山　西	23651	23651	23121	5	478		48
内蒙古							
辽　宁	5509	5389	3383	2000	6	100	
吉　林							
黑龙江							
上　海	1255713	1254911	1155368	795	90987	796	63236
江　苏							
浙　江	21432	21300	18571	63	2666	38	655
安　徽	22456	22456	21877	10	569	7	403
福　建	7704	7704	7588	12	103	165	116
江　西	54678	54678	50848	81	1989		1761
山　东							
河　南							
湖　北							
湖　南							
广　东	250133	247884	237095	113	10676	2238	4133
广　西	33997	33997	29825	13	521	44	523
海　南							
重　庆							
四　川	139650	139650	134441	172	5037		3816
贵　州							
云　南							
西　藏							
陕　西	9954	9954	86581	23	－76650		1673
甘　肃							
青　海							
宁　夏							
新　疆							

单位：万元

管理费用	财务费用	营业利润	利润总额	应交所得税	劳动、失业保险费	住房公积金和住房补贴
40457	**4316**	**14529**	**18194**	**2158**	**2818**	**1850**
7798	2935	-4286	-3267	529	1030	390
341	127	10	10			
405	166	-464	-439		2	21
18869	476	17751	19504	1003	971	1191
1703	71	274	288	95	227	14
147	20	7	506	9	17	2
128		24	28	1	21	
870	179	940	1005	170	24	
8859	349	-419	-346	175	405	51
401	20	144	143	37	22	
778	-30	473	685	91	30	136
159	4	75	75	48	70	46

3－5 续表18

贸易经纪与代理

地区	营业收入合计	主营业务收入	主营业务成本	主营业务税金及附加	主营业务利润	其他业务利润	营业费用
全国	**5733613**	**5691225**	**5518859**	**3917**	**168255**	**37094**	**48418**
北京	776345	746972	717482	325	29165	26728	21971
天津							
河北							
山西							
内蒙古	11060	10811	8335	61	2415	249	548
辽宁							
吉林							
黑龙江							
上海	211015	211015	202618		8397	201	3410
江苏							
浙江							
安徽							
福建	206922	206922	195941	1355	9626	995	4243
江西							
山东							
河南							
湖北	3679053	3675655	3584717	1908	89030	2422	
湖南	8487	8487	8186	1	299		148
广东	839701	830332	800885	239	29208	6500	17901
广西							
海南							
重庆							
四川							
贵州							
云南	1031	1031	694	27	115		195
西藏							
陕西							
甘肃							
青海							
宁夏							
新疆							

单位:万元

管理费用	财务费用	营业利润	利润总额	应 交 所得税	劳动、失业 保 险 费	住房公积金 和住房补贴
72502	**4104**	**82305**	**106626**	**30982**	**4374**	**1786**
28203	-3672	9602	32871	13145	2335	1028
1149	180	787	1320	263	54	29
4542	114	532	846	117	371	66
4900	878	600	1729			
22559	2508	66384	65372	16056	1084	404
160	11	-19	-19			
10908	4034	4438	4528	1401	531	260
83	52	-20	-21			

3－5　续表19

其他批发

地　区	营业收入合　计	主营业务收　入	主营业务成　本	主营业务税金及附加	主营业务利　润	其他业务利　润	营业费用
全　国	**6534113**	**6509429**	**5920347**	**24045**	**561347**	**26126**	**277687**
北　京	2614405	2610259	2370543	1128	238589	2975	106104
天　津	21246	21246	18903	54	2290	201	607
河　北	12959	12959	12976	8	－25		90
山　西	29632	29578	26144	92	3342	41	1222
内蒙古							
辽　宁	6328	6328	5652		676		161
吉　林							
黑龙江	15768	15768	15330	80	347	34	80
上　海	2234575	2221230	1978461	1340	239104	17904	130996
江　苏	25764	25764	24199	41	1056	39	592
浙　江	3832	3832	3472	14	346	358	258
安　徽	39339	39339	38746		593		52
福　建	576639	576639	557808	91	18740	739	11974
江　西							
山　东	408188	408188	378896	20729	8564		880
河　南	13584	13584	13532	6	47	21	42
湖　北	6742	6742	5847	13	882		551
湖　南	97607	97456	85345	136	11975	137	4075
广　东	34467	34467	32117	5	2345	2788	1269
广　西	52716	52447	51678	24	－138	247	
海　南							
重　庆	159030	159030	155542	12	3477	26	2713
四　川	17946	17946	17050	23	874	180	551
贵　州	21642	14921	14223	30	668	393	8
云　南	138075	138075	112250	222	25603	44	14359
西　藏							
陕　西							
甘　肃							
青　海							
宁　夏							
新　疆	3630	3630	1635		1995		1106

单位:万元

管理费用	财务费用	营业利润	利润总额	应交所得税	劳动、失业保险费	住房公积金和住房补贴
178221	**18353**	**117660**	**171128**	**25117**	**9788**	**6723**
91561	15850	28049	70099	11586	4022	1392
1634	117	133	245	89	90	112
185	31	-330	-122		5	
2346	202	960	900	298	174	12
459	-23	79	79	26		
517	160	-297	-299		9	13
63365	-3179	68337	61818	11224	4837	4869
1162	19	-209	117	11	115	10
369	23	55	55	20	42	18
307	343	-109	-154		28	18
4793	2682	29	16066	1125	91	61
1107	749	5828	5828	5	67	
239	2	-215	-215		1	1
164	-35	203	203	2	22	10
4499	337	3213	3105	151	90	131
1802	511	1580	1688	336	126	25
647	146	-684	446	55	7	31
481	280	29	23	52	35	2
274	98	131	52	42	3	
818	-4	239	268	72		14
390	-3	10902	10977	24		
1104	48	-263	-50		25	6

3－6 大中型批发企业分行业工资、福利及增值税

单位：万元

地区	批发业合计			农畜产品批发		
	本年应付工资总额	本年应付福利费总额	本年应交增值税	本年应付工资总额	本年应付福利费总额	本年应交增值税
全国	**3488797**	**473586**	**4212609**	**71078**	**8722**	**201804**
北京	607516	57505	779874	17152	1291	194085
天津	47633	6712	64781			
河北	88181	10797	102002	1250	186	180
山西	63487	9588	99590	684	96	
内蒙古	46669	12854	46992	2607	369	20
辽宁	90060	14476	75064	961	151	
吉林	39301	5547	30166	2353	333	93
黑龙江	65838	12544	145337	2837	324	－72
上海	346733	53302	376046	217	138	
江苏	176852	27018	304431	524	181	232
浙江	188846	28911	180693	2027	272	0
安徽	77850	11269	208428	2327	339	461
福建	89022	11158	82560			
江西	57843	7590	73139	633	86	
山东	149366	26712	188973	1463	230	601
河南	112877	16059	127476	4767	416	63
湖北	99971	12796	126496	2933	273	1029
湖南	76067	11015	110101	741	140	
广东	380216	47357	379129	585	217	143
广西	55467	7165	110011	611	69	77
海南	9711	1538	12128			
重庆	110351	14128	62801	210	31	
四川	145077	18271	141612	984	133	1116
贵州	89271	11765	64368	91	15	
云南	138771	19282	127481	14449	1981	2182
西藏	2756	221	676			
陕西	56700	7068	101905	168	23	
甘肃	19978	2640	23933	292	41	14
青海	8503	1285	4723			
宁夏	4123	894	6315			
新疆	43762	6116	55376	10212	1387	1580

3－6 续表1

单位:万元

地区	食品、饮料及烟草制品批发			米、面制品及食用油批发		
	本年应付工资总额	本年应付福利费总额	本年应交增值税	本年应付工资总额	本年应付福利费总额	本年应交增值税
全　国	**1297564**	**190880**	**1545392**	**25324**	**2707**	**1445**
北　京	29636	3452	22841	1950	254	214
天　津	13655	1659	17971			
河　北	40613	6048	53068	117	16	
山　西	23406	3611	42557			
内蒙古	23333	9795	34079	122	30	
辽　宁	42429	7359	52029	1792	228	－995
吉　林	24995	3566	23916	329	30	
黑龙江	26260	5554	26341	149	21	414
上　海	57748	8161	56330	2239	76	756
江　苏	38011	6439	158277	159	22	
浙　江	69386	11120	63743	3269	448	659
安　徽	37403	5628	72975	316	32	
福　建	47049	6474	62262	1246	118	
江　西	33694	4526	48393	349	33	16
山　东	92758	15405	114948	415	82	
河　南	70680	10265	45667	1576	219	
湖　北	54751	7341	77094	204	31	18
湖　南	59621	8743	85472	3241	211	52
广　东	108056	13379	108317	5236	421	597
广　西	33087	3974	33921	142	43	－397
海　南	7200	1179	4924			
重　庆	57400	6791	44032	504	97	48
四　川	76522	9118	76507	602	138	15
贵　州	81934	10759	55586	35		
云　南	97417	13819	107835	606	85	6
西　藏						
陕　西	27898	3468	27612	55	8	42
甘　肃	11633	1468	15969			
青　海	549	70	909			
宁　夏	2134	623	5019	126	17	
新　疆	8310	1089	6798	547	48	

3-6 续表2

单位:万元

地区	烟草制品批发			纺织、服装及日用品批发		
	本年应付工资总额	本年应付福利费总额	本年应交增值税	本年应付工资总额	本年应付福利费总额	本年应交增值税
全国	**1074070**	**156491**	**1399662**	**246960**	**34474**	**210317**
北京	9607	1575	14292	15719	1614	23198
天津	12012	1268	17027	6164	1607	9957
河北	38571	5734	51112	16149	908	356
山西	22814	3514	42445			
内蒙古	14263	2021	24334	417	59	-461
辽宁	32368	5996	52244	3057	386	95
吉林	24318	3487	23603			
黑龙江	25531	5455	25340	920	102	4258
上海	36348	5084	31818	82072	10582	90564
江苏	25100	4998	150050	43629	9730	21406
浙江	47831	7899	61669	28331	3927	3959
安徽	34962	5507	68793	3555	370	129
福建	37353	5032	58803	3299	394	244
江西	28758	3872	39931			
山东	71564	12091	93397	6396	699	1552
河南	63614	9300	41615	328	21	144
湖北	53379	7195	76234	160	7	99
湖南	51856	8007	78398	285	40	94
广东	57852	8395	87521	34267	3574	33361
广西	32219	3803	33760	208	29	35
海南	7200	1179	4924			
重庆	51237	5830	40146	378	46	156
四川	68945	8321	63671	750	104	538
贵州	80236	10558	54628			
云南	96811	13734	107829			
西藏						
陕西	27843	3460	27570	475	37	20522
甘肃	11633	1468	15969	288	40	42
青海	549	70	909	115	200	72
宁夏	1857	599	5088			
新疆	7441	1042	6543			

3－6 续表3

单位:万元

地 区	服装批发			文化、体育用品及器材批发		
	本年应付工资总额	本年应付福利费总额	本年应交增值税	本年应付工资总额	本年应付福利费总额	本年应交增值税
全 国	**87392**	**10398**	**48903**	**71418**	**12820**	**64592**
北 京	11753	1195	21467	7891	1083	7062
天 津	4809	1225	130	684	175	333
河 北	1070	645	220	2205	325	
山 西				776	35	－534
内蒙古						
辽 宁	831	81		298	148	86
吉 林				879	59	145
黑龙江				579	81	374
上 海	17410	1294	4038	8179	1025	4648
江 苏	6286	629	5221	4519	623	25581
浙 江	18177	2723	－966	5664	773	3260
安 徽	1680	113		908	70	143
福 建	1850	258	197	1147	163	1
江 西						
山 东	5820	522	8	4528	3811	2221
河 南				1853	261	2059
湖 北				2304	305	2511
湖 南				4265	613	2595
广 东	17532	1690	18588	5965	761	3326
广 西				2075	298	1764
海 南						
重 庆				9341	1305	4677
四 川						
贵 州				1295	181	676
云 南				2752	233	1077
西 藏						
陕 西				1357	201	950
甘 肃	174	24				
青 海						
宁 夏				318	51	127
新 疆				1639	240	1510

3-6 续表4

单位:万元

地区	医药及医疗器材批发			矿产品、建材及化工产品批发		
	本年应付工资总额	本年应付福利费总额	本年应交增值税	本年应付工资总额	本年应付福利费总额	本年应交增值税
全国	**212596**	**25507**	**182521**	**756840**	**104251**	**1241858**
北京	22555	3150	15886	57533	8717	45965
天津	7228	528	5440	12981	2221	27415
河北	5842	740	30592	17104	1706	15713
山西	334	42	36	36572	5586	55994
内蒙古	327	25	40	19220	2498	12043
辽宁	644	69	551	40341	6038	21322
吉林	3144	477	2033	6941	921	2871
黑龙江	1144	186	579	32683	6095	84048
上海	35923	3983	32235	34941	3316	107603
江苏	11607	1606	9491	50303	6226	63893
浙江	22814	3008	13532	40293	5493	76100
安徽	3729	535	2105	22043	3205	121389
福建	8242	1117	3194	18813	1648	13401
江西	9699	1293	10568	11450	1350	13669
山东	6934	1049	3339	18934	3155	55735
河南	1817	164	910	27249	3909	73589
湖北	3078	270	2308	22204	2860	22301
湖南	2478	288	2733	4267	767	17093
广东	39112	3844	29731	121163	16277	158998
广西	1020	137	847	15961	2296	72084
海南	314	46	188	2197	313	7016
重庆	9973	1230	6894	22167	3121	1096
四川	6050	641	4233	52631	7423	55243
贵州	1245	180	993	2843	417	6468
云南	3581	507	3067	6310	746	3844
西藏				2356	184	537
陕西	2527	254	505	22729	2966	51569
甘肃	404	26	83	6744	973	7622
青海				7556	1000	3740
宁夏	227	32	132	370	39	206
新疆	605	85	276	19944	2787	43292

3－6 续表5

单位:万元

地区	煤炭及制品批发			石油及制品批发		
	本年应付工资总额	本年应付福利费总额	本年应交增值税	本年应付工资总额	本年应付福利费总额	本年应交增值税
全国	**58589**	**8091**	**82341**	**480536**	**65934**	**922567**
北京	6745	945	6926	12720	1496	21516
天津				10734	1581	23001
河北				16251	1639	15577
山西	30405	4345	52793	5393	1084	2755
内蒙古	2628	248	2993	15729	2179	9194
辽宁	18	3	264	26798	4073	14506
吉林				6810	915	2840
黑龙江	454	64	92	30868	5976	81877
上海	4720	660	5445	17865	1049	6465
江苏	3048	421	1544	29501	4246	62687
浙江	230	25	149	26224	3682	65543
安徽	260	33	111	7935	1441	101926
福建				14917	1265	12798
江西				11450	1350	13669
山东	2035	302	390	10514	1889	48954
河南	518	15	560	25617	3786	72501
湖北				19451	2460	20289
湖南				3195	377	4847
广东	2576	363	5330	48413	6038	107367
广西	290	41	165	15235	2250	70627
海南				2025	284	7016
重庆	413	68	177	18170	2620	319
四川				48648	6842	53643
贵州	439	26	33	2168	366	6410
云南	701	65	－4	1978	177	3259
西藏				2356	184	537
陕西	2701	411	5002	19010	2422	38156
甘肃	409	57	370	5186	789	7100
青海				7556	1000	3740
宁夏				370	39	206
新疆				17451	2439	43242

3－6 续表6

单位:万元

地 区	金属及金属矿批发			建材批发		
	本年应付工资总额	本年应付福利费总额	本年应交增值税	本年应付工资总额	本年应付福利费总额	本年应交增值税
全 国	**139892**	**20102**	**78809**	**19655**	**1765**	**10596**
北 京	26946	3743	－4771	1432	134	655
天 津	1038	471	4048	168	24	66
河 北				682	51	136
山 西	144	21	110			
内蒙古				264	34	－171
辽 宁	12511	1657	5872			
吉 林	54		31			
黑龙江	408	28	2078			
上 海	5476	831	2274	1118	104	3
江 苏	5165	680	－5523	8138	293	4538
浙 江	12718	1654	7767	174	24	69
安 徽	1279	228	1867			
福 建	1475	210	373	1209	117	230
江 西						
山 东	2507	368	1129	861	120	609
河 南	476	71	303	68		3
湖 北	1800	249	741	297	42	97
湖 南	320	45	10829	381	307	1246
广 东	59382	8559	41146	2851	319	1487
广 西				163	4	1136
海 南						
重 庆	1388	321	560	355	35	124
四 川	3058	475	1360	685	71	127
贵 州	236	26	25			
云 南	1780	235	103	627	88	167
西 藏						
陕 西	1019	133	8411			
甘 肃	715	100	76	185		75
青 海						
宁 夏						
新 疆						

3－6　续表7

单位：万元

地　　区	化肥批发			机械设备、五金交电及电子产品批发		
	本年应付工资总额	本年应付福利费总额	本年应交增值税	本年应付工资总额	本年应付福利费总额	本年应交增值税
全　　国	**20139**	**3308**	**90660**	**714299**	**76462**	**707041**
北　　京	7534	2102	1111	432816	34646	470120
天　　津				5987	422	3516
河　　北	171	15		4953	870	2052
山　　西	317		3	993	135	644
内 蒙 古	600	38	27	485	69	44
辽　　宁	27	4	13	2112	296	980
吉　　林	77	7		989	191	1109
黑 龙 江	954	28		1277	179	29810
上　　海	404	54	88235	75162	14374	59298
江　　苏	361	50	23	27677	2132	25549
浙　　江				20097	4294	20053
安　　徽	1018	122	27	7347	1089	11226
福　　建	805			4282	573	2644
江　　西				2367	335	510
山　　东	2572	412	1183	14598	1941	8544
河　　南	350	5		6040	1023	4846
湖　　北	115	2		7639	835	3554
湖　　南				2990	264	1528
广　　东				61515	8211	38886
广　　西	272	2	155	2130	302	1103
海　　南	172	30				
重　　庆	1549	37	－215	10117	1502	5784
四　　川	16	4	48	7983	768	3892
贵　　州				1339	150	465
云　　南	83	22		6637	925	7040
西　　藏				400	37	140
陕　　西				1547	118	748
甘　　肃	249	27		618	94	203
青　　海				283	15	3
宁　　夏				1075	150	831
新　　疆	2493	348	51	2845	523	1919

3-6 续表8

单位:万元

地区	汽车、摩托车及零配件批发			家用电器批发		
	本年应付工资总额	本年应付福利费总额	本年应交增值税	本年应付工资总额	本年应付福利费总额	本年应交增值税
全　国	**45342**	**8188**	**55903**	**164718**	**12841**	**187014**
北　京	12276	2249	32974	89735	3822	105172
天　津	762	41	290	2307	290	1162
河　北	1506	384	1682	719	101	4
山　西	180	24	33	351	45	530
内蒙古	395	57	7			
辽　宁	614	86	193			124
吉　林				989	191	1109
黑龙江	95	13	3	795	111	29958
上　海	6556	2309	4019	1706	208	-209
江　苏	652	30	1434	20255	1378	14249
浙　江	3815	518	3360	4549	422	6451
安　徽	1320	191	717	3390	597	8539
福　建				2254	297	1100
江　西	263	37	13	1226	172	96
山　东	1433	192	1740	6654	784	2543
河　南	1029	157	1378	1462	347	1381
湖　北	1777	225	502	2779	294	1803
湖　南	1077	11	88	1581	128	879
广　东	1216	144	804	15091	2559	8675
广　西	203	29	145	791	111	239
海　南						
重　庆	8000	1195	4995	1454	202	324
四　川				2340	271	681
贵　州				783	53	437
云　南				471	60	225
西　藏	400	37	140			
陕　西	57	4	88	754	106	351
甘　肃	359	66	159	260	9	21
青　海				102	15	3
宁　夏	145	20	77	930	130	754
新　疆	1213	170	1063	991	139	415

3－6 续表9

单位:万元

地区	计算机、软件及辅助设备批发			贸易经纪与代理		
	本年应付工资总额	本年应付福利费总额	本年应交增值税	本年应付工资总额	本年应付福利费总额	本年应交增值税
全　国	**28455**	**2362**	**23373**	**29183**	**5869**	**26334**
北　京	5998	572	1340	10674	1583	1718
天　津						
河　北						
山　西	113	16	36			
内蒙古				280	39	1226
辽　宁	143	20				
吉　林						
黑龙江						
上　海	12585	1000	15557	1894	1661	233
江　苏						
浙　江	846	133	353			
安　徽	132	16	44			
福　建	108	15	38	1785	705	
江　西	815	117	372			
山　东						
河　南						
湖　北				6704	883	17600
湖　南				118	11	10
广　东	4243	357	4111	7728	984	5547
广　西	245	32	119			
海　南						
重　庆						
四　川	2493	75	1094			
贵　州						
云　南					4	
西　藏						
陕　西	735	9	309			
甘　肃						
青　海						
宁　夏						
新　疆						

3－6 续表10

单位:万元

地区	其他批发		
	本年应付工资总额	本年应付福利费总额	本年应交增值税
全国	**88859**	**14602**	**32750**
北京	13540	1971	－1000
天津	936	100	149
河北	66	14	41
山西	722	83	892
内蒙古			
辽宁	218	31	
吉林			
黑龙江	138	24	
上海	50598	10063	25135
江苏	583	82	3
浙江	234	24	45
安徽	538	33	
福建	4405	85	814
江西			
山东	3754	422	2033
河南	144	1	198
湖北	198	23	
湖南	1304	150	577
广东	1825	112	820
广西	375	61	181
海南			
重庆	766	103	162
四川	158	85	85
贵州	525	64	179
云南	7626	1068	2436
西藏			
陕西			
甘肃			
青海			
宁夏			
新疆	207	6	

3-7 大中型批发企业分行业经济效益分析指标

农畜产品批发

地 区	负债比率（%）	毛利率（%）	人均营业收入（万元）	流动资产周转次数（次）	费用率（%）
全 国	**68.2**	**5.8**	**132.9**	**0.7**	**7.3**
北 京	53.7	1.4	1607.6	0.6	4.0
天 津					
河 北	80.2	3.9	78.0	1.5	8.6
山 西	92.2	3.1	43.5	0.5	15.7
内蒙古	91.8	15.3	51.1	1.5	9.5
辽 宁	113.4	4.2	94.9	1.7	9.0
吉 林	97.6	9.2	66.6	1.7	13.4
黑龙江	83.2	5.5	64.5	0.6	12.7
上 海	43.1	3.5	160.3	5.8	4.2
江 苏	77.1	14.9	62.6	1.0	15.6
浙 江	84.3	-0.5	32.4	0.6	26.5
安 徽	82.3	15.8	55.6	0.7	17.6
福 建					
江 西	77.1	12.4	56.4	1.4	9.6
山 东	82.0	12.2	62.7	0.9	13.4
河 南	100.3	5.9	48.5	0.8	10.4
湖 北	88.7	6.0	98.4	1.1	7.2
湖 南	79.7	4.0	76.9	2.7	9.5
广 东	68.4	19.3	94.6	1.8	13.2
广 西	61.8	12.0	17.9	1.1	11.0
海 南					
重 庆	82.5	31.3	37.9	0.9	24.5
四 川	75.9	27.0	58.5	1.7	6.7
贵 州	114.3	3.4	35.3	0.4	9.4
云 南	89.9	10.5	297.4	0.3	7.2
西 藏					
陕 西	104.6	3.0	53.1	0.3	9.0
甘 肃	87.1	27.1	38.5	0.2	14.3
青 海					
宁 夏					
新 疆	75.1	6.9	118.2	0.8	7.1

注：费用率等于营业费用、管理费用、财务费用三项之和除以营业收入合计（下表同）。

3-7 续表1

食品、饮料及烟草制品批发

地　区	负债比率（%）	毛利率（%）	人均营业收入（万元）	流动资产周转次数（次）	费用率（%）
全　国	**34.3**	**20.0**	**149.0**	**3.4**	**8.9**
北　京	31.7	11.3	191.3	3.7	9.8
天　津	34.6	14.4	473.9	3.8	4.1
河　北	18.5	17.5	121.9	3.9	6.4
山　西	18.3	22.3	179.5	5.0	6.9
内蒙古	40.4	24.3	104.2	4.1	9.4
辽　宁	34.1	21.7	184.3	3.4	11.1
吉　林	20.6	19.1	157.2	4.1	7.7
黑龙江	35.6	22.3	137.4	4.6	8.7
上　海	43.4	16.7	145.5	3.7	11.3
江　苏	14.3	23.7	177.6	2.3	5.8
浙　江	55.8	14.1	379.1	4.7	4.7
安　徽	20.6	24.8	135.0	2.9	8.9
福　建	27.5	15.5	251.6	3.4	4.7
江　西	22.2	24.0	118.7	4.5	8.3
山　东	37.9	21.9	121.0	4.1	11.7
河　南	56.8	15.4	129.1	3.7	7.9
湖　北	28.2	25.0	107.5	2.8	13.4
湖　南	27.6	20.3	168.5	3.9	9.4
广　东	38.9	13.6	212.1	4.6	6.6
广　西	32.2	21.0	122.2	4.7	10.0
海　南	32.8	10.7	309.4	13.9	6.5
重　庆	45.6	24.4	98.1	3.3	13.9
四　川	35.6	24.8	147.3	3.0	9.3
贵　州	44.6	30.2	48.9	2.2	18.2
云　南	41.9	27.4	155.6	2.0	13.9
西　藏					
陕　西	30.5	21.8	110.9	4.4	8.9
甘　肃	24.1	21.3	130.7	3.2	11.5
青　海	31.3	7.0	204.2	9.9	4.1
宁　夏	33.6	20.7	128.3	2.8	7.3
新　疆	41.9	10.6	155.7	4.8	6.8

3－7 续表2

米、面制品及食用油批发

地 区	负债比率（%）	毛利率（%）	人均营业收入（万元）	流动资产周转次数（次）	费用率（%）
全 国	**62.7**	**6.7**	**102.0**	**1.2**	**11.1**
北 京	14.6	9.3	51.8	1.3	39.0
天 津					
河 北	73.9	－0.8	50.8	0.9	11.8
山 西					
内蒙古	83.8	10.7	129.0	1.4	16.0
辽 宁	86.8	3.7	89.8	1.0	10.2
吉 林	66.5	36.2	48.7	0.4	35.9
黑龙江	60.1	13.8	44.6	0.3	13.0
上 海	51.2	17.7	55.0	2.5	20.7
江 苏	89.7	1.9	38.1	0.5	10.4
浙 江	81.7	5.9	295.2	2.7	5.7
安 徽	97.6	－2.6	39.9	0.2	12.6
福 建	83.9	11.3	130.0	1.3	12.2
江 西	97.1	－2.2	27.2	0.6	19.3
山 东	93.9	18.0	90.3	0.5	17.2
河 南	78.1	3.9	187.9	0.9	6.6
湖 北	98.5	2.0	58.5	1.0	10.2
湖 南	45.3	9.8	101.7	1.1	10.2
广 东	63.8	4.8	128.2	1.3	13.5
广 西	82.4	4.3	32.5	0.3	7.2
海 南					
重 庆	111.8	4.8	88.4	2.3	6.5
四 川	69.0	4.5	37.2	1.1	11.7
贵 州	92.2	0.4	61.3	4.8	3.3
云 南	60.5	0.6	103.9	1.2	10.5
西 藏					
陕 西	60.8	35.8	34.6	0.8	45.7
甘 肃					
青 海					
宁 夏	97.1	9.3	65.9	0.5	13.6
新 疆	83.0	9.8	42.7	0.6	16.2

3－7 续表3

烟草制品批发

地 区	负债比率（%）	毛利率（%）	人均营业收入（万元）	流动资产周转次数（次）	费用率（%）
全 国	**25.7**	**21.5**	**165.8**	**3.5**	**8.1**
北 京	8.0	11.5	526.3	5.1	4.7
天 津	32.7	14.0	559.4	4.0	3.5
河 北	11.3	18.0	125.0	4.1	6.1
山 西	16.2	22.6	184.1	5.1	6.8
内蒙古	27.6	22.4	161.3	5.2	6.6
辽 宁	21.3	21.1	199.3	3.2	7.1
吉 林	17.7	18.9	165.5	4.5	7.3
黑龙江	31.8	22.3	147.3	5.2	8.6
上 海	20.6	14.7	176.9	4.4	6.2
江 苏	4.0	27.7	338.3	2.1	4.5
浙 江	52.8	15.8	616.7	5.5	4.0
安 徽	12.9	25.5	139.7	3.1	8.6
福 建	22.1	17.7	299.8	3.0	4.3
江 西	10.8	24.0	129.7	4.8	7.4
山 东	11.4	24.7	134.0	4.8	10.7
河 南	51.3	16.0	133.5	4.7	7.8
湖 北	26.1	26.0	107.7	2.8	13.7
湖 南	24.3	20.1	167.9	4.5	9.5
广 东	12.9	16.5	509.1	5.2	4.7
广 西	25.0	21.7	127.7	5.0	10.0
海 南	32.8	10.7	309.4	13.9	6.5
重 庆	39.2	25.5	110.5	3.4	13.6
四 川	31.4	25.6	163.4	3.0	8.6
贵 州	44.2	30.5	48.7	2.2	18.3
云 南	41.4	27.7	156.4	2.1	13.9
西 藏					
陕 西	29.9	21.8	112.0	4.5	8.8
甘 肃	24.1	21.3	130.7	3.2	11.5
青 海	31.3	7.0	204.2	9.9	4.1
宁 夏	9.8	22.2	153.5	3.6	6.9
新 疆	16.4	10.6	185.6	7.8	6.2

3－7　续表4

纺织、服装及日用品批发

地　区	负债比率（%）	毛利率（%）	人均营业收入（万元）	流动资产周转次数（次）	费用率（%）
全　国	**65.2**	**10.5**	**314.4**	**3.5**	**8.8**
北　京	80.4	25.0	208.1	2.5	21.4
天　津	76.3	7.5	303.4	5.6	8.4
河　北	71.6	6.3	220.5	4.3	7.4
山　西					
内蒙古	101.9	2.8	234.5	1.9	2.5
辽　宁	41.6	7.2	311.4	2.2	7.3
吉　林					
黑龙江	50.5	7.4	59.3	3.1	3.4
上　海	71.1	25.9	239.5	3.1	24.6
江　苏	70.3	6.9	343.9	3.1	5.5
浙　江	74.1	5.2	519.1	4.0	4.2
安　徽	73.8	6.7	461.6	4.1	5.5
福　建	63.3	2.8	1000.8	4.8	2.3
江　西					
山　东	43.4	15.8	181.9	4.5	9.1
河　南	43.6	11.4	25.2	4.2	10.6
湖　北	131.8	19.3	16.5	7.2	22.9
湖　南	68.1	3.2	83.9	5.1	3.3
广　东	61.4	8.9	336.8	3.6	6.1
广　西	79.5	5.3	36.0	4.4	7.1
海　南					
重　庆	80.7	6.6	68.0	5.4	5.6
四　川	64.7	12.9	94.4	1.1	6.7
贵　州					
云　南					
西　藏					
陕　西	176.9	7.7	96.5	2.7	10.7
甘　肃	66.6	5.2	72.0	4.1	4.2
青　海	54.5	13.3	156.4	1.4	9.4
宁　夏					
新　疆					

3－7　续表5

服装批发

地　区	负债比率（%）	毛利率（%）	人均营业收入（万元）	流动资产周转次数（次）	费用率（%）
全　国	**57.7**	**9.4**	**391.5**	**4.0**	**6.9**
北　京	77.6	32.5	353.5	2.3	26.3
天　津	75.2	8.3	495.3	5.5	7.6
河　北	68.6	6.6	252.6	4.6	7.6
山　西					
内蒙古					
辽　宁	75.9	9.7	108.0	3.9	9.7
吉　林					
黑龙江					
上　海	44.9	11.4	304.1	4.1	10.4
江　苏	63.7	8.7	232.9	2.0	8.2
浙　江	74.2	5.2	656.2	5.1	4.1
安　徽	78.8	7.7	538.1	3.2	6.3
福　建	61.6	2.7	1673.2	4.9	2.1
江　西					
山　东	42.4	16.1	191.4	4.6	9.1
河　南					
湖　北					
湖　南					
广　东	57.2	9.5	396.7	3.7	5.1
广　西					
海　南					
重　庆					
四　川					
贵　州					
云　南					
西　藏					
陕　西					
甘　肃	59.3	4.4	91.6	4.5	3.2
青　海					
宁　夏					
新　疆					

3－7 续表6

文化、体育用品及器材批发

地 区	负债比率（%）	毛利率（%）	人均营业收入（万元）	流动资产周转次数（次）	费用率（%）
全 国	**61.6**	**13.1**	**127.5**	**2.1**	**9.7**
北 京	61.8	19.3	80.6	1.8	15.6
天 津	75.4	14.9	72.1	6.2	13.9
河 北	51.7	8.5	206.3	2.7	7.1
山 西	50.2	5.4	191.5	2.2	9.1
内蒙古					
辽 宁	49.3	10.4	50.9	1.1	6.3
吉 林	57.1	15.8	112.1	1.3	12.0
黑龙江	70.0	10.7	120.5	1.6	9.5
上 海	49.9	18.7	44.0	1.4	18.4
江 苏	58.8	11.7	407.4	4.3	8.6
浙 江	53.3	6.5	531.7	2.8	5.4
安 徽	93.5	9.5	58.1	0.9	16.6
福 建	60.9	19.8	34.0	2.8	18.5
江 西					
山 东	87.7	10.5	161.4	1.6	8.9
河 南	62.8	9.6	175.6	2.0	6.5
湖 北	75.7	8.5	114.6	3.0	7.3
湖 南	68.2	13.7	154.0	1.7	11.3
广 东	65.5	11.8	108.1	1.7	9.5
广 西	69.6	29.0	120.2	2.2	9.7
海 南					
重 庆	57.3	32.3	57.7	2.1	15.4
四 川					
贵 州	71.4	10.1	170.6	2.3	10.5
云 南	73.5	34.0	37.2	0.9	19.1
西 藏					
陕 西	84.1	10.4	107.8	2.0	9.1
甘 肃					
青 海					
宁 夏	74.6	13.3	61.7	1.2	12.3
新 疆	60.9	13.7	110.7	2.0	11.9

3－7 续表7

医药及医疗器材批发

地区	负债比率（%）	毛利率（%）	人均营业收入（万元）	流动资产周转次数（次）	费用率（%）
全国	**78.5**	**7.0**	**167.3**	**2.7**	**6.3**
北京	69.8	8.4	270.2	2.5	6.8
天津	79.5	4.4	299.2	3.2	3.9
河北	98.9	5.2	156.9	2.4	6.0
山西	55.7	5.4	37.6	1.4	9.5
内蒙古	83.8	5.0	71.2	3.0	4.6
辽宁	87.7	3.7	131.2	1.8	4.5
吉林	86.2	12.1	61.9	1.8	11.9
黑龙江	76.4	10.6	49.7	1.8	8.5
上海	72.3	10.0	211.7	2.7	9.2
江苏	70.5	8.5	129.5	2.9	7.7
浙江	75.1	6.4	194.4	2.9	5.5
安徽	89.0	2.0	293.0	4.9	1.6
福建	74.7	6.0	114.8	3.0	5.6
江西	63.0	16.8	90.7	3.1	15.5
山东	95.8	3.8	164.0	2.5	3.8
河南	83.4	1.8	178.7	4.4	1.7
湖北	86.2	4.2	170.4	1.7	4.0
湖南	81.9	4.2	194.8	3.3	3.2
广东	75.0	10.1	183.2	2.4	8.6
广西	76.6	9.9	72.9	2.0	8.7
海南	39.5	11.8	48.9	1.4	9.3
重庆	83.5	5.4	99.0	2.1	5.6
四川	85.5	2.9	169.9	3.3	3.0
贵州	89.8	5.1	101.9	2.0	4.6
云南	82.6	5.5	119.1	3.0	5.0
西藏					
陕西	112.3	2.8	100.8	3.0	3.5
甘肃	88.5	2.7	100.1	4.2	2.9
青海					
宁夏	74.3	20.1	18.0	1.8	22.4
新疆	77.0	4.9	216.8	3.3	2.5

3－7　续表8

矿产品、建材及化工产品批发

地　区	负债比率（%）	毛利率（%）	人均营业收入（万元）	流动资产周转次数（次）	费用率（%）
全　国	**67.5**	**6.0**	**360.8**	**6.1**	**3.7**
北　京	66.4	3.1	1773.0	4.6	2.2
天　津	74.3	4.6	1682.9	13.3	1.5
河　北	83.4	6.7	123.6	20.3	4.3
山　西	70.4	12.2	164.8	2.7	7.7
内蒙古	81.0	10.3	121.0	2.9	7.3
辽　宁	72.6	4.2	531.4	4.6	2.5
吉　林	112.4	8.0	135.6	11.6	7.6
黑龙江	69.2	6.0	283.7	5.0	4.9
上　海	71.4	6.0	943.0	3.4	4.6
江　苏	68.5	6.8	280.7	7.7	4.2
浙　江	59.3	4.7	1114.9	10.5	2.4
安　徽	84.1	8.9	316.1	5.6	5.8
福　建	59.9	6.2	283.3	5.2	3.9
江　西	66.9	12.0	195.8	12.8	3.2
山　东	61.7	5.5	254.3	4.4	3.3
河　南	58.6	6.8	242.8	15.5	4.3
湖　北	61.2	7.6	218.2	8.6	4.4
湖　南	56.5	10.1	135.9	6.4	4.8
广　东	61.4	6.8	373.5	5.8	3.7
广　西	39.5	9.9	151.4	20.3	5.2
海　南	25.0	7.3	233.3	27.6	3.9
重　庆	64.5	8.5	155.8	4.4	6.7
四　川	67.3	8.0	157.9	9.2	5.7
贵　州	69.4	9.8	193.3	13.6	3.2
云　南	63.3	7.0	170.7	5.7	4.4
西　藏	36.5	24.1	111.3	6.2	9.9
陕　西	75.7	5.5	205.9	7.7	6.0
甘　肃	80.8	4.7	878.1	6.4	4.8
青　海	68.5	7.9	143.9	6.5	7.5
宁　夏	19.5	19.9	26.6	5.4	15.5
新　疆	94.5	8.1	166.0	2.6	7.4

3－7 续表9

煤炭及制品批发

地　区	负债比率（%）	毛利率（%）	人均营业收入（万元）	流动资产周转次数（次）	费用率（%）
全　国	**73.5**	**7.8**	**285.3**	**3.8**	**5.5**
北　京	42.8	1.6	5772.1	11.8	0.8
天　津					
河　北					
山　西	75.9	12.1	154.6	2.6	7.3
内蒙古	86.6	16.8	275.1	0.8	10.3
辽　宁	99.5	14.1	55.6	0.5	8.4
吉　林					
黑龙江	122.7	2.6	119.0	20.7	3.1
上　海	94.7	12.6	669.7	9.6	12.8
江　苏	91.0	8.3	134.6	1.9	9.8
浙　江	71.4	7.6	95.6	3.6	9.0
安　徽	53.2	0.7	56.9	1.7	4.3
福　建					
江　西					
山　东	79.3	4.8	80.5	2.6	8.5
河　南	84.3	6.0	150.9	4.7	2.6
湖　北					
湖　南					
广　东	69.4	8.4	102.2	2.9	9.9
广　西	111.0	3.9	50.2	4.9	7.8
海　南					
重　庆	64.1	4.2	198.0	5.8	4.2
四　川					
贵　州	20.9	32.2	91.8	4.5	17.4
云　南	70.9	1.9	175.3	6.0	1.7
西　藏					
陕　西	53.7	52.2	111.7	3.8	48.2
甘　肃	66.3	1.6	78.4	2.6	
青　海					
宁　夏					
新　疆					

3－7　续表10

石油及制品批发

地　区	负债比率（%）	毛利率（%）	人均营业收入（万元）	流动资产周转次数（次）	费用率（%）
全　国	**58.0**	**6.6**	**308.4**	**12.6**	**3.8**
北　京	55.6	3.3	1088.1	10.3	2.6
天　津	59.7	4.9	1807.1	25.7	1.6
河　北	83.5	6.6	124.4	21.5	4.2
山　西	50.6	14.0	210.9	3.5	9.6
内蒙古	69.5	8.2	103.5	16.7	6.3
辽　宁	35.8	8.5	178.1	18.8	5.1
吉　林	115.7	7.9	149.2	26.5	7.4
黑龙江	45.8	5.8	255.1	12.1	4.9
上　海	62.0	8.3	968.0	4.2	4.5
江　苏	53.4	6.8	263.3	26.4	3.5
浙　江	40.3	6.0	920.3	23.2	2.5
安　徽	79.1	9.5	213.6	9.9	4.8
福　建	31.0	9.3	173.1	15.5	5.1
江　西	66.9	12.0	195.8	12.8	3.2
山　东	52.0	6.2	341.9	6.3	3.4
河　南	57.8	6.7	256.7	16.6	4.3
湖　北	45.7	8.6	185.0	21.9	4.7
湖　南	33.5	12.2	141.7	11.8	3.3
广　东	59.4	5.5	533.1	8.2	3.2
广　西	38.6	9.9	155.4	21.0	5.1
海　南	22.1	7.3	242.9	39.4	3.8
重　庆	37.2	10.0	105.0	16.3	8.9
四　川	62.2	9.3	135.4	15.8	6.4
贵　州	70.0	9.4	206.2	16.4	2.8
云　南	27.9	7.2	294.5	67.6	3.7
西　藏	36.5	24.1	111.3	6.2	9.9
陕　西	94.0	2.9	142.3	21.3	5.5
甘　肃	79.7	4.7	1079.8	6.7	4.8
青　海	68.5	7.9	143.9	6.5	7.5
宁　夏	19.5	19.9	26.6	5.4	15.5
新　疆	115.2	8.6	134.8	12.3	7.5

3－7 续表11

金属及金属矿批发

地区	负债比率（%）	毛利率（%）	人均营业收入（万元）	流动资产周转次数（次）	费用率（%）
全国	**78.8**	**3.6**	**873.2**	**3.3**	**2.3**
北京	78.0	2.7	4764.9	3.2	1.8
天津	90.7	0.8	1078.5	2.1	0.5
河北					
山西	61.5	4.6	62.2	3.3	2.5
内蒙古					
辽宁	82.6	2.6	2730.9	3.5	1.4
吉林	43.3	13.8	80.4	8.2	16.2
黑龙江	80.6	11.4	205.5	1.4	11.5
上海	90.5	2.1	1480.0	2.9	1.9
江苏	88.1	6.3	749.3	3.0	5.2
浙江	76.9	2.5	1708.0	6.0	1.9
安徽	93.6	2.1	1306.5	4.3	1.9
福建	73.9	2.6	1491.6	3.6	2.1
江西					
山东	65.2	5.8	84.8	2.3	3.4
河南	86.7	7.1	91.6	4.2	8.1
湖北	71.3	2.2	1077.3	4.0	1.7
湖南	85.4	3.9	297.5	5.6	3.6
广东	61.4	18.4	120.0	2.1	7.9
广西					
海南					
重庆	89.2	3.5	306.1	2.5	3.5
四川	82.8	3.0	556.7	3.6	2.9
贵州	108.8	1.4	82.3	2.4	4.4
云南	89.8	11.8	93.4	0.9	11.3
西藏					
陕西	61.4	4.5	1360.6	3.9	2.0
甘肃	165.4	15.6	45.7	1.6	14.2
青海					
宁夏					
新疆					

3－7　续表12

建材批发

地　区	负债比率（%）	毛利率（%）	人均营业收入（万元）	流动资产周转次数（次）	费用率（%）
全　国	**76.7**	**6.6**	**196.3**	**2.1**	**6.9**
北　京	75.3	8.3	62.2	2.8	7.3
天　津	82.0	10.3	32.9	2.8	10.1
河　北	62.0	10.7	118.6	7.3	9.4
山　西					
内蒙古	79.2	12.4	122.8	1.2	11.7
辽　宁					
吉　林					
黑龙江					
上　海	80.9	3.4	140.1	1.3	5.6
江　苏	72.3	7.0	393.7	2.1	7.7
浙　江	54.5	4.2	288.5	2.7	3.2
安　徽					
福　建	53.1	11.5	131.2	1.9	9.6
江　西					
山　东	52.9	10.7	95.2	2.3	6.0
河　南	70.4	1.9	28.5	11.4	1.3
湖　北	97.4	11.2	51.8	0.3	16.6
湖　南	74.3	5.6	112.6	2.8	9.3
广　东	91.7	5.0	432.0	2.2	4.5
广　西	98.3	11.2	109.9	7.4	11.6
海　南					
重　庆	109.5	8.6	51.7	0.5	9.6
四　川	67.0	15.9	80.3	1.5	18.5
贵　州					
云　南	50.8	7.6	186.7	5.3	2.4
西　藏					
陕　西					
甘　肃	74.6	2.7	129.2	6.1	3.4
青　海					
宁　夏					
新　疆					

3-7 续表13

化肥批发

地　区	负债比率（%）	毛利率（%）	人均营业收入（万元）	流动资产周转次数（次）	费用率（%）
全　国	**78.3**	**5.5**	**429.0**	**1.9**	**4.4**
北　京	57.0	6.2	797.0	2.9	4.4
天　津					
河　北	91.9	5.6	43.9	1.9	6.6
山　西	97.0	4.7	401.2	1.2	5.0
内蒙古	91.7	15.7	120.3	1.9	11.5
辽　宁	96.4	2.4	30.5	3.0	2.1
吉　林	117.8	3.4	27.3	0.4	4.8
黑龙江	92.9	6.3	1589.4	1.1	4.5
上　海	82.5	2.7	390.7	2.2	4.9
江　苏	83.9	4.8	128.2	4.2	5.7
浙　江					
安　徽	86.3	3.2	480.7	2.2	2.6
福　建	73.0	4.6	401.2	2.6	3.8
江　西					
山　东	81.0	3.2	233.4	2.0	3.0
河　南	106.9	41.3	23.2	2.2	4.3
湖　北	86.8	0.9	130.0	0.7	5.3
湖　南					
广　东					
广　西	118.9	15.6	24.8	6.4	8.7
海　南	57.8	4.1	51.5	1.0	10.2
重　庆	84.9	5.5	1039.1	2.5	4.0
四　川	54.6	5.2	38.4	36.4	5.1
贵　州					
云　南	82.4	4.4	95.1	1.8	5.2
西　藏					
陕　西					
甘　肃	76.3	4.3	111.5	1.5	4.2
青　海					
宁　夏					
新　疆	83.9	7.0	335.9	1.0	7.4

3－7 续表 14

机械设备、五金交电及电子产品批发

地 区	负债比率（%）	毛利率（%）	人均营业收入（万元）	流动资产周转次数（次）	费用率（%）
全 国	**73.9**	**10.6**	**362.0**	**3.3**	**8.9**
北 京	66.9	16.4	647.6	3.1	13.9
天 津	83.8	7.7	165.3	2.7	6.2
河 北	74.4	7.2	271.7	5.5	5.7
山 西	80.0	3.8	134.1	3.7	4.8
内蒙古	64.3	2.7	175.2	3.9	2.9
辽 宁	91.9	10.9	77.3	1.9	11.0
吉 林	104.4	6.7	173.6	6.3	6.4
黑龙江	98.8	6.4	153.6	4.9	6.4
上 海	70.6	7.7	428.7	3.9	6.0
江 苏	93.3	9.4	427.0	3.8	8.6
浙 江	71.3	6.2	265.0	3.1	5.7
安 徽	83.5	6.3	237.4	3.7	3.5
福 建	82.5	8.7	140.3	1.7	4.5
江 西	53.5	5.5	103.5	2.7	5.2
山 东	88.1	6.5	226.0	2.5	5.8
河 南	79.0	5.0	130.0	2.1	6.9
湖 北	88.3	7.0	191.0	2.9	6.4
湖 南	98.7	13.6	132.5	4.5	14.1
广 东	83.6	7.0	404.8	4.3	4.8
广 西	82.7	5.8	107.5	4.1	4.2
海 南					
重 庆	89.3	5.3	212.6	2.5	3.8
四 川	91.7	5.0	155.7	5.2	4.9
贵 州	88.4	9.6	76.3	1.5	10.0
云 南	73.5	4.5	326.9	1.9	3.7
西 藏	64.5	11.1	84.6	2.5	1.7
陕 西	97.2	－103.7	126.7	2.9	6.7
甘 肃	97.3	2.8	138.9	4.3	3.9
青 海	76.7	1.0	265.3	16.6	1.5
宁 夏	79.6	8.0	136.4	3.0	7.5
新 疆	64.7	6.9	110.6	2.5	7.2

3－7 续表15

汽车、摩托车及零配件批发

地　区	负债比率（%）	毛利率（%）	人均营业收入（万元）	流动资产周转次数（次）	费用率（%）
全　国	**73.6**	**5.5**	**417.8**	**4.8**	**4.5**
北　京	76.4	5.0	2981.6	7.4	3.6
天　津	89.1	2.9	167.5	1.4	3.3
河　北	67.8	5.5	314.0	8.2	4.3
山　西	80.7	1.6	104.5	1.1	6.7
内蒙古	51.8	2.5	178.9	20.7	2.5
辽　宁	85.7	11.8	127.8	2.6	13.6
吉　林					
黑龙江	66.0	6.0	37.8	0.7	16.8
上　海	66.5	4.9	385.0	5.8	5.3
江　苏	87.4	6.2	322.2	2.8	6.6
浙　江	67.3	6.1	150.4	2.4	6.0
安　徽	77.4	5.0	161.8	2.3	4.3
福　建					
江　西	7.5	5.3	133.9	1.0	7.2
山　东	77.2	7.5	130.1	4.2	6.1
河　南	64.0	7.7	132.1	1.3	6.9
湖　北	79.1	9.8	514.7	4.8	9.7
湖　南	67.9	6.5	49.5	8.0	9.6
广　东	71.5	6.6	84.8	5.0	6.0
广　西	77.8	2.4	225.1	4.2	4.1
海　南					
重　庆	84.5	6.7	200.9	3.2	4.5
四　川					
贵　州					
云　南					
西　藏	64.5	11.1	84.6	2.5	1.7
陕　西	87.4	1.5	212.2	3.8	1.3
甘　肃	99.1	1.6	158.3	3.7	2.9
青　海					
宁　夏	73.3	14.6	40.2	2.0	13.9
新　疆	59.0	5.9	175.2	2.7	6.6

3－7　续表16

家用电器批发

地　区	负债比率（%）	毛利率（%）	人均营业收入（万元）	流动资产周转次数（次）	费用率（%）
全　国	**78.9**	**11.3**	**247.8**	**3.4**	**12.1**
北　京	62.9	15.6	568.2	3.0	18.9
天　津	97.0	5.5	174.0	5.3	5.5
河　北	77.8	5.2	106.3	3.6	5.2
山　西	99.2	4.5	158.0	3.7	4.6
内蒙古					
辽　宁	87.7	2.6	49.9	1.6	2.6
吉　林	104.4	6.7	173.6	6.3	6.4
黑龙江	99.8	6.4	161.0	5.3	5.9
上　海	97.2	7.5	248.5	2.2	9.0
江　苏	96.8	9.9	423.4	4.6	9.2
浙　江	86.5	12.7	127.3	3.5	12.5
安　徽	89.8	8.7	184.9	3.6	3.3
福　建	98.6	6.2	96.5	4.0	6.2
江　西	100.2	5.5	77.8	5.7	5.6
山　东	100.2	11.5	118.8	3.2	11.5
河　南	100.1	4.6	121.9	3.5	4.6
湖　北	100.4	3.8	103.2	2.5	3.9
湖　南	134.5	16.1	137.4	7.2	16.7
广　东	94.8	13.1	165.4	3.2	13.5
广　西	97.7	5.8	62.3	4.0	6.0
海　南					
重　庆	98.8	1.5	300.3	1.7	1.6
四　川	102.6	6.2	127.0	6.6	7.0
贵　州	97.9	6.0	73.8	6.5	6.1
云　南	97.8	5.6	98.1	5.6	6.1
西　藏					
陕　西	98.7	－10.2	127.5	4.6	6.7
甘　肃	63.4	7.6	136.0	25.9	8.3
青　海	72.5	6.5	54.1	5.8	6.9
宁　夏	81.7	7.5	165.5	3.2	7.1
新　疆	98.9	5.9	61.0	4.9	5.9

3－7 续表17

计算机、软件及辅助设备批发

地区	负债比率（%）	毛利率（%）	人均营业收入（万元）	流动资产周转次数（次）	费用率（%）
全国	**77.1**	**3.0**	**284.9**	**3.9**	**6.0**
北京	82.8	3.4	325.2	2.6	5.6
天津					
河北					
山西	69.8	2.2	219.0	5.5	2.2
内蒙古					
辽宁	111.9	37.2	49.6	0.7	10.4
吉林					
黑龙江					
上海	68.0	7.9	417.9	4.9	6.6
江苏					
浙江	64.8	12.8	58.2	4.2	11.3
安徽	47.7	2.6	163.9	3.9	2.5
福建	80.7	1.5	76.3	4.4	3.2
江西	78.9	7.0	132.1	2.2	5.1
山东					
河南					
湖北					
湖南					
广东	87.9	4.4	166.4	2.8	5.3
广西	77.1	12.3	142.8	7.5	2.8
海南					
重庆					
四川	101.8	3.7	339.8	12.0	3.3
贵州					
云南					
西藏					
陕西	101.6	－769.8	66.4	0.9	18.4
甘肃					
青海					
宁夏					
新疆					

3－7 续表18

贸易经纪与代理

地区	负债比率（%）	毛利率（%）	人均营业收入（万元）	流动资产周转次数（次）	费用率（%）
全国	**65.8**	**3.0**	**899.1**	**2.7**	**2.2**
北京	57.1	3.9	521.0	0.9	6.0
天津					
河北					
山西					
内蒙古	47.5	22.9	89.9	0.9	17.0
辽宁					
吉林					
黑龙江					
上海	68.4	4.0	963.5	5.9	3.8
江苏					
浙江					
安徽					
福建	55.2	5.3	270.5	1.0	4.8
江西					
山东					
河南					
湖北	75.6	2.5	2648.7	4.7	0.7
湖南	120.7	3.5	63.3	12.4	3.7
广东	88.6	3.5	394.8	3.6	3.9
广西					
海南					
重庆					
四川					
贵州					
云南	74.9	32.7	7.9	0.4	32.0
西藏					
陕西					
甘肃					
青海					
宁夏					
新疆					

3－7 续表19

其他批发

地　区	负债比率（%）	毛利率（%）	人均营业收入（万元）	流动资产周转次数（次）	费用率（%）
全　国	**72.1**	**9.0**	**322.7**	**2.3**	**7.3**
北　京	70.4	9.2	1634.0	1.8	8.2
天　津	60.0	11.0	93.6	3.4	11.1
河　北	108.7	-0.1	78.5	4.5	2.4
山　西	72.6	11.6	78.0	3.7	12.7
内蒙古					
辽　宁	93.8	10.7	37.2	0.6	9.4
吉　林					
黑龙江	100.1	2.8	140.8	2.1	4.8
上　海	76.0	10.9	384.7	3.3	8.6
江　苏	89.9	6.1	90.4	2.9	6.9
浙　江	64.7	9.4	29.5	3.5	17.0
安　徽	75.6	1.5	60.8	6.2	1.8
福　建	67.7	3.3	1554.3	1.8	3.4
江　西					
山　东	57.0	7.2	115.3	3.6	0.7
河　南	151.3	0.4	67.9	117.5	2.1
湖　北	41.6	13.3	67.4	5.4	10.1
湖　南	109.9	12.4	160.3	1.5	9.1
广　东	84.6	6.8	59.1	1.0	10.4
广　西	55.1	1.5	116.1	24.6	1.5
海　南					
重　庆	96.2	2.2	480.5	6.2	2.2
四　川	88.3	5.0	128.2	2.8	5.1
贵　州	70.1	4.7	174.5	11.1	3.8
云　南	43.9	18.7	33.5	4.7	10.7
西　藏					
陕　西					
甘　肃					
青　海					
宁　夏					
新　疆	106.6	55.0	24.0	2.7	62.2

3－8　大中型零售企业分行业基本情况

地　区	零售业合计		综合零售		百货零售	
	法人企业（个）	年末从业人数（人）	法人企业（个）	年末从业人数（人）	法人企业（个）	年末从业人数（人）
全　国	**4108**	**1726162**	**2260**	**1194848**	**1035**	**530139**
北　京	246	128640	107	75197	51	31462
天　津	71	33453	41	21621	20	8823
河　北	167	67171	112	52143	62	34769
山　西	120	42284	57	26012	28	12964
内蒙古	65	23609	29	11230	17	7898
辽　宁	170	81126	91	56059	49	39382
吉　林	68	25930	39	17316	18	11509
黑龙江	91	38866	53	30165	41	24974
上　海	202	231714	87	185805	29	13218
江　苏	362	139231	234	103490	89	47737
浙　江	233	71404	129	49582	47	18656
安　徽	129	42471	93	33774	39	15389
福　建	118	29001	70	16245	16	2844
江　西	67	25208	44	17223	15	6859
山　东	449	156909	246	112322	150	72629
河　南	342	89340	165	55118	76	21853
湖　北	167	65803	95	47188	32	25549
湖　南	156	67979	96	52870	24	11822
广　东	340	151725	160	87313	71	33528
广　西	65	20218	35	14142	19	8789
海　南	9	2000	5	1100	5	1100
重　庆	56	37572	32	29888	20	25174
四　川	112	46920	60	27374	30	14109
贵　州	20	5643	11	2959	3	1452
云　南	65	24507	33	12060	13	4046
西　藏	4	417				
陕　西	92	42574	61	34083	28	18179
甘　肃	35	9842	25	8125	15	5994
青　海	17	3812	9	2669	5	1337
宁　夏	20	6151	13	4416	10	3946
新　疆	50	14642	28	7359	13	4148

3－8　续表1

地　区	超级市场零售		食品、饮料及烟草制品专门零售		纺织、服装及日用品专门零售	
	法人企业（个）	年末从业人数（人）	法人企业（个）	年末从业人数（人）	法人企业（个）	年末从业人数（人）
全　国	**1102**	**603132**	**178**	**48565**	**252**	**65080**
北　京	49	40615	14	7561	37	7766
天　津	19	12467	7	1119	6	2999
河　北	49	17174	2	836	4	1249
山　西	27	12602	10	3203	9	2603
内蒙古	12	3332	1	200	6	1127
辽　宁	40	15193	4	865	15	2826
吉　林	20	5683	2	311	3	735
黑龙江	12	5191	1	367	2	323
上　海	43	137178	15	3972	30	8711
江　苏	136	53892	13	3189	14	3254
浙　江	73	29005	14	3769	13	2944
安　徽	53	18189	1	206	5	1019
福　建	48	11602	6	2357	4	687
江　西	29	10364			2	616
山　东	82	37241	25	6848	26	7461
河　南	67	29939	20	4407	15	3675
湖　北	58	20535	4	701	9	2251
湖　南	67	39421	6	736	4	1028
广　东	84	51493	9	2441	22	6775
广　西	11	4379	3	872	1	243
海　南			1	352	1	130
重　庆	11	4610	5	645	4	790
四　川	27	12624	4	914	8	2331
贵　州	7	1310	1	60	3	1774
云　南	19	7894	5	1835		
西　藏						
陕　西	28	14109	1	120	4	805
甘　肃	9	2077	2	340	1	143
青　海	4	1332				
宁　夏	3	470	2	339		
新　疆	15	3211			4	815

3－8　续表2

地区	服装零售		文化、体育用品及器材专门零售		体育用品零售	
	法人企业（个）	年末从业人数（人）	法人企业（个）	年末从业人数（人）	法人企业（个）	年末从业人数（人）
全　国	**164**	**43498**	**265**	**60060**	**13**	**5104**
北　京	24	5286	21	5841	2	934
天　津	3	467	3	852		
河　北	2	673	8	1570		
山　西	7	2009	10	1631		
内蒙古	5	1025	3	498		
辽　宁	11	2270	12	2628	1	120
吉　林	3	735	3	479		
黑龙江	1	120	8	1775	2	322
上　海	15	4257	12	2295	3	1119
江　苏	12	2970	19	3299	1	135
浙　江	9	2257	12	1761		
安　徽	3	778	5	1372		
福　建	1	138	5	812		
江　西	2	616	4	793		
山　东	21	5276	23	3377		
河　南	9	2259	42	6088		
湖　北	5	1518	8	2648		
湖　南	3	828	9	1724	1	500
广　东	11	4705	28	8495	3	1974
广　西	1	243	4	773		
海　南	1	130	1	148		
重　庆	3	632	2	173		
四　川	4	1405	3	5935		
贵　州	3	1774	1	175		
云　南			5	1629		
西　藏						
陕　西	1	312	4	1336		
甘　肃			2	302		
青　海			1	162		
宁　夏			1	289		
新　疆	4	815	6	1200		

3－8　续表3

地　区	图书零售		医药及医疗器材专门零售		药品零售	
	法人企业（个）	年末从业人数（人）	法人企业（个）	年末从业人数（人）	法人企业（个）	年末从业人数（人）
全　国	**208**	**46573**	**460**	**116859**	**444**	**112530**
北　京	6	2332	18	5837	14	4646
天　津	2	379	4	672	4	672
河　北	8	1570	16	3534	16	3534
山　西	8	1254	6	1646	6	1646
内蒙古	3	498	6	1012	6	1012
辽　宁	10	2285	24	10490	24	10490
吉　林	3	479	5	1601	5	1601
黑龙江	6	1453	11	2643	11	2643
上　海	3	510	19	5891	18	5526
江　苏	15	2442	43	9994	42	9820
浙　江	11	1684	35	6613	35	6613
安　徽	5	1372	9	1518	8	1274
福　建	4	652	9	1934	9	1934
江　西	3	691	8	4323	8	4323
山　东	19	2969	53	10342	52	10165
河　南	40	5715	60	13150	57	12495
湖　北	6	2231	19	3806	19	3806
湖　南	8	1224	21	5612	21	5612
广　东	20	5080	35	11121	30	9598
广　西	4	773	12	1989	12	1989
海　南	1	148				
重　庆	2	173	4	1408	4	1408
四　川	2	5788	10	1506	10	1506
贵　州	1	175	3	586	3	586
云　南	4	1407	9	5436	9	5436
西　藏			1	123	1	123
陕　西	4	1336	7	1498	7	1498
甘　肃	2	302	3	510	3	510
青　海	1	162	3	462	3	462
宁　夏	1	289	2	616	2	616
新　疆	6	1200	5	986	5	986

3－8 续表4

地区	汽车、摩托车、燃料及零配件专门零售		汽车零售		机动车燃料零售	
	法人企业（个）	年末从业人数（人）	法人企业（个）	年末从业人数（人）	法人企业（个）	年末从业人数（人）
全国	**221**	**90143**	**119**	**25414**	**87**	**61586**
北京	10	10333	9	1476	1	8857
天津	1	2173			1	2173
河北	9	4793	5	2398	3	2085
山西	15	4881	8	1379	6	3150
内蒙古	12	6134	5	1186	7	4948
辽宁	10	5368	2	144	7	5145
吉林	12	5036	4	589	8	4447
黑龙江	4	760	3	282	1	478
上海	16	9823	11	2946	1	6487
江苏	8	1480	7	1369		
浙江	4	984	2	189	1	764
安徽	2	2295	2	2295		
福建	10	3446	2	201	8	3245
江西	3	408	3	408		
山东	18	3907	13	2206	4	1591
河南	10	2510	5	362	5	2148
湖北	9	2933	4	1451	4	1362
湖南	9	3477	4	612	4	2043
广东	28	10631	16	3795	10	6294
广西	3	1020	1	231	1	513
海南						
重庆	1	259			1	259
四川	10	2730	5	557	5	2173
贵州						
云南	7	1236	5	1001	2	235
西藏	3	294	1	86	2	208
陕西	2	410	1	128	1	282
甘肃						
青海						
宁夏						
新疆	5	2822	1	123	4	2699

3－8 续表5

地 区	家用电器及电子产品专门零售		家用电器零售		计算机、软件及辅助设备零售	
	法人企业（个）	年末从业人数（人）	法人企业（个）	年末从业人数（人）	法人企业（个）	年末从业人数（人）
全 国	**303**	**111319**	**204**	**89580**	**38**	**7947**
北 京	20	13426	6	9008	7	1399
天 津	4	2348	2	2031		
河 北	14	2672	11	2012		
山 西	8	1615	7	1421	1	194
内蒙古	5	733	4	621		
辽 宁	8	1913	7	1783	1	130
吉 林	3	374	2	244	1	130
黑龙江	8	2215	8	2215		
上 海	10	11352	4	9227	3	1103
江 苏	15	12068	8	10106	4	1456
浙 江	24	5562	12	3784	3	425
安 徽	10	1852	9	1722		
福 建	7	1987	6	1882		
江 西	4	1009	3	853	1	156
山 东	38	8228	31	7132	2	268
河 南	20	2495	13	1882	1	130
湖 北	17	5192	14	4676	2	378
湖 南	8	1877	3	1048	4	669
广 东	38	17548	23	14375	5	1004
广 西	6	954	3	439	2	395
海 南	1	270				
重 庆	4	3577	4	3577		
四 川	13	5210	11	4376		
贵 州	1	89				
云 南	5	2153	3	1414		
西 藏						
陕 西	6	3204	5	2466		
甘 肃	1	266	1	266		
青 海	3	404	2	294	1	110
宁 夏	1	106	1	106		
新 疆	1	620	1	620		

3－8 续表6

地 区	通讯设备零售		五金、家具及室内装修材料专门零售		无店铺及其他零售		邮购及电子销售	
	法人企业（个）	年末从业人数（人）	法人企业（个）	年末从业人数（人）	法人企业（个）	年末从业人数（人）	法人企业（个）	年末从业人数（人）
全 国	**55**	**12758**	**107**	**25471**	**62**	**13817**	**3**	**985**
北 京	6	2853	13	1890	6	789	1	188
天 津	2	317	2	1280	3	389		
河 北	3	660	1	211	1	163		
山 西			3	483	2	210		
内 蒙 古	1	112	2	2433	1	242		
辽 宁			6	977				
吉 林			1	78				
黑 龙 江			3	492	1	126		
上 海	3	1022	6	2259	7	1606	1	733
江 苏	3	506	10	1660	6	797	1	64
浙 江	8	1011	1	151	1	38		
安 徽	1	130	3	330	1	105		
福 建	1	105	4	631	3	902		
江 西			2	836				
山 东	5	828	15	3685	5	739		
河 南	6	483	5	743	5	1154		
湖 北	1	138	5	826	1	258		
湖 南	1	160	2	364	1	291		
广 东	7	1913	8	2846	12	4555		
广 西	1	120			1	225		
海 南								
重 庆			4	832				
四 川	2	834	3	633	1	287		
贵 州	1	89						
云 南	2	739	1	158				
西 藏								
陕 西	1	738	5	677	2	441		
甘 肃			1	156				
青 海					1	115		
宁 夏					1	385		
新 疆			1	840				

3-9 大中型零售企业分行业商品购、销、存总额

综合零售 单位:万元

地区	购进总额	进口	销售总额	批发	出口	零售	年末库存总额
全国	**51185731**	**108111**	**62234107**	**8649008**	**118516**	**53585099**	**5317125**
北京	4977224	15826	5856833	733906		5122927	381356
天津	1297420	203	1474570	181906		1292664	86703
河北	1503861		2033208	59208		1974000	241817
山西	401280	2400	567406	20218		547188	51688
内蒙古	161818	5914	346628	8529		338100	44841
辽宁	2287164	4752	2931858	340513	12701	2591345	540268
吉林	756528		1245777	8204		1237573	58004
黑龙江	829967		1206012	15328		1190683	87104
上海	8052947	266	11108241	3330612		7777629	842704
江苏	4588058	5835	5390293	380863	50455	5009430	443340
浙江	2612274	158	2891717	236415	19440	2655303	254156
安徽	1424639	21576	1662446	284475		1377971	147627
福建	370927	2879	460844	4561	1176	456283	38651
江西	555529		647536	90760		556776	39855
山东	5280206		6129893	980038	5850	5149855	501267
河南	975171		1090285	45145		1045140	168921
湖北	3217556		3510183	553653		2956530	224282
湖南	1410634		1500381	34271	4160	1466110	169765
广东	4918768	18208	5789010	498975		5290035	405834
广西	442162	1440	502425	44261	3148	458165	97639
海南	22996		25967			25967	4303
重庆	1932532	28655	2043823	448221	21589	1595601	140132
四川	930238		1113672	149465		964207	140355
贵州	72603		86361	1282		85079	17251
云南	435050		511978	28331		483647	40579
西藏							
陕西	1070273		1339054	161210		1177844	71235
甘肃	250262		252112	4675		247437	40046
青海	41038		68498			68498	5671
宁夏	181266		189100	2800		186300	16418
新疆	185341		257997	1183		256814	15316

3－9 续表1

百货零售　　　　单位：万元

地 区	购进总额	进 口	销售总额	批 发	出 口	零 售	年末库存总 额
全 国	**25031547**	**68072**	**31147591**	**2325291**	**117148**	**28822300**	**2488178**
北 京	2150865	15752	2711563	1575		2709988	107464
天 津	628341	203	790634	181906		608728	36361
河 北	1086872		1567127	48670		1518457	134368
山 西	135016		245095	3849		241246	14610
内蒙古	104328	5914	278931	8529		270402	25089
辽 宁	1606512	4752	2107904	160703	12701	1947201	420895
吉 林	597915		1078309	1426		1076884	39533
黑龙江	636408		968672	15112		953559	46803
上 海	1192347	266	1329943	15220		1314723	144650
江 苏	2426540	5835	2924531	92295	50455	2832237	229541
浙 江	958769	158	1219027	74701	19440	1144325	92631
安 徽	743038	3009	972898	256346		716552	83852
福 建	64419		81115	770		80344	7900
江 西	385968		452135	71626		380509	22660
山 东	3856682		4544465	525512	5657	4018953	390142
河 南	279042		364349	11348		353001	39305
湖 北	1714767		1948472	126645		1821827	84744
湖 南	589235		563291	33690	4160	529601	72067
广 东	2194579	2089	2651849	31295		2620554	160954
广 西	284974	1440	338597	21571	3148	317026	67870
海 南	22996		25967			25967	4303
重 庆	1781902	28655	1894517	444218	21589	1450299	126596
四 川	386507		464872	15024		449848	34574
贵 州	45270		56323			56323	13414
云 南	170789		229332	24045		205287	12685
西 藏							
陕 西	552629		781033	158035		622998	19896
甘 肃	149780		200398			200398	33928
青 海	23750		29738			29738	1088
宁 夏	168366		178215			178215	12968
新 疆	92946		148293	1183		147109	7287

3－9 续表2

超级市场零售　　单位：万元

地　区	购进总额	进　口	销售总额	批　发	出　口	零　售	年末库存总　额
全　国	**24674226**	**38957**	**29351064**	**6043384**	**193**	**23307680**	**2706124**
北　京	2774909	74	3082264	726412		2355852	269275
天　津	658107		672517			672517	48668
河　北	413183		462724	10538		452187	105400
山　西	251775	2400	306053	10747		295306	36472
内蒙古	57490		67698			67698	19752
辽　宁	672977		787318	179810		607508	118033
吉　林	157494		166458	6778		159679	18130
黑龙江	193559		237340	216		237124	40301
上　海	5881504		8650223	3119774		5530449	646228
江　苏	2128774		2426487	286565		2139922	212076
浙　江	1600887		1608070	136786		1471284	153485
安　徽	675764	18567	684008	28129		655879	63624
福　建	257681	1797	312233	2333		309901	28153
江　西	169562		195402	19134		176267	17195
山　东	1368998		1520379	437628	193	1082750	105727
河　南	619447		643549	21240		622310	118006
湖　北	1491147		1546591	424410		1122181	138676
湖　南	810081		924552	97		924455	93580
广　东	2686787	16119	3090553	465003		2625550	239934
广　西	139677		147736	19361		128375	17695
海　南							
重　庆	148456		147141	3195		143946	13481
四　川	534445		640590	134442		506149	101579
贵　州	23377		25658	229		25429	3004
云　南	262862		281161	3553		277608	27747
西　藏							
陕　西	478451		518613	3175		515437	48105
甘　肃	94251		46398	1030		45368	5738
青　海	17288		38760			38760	4583
宁　夏	12901		10885	2800		8085	3450
新　疆	92395		109705			109705	8029

3－9 续表3

食品、饮料及烟草制品专门零售　　　　单位:万元

地区	购进总额	进口	销售总额	批发	出口	零售	年末库存总额
全 国	**1319675**	**50659**	**1556340**	**335578**	**4033**	**1220762**	**149383**
北 京	208126		252783	14920		237863	16626
天 津	18926		20999	1885		19115	3051
河 北	5453		5389	3675	1108	1714	94
山 西	33630		73466	11019		62448	5538
内蒙古	8852		5583			5583	868
辽 宁	5910		9445	20		9425	673
吉 林	5141		8992			8992	4814
黑龙江	3228		3956			3956	
上 海	189979		229996	106612	2925	123384	11786
江 苏	47335		56882	3789		53093	4151
浙 江	108164		121216	15208		106009	5505
安 徽	5011		5181			5181	
福 建	128678		135100	58391		76710	2220
江 西							
山 东	232591		238160	27815		210345	33450
河 南	61378		61118	7437		53681	14562
湖 北	7570		9690	1723		7966	872
湖 南	30809		29622	6346		23275	7803
广 东	123416	50659	167538	33302		134237	20178
广 西	4952		9038			9038	1073
海 南			2773			2773	35
重 庆	13496		15646	4858		10788	4001
四 川	22712		25711	7974		17737	975
贵 州	1972		1857			1857	168
云 南	37863		50943	30171		20772	7854
西 藏							
陕 西	2564		1670			1670	894
甘 肃	7266		8762	11		8751	522
青 海							
宁 夏	4655		4823	422		4401	1670
新 疆							

3－9 续表4

纺织、服装及日用品专门零售 单位:万元

地 区	购进总额	进 口	销售总额	批 发	出 口	零 售	年末库存总 额
全 国	**1922568**	**22113**	**1917041**	**471016**	**1284**	**1446024**	**340842**
北 京	174674	8798	228762	97363	38	131399	41728
天 津	45296		51212	2736		48476	7318
河 北	11792		13528	430		13099	546
山 西	31828		40740	2493		38247	12480
内蒙古	24166		20965			20965	2727
辽 宁	52850		67240	4861		62380	6796
吉 林	6117		8389			8389	2421
黑龙江	3868		4396			4396	2402
上 海	446144	12102	479353	158179	984	321174	116782
江 苏	46085		66328	2056		64272	9030
浙 江	99565	1212	108055	30394		77661	22896
安 徽	26210		19949	4723		15226	8271
福 建	6958		11217	2064		9153	2300
江 西	4932		6311	68		6243	643
山 东	138464		140759	3409		137349	25188
河 南	46843		50417	168		50248	9106
湖 北	112606		55429	4991		50439	12432
湖 南	29245		27307			27307	4168
广 东	430874		300028	142578	262	157450	27569
广 西	15132		14074			14074	2200
海 南	3215		1991			1991	1983
重 庆	13658		16727	3320		13407	2846
四 川	39475		61770	10192		51578	7985
贵 州	62020		59927			59927	2415
云 南							
西 藏							
陕 西	17134		23289			23289	580
甘 肃	3461		1231	993		238	2187
青 海							
宁 夏							
新 疆	29958		37648			37648	5844

3－9 续表5

服装零售

单位:万元

地区	购进总额	进口	销售总额	批发	出口	零售	年末库存总额
全国	**1307216**	**21653**	**1300668**	**360264**	**300**	**940404**	**217850**
北京	123478	8567	162486	89581	38	72905	28967
天津	19809		21476			21476	164
河北	9943		9817	157		9660	142
山西	23984		33914			33914	10495
内蒙古	23110		19909			19909	2727
辽宁	32620		59109	4861		54249	5995
吉林	6117		8389			8389	2421
黑龙江	930		1065			1065	221
上海	130957	11873	207730	79442		128288	62546
江苏	44504		62971	2056		60915	8199
浙江	78438	1212	84681	24559		60122	17904
安徽	22664		16444	2924		13520	7039
福建	4308		5632	2064		3568	1344
江西	4932		6311	68		6243	643
山东	83385		87278	3261		84017	15688
河南	28070		31019	46		30974	5973
湖北	102825		43270	1037		42233	11214
湖南	14871		14678			14678	575
广东	396013		248647	137805	262	110842	20034
广西	15132		14074			14074	2200
海南	3215		1991			1991	1983
重庆	12391		15330	3054		12276	2224
四川	24510		35171	9350		25821	863
贵州	62020		59927			59927	2415
云南							
西藏							
陕西	9033		11701			11701	31
甘肃							
青海							
宁夏							
新疆	29958		37648			37648	5844

3－9 续表6

文化、体育用品及器材专门零售 单位:万元

地区	购进总额	进口	销售总额	批发	出口	零售	年末库存总额
全国	**2375094**	**4975**	**1950013**	**305897**	**35**	**1644116**	**582832**
北京	174120		181893	14259		167634	83736
天津	29433		29291	8422		20869	7026
河北	503476		28302	2305		25997	12282
山西	42857		36990	4311		32679	8886
内蒙古	8805		7658	205		7453	2418
辽宁	55026		49337	3199		46138	23783
吉林	16951		15454			15454	6890
黑龙江	38870		30733	7384		23350	17463
上海	122558	4566	145701	43613		102088	35664
江苏	130714		166444	20186		146258	31817
浙江	76058		77382	2612		74770	20364
安徽	40859		38145	513		37632	11294
福建	26018		26259	5650		20608	7957
江西	25176		23868	23		23846	2745
山东	142177	20	130234	38020		92214	40917
河南	106794		107992	14065		93927	33934
湖北	71405		65127	6748		58379	31510
湖南	75953		82810	32206		50604	10768
广东	244563	389	241029	59409		181620	84375
广西	25750		24497	579		23919	7511
海南	1445		2719			2719	1093
重庆	7944		7650	2		7648	333
四川	253293		285603	34102	35	251501	56946
贵州	4247		4011	178		3833	1476
云南	44832		40747	1941		38806	11120
西藏							
陕西	36842		37437	427		37010	11111
甘肃	7403		6461	847		5614	4428
青海	1042		1509			1509	690
宁夏	3856		3860			3860	1510
新疆	56628		50871	4693		46178	12786

3－9　续表7

体育用品零售　　　　单位：万元

地　区	购进总额	进　口	销售总额	批　发	出　口	零　售	年末库存总　额
全　国	**185978**		**210610**	**82150**		**128460**	**35780**
北　京	21144		24197	1780		22417	2678
天　津							
河　北							
山　西							
内蒙古							
辽　宁	3202		3405	1000		2405	1670
吉　林							
黑龙江	5077		4572	1772		2801	2985
上　海	91242		100584	43498		57086	18331
江　苏	4663		5330			5330	86
浙　江							
安　徽							
福　建							
江　西							
山　东							
河　南							
湖　北							
湖　南	22809		31209	9919		21290	4056
广　东	37840		41314	24182		17132	5974
广　西							
海　南							
重　庆							
四　川							
贵　州							
云　南							
西　藏							
陕　西							
甘　肃							
青　海							
宁　夏							
新　疆							

3－9 续表8

图书零售

单位：万元

地区	购进总额	进口	销售总额	批发	出口	零售	年末库存总额
全国	**1982800**	**409**	**1479145**	**181080**	**35**	**1298065**	**434351**
北京	87844		90007	4719		85289	28967
天津	14228		12755	0		12755	4081
河北	503476		28302	2305		25997	12282
山西	23461		24675	4311		20364	3845
内蒙古	8805		7658	205		7453	2418
辽宁	48812		42976	2199		40777	20966
吉林	16951		15454			15454	6890
黑龙江	33793		26161	5612		20549	14478
上海	10917		12559	115		12444	6702
江苏	123533		123783	7625		116158	24871
浙江	72524		70576	2612		67964	20341
安徽	40859		38145	513		37632	11294
福建	23714		22967	5650		17316	6471
江西	20942		20237	23		20214	2142
山东	128123	20	114583	37011		77572	31821
河南	102391		103467	13657		89811	30460
湖北	59178		49523	6748		42775	28944
湖南	53144		51601	22287		29314	6712
广东	179880	389	166351	22719		143632	71210
广西	25750		24497	579		23919	7511
海南	1445		2719			2719	1093
重庆	7944		7650	2		7648	333
四川	246494		279386	34102	35	245284	48951
贵州	4247		4011	178		3833	1476
云南	38575		38964	1941		37023	9567
西藏							
陕西	36842		37437	427		37010	11111
甘肃	7403		6461	847		5614	4428
青海	1042		1509			1509	690
宁夏	3856		3860			3860	1510
新疆	56628		50871	4693		46178	12786

3－9 续表9

医药及医疗器材专门零售

单位:万元

地区	购进总额	进口	销售总额	批发	出口	零售	年末库存总额
全国	**3419520**	**24134**	**3787799**	**857482**	**527**	**2930317**	**579847**
北京	217807	1049	243684	92422		151262	34870
天津	16748		16889			16889	1991
河北	64892	1990	68161	16169	519	51992	21651
山西	104425		109383	32688		76695	17331
内蒙古	17377		17926	1842		16085	3009
辽宁	327648		374567	118665		255902	33483
吉林	49178		43238	1501		41738	10389
黑龙江	313693		353685	153677		200008	38382
上海	169676	282	206545	29297		177248	56765
江苏	428342	6	419342	34135	8	385207	46758
浙江	509039	16618	538820	154222		384598	77805
安徽	38369		40934	5047		35886	4516
福建	32353		43093	3607		39486	5744
江西	36846		46611	1134		45477	14169
山东	190926		223592	28908		194683	34181
河南	163696		180968	45860		135109	24939
湖北	58472	4	80955	9001		71954	14194
湖南	129185	3403	150958	24334		126624	22553
广东	253385	621	289152	43422		245729	49966
广西	40666		45491	11709		33783	6843
海南							
重庆	34040		42010	5275		36735	5444
四川	29736		31222	2148		29074	4652
贵州	12252	163	15506			15506	3458
云南	108656		123871	35826		88045	24724
西藏	2097		1978	1978			2107
陕西	25222		24496	1708		22788	5863
甘肃	7811		8464	2168		6296	1082
青海	10553		12291	501		11789	3052
宁夏	2930		10707	238		10469	2307
新疆	23500		23262			23262	7622

3－9　续表10

药品零售　　　　单位:万元

地　区	购进总额	进　口	销售总额	批　发	出　口	零　售	年末库存总　额
全　国	**3293798**	**23085**	**3639243**	**805909**	**527**	**2833335**	**565375**
北　京	154707		173836	54887		118949	28628
天　津	16748		16889			16889	1991
河　北	64892	1990	68161	16169	519	51992	21651
山　西	104425		109383	32688		76695	17331
内蒙古	17377		17926	1842		16085	3009
辽　宁	327648		374567	118665		255902	33483
吉　林	49178		43238	1501		41738	10389
黑龙江	313693		353685	153677		200008	38382
上　海	160399	282	192305	29297		163008	55356
江　苏	424915	6	416356	32995	8	383361	46311
浙　江	509039	16618	538820	154222		384598	77805
安　徽	34104		36329	5047		31282	3864
福　建	32353		43093	3607		39486	5744
江　西	36846		46611	1134		45477	14169
山　东	187393		219492	27891		191600	33883
河　南	150806		166517	40135		126382	23680
湖　北	58472	4	80955	9001		71954	14194
湖　南	129185	3403	150958	24334		126624	22553
广　东	224154	621	250826	37266		213559	45801
广　西	40666		45491	11709		33783	6843
海　南							
重　庆	34040		42010	5275		36735	5444
四　川	29736		31222	2148		29074	4652
贵　州	12252	163	15506			15506	3458
云　南	108656		123871	35826		88045	24724
西　藏	2097		1978	1978			2107
陕　西	25222		24496	1708		22788	5863
甘　肃	7811		8464	2168		6296	1082
青　海	10553		12291	501		11789	3052
宁　夏	2930		10707	238		10469	2307
新　疆	23500		23262			23262	7622

3－9 续表11

汽车、摩托车、燃料及零配件专门零售 单位:万元

地区	购进总额	进口	销售总额	批发	出口	零售	年末库存总额
全国	**15743858**	**132138**	**18006590**	**7712387**	**17779**	**10294204**	**817095**
北京	2481639		2613879	1268054	615	1345825	73684
天津	354790		374325	94180		280145	25678
河北	643673		674728	363514		311214	52623
山西	813827		853241	152067		701175	36005
内蒙古	1095565		1026335	346486		679849	48933
辽宁	972961		1119736	428308		691428	66845
吉林	748464		822549	127442		695107	17641
黑龙江	55372		49415	1076		48339	7159
上海	3279542	64392	3499370	3013866		485504	121794
江苏	272016		259987	65853		194134	39756
浙江	167531	8821	165716	71055	8252	94661	11018
安徽	175688		217454	2878		214576	30365
福建	710443		1068236	346187		722049	10248
江西	31353		35101	8007		27094	1843
山东	254721	355	442134	146534		295601	30930
河南	155285		402867	137179		265688	26196
湖北	373024		216916	11847		205069	12301
湖南	378361		737940	215562		522378	21646
广东	2034380	53107	2649071	725849	8886	1923222	130904
广西	104161		97312	64547		32765	4747
海南							
重庆	4997	6	7541	352	7	7189	
四川	293588		311406	40748		270658	19051
贵州							
云南	50210	4971	56880	3887	19	52993	10299
西藏	28262		29592	1602		27990	4931
陕西	14218		14067	585		13482	337
甘肃							
青海							
宁夏							
新疆	249788	486	260793	74722		186072	12161

3－9 续表12

汽车零售　　　　单位:万元

地区	购进总额	进口	销售总额	批发	出口	零售	年末库存总额
全国	**3945546**	**58919**	**4060575**	**1207638**	**9520**	**2852936**	**424769**
北京	82340		80471	4709	615	75762	8258
天津							
河北	415136		428429	350790		77639	46476
山西	287234		301423	58975		242448	24494
内蒙古	176953		176494	82260		94234	16926
辽宁	15785		16469	1315		15155	2748
吉林	25557		29860			29860	3135
黑龙江	26664		36290			36290	3887
上海	424238		420569	24206		396363	61517
江苏	268671		255464	65511		189953	38826
浙江	21705		24151	2397		21754	1685
安徽	175688		217454	2878		214576	30365
福建	11528		12516	5463		7053	1206
江西	31353		35101	8007		27094	1843
山东	239442	355	233053	83772		149282	29905
河南	43722		45711	9677		36034	3650
湖北	176636		169812			169812	10143
湖南	40645		45560	3899		41661	7308
广东	1351855	53107	1395877	496277	8886	899600	117238
广西	10861		13121	3616		9505	213
海南							
重庆							
四川	36041		38521			38521	2321
贵州							
云南	46215	4971	47633	3887	19	43746	9904
西藏	14068		12022			12022	1980
陕西	11547		11419			11419	326
甘肃							
青海							
宁夏							
新疆	11662	486	13156			13156	417

3－9 续表 13

机动车燃料零售

单位:万元

地区	购进总额	进口	销售总额	批发	出口	零售	年末库存总额
全 国	**11734497**	**73219**	**13687101**	**6448795**	**8259**	**7238306**	**375357**
北 京	2399300		2533408	1263345		1270064	65427
天 津	354790		374325	94180		280145	25678
河 北	228484		245161	12724		232437	6145
山 西	520837		548361	93092		455270	8793
内蒙古	918612		849842	264226		585616	32007
辽 宁	954184		1100084	426993		673090	63033
吉 林	722907		792690	127442		665248	14506
黑龙江	28708		13125	1076		12049	3273
上 海	2836597	64392	3054472	2989660		64812	58247
江 苏							
浙 江	143500	8821	139139	68658	8252	70481	8990
安 徽							
福 建	698916		1055720	340724		714996	9042
江 西							
山 东	12578		206381	62762		143619	575
河 南	111563		357155	127502		229654	22545
湖 北	190695		41958	11847		30111	1657
湖 南	337716		502813	165298		337515	11436
广 东	673960		1242674	229572		1013102	12171
广 西	79622		72264	51685		20580	
海 南							
重 庆	4997	6	7541	352	7	7189	
四 川	257547		272885	40748		232137	16730
贵 州							
云 南	3995		9247			9247	395
西 藏	14193		17570	1602		15968	2951
陕 西	2671		2648	585		2063	11
甘 肃							
青 海							
宁 夏							
新 疆	238126		247637	74722		172915	11744

3－9 续表14

家用电器及电子产品专门零售

单位:万元

地区	购进总额	进口	销售总额	批发	出口	零售	年末库存总额
全国	**10146702**	**4617**	**10606587**	**821330**		**9785258**	**995804**
北京	1816798	373	1723662	7083		1716579	143818
天津	394218		359834	14109		345725	29349
河北	136922		124717	13810		110907	20481
山西	51907		59101	854		58247	9484
内蒙古	18094	4244	29715	47		29668	3099
辽宁	134276		216574	2392		214182	18644
吉林	23092		21304			21304	2610
黑龙江	140443		165185	4792		160393	11952
上海	1466754		1496546	35357		1461189	160377
江苏	1258168		1561896	306910		1254986	83696
浙江	560525		528662	62215		466447	50673
安徽	117737		128754	9238		119516	13448
福建	220138		276701	18686		258015	51992
江西	48731		56401	638		55762	3804
山东	520754		537524	111838		425686	62020
河南	124054		138877	16576		122301	12894
湖北	493246		494869	67724		427145	49572
湖南	130775		109050	236		108814	14670
广东	1263835		1230715	72816		1157899	139475
广西	35378		37826	2933		34893	4985
海南	3617		5515			5515	368
重庆	190031		207552	16		207536	18146
四川	534621		551715	30744		520972	43709
贵州	6145		5965			5965	554
云南	93628		164071	36803		127268	21397
西藏							
陕西	277605		276401	3881		272520	15735
甘肃	1495		1714			1714	295
青海	17534		17742	1634		16108	3509
宁夏	8547		9901			9901	556
新疆	57635		68101			68101	4496

3－9　续表15

家用电器零售　　　　单位:万元

地区	购进总额	进口	销售总额	批发	出口	零售	年末库存总额
全国	**8710684**	**4244**	**9073737**	**660879**		**8412858**	**850570**
北京	1628603		1523206	3132		1520074	106024
天津	383840		348835	14109		334726	27968
河北	110156		96958	6215		90743	17564
山西	49270		56464	854		55609	9484
内蒙古	13415	4244	25009	47		24962	2504
辽宁	128682		211259	2392		208867	18365
吉林	18184		16782			16782	2223
黑龙江	140443		165185	4792		160393	11952
上海	1313050		1319981	29002		1290979	156900
江苏	886960		1181886	283402		898484	60852
浙江	472338		437260	54905		382355	41475
安徽	112975		122695	8889		113807	12813
福建	211807		267478	18686		248792	51374
江西	42612		47536	638		46898	3616
山东	479702		492381	104440		387941	57095
河南	84942		98654	9399		89255	8254
湖北	477414		475241	67724		407517	47714
湖南	108312		85584			85584	8205
广东	1054169		1007141	36571		970570	109608
广西	18446		20362	2933		17429	2480
海南							
重庆	190031		207552	16		207536	18146
四川	463018		472302	8058		464244	37328
贵州							
云南	34455		101187			101187	15259
西藏							
陕西	206924		199544	3881		195663	14966
甘肃	1495		1714			1714	295
青海	13260		13542	794		12748	3056
宁夏	8547		9901			9901	556
新疆	57635		68101			68101	4496

3-9 续表16

计算机、软件及辅助设备零售

单位:万元

地区	购进总额		销售总额				年末库存总额
		进口		批发		零售	
					出口		
全国	**665432**	**373**	**712738**	**51841**		**660897**	**50855**
北京	41331	373	50374			50374	6655
天津							
河北							
山西	2637		2637			2637	
内蒙古							
辽宁	5594		5315			5315	279
吉林	4909		4522			4522	387
黑龙江							
上海	114859		135813	4594		131219	2846
江苏	350603		356633	22943		333690	22465
浙江	39932		37915	606		37309	4387
安徽							
福建							
江西	6119		8864			8864	188
山东	15305		15737	4642		11095	946
河南	9562		12008	6852		5156	357
湖北	6230		7625			7625	1858
湖南	16840		17211	236		16976	5939
广东	32786		39160	11128		28032	1972
广西	14451		14723			14723	2124
海南							
重庆							
四川							
贵州							
云南							
西藏							
陕西							
甘肃							
青海	4274		4201	840		3360	453
宁夏							
新疆							

3－9 续表17

通讯设备零售

单位:万元

地区	购进总额	进口	销售总额	批发	出口	零售	年末库存总额
全国	**741494**		**785213**	**107490**		**677723**	**87408**
北京	139050		141367	3951		137416	27105
天津	10378		10999			10999	1380
河北	26766		27759	7595		20164	2917
山西							
内蒙古	4679		4707			4707	595
辽宁							
吉林							
黑龙江							
上海	38845		40752	1761		38991	631
江苏	20605		23378	565		22812	379
浙江	37454		40308	6704		33604	3684
安徽	4761		6059	349		5710	636
福建	8331		9223			9223	618
江西							
山东	25747		29406	2756		26650	3979
河南	29550		28216	325		27890	4283
湖北	9603		12003			12003	
湖南	5622		6255			6255	526
广东	170020		176923	23996		152927	26451
广西	2482		2741			2741	382
海南							
重庆							
四川	71603		79413	22685		56728	6381
贵州	6145		5965			5965	554
云南	59173		62884	36803		26082	6139
西藏							
陕西	70682		76857			76857	769
甘肃							
青海							
宁夏							
新疆							

3－9 续表18

五金、家具及室内装修材料专门零售 单位:万元

地区	购进总额	进口	销售总额	批发	出口	零售	年末库存总额
全国	**915069**	**9883**	**1024988**	**56164**		**968824**	**200237**
北京	82734	3082	118589	8059		110530	19099
天津	73809		72168			72168	9673
河北	2103		2844			2844	766
山西	4134		6809			6809	149
内蒙古	60403		59998	1581		58417	5008
辽宁	53587		45128	1407		43721	5734
吉林	5323		5409			5409	34
黑龙江	18191		19439	3876		15563	2293
上海	93278		91518	4532		86986	28565
江苏	56499		86026	2337		83690	8623
浙江	7133		9017			9017	3307
安徽	8058		9982			9982	2462
福建	34559		25553	2186		23367	2375
江西	15222		21155	10030		11125	9368
山东	85389	5	97104	9912		87192	19832
河南	23719		22760	8197		14563	4233
湖北	36959		40169	2038		38131	4179
湖南	16413		15794	2009		13785	1382
广东	134905		161673			161673	14791
广西							
海南							
重庆	24243		27346			27346	5047
四川	16755		25436			25436	2087
贵州							
云南	11984		13442			13442	17600
西藏							
陕西	30519		19935			19935	19832
甘肃	1300		1529			1529	
青海							
宁夏							
新疆	17852	6797	26164			26164	13799

3－9 续表19

无店铺及其他零售 单位:万元

地 区	购进总额	进 口	销售总额	批 发	出 口	零 售	年末库存总 额
全 国	**711684**	**13030**	**770449**	**281779**	**10192**	**488670**	**47492**
北 京	14844		18533	4484		14048	1718
天 津	6583		10508	2256		8252	2825
河 北	5650		6009			6009	301
山 西	5225		5733			5733	71
内 蒙 古	6000		4326	1527		2799	
辽 宁							
吉 林							
黑 龙 江	1479		1087			1087	6
上 海	58489	3315	77431	27124	10192	50307	3446
江 苏	34522		38707	6569		32138	2760
浙 江	1472		1593	1467		126	20
安 徽	2131		2129			2129	241
福 建	55263		59502	32537		26964	473
江 西							
山 东	26677		30032	922		29110	2949
河 南	23518		24677	842		23835	906
湖 北	4867		5688	5688			15266
湖 南	8418		9226			9226	13
广 东	430433	9715	442401	193711		248689	12697
广 西	9472		11180	2955		8225	562
海 南							
重 庆							
四 川	5617		8837			8837	282
贵 州							
云 南							
西 藏							
陕 西	3547		4864			4864	4
甘 肃							
青 海	2095		2334			2334	2240
宁 夏	5382		5654	1696		3958	713
新 疆							

3－9 续表20

邮购及电子销售

单位:万元

地区	购进总额	进口	销售总额	批发	出口	零售	年末库存总额
全国	**23421**		**38552**			**38552**	**3170**
北京	7270		7956			7956	863
天津							
河北							
山西							
内蒙古							
辽宁							
吉林							
黑龙江							
上海	14928		28904			28904	1906
江苏	1223		1692			1692	400
浙江							
安徽							
福建							
江西							
山东							
河南							
湖北							
湖南							
广东							
广西							
海南							
重庆							
四川							
贵州							
云南							
西藏							
陕西							
甘肃							
青海							
宁夏							
新疆							

3－10 大中型零售企业分行业年末资产负债

综合零售

单位:万元

地　区	流动资产合　计	固定资产原　价	累计折旧	资产总计	负债合计	所有者权益合　计
全　国	**17823167**	**14238047**	**4162389**	**33477580**	**24774229**	**8703351**
北　京	2277615	1236941	431910	4018705	2629510	1389196
天　津	481632	498978	131990	977655	736144	241512
河　北	567673	558449	152086	1135578	906347	229232
山　西	357263	135527	35550	505165	445280	59885
内蒙古	99524	82820	22438	192106	145173	46933
辽　宁	940256	941238	222241	2065116	1435667	629450
吉　林	183097	357403	93692	572411	425705	146706
黑龙江	242820	435355	110236	641322	528046	113276
上　海	2549287	2257843	766142	4902682	3666969	1235713
江　苏	1445143	1084869	338067	2762149	1999599	762549
浙　江	868217	601527	155804	1564882	1171563	393319
安　徽	443057	284508	69905	800399	616828	183571
福　建	123261	83780	24885	208941	180115	28827
江　西	186369	179546	33266	394338	289307	105032
山　东	1829113	1352714	381696	3227797	2520403	707394
河　南	485074	272165	62755	783367	736259	47108
湖　北	640115	764312	216151	1381759	976503	405257
湖　南	496284	431416	126715	938341	633419	304922
广　东	1762365	1015583	351527	2781788	2095985	685803
广　西	174241	192245	52824	361409	281278	80131
海　南	14445	14054	3669	26444	26203	240
重　庆	530317	481478	86694	1014187	790266	223921
四　川	293011	151220	56815	455108	343196	111912
贵　州	38913	10807	3682	47749	39652	8098
云　南	173322	80798	29427	241512	166152	75359
西　藏						
陕　西	368104	342271	86633	758206	533801	224405
甘　肃	96767	136157	44716	245670	165742	79928
青　海	19630	46711	11930	62664	39300	23364
宁　夏	43565	50952	13625	135290	53891	81399
新　疆	92689	156379	45318	274840	195927	78913

3－10　续表1

百货零售　　　　单位:万元

地　区	流动资产合　计	固定资产原　价	累计折旧	资产总计	负债合计	所有者权益合　计
全　国	**9648919**	**9207076**	**2492368**	**20237155**	**14053242**	**6183913**
北　京	1208987	754553	283934	2318156	1338950	979205
天　津	315898	381532	83002	711407	501036	210370
河　北	401074	471907	121674	886015	685083	200932
山　西	87195	56850	14801	146307	124013	22294
内蒙古	70998	70159	19804	148945	122880	26066
辽　宁	711854	774850	172202	1683489	1069127	614361
吉　林	132945	291093	75770	469839	337639	132200
黑龙江	197311	381055	93201	547818	430202	117616
上　海	336779	803920	195167	1375502	703898	671603
江　苏	908326	779022	229980	1930899	1320699	610201
浙　江	417948	337263	90454	794802	545104	249699
安　徽	298749	181162	46390	530884	397887	132997
福　建	28996	30419	6839	62644	50944	11700
江　西	142088	119326	22107	285245	205565	79680
山　东	1380947	1101955	307711	2543904	1976195	567709
河　南	126618	140494	35443	284944	298749	－13805
湖　北	382536	491406	145349	834904	583308	251595
湖　南	270040	277918	73008	585223	362464	222759
广　东	959495	433012	160970	1387907	1011799	376109
广　西	122900	141487	38240	244583	203986	40597
海　南	14445	14054	3669	26444	26203	240
重　庆	491255	436977	68015	944044	745542	198502
四　川	162070	106010	36296	273660	206379	67281
贵　州	28882	7878	2786	35051	29976	5074
云　南	100302	22194	8191	123056	95681	27375
西　藏						
陕　西	175367	257626	57456	464078	296605	167473
甘　肃	68670	116253	37365	202440	149674	52766
青　海	6234	35578	8324	39299	26585	12714
宁　夏	40359	46792	11982	127380	48864	78517
新　疆	59653	144330	42240	228290	158205	70085

3－10 续表 2

超级市场零售

单位:万元

地 区	流动资产合 计	固定资产原 价	累计折旧	资产总计	负债合计	所有者权益合 计
全 国	**7636950**	**4761686**	**1580091**	**12453442**	**9970074**	**2483368**
北 京	1020654	465321	143824	1633593	1235309	398284
天 津	160287	114548	48102	256973	228902	28070
河 北	163969	85602	30006	245757	217292	28465
山 西	268586	75291	20678	353990	316115	37875
内蒙古	28526	12661	2634	43161	22293	20868
辽 宁	222259	150915	47496	354382	334045	20336
吉 林	49191	60371	16693	96811	83308	13503
黑龙江	45509	54300	17035	93504	97844	-4340
上 海	2045378	1312716	512768	3258479	2707553	550926
江 苏	532145	300169	106482	817672	668130	149542
浙 江	442014	256796	62534	755510	617382	138128
安 徽	142175	102145	23428	263458	214127	49331
福 建	80496	44459	15065	121027	108541	12486
江 西	44281	60220	11159	109093	83742	25352
山 东	418839	235404	70306	635865	494724	141141
河 南	181228	114640	23686	304639	250438	54201
湖 北	254317	271616	70368	542401	390669	151732
湖 南	222299	150071	53046	345086	263288	81798
广 东	788944	574946	186976	1375116	1056833	318283
广 西	35237	42202	13869	90642	53109	37533
海 南						
重 庆	38984	44481	18673	70032	44647	25385
四 川	127766	43137	20001	176308	134185	42123
贵 州	8825	2708	808	11328	8245	3082
云 南	72509	58603	21236	117912	70302	47611
西 藏						
陕 西	166986	81621	27654	262289	199365	62924
甘 肃	25912	19403	7236	40592	14221	26372
青 海	13397	11133	3607	23365	12715	10649
宁 夏	3205	4160	1643	7910	5027	2883
新 疆	33036	12048	3078	46550	37722	8828

3－10 续表3

食品、饮料及烟草制品专门零售

单位：万元

地区	流动资产合计	固定资产原价	累计折旧	资产总计	负债合计	所有者权益合计
全国	**695787**	**408777**	**136399**	**1171093**	**721503**	**449590**
北京	107591	73496	23084	168268	104298	63970
天津	7560	5441	1292	15762	12456	3306
河北	1306	1404	351	2903	2351	553
山西	26141	50711	15528	66790	53125	13665
内蒙古	1167			1167	1185	－18
辽宁	10280	10406	2778	20261	12679	7582
吉林	11161	3998	560	15517	12907	2611
黑龙江	－47	6233	1308	4877	3441	1437
上海	56729	43392	14838	151865	48163	103702
江苏	37010	14016	6089	54875	50803	4073
浙江	24116	23359	7609	49142	37104	12038
安徽	1976	960	117	2980	2403	577
福建	17759	5904	1480	26194	7448	18746
江西						
山东	100377	54248	16353	150969	110603	40366
河南	111479	26455	8362	133798	113179	20620
湖北	1916	2219	676	5162	4455	707
湖南	11692	7822	1918	22284	15905	6379
广东	102334	41595	20564	179040	67279	111761
广西	5247	4698	1362	12708	5474	7234
海南	1046	790		1836	485	1351
重庆	9180	7781	2240	16069	18305	－2236
四川	6537	2601	419	9602	6420	3182
贵州	1183	2676	1014	2913	1280	1633
云南	33062	14813	6878	44934	18770	26165
西藏						
陕西	748	41	3	785	517	268
甘肃	1866	1067	382	2562	1576	987
青海						
宁夏	6371	2652	1193	7830	8896	－1067
新疆						

3－10 续表4

纺织、服装及日用品专门零售

单位:万元

地 区	流动资产合 计	固定资产原 价	累计折旧	资产总计	负债合计	所有者权益合 计
全 国	**762562**	**451235**	**114779**	**1243691**	**946282**	**297409**
北 京	95026	50833	10056	143534	116092	27443
天 津	32458	36216	3848	76306	32944	43362
河 北	2952	2767	244	5784	4762	1022
山 西	27006	40160	7969	62154	60471	1684
内蒙古	8280	13032	2943	19191	11843	7348
辽 宁	19813	53747	9820	74746	49297	25449
吉 林	5592	2017	441	12734	14369	－1635
黑龙江	2982	840	76	3812	3432	379
上 海	191740	48454	26289	243665	155319	88347
江 苏	26089	57202	10865	75929	73675	2255
浙 江	84028	7946	1766	95615	84874	10741
安 徽	12697	2367	377	15816	13882	1934
福 建	5360	1629	1128	6539	4456	2083
江 西	5631	1764	145	7250	5561	1689
山 东	30612	33343	7968	67597	39641	27957
河 南	17253	8861	2132	34795	39300	－4505
湖 北	13172	4143	1618	17724	17682	42
湖 南	12753	3497	991	24972	19783	5189
广 东	70769	11090	4418	87598	83884	3714
广 西	1982	857	308	2639	2714	－75
海 南	757			757	797	－40
重 庆	6973	764	325	7913	8301	－388
四 川	16456	7683	1714	24148	16443	7706
贵 州	22479	34167	11912	52018	35013	17005
云 南						
西 藏						
陕 西	19793	18120	4907	39673	19290	20383
甘 肃	2140	3324	316	5148	2587	2561
青 海						
宁 夏						
新 疆	27771	6412	2204	35633	29873	5760

3－10 续表5

服装零售 单位:万元

地　　区	流动资产合　　计	固定资产原　　价	累计折旧	资产总计	负债合计	所有者权益合　　计
全　　国	**476116**	**337445**	**78534**	**854666**	**653963**	**200703**
北　　京	62715	39369	5217	100059	85109	14950
天　　津	4082	23638	2686	34832	4559	30273
河　　北	2589	332	98	3067	2681	386
山　　西	21884	25322	6937	43141	41850	1291
内 蒙 古	4267	5485	853	9720	7092	2629
辽　　宁	17924	51095	8576	71147	46196	24951
吉　　林	5592	2017	441	12734	14369	－1635
黑 龙 江	252	774	65	1026	576	450
上　　海	66603	19777	10950	99872	52640	47233
江　　苏	23219	55619	10410	71931	70720	1210
浙　　江	73977	6742	1219	84311	75429	8882
安　　徽	10494	2200	312	13511	11914	1597
福　　建	3476	159	42	4169	2924	1245
江　　西	5631	1764	145	7250	5561	1689
山　　东	20431	25901	5700	49802	26004	23798
河　　南	10224	4753	1257	22641	27557	－4915
湖　　北	9395	1918	869	12176	12713	－536
湖　　南	2714	3029	787	14669	12239	2430
广　　东	50314	4446	2259	59553	55314	4240
广　　西	1982	857	308	2639	2714	－75
海　　南	757			757	797	－40
重　　庆	5847	330	130	6548	6672	－123
四　　川	6382	5633	1032	11719	8164	3555
贵　　州	22479	34167	11912	52018	35013	17005
云　　南						
西　　藏						
陕　　西	15117	15708	4125	29740	15283	14457
甘　　肃						
青　　海						
宁　　夏						
新　　疆	27771	6412	2204	35633	29873	5760

3－10 续表6

文化、体育用品及器材专门零售 单位：万元

地 区	流动资产合 计	固定资产原 价	累计折旧	资产总计	负债合计	所有者权益合 计
全 国	**1089466**	**812200**	**213252**	**1959355**	**1230366**	**728989**
北 京	186193	88670	21314	293293	227039	66255
天 津	12914	20174	1878	34541	13321	21220
河 北	17554	18186	3497	39907	31410	8498
山 西	23708	17997	4380	47999	30560	17439
内 蒙 古	3278	7377	2080	10878	11360	－483
辽 宁	31404	26529	6880	55420	37690	17731
吉 林	7179	5401	1891	13962	10830	3132
黑 龙 江	19312	13713	4120	29702	24599	5103
上 海	72485	13089	3326	92525	73926	18599
江 苏	56431	50737	18820	99320	71225	28096
浙 江	52412	50507	9447	116854	51380	65475
安 徽	33672	16117	5199	55089	21858	33230
福 建	9270	14407	3567	20574	7856	12718
江 西	6109	5261	1855	12414	6027	6387
山 东	57125	46464	13051	109061	80080	28981
河 南	50707	46196	13562	96748	54105	42644
湖 北	33168	27937	5856	71175	54363	16812
湖 南	23427	20693	7879	39679	24086	15592
广 东	115248	117186	43189	247450	137411	110039
广 西	11167	25107	4252	38363	29838	8525
海 南	4841	8474	1649	11941	12820	－879
重 庆	3839	6334	1880	9591	5304	4288
四 川	191738	77665	8392	269862	120524	149339
贵 州	2837	1764	614	4932	4018	914
云 南	14575	25773	7057	36266	20997	15269
西 藏						
陕 西	15688	20949	5388	31726	21195	10531
甘 肃	6525	1663	1601	7890	7035	855
青 海	3721	3577	1777	6187	5443	744
宁 夏	2127	3374	767	4972	3911	1061
新 疆	20815	30877	8086	51033	30156	20877

3－10　续表7

体育用品零售　　　　单位：万元

地　区	流动资产合计	固定资产原价	累计折旧	资产总计	负债合计	所有者权益合计
全　国	**87463**	**18934**	**5221**	**109601**	**82359**	**27242**
北　京	16898	16033	4029	29107	22008	7099
天　津						
河　北						
山　西						
内蒙古						
辽　宁	1904	174	52	2370	2438	－68
吉　林						
黑龙江	3531	295	92	3891	2873	1018
上　海	46175	607	254	47979	37260	10719
江　苏	772	812	375	4378	2603	1775
浙　江						
安　徽						
福　建						
江　西						
山　东						
河　南						
湖　北						
湖　南	5611	286	96	6751	6009	742
广　东	12574	727	322	15126	9169	5957
广　西						
海　南						
重　庆						
四　川						
贵　州						
云　南						
西　藏						
陕　西						
甘　肃						
青　海						
宁　夏						
新　疆						

3－10　续表8

图书零售　　　　单位:万元

地　区	流动资产合　计	固定资产原　价	累计折旧	资产总计	负债合计	所有者权益合　计
全　国	**819902**	**708790**	**177148**	**1581992**	**947859**	**634133**
北　京	88846	44107	11105	149553	118313	31240
天　津	6915	17584	1344	24625	8475	16150
河　北	17554	18186	3497	39907	31410	8498
山　西	11961	14882	2661	29351	18918	10433
内蒙古	3278	7377	2080	10878	11360	－483
辽　宁	28672	24382	6502	50576	32409	18167
吉　林	7179	5401	1891	13962	10830	3132
黑龙江	15782	13418	4028	25811	21726	4085
上　海	8217	1163	718	9531	7717	1814
江　苏	42572	49140	17828	81486	59705	21781
浙　江	44556	49014	8923	108004	44382	63623
安　徽	33672	16117	5199	55089	21858	33230
福　建	9127	14407	3567	20424	7806	12618
江　西	4310	4351	1567	9810	4727	5082
山　东	47782	44214	12067	95078	72265	22813
河　南	48444	45751	13361	94216	51088	43129
湖　北	26672	23973	4866	61497	45613	15885
湖　南	17816	20407	7783	32928	18077	14850
广　东	90250	92592	28156	210564	111668	98896
广　西	11167	25107	4252	38363	29838	8525
海　南	4841	8474	1649	11941	12820	－879
重　庆	3839	6334	1880	9591	5304	4288
四　川	182457	75832	7777	259279	111322	147957
贵　州	2837	1764	614	4932	4018	914
云　南	12281	24372	6216	32788	18470	14318
西　藏						
陕　西	15688	20949	5388	31726	21195	10531
甘　肃	6525	1663	1601	7890	7035	855
青　海	3721	3577	1777	6187	5443	744
宁　夏	2127	3374	767	4972	3911	1061
新　疆	20815	30877	8086	51033	30156	20877

3－10　续表 9

医药及医疗器材专门零售　　　　单位:万元

地　区	流动资产合　计	固定资产原　价	累计折旧	资产总计	负债合计	所有者权益合　计
全　国	**1471375**	**473345**	**141155**	**2174790**	**1673264**	**501526**
北　京	124261	36833	10497	184716	126493	58223
天　津	6121	677	170	6914	3509	3405
河　北	30845	8969	2927	40149	38776	1373
山　西	52027	4467	2779	66060	52716	13345
内蒙古	6953	2851	1419	8717	6494	2223
辽　宁	187360	71866	18362	288498	188613	99885
吉　林	16558	10463	2125	26955	21907	5047
黑龙江	119662	37726	6284	156528	166399	－9870
上　海	41787	15729	6014	131145	58314	72831
江　苏	134741	40081	15579	177055	150947	26108
浙　江	176972	55538	16047	273580	187642	85938
安　徽	19013	6711	1630	24997	21093	3904
福　建	69673	2537	757	74280	61965	12315
江　西	25292	8963	1707	35454	42062	－6608
山　东	94932	37020	11960	136931	140365	－3434
河　南	45468	19884	4873	65515	58856	6659
湖　北	41268	11861	3918	54738	41771	12968
湖　南	60283	17664	3277	88095	54791	33304
广　东	111404	37050	16381	182563	126492	56071
广　西	12187	3110	893	16110	11803	4307
海　南						
重　庆	11189	13528	3453	23053	19930	3123
四　川	9512	8221	2575	15965	10544	5421
贵　州	5451	466	156	5888	4560	1329
云　南	24376	6091	1931	32942	26651	6291
西　藏	3925	881	619	5504	6044	－540
陕　西	11980	1786	526	13462	13072	390
甘　肃	3673	1788	558	5933	5024	909
青　海	9827	2777	1397	11639	6979	4660
宁　夏	3256	4857	859	7440	6384	1057
新　疆	11381	2950	1485	13966	13072	894

3－10 续表 10

药品零售

单位:万元

地 区	流动资产合 计	固定资产原 价	累计折旧	资产总计	负债合计	所有者权益合 计
全 国	**1395855**	**451334**	**134623**	**2078199**	**1581033**	**497165**
北 京	65595	22837	6781	114242	57751	56491
天 津	6121	677	170	6914	3509	3405
河 北	30845	8969	2927	40149	38776	1373
山 西	52027	4467	2779	66060	52716	13345
内 蒙 古	6953	2851	1419	8717	6494	2223
辽 宁	187360	71866	18362	288498	188613	99885
吉 林	16558	10463	2125	26955	21907	5047
黑 龙 江	119662	37726	6284	156528	166399	－9870
上 海	39240	12999	4374	127368	55363	72005
江 苏	133309	38650	15218	174496	149518	24977
浙 江	176972	55538	16047	273580	187642	85938
安 徽	17651	5989	1557	22561	18972	3589
福 建	69673	2537	757	74280	61965	12315
江 西	25292	8963	1707	35454	42062	－6608
山 东	93619	36253	11822	134335	137716	－3381
河 南	42655	18389	4694	59918	52979	6939
湖 北	41268	11861	3918	54738	41771	12968
湖 南	60283	17664	3277	88095	54791	33304
广 东	104017	36180	15955	173411	118031	55381
广 西	12187	3110	893	16110	11803	4307
海 南						
重 庆	11189	13528	3453	23053	19930	3123
四 川	9512	8221	2575	15965	10544	5421
贵 州	5451	466	156	5888	4560	1329
云 南	24376	6091	1931	32942	26651	6291
西 藏	3925	881	619	5504	6044	－540
陕 西	11980	1786	526	13462	13072	390
甘 肃	3673	1788	558	5933	5024	909
青 海	9827	2777	1397	11639	6979	4660
宁 夏	3256	4857	859	7440	6384	1057
新 疆	11381	2950	1485	13966	13072	894

3－10　续表11

汽车、摩托车、燃料及零配件专门零售　　　　单位：万元

地　区	流动资产合　计	固定资产原　价	累计折旧	资产总计	负债合计	所有者权益合　计
全　国	**3670841**	**2312135**	**532483**	**6970419**	**4560908**	**2409511**
北　京	120842	305545	71183	609461	289825	319636
天　津	27543	59192	10657	126793	70569	56224
河　北	236877	63541	12675	347445	242491	104954
山　西	97491	25724	6602	155213	106801	48412
内蒙古	181258	106612	33801	316338	265513	50825
辽　宁	48011	102714	30322	213558	153537	60022
吉　林	43582	112169	39095	210042	301413	－91371
黑龙江	8482	12444	2287	19331	10903	8428
上　海	263426	385421	81354	768444	310590	457854
江　苏	132716	20502	4837	171882	150117	21766
浙　江	37020	70681	19838	152642	81461	71180
安　徽	86116	35251	6723	167147	133237	33909
福　建	16676	103712	25944	185867	23892	161975
江　西	12605	3842	1032	18176	12391	5785
山　东	422124	95900	20278	560768	400395	160373
河　南	51932	91899	15644	166180	101167	65013
湖　北	61946	50356	12024	108961	83775	25186
湖　南	65852	135321	28372	186677	313760	－127083
广　东	1654262	408811	76234	2190521	1266957	923564
广　西	16473	3467	504	20447	12128	8319
海　南						
重　庆	468	1566	385	1972	1197	775
四　川	32707	37708	11616	84634	57548	27087
贵　州						
云　南	23217	15006	3423	44230	32645	11585
西　藏	8017	12642	2699	24273	6828	17445
陕　西	6014	1142	546	7610	3531	4078
甘　肃						
青　海						
宁　夏						
新　疆	15188	50968	14410	111807	128237	－16430

3－10　续表 12

汽车零售　　　　单位:万元

地　区	流动资产合　计	固定资产原　价	累计折旧	资产总计	负债合计	所有者权益合　计
全　国	**1663764**	**371134**	**85555**	**2348748**	**1898718**	**450030**
北　京	28028	24441	5393	55283	31083	24200
天　津						
河　北	223947	22973	5657	289671	205263	84408
山　西	74400	23004	5137	105553	62014	43539
内 蒙 古	110861	19583	3652	159300	132272	27028
辽　宁	3392	823	282	6943	4745	2198
吉　林	20295	3780	868	27470	21436	6034
黑 龙 江	10401	5380	1112	15361	10756	4606
上　海	196585	52154	12832	330795	210575	120220
江　苏	129749	20036	4541	168735	147640	21095
浙　江	4499	3942	1006	7674	6043	1631
安　徽	86116	35251	6723	167147	133237	33909
福　建	5214	541	131	7437	6016	1422
江　西	12605	3842	1032	18176	12391	5785
山　东	259196	45483	10568	349704	337672	12033
河　南	21642	3620	1139	26066	21584	4482
湖　北	52135	13173	2701	69524	59698	9826
湖　南	13073	3936	1020	19284	17542	1742
广　东	357686	70061	17579	443458	415645	27813
广　西	3628	1918	312	5287	3346	1941
海　南						
重　庆						
四　川	14831	2702	695	21254	16431	4823
贵　州						
云　南	20547	9684	2412	34071	28114	5958
西　藏	5995	2606	322	8995	5599	3397
陕　西	3054	176	1	3230	2381	849
甘　肃						
青　海						
宁　夏						
新　疆	5886	2025	441	8330	7237	1093

3－10　续表13

机动车燃料零售　　单位:万元

地　　区	流动资产合　计	固定资产原　价	累计折旧	资产总计	负债合计	所有者权益合　　计
全　　国	**1964736**	**1904010**	**435450**	**4543021**	**2396659**	**2146363**
北　　京	92814	281105	65790	554178	258742	295436
天　　津	27543	59192	10657	126793	70569	56224
河　　北	7617	34701	4880	46247	24254	21993
山　　西	19025	1650	918	43586	41698	1888
内 蒙 古	70396	87029	30149	157038	133241	23797
辽　　宁	42940	101343	29890	204539	147115	57424
吉　　林	23287	108389	38227	182572	279977	－97405
黑 龙 江	－1919	7064	1175	3970	147	3822
上　　海	56278	332429	68073	426188	95976	330212
江　　苏						
浙　　江	31811	62732	17856	139892	70899	68993
安　　徽						
福　　建	11463	103171	25812	178430	17877	160553
江　　西						
山　　东	161068	50163	9604	209055	62410	146645
河　　南	30289	88279	14505	140114	79583	60532
湖　　北	7492	36865	9266	36727	22307	14420
湖　　南	50330	108209	20747	144693	69710	74982
广　　东	1293590	338420	58551	1743393	849409	893984
广　　西	5416	1430	141	6962	2520	4441
海　　南						
重　　庆	468	1566	385	1972	1197	775
四　　川	17875	35006	10921	63380	41117	22263
贵　　州						
云　　南	2670	5323	1010	10159	4532	5628
西　　藏	2022	10037	2378	15278	1229	14049
陕　　西	2960	965	545	4380	1151	3229
甘　　肃						
青　　海						
宁　　夏						
新　　疆	9302	48944	13969	103477	121000	－17523

3－10 续表 14

家用电器及电子产品专门零售 单位:万元

地 区	流动资产合计	固定资产原价	累计折旧	资产总计	负债合计	所有者权益合计
全 国	**3717041**	**341475**	**77648**	**4590806**	**3647105**	**943701**
北 京	663426	33991	12809	887286	871171	16114
天 津	137398	1585	789	145709	132197	13512
河 北	42980	9352	1387	55335	52228	3107
山 西	20769	7968	1438	28691	22836	5855
内蒙古	6807	2126	243	9253	6704	2549
辽 宁	87880	1666	706	91464	85351	6113
吉 林	6293	4651	1073	11225	4775	6450
黑龙江	63814	10081	1601	74625	61736	12889
上 海	270888	17688	3175	335599	265509	70090
江 苏	652239	72723	12034	890285	471236	419050
浙 江	180950	36025	6083	225017	181096	43922
安 徽	37420	1745	714	40319	29376	10943
福 建	94021	2230	511	97973	88343	9630
江 西	17237	1100	424	18674	17440	1234
山 东	328264	54405	11303	438327	327602	110725
河 南	42282	2454	630	62831	35835	26996
湖 北	137167	33855	4491	176603	143660	32943
湖 南	55220	5124	1886	61074	57414	3659
广 东	406292	23850	8700	448516	361540	86976
广 西	26469	854	269	27091	24494	2596
海 南	1034	321	186	1190	847	344
重 庆	79137	1209	639	82672	77340	5332
四 川	162130	6035	2436	172093	160831	11262
贵 州	2350	89	14	2425	2336	89
云 南	65705	4629	2404	70908	53749	17158
西 藏						
陕 西	85134	2112	1038	88116	71042	17074
甘 肃	295	21	6	326	140	187
青 海	6070	3117	522	8987	6548	2439
宁 夏	11309	65	22	11351	11297	54
新 疆	26060	406	119	26844	22434	4410

3－10 续表15

家用电器零售

单位:万元

地区	流动资产合计	固定资产原价	累计折旧	资产总计	负债合计	所有者权益合计
全国	**3277040**	**252040**	**53895**	**4028809**	**3149895**	**878914**
北京	580416	9712	4114	784635	714143	70492
天津	131994	1377	702	140180	129632	10549
河北	38629	6967	1247	48740	46472	2268
山西	20741	6939	1134	27623	23152	4471
内蒙古	6104	1842	118	8388	6509	1879
辽宁	83465	1437	624	86465	80992	5472
吉林	2761	111	32	3147	3354	－206
黑龙江	63814	10081	1601	74625	61736	12889
上海	211010	8379	1482	265565	202449	63116
江苏	563636	53685	8548	753513	376894	376619
浙江	165251	29615	4505	202082	166205	35877
安徽	34877	1524	576	37473	27101	10372
福建	93167	2193	490	97056	87649	9408
江西	14044	575	111	14971	17093	－2122
山东	295945	47767	10051	396280	290960	105320
河南	34507	2092	522	54722	28896	25826
湖北	131073	31217	3858	168242	137545	30697
湖南	43362	3577	1593	46799	45682	1117
广东	347804	17352	6160	380056	317457	62599
广西	19223	209	106	19358	17658	1700
海南						
重庆	79137	1209	639	82672	77340	5332
四川	145024	5019	2042	154252	144931	9321
贵州						
云南	54115	4436	2371	58878	44912	13966
西藏						
陕西	75151	1294	673	77635	62240	15396
甘肃	295	21	6	326	140	187
青海	4126	2941	449	6931	5022	1909
宁夏	11309	65	22	11351	11297	54
新疆	26060	406	119	26844	22434	4410

3－10 续表16

计算机、软件及辅助设备零售

单位:万元

地 区	流动资产合 计	固定资产原 价	累计折旧	资产总计	负债合计	所有者权益合 计
全 国	**224370**	**56918**	**12946**	**307530**	**292586**	**14944**
北 京	37411	16253	4852	50195	113111	－62916
天 津						
河 北						
山 西	28	1028	305	1067	－316	1384
内 蒙 古						
辽 宁	4416	230	82	4999	4359	640
吉 林	3532	4540	1040	8078	1421	6656
黑 龙 江						
上 海	53927	8830	1380	63917	52963	10954
江 苏	81454	18607	3317	128830	87106	41724
浙 江	6645	466	26	7092	1986	5106
安 徽						
福 建						
江 西	3193	525	313	3703	347	3356
山 东	1834	724	93	2834	1716	1118
河 南	1424	103	54	1513	1107	406
湖 北	3513	2611	622	5726	3483	2243
湖 南	11245	1491	276	12622	10478	2144
广 东	7690	712	363	8312	7164	1147
广 西	6115	623	152	6587	6135	452
海 南						
重 庆						
四 川						
贵 州						
云 南						
西 藏						
陕 西						
甘 肃						
青 海	1945	177	73	2057	1526	531
宁 夏						
新 疆						

3－10 续表17

通讯设备零售 单位:万元

地区	流动资产合计	固定资产原价	累计折旧	资产总计	负债合计	所有者权益合计
全国	**203040**	**29377**	**9666**	**237080**	**191548**	**45532**
北京	40339	7537	3500	44553	36782	7772
天津	5404	207	86	5529	2565	2964
河北	4351	2384	140	6595	5756	839
山西						
内蒙古	702	284	125	865	195	670
辽宁						
吉林						
黑龙江						
上海	5951	479	313	6117	10097	－3980
江苏	7150	431	169	7943	7236	707
浙江	6277	4473	1174	11936	9868	2069
安徽	2543	221	137	2845	2275	571
福建	854	38	21	916	694	222
江西						
山东	30485	5914	1159	39213	34926	4287
河南	6351	260	55	6596	5831	765
湖北	2581	27	11	2635	2632	3
湖南	613	57	17	1653	1254	399
广东	47278	4925	1942	55761	34861	20901
广西	1131	23	11	1146	701	445
海南						
重庆						
四川	17107	1017	395	17840	15900	1941
贵州	2350	89	14	2425	2336	89
云南	11591	193	33	12029	8837	3192
西藏						
陕西	9983	818	365	10481	8802	1679
甘肃						
青海						
宁夏						
新疆						

3－10 续表18

五金、家具及室内装修材料专门零售

单位:万元

地 区	流动资产合 计	固定资产原 价	累计折旧	资产总计	负债合计	所有者权益合 计
全 国	**494837**	**376383**	**62377**	**922541**	**659186**	**263355**
北 京	48733	117266	11723	156759	142447	14312
天 津	19847	9184	6085	26593	24061	2532
河 北	2258	338	82	2743	2368	376
山 西	1608	3329	737	6476	3674	2802
内蒙古	69260	38423	6011	112670	17817	94852
辽 宁	64931	9546	2050	79082	66222	12860
吉 林	249	320	14	5213	1480	3733
黑龙江	5594	8678	1931	14874	15201	－328
上 海	29807	20044	3782	62892	30387	32505
江 苏	28306	17719	2884	56033	40854	15178
浙 江	4418	4132	1841	8610	13410	－4801
安 徽	6915	3223	283	10196	8924	1272
福 建	19256	10655	1391	39104	32149	6956
江 西	2670	2552	217	5880	3480	2400
山 东	25633	38583	6533	66547	68315	－1768
河 南	6585	6596	556	13395	5408	7987
湖 北	7240	5407	1810	12845	11373	1472
湖 南	13547	17051	1025	29621	10784	18838
广 东	64249	14116	4962	87734	69504	18229
广 西						
海 南						
重 庆	7718	9025	1091	17520	20588	－3068
四 川	11683	1037	295	15157	9212	5945
贵 州						
云 南	5615	937	460	7979	4044	3935
西 藏						
陕 西	29886	23652	3052	50611	37788	12823
甘 肃	1212	48	22	1238	255	983
青 海						
宁 夏						
新 疆	17621	14521	3539	32773	19441	13331

3－10　续表19

无店铺及其他零售　　　　单位:万元

地　区	流动资产合计	固定资产原价	累计折旧	资产总计	负债合计	所有者权益合计
全　国	**228476**	**132863**	**48160**	**476426**	**336343**	**140083**
北　京	7060	3009	694	12595	8023	4571
天　津	4282	2926	956	6476	3243	3232
河　北	836	38	17	858	965	－108
山　西	413	345	41	718	262	456
内蒙古	3006	1432	424	4014	1332	2683
辽　宁						
吉　林						
黑龙江	81	768	119	881	487	394
上　海	39899	28878	9913	135388	86811	48577
江　苏	10108	3366	1016	15252	16139	－887
浙　江	3157	461	269	3350	2637	712
安　徽	485	573	172	1178	1122	57
福　建	33964	6657	2401	63805	47435	16370
江　西						
山　东	7163	7994	1177	14573	11075	3498
河　南	12216	8603	3517	25415	17364	8051
湖　北	9832	2666	896	11607	10473	1134
湖　南	3738	4935	2750	15881	14716	1165
广　东	79784	39525	15846	121111	88808	32302
广　西	1067	2489	1609	6580	5284	1295
海　南						
重　庆						
四　川	3820	6743	2252	21397	6416	14981
贵　州						
云　南						
西　藏						
陕　西	2806	5480	1831	6536	9014	－2478
甘　肃						
青　海	2474	1688	781	3381	3472	－91
宁　夏	2286	4288	1480	5433	1265	4167
新　疆						

3－10　续表20

邮购及电子销售　　　　单位:万元

地　区	流动资产合　计	固定资产原　价	累计折旧	资产总计	负债合计	所有者权益合　计
全　国	**19456**	**1439**	**491**	**21015**	**43264**	**－22249**
北　京	1030	269	29	1270	771	499
天　津						
河　北						
山　西						
内蒙古						
辽　宁						
吉　林						
黑龙江						
上　海	16828	871	417	17613	38383	－20770
江　苏	1598	299	45	2132	4110	－1979
浙　江						
安　徽						
福　建						
江　西						
山　东						
河　南						
湖　北						
湖　南						
广　东						
广　西						
海　南						
重　庆						
四　川						
贵　州						
云　南						
西　藏						
陕　西						
甘　肃						
青　海						
宁　夏						
新　疆						

3－11 大中型零售企业分行业实收资本及构成

综合零售　　　　单位：万元

地　区	实收资本	国家资本	集体资本	法人资本	个人资本	港澳台资本	外商资本
全　国	**6050218**	**744678**	**407634**	**2222824**	**1243826**	**470788**	**960468**
北　京	741214	114913	28701	368489	72439	52064	104608
天　津	236743	18873	20773	80515	71964	7683	36937
河　北	162919	11274	18213	75981	55527		1924
山　西	72911	3925	13240	23783	31964		
内蒙古	43798	2974	2112	27301	11112	300	
辽　宁	310182	78550	818	101835	76428	21957	30595
吉　林	103209	6044	4121	34510	49547	8787	200
黑龙江	125724	3713	26224	74509	14826	6452	
上　海	1006174	126876	11653	354633	119752	49073	344188
江　苏	496406	35792	28654	156933	119428	33585	122015
浙　江	243024	24133	33691	73838	89213	5200	16950
安　徽	113111	24861	6219	30916	43832	1519	5764
福　建	49836	4247	253	20332	21770	800	2433
江　西	58883	163	7000	29054	20013	2653	
山　东	577889	90393	64898	265933	78064	21946	56655
河　南	147269	13634	23152	44432	56191	2100	7761
湖　北	230677	42848	17563	60560	84174	10226	15307
湖　南	127673	21695	9801	30626	22930		42621
广　东	581119	28902	4035	137261	58179	233627	119115
广　西	55345	3934	7777	25121	16213		2301
海　南	3391			956	2119		316
重　庆	98173	50220	2450	11155	10097		24251
四　川	90693	600	5745	51018	11154	8512	13664
贵　州	7106			5500	1606		
云　南	45262		1277	7608	19208	4305	12864
西　藏							
陕　西	141248	24330	49694	45627	21597		
甘　肃	70355	825	5025	38273	26233		
青　海	18932		8004	9449	1479		
宁　夏	29863	3915		16456	9493		
新　疆	61090	7048	6543	20220	27279		

3－11　续表1

百货零售　　　　单位:万元

地　　区	实收资本	国家资本	集体资本	法人资本	个人资本	港澳台资本	外商资本
全　　国	**3363108**	**585918**	**281466**	**1226945**	**861239**	**139986**	**267554**
北　　京	444147	84662	25789	218603	53070	11297	50726
天　　津	162501	18193	14874	58724	58792	3964	7955
河　　北	133328	7942	13953	65455	45978		
山　　西	21845	1968	2537	4540	12800		
内 蒙 古	36464	2974	2072	23354	7765	300	
辽　　宁	249164	64752	698	89073	73497	15500	5644
吉　　林	83678	5224	3519	20672	45577	8487	200
黑 龙 江	108484	3713	25889	66805	12076		
上　　海	298567	71533	4720	67164	82065	36367	36718
江　　苏	357100	24366	23423	133850	84754	8080	82627
浙　　江	128156	20282	8272	38510	56682		4410
安　　徽	65924	18635	963	14503	30305	1519	
福　　建	13138	1520	136	8280	2802		400
江　　西	30505	163	7000	11600	11743		
山　　东	364715	82143	47274	142071	66755		26472
河　　南	64178	12615	9874	26148	11661		3881
湖　　北	144032	36136	15428	33749	48493	10226	
湖　　南	79134	21595	7512	5666	10639		33723
广　　东	174004	27985	2913	54005	44178	42708	2217
广　　西	34763	3934	1804	15363	11362		2301
海　　南	3391			956	2119		316
重　　庆	69132	50220	2450	8465	7997		
四　　川	59955		4680	39195	4576	1540	9964
贵　　州	2385			1100	1285		
云　　南	10959		962	4543	5454		
西　　藏							
陕　　西	90102	16321	47137	18057	8588		
甘　　肃	45784	825	288	19225	25447		
青　　海	11814		7204	3449	1161		
宁　　夏	26027	1171		15716	9141		
新　　疆	49730	7048	95	18108	24479		

3－11 续表2

超级市场零售　　　　单位:万元

地　区	实收资本	国家资本	集体资本	法人资本	个人资本	港澳台资本	外商资本
全　国	**2530179**	**116698**	**95862**	**960585**	**354709**	**324902**	**677423**
北　京	286327	21347	2635	149766	17929	40768	53882
天　津	73037		5373	21791	13172	3719	28982
河　北	29390	3132	4260	10526	9549		1924
山　西	49999	1957	9935	19243	18864		
内蒙古	7334		40	3947	3347		
辽　宁	60319	13298	120	12762	2731	6457	24950
吉　林	18328	820		13838	3370	300	
黑龙江	17240		335	7704	2750	6452	
上　海	631850	30679	4523	266181	24750	12706	293011
江　苏	135420	8925	4940	22533	34129	25505	39387
浙　江	112293	3591	23556	34885	32521	5200	12540
安　徽	44186	6226	5256	16413	10527		5764
福　建	26517			6749	17968	800	1000
江　西	28378			17454	8271	2653	
山　东	207201	8028	12428	123827	10788	21946	30184
河　南	71614		4839	17415	43380	2100	3881
湖　北	83657	6712	1859	24311	35468		15307
湖　南	47250	100	1198	24960	12095		8898
广　东	397700	540	1122	83257	10863	185020	116899
广　西	13211		156	9308	3747		
海　南							
重　庆	29009			2690	2068		24251
四　川	28971	600	995	11488	5217	6972	3700
贵　州	4521			4200	321		
云　南	33987			3065	13753	4305	12864
西　藏							
陕　西	46724	8000	1445	24370	12909		
甘　肃	23403		3600	19048	755		
青　海	7118		800	6000	318		
宁　夏	3836	2744		740	352		
新　疆	11360		6448	2112	2800		

3－11 续表3

食品、饮料及烟草制品专门零售　　单位:万元

地　区	实收资本	国家资本	集体资本	法人资本	个人资本	港澳台资本	外商资本
全　国	**244973**	**99692**	**12983**	**57836**	**56770**	**5690**	**12002**
北　京	36455	3522	597	24300	8036		
天　津	1829	16		1088	725		
河　北	1432	758		674			
山　西	21258	9070	3328	2534	89		6236
内蒙古	50			50			
辽　宁	3141		255	400	2486		
吉　林	3730	200			3530		
黑龙江							
上　海	50551	19466	590	10228	18632		1635
江　苏	7905	2457	1865	90	3493		
浙　江	9470	1285	511	3311	4048	316	
安　徽	302	302					
福　建	10676	4176		2850	3650		
江　西							
山　东	15101	6188	1388	130	3265		4131
河　南	11840	2057	326	8612	845		
湖　北	810	248			563		
湖　南	5437	773	2701		1964		
广　东	39164	35344	1027	1962	500	331	
广　西	2968	637			2288	44	
海　南	1300	1300					
重　庆	4021	4021					
四　川	6076			356	720	5000	
贵　州	1465	710	396		360		
云　南	5177	3218		573	1386		
西　藏							
陕　西	192				192		
甘　肃	977	300		677			
青　海							
宁　夏	3645	3645					
新　疆							

3－11　续表4

纺织、服装及日用品专门零售　　　　单位:万元

地　区	实收资本	国家资本	集体资本	法人资本	个人资本	港澳台资本	外商资本
全　国	**341878**	**8759**	**21157**	**80936**	**76753**	**30866**	**123406**
北　京	24117	466	1635	4873	14728	800	1614
天　津	52842		9200	7100	2322		34220
河　北	697		144	103	450		
山　西	11335	59	29	5175	5972	100	
内蒙古	7021		5000	1641	380		
辽　宁	43815	354	60	1920	3888	300	37292
吉　林	660			50	610		
黑龙江	130	58		42	30		
上　海	66145	1758	8	19896	1411	15656	27416
江　苏	12244	2087		5346	4811		
浙　江	12424			3670	7139	1615	
安　徽	2230			1500	730		
福　建	2021			545	1476		
江　西	530			30	500		
山　东	30631	834	2618	586	4544		22050
河　南	5281	210	244	3542	1285		
湖　北	1644	234	100	492		818	
湖　南	3343	245		1596	689		814
广　东	17095		54	3607	2497	10937	
广　西	500			500			
海　南	100				100		
重　庆	2200			1060	500	640	
四　川	8764		1804	5595	1365		
贵　州	13918	2248		2552	9119		
云　南							
西　藏							
陕　西	11102	207	260	7799	2836		
甘　肃	2561			321	2240		
青　海							
宁　夏							
新　疆	8528			1395	7133		

3－11 续表5

服装零售 单位:万元

地区	实收资本	国家资本	集体资本	法人资本	个人资本	港澳台资本	外商资本
全国	**258820**	**7448**	**5412**	**57688**	**54875**	**17304**	**116092**
北京	17204	430	1471	2400	10489	800	1614
天津	42770			7050	1500		34220
河北	303			103	200		
山西	5942	59	29		5754	100	
内蒙古	2021			1641	380		
辽宁	43460	160		1920	3788	300	37292
吉林	660			50	610		
黑龙江	100	58		42			
上海	39491	1168		10045	230	7432	20616
江苏	11706	2087		5346	4273		
浙江	9360			3670	4075	1615	
安徽	2000			1500	500		
福建	1081			500	581		
江西	530			30	500		
山东	29287	834	2568	560	3275		22050
河南	3507		244	3070	192		
湖北	660	160	100	100		300	
湖南	1343	245		110	689		300
广东	8849			1349	783	6717	
广西	500			500			
海南	100				100		
重庆	1600			1060	500	40	
四川	6200		1000	4995	205		
贵州	13918	2248		2552	9119		
云南							
西藏							
陕西	7700			7700			
甘肃							
青海							
宁夏							
新疆	8528			1395	7133		

3－11 续表6

文化、体育用品及器材专门零售 单位:万元

地区	实收资本	国家资本	集体资本	法人资本	个人资本	港澳台资本	外商资本
全国	**354056**	**207484**	**5499**	**90015**	**43924**	**2550**	**4584**
北京	36656	10955	138	17696	5838		2030
天津	11382	102			11280		
河北	3674	3674					
山西	8170	2302	100	801	4968		
内蒙古							
辽宁	9820	9508		238	74		
吉林	2455	555		1900			
黑龙江	3603	2272		660	671		
上海	15074	50	310	7524	4640	2550	
江苏	8158	5440	1000		1718		
浙江	21923	3923		18000			
安徽	24399	14683		9716			
福建	800				800		
江西	2100	2100					
山东	12325	5094		2216	5015		
河南	17622	16400		122	1100		
湖北	10721	8302	83	670	1666		
湖南	5108	4608		500			
广东	57921	38169	3868	12576	3308		
广西	2632	2632					
海南	3188			3188			
重庆	760			638	122		
四川	75540	63839		10334	1367		
贵州	693	693					
云南	11949	6206		1831	1357		2554
西藏							
陕西	2838	2838					
甘肃	469	469					
青海	1100			1100			
宁夏	461	461					
新疆	2516	2211		305			

3－11 续表7

体育用品零售

单位:万元

地 区	实收资本	国家资本	集体资本	法人资本	个人资本	港澳台资本	外商资本
全 国	**14353**			**7923**	**4400**		**2030**
北 京	3791			1761			2030
天 津							
河 北							
山 西							
内蒙古							
辽 宁	52			52			
吉 林							
黑龙江	1060			660	400		
上 海	5300			4800	500		
江 苏	1500				1500		
浙 江							
安 徽							
福 建							
江 西							
山 东							
河 南							
湖 北							
湖 南	500			500			
广 东	2150			150	2000		
广 西							
海 南							
重 庆							
四 川							
贵 州							
云 南							
西 藏							
陕 西							
甘 肃							
青 海							
宁 夏							
新 疆							

3－11 续表8

图书零售

单位:万元

地区	实收资本	国家资本	集体资本	法人资本	个人资本	港澳台资本	外商资本
全　国	**284369**	**201027**	**3951**	**59837**	**17000**		**2554**
北　京	12505	6054		6335	116		
天　津	10382	102			10280		
河　北	3674	3674					
山　西	3051	2302			750		
内蒙古							
辽　宁	9243	8983		186	74		
吉　林	2455	555		1900			
黑龙江	2543	2272			271		
上　海	168	50		118			
江　苏	5158	5108			50		
浙　江	20923	3923		17000			
安　徽	24399	14683		9716			
福　建	700				700		
江　西	1900	1900					
山　东	6039	5094		128	817		
河　南	16522	16400		122			
湖　北	10391	8302	83	540	1466		
湖　南	4608	4608					
广　东	49471	37669	3868	6726	1208		
广　西	2632	2632					
海　南	3188			3188			
重　庆	760			638	122		
四　川	74173	63839		10334			
贵　州	693	693					
云　南	11409	6206		1502	1146		2554
西　藏							
陕　西	2838	2838					
甘　肃	469	469					
青　海	1100			1100			
宁　夏	461	461					
新　疆	2516	2211		305			

3－11　续表9

医药及医疗器材专门零售　　　　单位:万元

地区	实收资本	国家资本	集体资本	法人资本	个人资本	港澳台资本	外商资本
全国	**464802**	**92688**	**16580**	**247533**	**102518**	**1345**	**4139**
北京	48782	10254	177	31727	2485		4139
天津	1926	500		681	745		
河北	7331	1163	1084	2038	3046		
山西	15362	11472		1818	2071		
内蒙古	1779	150	600	227	802		
辽宁	49375	1409	325	34662	12979		
吉林	7337	5988		1228	120		
黑龙江	14948		1354	13496	99		
上海	63547	2550	3339	56765	893		
江苏	23930	1725	2445	5619	14141		
浙江	67617	8804	360	30993	27145	316	
安徽	9217	1427		4736	3054		
福建	4326	543	702	1780	1302		
江西	2811	174		2077	560		
山东	21779	10026	444	4398	6911		
河南	12215	3734	2266	2214	4001		
湖北	17797	814	400	10152	6431		
湖南	25399	848	42	19140	4340	1029	
广东	36067	20909	578	10961	3619		
广西	4061		512	1209	2340		
海南							
重庆	5609	3109		2500			
四川	3346		180	960	2206		
贵州	1550	1000		550			
云南	7314		1200	5285	829		
西藏	1489	1489					
陕西	3048	744		1200	1104		
甘肃	1165	212	414		540		
青海	3977	3000	160	762	55		
宁夏	343	343					
新疆	1355	300		355	700		

3－11 续表10

药品零售　　单位:万元

地　区	实收资本	国家资本	集体资本	法人资本	个人资本	港澳台资本	外商资本
全　国	**456704**	**91181**	**16342**	**246369**	**101468**	**1345**	
北　京	43086	9797	177	31627	1485		
天　津	1926	500		681	745		
河　北	7331	1163	1084	2038	3046		
山　西	15362	11472		1818	2071		
内蒙古	1779	150	600	227	802		
辽　宁	49375	1409	325	34662	12979		
吉　林	7337	5988		1228	120		
黑龙江	14948		1354	13496	99		
上　海	63547	2550	3339	56765	893		
江　苏	23552	1348	2445	5619	14141		
浙　江	67617	8804	360	30993	27145	316	
安　徽	8903	1427		4422	3054		
福　建	4326	543	702	1780	1302		
江　西	2811	174		2077	560		
山　东	21279	9526	444	4398	6911		
河　南	11853	3562	2076	2214	4001		
湖　北	17797	814	400	10152	6431		
湖　南	25399	848	42	19140	4340	1029	
广　东	35219	20909	530	10211	3569		
广　西	4061		512	1209	2340		
海　南							
重　庆	5609	3109		2500			
四　川	3346		180	960	2206		
贵　州	1550	1000		550			
云　南	7314		1200	5285	829		
西　藏	1489	1489					
陕　西	3048	744		1200	1104		
甘　肃	1165	212	414		540		
青　海	3977	3000	160	762	55		
宁　夏	343	343					
新　疆	1355	300		355	700		

3－11 续表 11

汽车、摩托车、燃料及零配件专门零售 单位:万元

地 区	实收资本	国家资本	集体资本	法人资本	个人资本	港澳台资本	外商资本
全 国	**1420256**	**774116**	**38573**	**439160**	**168406**		
北 京	243202	4513	1000	235423	2266		
天 津							
河 北	72525	2156		5130	65239		
山 西	39871	209	1053	38508	100		
内蒙古	47811	25469	18642	1200	2500		
辽 宁	16425		2154	136	14135		
吉 林	10678	3084	10	820	6764		
黑龙江	2800	385		1700	715		
上 海	322111	279111	2350	34410	6240		
江 苏	24260	1098		16306	6856		
浙 江	25440	5028	254	9423	10735		
安 徽	13000			8000	5000		
福 建	2250			840	1410		
江 西	5077	1477			3600		
山 东	24723	3805	2895	7325	10699		
河 南	34915		3880	27535	3500		
湖 北	19478	14732		1150	3597		
湖 南	32782	21593		9971	1219		
广 东	439022	397367	2500	26405	12750		
广 西	2792			1792	1000		
海 南							
重 庆	1000			1000			
四 川	9765		3400	5906	459		
贵 州							
云 南	9630			1191	8439		
西 藏	16277	14049		2228			
陕 西	1659	41	435		1184		
甘 肃							
青 海							
宁 夏							
新 疆	2763			2763			

3-11 续表12

汽车零售

单位:万元

地区	实收资本	国家资本	集体资本	法人资本	个人资本	港澳台资本	外商资本
全国	**316090**	**9284**	**28337**	**144650**	**133819**		
北京	10053	4513	1000	2274	2266		
天津							
河北	70220			5130	65090		
山西	36430		1000	35330	100		
内蒙古	22342		18642	1200	2500		
辽宁	2200				2200		
吉林	7264			500	6764		
黑龙江	2800	385		1700	715		
上海	41550		1900	34210	5440		
江苏	23760	1098		16306	6356		
浙江	1580			1301	279		
安徽	13000			8000	5000		
福建	1250			840	410		
江西	5077	1477			3600		
山东	19168	575	2895	7325	8374		
河南	4351			901	3450		
湖北	4883	866		600	3417		
湖南	1789	370		200	1219		
广东	37054		2500	22912	11641		
广西	792			792			
海南							
重庆							
四川	1569		400	710	459		
贵州							
云南	4580			1191	3389		
西藏	2228			2228			
陕西	1150				1150		
甘肃							
青海							
宁夏							
新疆	1000			1000			

3－11 续表13

机动车燃料零售

单位:万元

地 区	实收资本	国家资本	集体资本	法人资本	个人资本	港澳台资本	外商资本
全 国	**1085120**	**754078**	**9532**	**290228**	**31283**		
北 京	233149			233149			
天 津							
河 北	2156	2156					
山 西	440	209	53	178			
内蒙古	25469	25469					
辽 宁	14142		2154	53	11935		
吉 林	3414	3084	10	320			
黑龙江							
上 海	279111	279111					
江 苏							
浙 江	23350	5028		8122	10200		
安 徽							
福 建	1000				1000		
江 西							
山 东	5325	3000			2325		
河 南	30564		3880	26634	50		
湖 北	14495	13865		550	80		
湖 南	20469	10699		9771			
广 东	400469	397367		2493	609		
广 西	1000			1000			
海 南							
重 庆	1000			1000			
四 川	8196		3000	5196			
贵 州							
云 南	5050				5050		
西 藏	14049	14049					
陕 西	509	41	435		34		
甘 肃							
青 海							
宁 夏							
新 疆	1763			1763			

3－11 续表14

家用电器及电子产品专门零售

单位:万元

地区	实收资本	国家资本	集体资本	法人资本	个人资本	港澳台资本	外商资本
全国	**623927**	**13544**	**11254**	**215341**	**240953**	**4100**	**138735**
北京	98100	1100	1000	38313	19388		38300
天津	10000			4000	6000		
河北	10214	4216	730	2568	2700		
山西	3785			1653	2132		
内蒙古	2480			1780	700		
辽宁	4150			2650	1500		
吉林	5550	2600		500	2450		
黑龙江	7928	258	500	3550	3620		
上海	34534		200	15580	13754		5000
江苏	191944		1231	14145	82033		94535
浙江	25069	31	408	19071	5559		
安徽	4389	558	510	1981	1340		
福建	4270			2570	1700		
江西	3200			1080	120	2000	
山东	107724	679	2918	47533	56595		
河南	11469		934	3730	6805		
湖北	12540	500	1169	3032	7839		
湖南	2146		160	1406	580		
广东	52025			30542	18483	2100	900
广西	3112	256		200	2656		
海南	205			205			
重庆	3350			2500	850		
四川	9130			7880	1250		
贵州	100			60	40		
云南	4175		474	2500	1201		
西藏							
陕西	9544	3347	1020	4177	1000		
甘肃	125			125			
青海	1010			1010			
宁夏	658				658		
新疆	1000			1000			

3－11　续表15

家用电器零售

单位:万元

地　区	实收资本	国家资本	集体资本	法人资本	个人资本	港澳台资本	外商资本
全　国	**436807**	**8788**	**9519**	**145121**	**140844**	**2100**	**130435**
北　京	51048			9730	11318		30000
天　津	7000			4000	3000		
河　北	9514	4216	730	2568	2000		
山　西	3633			1501	2132		
内蒙古	1880			1780	100		
辽　宁	3950			2650	1300		
吉　林	550			500	50		
黑龙江	7928	258	500	3550	3620		
上　海	22134			5000	12134		5000
江　苏	170299		1231	3662	70871		94535
浙　江	15494	26		11821	3647		
安　徽	3589	558	510	1981	540		
福　建	4150			2450	1700		
江　西	1200			1080	120		
山　东	52450	383	2918	43963	5186		
河　南	10454		934	3730	5790		
湖　北	11690		1043	2982	7665		
湖　南	1196		160	1036			
广　东	31645			24165	4480	2100	900
广　西	1811			80	1731		
海　南							
重　庆	3350			2500	850		
四　川	8330			7580	750		
贵　州							
云　南	2675		474	1000	1201		
西　藏							
陕　西	8544	3347	1020	4177			
甘　肃	125			125			
青　海	510			510			
宁　夏	658				658		
新　疆	1000			1000			

3－11　续表16

计算机、软件及辅助设备零售　　　　单位:万元

地　区	实收资本	国家资本	集体资本	法人资本	个人资本	港澳台资本	外商资本
全　国	**90197**	**4752**	**1326**	**54487**	**19333**	**2000**	**8300**
北　京	40120	1100	1000	25620	4100		8300
天　津							
河　北							
山　西	152			152			
内蒙古							
辽　宁	200				200		
吉　林	5000	2600			2400		
黑龙江							
上　海	11200		200	10480	520		
江　苏	20000			10450	9550		
浙　江	5620			5450	170		
安　徽							
福　建							
江　西	2000					2000	
山　东	1175	296		680	199		
河　南	700				700		
湖　北	800	500	126		174		
湖　南	800			220	580		
广　东	930			815	115		
广　西	1001	256		120	625		
海　南							
重　庆							
四　川							
贵　州							
云　南							
西　藏							
陕　西							
甘　肃							
青　海	500			500			
宁　夏							
新　疆							

3－11 续表 17

通讯设备零售 单位:万元

地 区	实收资本	国家资本	集体资本	法人资本	个人资本	港澳台资本	外商资本
全 国	**94038**	**5**	**408**	**15219**	**78406**		
北 京	5923			2963	2960		
天 津	3000				3000		
河 北	700				700		
山 西							
内 蒙 古	600				600		
辽 宁							
吉 林							
黑 龙 江							
上 海	1200			100	1100		
江 苏	1645			33	1612		
浙 江	3105	5	408	1800	892		
安 徽	800				800		
福 建	120			120			
江 西							
山 东	54100			2890	51210		
河 南	315				315		
湖 北	50			50			
湖 南	150			150			
广 东	18630			5253	13377		
广 西	300				300		
海 南							
重 庆							
四 川	800			300	500		
贵 州	100			60	40		
云 南	1500			1500			
西 藏							
陕 西	1000				1000		
甘 肃							
青 海							
宁 夏							
新 疆							

3－11　续表18

五金、家具及室内装修材料专门零售　　　　单位：万元

地　区	实收资本	国家资本	集体资本	法人资本	个人资本	港澳台资本	外商资本
全　国	**334096**	**5630**	**38828**	**93603**	**85712**	**47579**	**62744**
北　京	49708	1738	9470	5260	768		32472
天　津	5000			5000			
河　北	1000				1000		
山　西	1147	1008		100	39		
内蒙古	48144		5447		42697		
辽　宁	21086			8500	12000		586
吉　林	600		600				
黑龙江	6086			5000	585		501
上　海	51857	270		1500	200	47579	2308
江　苏	18932	587	763	7967	5724		3891
浙　江	12916		4685				8232
安　徽	6614			6000	100		514
福　建	8790			102	8182		506
江　西	110			100	10		
山　东	16080	1490	1365	10267	550		2408
河　南	5847	27	5390	30	400		
湖　北	3649	510	1508	725	347		559
湖　南	688			678	10		
广　东	22611			16815	5190		606
广　西							
海　南							
重　庆	2440			1000	710		730
四　川	7100			60	2040		5000
贵　州							
云　南	4134						4134
西　藏							
陕　西	16060		9600	1000	5160		300
甘　肃	1000			1000			
青　海							
宁　夏							
新　疆	22500			22500			

3－11 续表19

无店铺及其他零售

单位:万元

地 区	实收资本	国家资本	集体资本	法人资本	个人资本	港澳台资本	外商资本
全 国	**135364**	**37359**	**13420**	**39197**	**34446**	**3647**	**7294**
北 京	4081	650		586	845	2000	
天 津	1375		50	373	952		
河 北							
山 西	194	194					
内蒙古	583			583			
辽 宁							
吉 林							
黑龙江	641	641					
上 海	49866	13658	234	8896	25592		1486
江 苏	1320	300		525	495		
浙 江	700			300	400		
安 徽	157	103			54		
福 建	13870	2430	10240		1200		
江 西							
山 东	3309			400	2909		
河 南	12141	7315		52			4774
湖 北	607	607					
湖 南	1700		1700				
广 东	32398	132	1103	27482	1000	1647	1035
广 西	1000				1000		
海 南							
重 庆							
四 川	6721	6721					
贵 州							
云 南							
西 藏							
陕 西	890	890					
甘 肃							
青 海	94		94				
宁 夏	3718	3718					
新 疆							

3－11 续表20

邮购及电子销售

单位:万元

地区	实收资本	国家资本	集体资本	法人资本	个人资本	港澳台资本	外商资本
全国	**1978**			**262**	**230**		**1486**
北京	50				50		
天津							
河北							
山西							
内蒙古							
辽宁							
吉林							
黑龙江							
上海	1748			262			1486
江苏	180				180		
浙江							
安徽							
福建							
江西							
山东							
河南							
湖北							
湖南							
广东							
广西							
海南							
重庆							
四川							
贵州							
云南							
西藏							
陕西							
甘肃							
青海							
宁夏							
新疆							

3－12　大中型零售企业分行业损益及分配

综合零售　　　　单位:万元

地　　区	营业收入合　　计	主营业务收　　入	主营业务成　　本	主营业务税金及附加
全　　国	**54531310**	**53184795**	**46285554**	**195287**
北　　京	5244803	4971141	4208933	17521
天　　津	1366149	1324502	1178039	3352
河　　北	1594063	1576682	1383695	5172
山　　西	495616	484120	424643	1840
内 蒙 古	336854	327757	288179	3870
辽　　宁	2642067	2589007	2245278	13328
吉　　林	827267	820462	752700	3452
黑 龙 江	994969	984910	847488	4484
上　　海	10136322	9769799	8424714	26661
江　　苏	4695252	4616978	3998735	16226
浙　　江	2693156	2588287	2287391	10582
安　　徽	1369950	1368460	1246904	4708
福　　建	462333	457533	389832	1656
江　　西	562814	559657	494908	2173
山　　东	5900500	5763336	5167609	18444
河　　南	810206	785687	706378	5033
湖　　北	2146438	2135482	1846847	8789
湖　　南	1449225	1425176	1206877	8043
广　　东	5277004	5207064	4495039	20499
广　　西	453449	429554	364150	1782
海　　南	25710	24062	22446	41
重　　庆	1726051	1715165	1519000	6472
四　　川	1060033	1032696	892347	1876
贵　　州	76526	75899	63251	603
云　　南	472487	460892	385504	1049
西　　藏				
陕　　西	1044158	1034786	901155	4118
甘　　肃	242228	237012	191982	1197
青　　海	63393	63245	50360	180
宁　　夏	143249	141817	121329	991
新　　疆	219042	213627	179842	1147

3－12　续表1

综合零售

地　区	主营业务利　润	其他业务利　润	营业费用	管理费用
全　国	**6399193**	**2196385**	**4896142**	**2815749**
北　京	744688	262228	545642	320979
天　津	123439	55830	153680	71460
河　北	153842	69941	114167	112728
山　西	45477	24181	41568	24945
内蒙古	25586	9704	14256	22707
辽　宁	302842	121909	151130	227967
吉　林	64310	30972	41190	42550
黑龙江	131628	47997	71888	79646
上　海	1292721	417427	1180241	363972
江　苏	542237	134931	365463	219772
浙　江	290314	117740	246432	127541
安　徽	107951	28011	77614	50615
福　建	64166	15332	62319	22760
江　西	60576	6772	38571	25507
山　东	534754	131756	281261	286928
河　南	74276	54239	94975	43728
湖　北	273503	97571	143320	166203
湖　南	210257	60628	152023	78487
广　东	679692	328633	668781	217138
广　西	57055	20283	32538	36873
海　南	784	2249	3002	3122
重　庆	189423	30745	111358	92626
四　川	126564	40874	97306	35449
贵　州	10198	892	6082	4867
云　南	72555	12059	43298	27550
西　藏				
陕　西	125292	45345	92535	56260
甘　肃	32282	11662	23571	19956
青　海	11216	3261	9413	5967
宁　夏	19497	4010	9637	7950
新　疆	32072	9207	22879	19497

单位:万元

财务费用	营业利润	利润总额	应 交 所得税	劳动、失业 保 险 费	住房公积金 和住房补贴
331837	**1012894**	**973926**	**404373**	**217937**	**66123**
17374	123941	170594	70722	32992	10635
15613	-41401	-41509	1415	8848	2211
15608	23611	11897	8309	10246	1755
6904	10313	5460	3150	426	42
4449	4820	4838	833	749	27
23675	55356	32972	20279	15734	4671
10515	3513	15384	5702	1541	432
11846	17882	-7932	11879	3991	2265
24905	240824	212475	79434	24495	6860
28128	128500	122750	48254	22589	9618
14367	19715	36184	18000	12794	2617
8423	9147	14272	3634	3617	705
2470	-1371	-1391	1631	1211	149
8179	-678	500	2501	1381	167
37767	110144	123094	36665	15435	3443
6468	-16657	-9770	2320	2600	206
20888	49600	45725	16104	9488	1818
9532	34139	43059	15767	5269	1642
18278	145776	132655	35761	16826	6817
5292	4979	4242	1907	778	1393
585	-1679	-1876	82	180	2
12776	3678	4008	3813	1319	1115
6596	40105	25477	3057	16062	4999
372	1803	766	429	326	5
1685	15644	12671	3182	1077	392
8388	22817	12301	5739	3223	1096
4774	7728	60	580	781	73
608	-22	-80	204	115	87
1211	4709	8565	2293	1646	508
4162	-4041	-3465	728	2201	373

3－12 续表2

百货零售

地　区	营业收入合　计	主营业务收　入	主营业务成　本	主营业务税金及附加	主营业务利　润	其他业务利　润	营业费用
全　国	**26183000**	**25694849**	**21987531**	**123853**	**3424490**	**817447**	**1610454**
北　京	2384099	2279174	1794169	13415	471590	97858	236203
天　津	741930	728712	648086	2464	60805	13904	39978
河　北	1160825	1150426	1002272	4516	120689	57144	57503
山　西	193337	192958	163006	909	19510	10301	12649
内蒙古	271835	264469	233778	3253	19938	7042	8894
辽　宁	1959718	1912194	1647894	10979	247570	74715	74365
吉　林	655511	654401	597957	2780	53665	19971	21118
黑龙江	771069	765424	655430	4281	104404	35390	36331
上　海	1194036	1189492	957909	4903	221642	62015	109108
江　苏	2520053	2505126	2116453	13637	352166	48444	117522
浙　江	1003366	981129	848151	5802	127176	33793	63425
安　徽	778282	778127	717061	3595	55986	8710	21155
福　建	74796	74014	59205	859	13890	2877	10689
江　西	392688	390877	347896	1225	40781	2160	16434
山　东	4103627	3984578	3550042	12971	390821	82884	180258
河　南	239094	236416	210192	2463	23761	16566	19288
湖　北	1116331	1107073	947862	5114	152517	43169	35210
湖　南	559540	551304	449836	3175	98293	15039	37619
广　东	2405367	2364983	1968747	11087	378336	102552	274389
广　西	307673	291308	241998	1512	45957	8276	17554
海　南	25710	24062	22446	41	784	2249	3002
重　庆	1557919	1553236	1379450	6271	167356	21748	85479
四　川	445216	422819	339450	1234	77385	15214	55912
贵　州	48612	48321	39461	373	8487	522	3665
云　南	216254	206790	172107	790	32237	3418	12085
西　藏							
陕　西	578794	570402	494714	3106	69070	13007	23522
甘　肃	194830	189679	150924	1114	27397	8754	18735
青　海	26380	26232	22187	135	2420	1349	1741
宁　夏	133708	132508	113146	959	18403	3501	8645
新　疆	122401	118615	95705	892	21453	4873	7979

单位:万元

管理费用	财务费用	营业利润	利润总额	应 交 所得税	劳动、失业 保 险 费	住房公积金 和住房补贴
1824795	**260790**	**740971**	**789053**	**252922**	**118879**	**39941**
209118	10744	114404	139119	47893	22929	7375
46631	13720	-7870	-8026	529	3848	1249
97930	14952	30421	18571	7660	8833	1611
14355	2904	9907	4692	1477	288	17
20244	3991	1910	3715	735	572	26
189727	20613	46719	44894	20471	13058	3596
34666	9073	9078	9235	3257	1245	313
68737	11643	24687	26545	11870	3589	1197
94365	15723	69503	99474	17429	3582	1531
167050	25737	114515	109328	37186	12074	8354
78953	8446	10145	14241	8302	5199	1317
31608	6086	7863	13276	2252	2078	561
11231	690	138	194	448	477	98
18343	5554	5346	6184	1164	1210	161
204492	33584	89206	93929	26271	10034	3013
22362	4103	-5425	-4902	757	1761	124
118461	14034	29791	28999	11334	4876	1076
47268	7546	20990	31216	11591	3353	288
112449	11131	101971	104582	23889	8699	3766
29559	4395	3112	2346	1937	730	1314
3122	585	-1679	-1876	82	180	2
83737	12901	7146	6847	3540	1220	977
15625	4943	20930	21431	2763	1465	240
3915	399	1030	1124	396	298	5
17019	1323	6884	5002	2399	799	215
39841	5375	21422	12054	4230	2183	504
17601	4725	5335	-915	149	696	69
3670	598	-750	-818		111	87
7083	1080	5097	8881	2275	1595	487
15633	4195	-854	-287	637	1895	367

3－12　续表3

超级市场零售

地　区	营业收入合　计	主营业务收　入	主营业务成　本	主营业务税金及附加	主营业务利　润	其他业务利　润	营业费用
全　国	**26700834**	**26096565**	**23122018**	**66484**	**2771522**	**1314706**	**3071783**
北　京	2799654	2636170	2368978	3893	263299	159945	298720
天　津	611964	583934	520808	837	60484	41483	112668
河　北	429882	422900	378470	649	32757	12791	56337
山　西	288824	277708	248672	893	25545	13689	28864
内蒙古	65019	63288	54401	616	5648	2662	5362
辽　宁	659461	653926	580178	2243	49696	46756	71793
吉　林	170709	165013	153826	573	10614	10069	20040
黑龙江	223900	219485	192058	203	27225	12607	35558
上　海	7826107	7708357	6740065	18791	928998	310495	924691
江　苏	2139905	2076783	1851708	2481	187390	85842	242714
浙　江	1631969	1550749	1389381	4663	156705	82024	176544
安　徽	587081	585745	526181	1023	52738	19044	55931
福　建	329753	326953	282627	671	42870	9841	42988
江　西	170126	168780	147012	948	19795	4612	22138
山　东	1739054	1720938	1567949	5056	136225	48255	97453
河　南	493836	472031	423260	2333	46438	37584	73056
湖　北	1017253	1015605	888256	3620	119712	54331	106544
湖　南	878327	862514	747714	4810	109990	45129	112219
广　东	2832126	2802941	2495056	9353	293511	221804	381338
广　西	130050	123148	110806	189	10442	11191	13838
海　南							
重　庆	165966	159763	137397	201	22054	8994	25879
四　川	606850	601912	545952	610	48191	25404	40979
贵　州	24170	23834	20463	225	1658	340	2058
云　南	255785	253655	212949	259	40319	8641	31213
西　藏							
陕　西	433808	433101	377621	927	53844	31511	64457
甘　肃	46060	45995	39737	83	4869	2908	4837
青　海	37013	37013	28173	45	8796	1913	7673
宁　夏	9540	9310	8183	33	1094	508	993
新　疆	96641	95012	84138	255	10619	4334	14900

单位:万元

管理费用	财务费用	营业利润	利润总额	应交所得税	劳动、失业保险费	住房公积金和住房补贴
922384	**67814**	**284854**	**182933**	**144059**	**89986**	**24486**
107774	6702	10048	31855	22521	8987	3070
23455	1791	-34124	-34076	692	4932	920
14694	656	-6781	-6674	649	1368	144
9979	3990	414	943	1654	138	25
2463	458	2910	1123	99	178	
36390	3063	9444	-11467	-192	2542	1075
7137	1259	-5576	-2723	50	295	119
10909	203	-6806	-34477	9	402	1068
225742	8168	175483	112793	57940	15276	4523
51919	2295	15019	14436	11066	10282	1258
46605	5795	9784	21835	9599	6894	1265
18442	2341	1281	992	1382	1528	144
9785	1527	-888	-1000	996	569	29
7164	2626	-6024	-5684	1337	170	6
78725	3600	20344	28571	10343	5306	428
20374	2250	-11660	-5326	1538	665	77
47365	6866	19627	16696	4768	4583	741
30638	1910	13556	12223	4152	1792	1353
102038	7145	47390	31673	11872	7700	2985
6842	886	2019	2044	-30	46	79
8878	-128	-3469	-2840	273	97	137
19063	1597	19163	4011	280	14533	4760
806	7	803	-329	33	17	
10532	362	8759	7669	782	276	177
15385	2297	4497	2449	1501	969	71
2254	40	2486	974	431	84	4
2298	10	728	738	204	4	
867	131	-388	-316	18	51	21
3864	-34	-3187	-3179	92	306	6

3－12　续表 4

食品、饮料及烟草制品专门零售

地　区	营业收入合　计	主营业务收　入	主营业务成　本	主营业务税金及附加	主营业务利　润	其他业务利　润	营业费用
全　国	**1510034**	**1471052**	**1178119**	**7458**	**240620**	**39586**	**120290**
北　京	282867	261709	216874	768	44067	17821	33459
天　津	19393	19392	17149	84	942	480	1499
河　北	5381	5381	3971	17	1394	62	562
山　西	79894	78039	63958	150	12467	1609	7606
内蒙古	5583	5583	4958	8	617	68	418
辽　宁	10083	10083	6840	130	3113	1180	1422
吉　林	8996	8996	8133	6	857		564
黑龙江	3372	3372	2615	57	416		285
上　海	213509	211675	167557	908	42159	3625	15852
江　苏	51432	50778	42788	232	6555	1258	6129
浙　江	104222	103277	88007	137	15134	1897	9044
安　徽	5181	5181	5011		38		132
福　建	130349	130293	87676	1187	9336	241	3275
江　西							
山　东	224826	223523	181940	1662	39778	1758	11616
河　南	64317	55232	50153	463	4616	895	2341
湖　北	8621	8414	7702	72	387	396	338
湖　南	27272	26617	24678	12	1927	463	1943
广　东	154227	153874	107373	549	43561	6029	13696
广　西	8944	8944	6448	22	2474	371	883
海　南	2733	2733	2278	201	254	36	24
重　庆	14113	13957	13064	13	697	296	861
四　川	16051	15331	13762	41	1508	577	2260
贵　州	1857	1857	1492	4	156	59	197
云　南	50996	50996	39213	700	6870	96	4353
西　藏							
陕　西	1670	1670	1423	1	246	50	206
甘　肃	9334	9334	8183	33	1119	315	1047
青　海							
宁　夏	4812	4812	4876	1	－65	3	280
新　疆							

单位:万元

管理费用	财务费用	营业利润	利润总额	应 交 所得税	劳动、失业 保 险 费	住房公积金 和住房补贴
100666	**8478**	**63163**	**78298**	**22199**	**15084**	**4250**
12165	644	15620	16590	5715	3170	898
1099	2	40	207	72	299	60
843	65	-14	-18		76	
6526	210	1199	1156	74	339	149
39	-2	230	230			
3217	159	-505	-73	179	295	76
819	104	-631	165	33	35	20
1137	109	-830	18	6	102	31
18696	1084	11305	16886	4491	2683	663
3852	1056	-1361	-857	134	277	47
7205	592	189	1147	532	907	290
32	1	6	6			
3646	326	2330	2370	464	618	21
14568	1489	14165	14404	5546	1970	575
4806	1864	-3500	1216	25	723	14
630	27	186	30		65	
1022	207	-413	74	8	18	12
12592	-296	23598	20491	3330	2599	1013
1299	7	660	1975	71	148	44
41	14	211	211	32	42	12
1785	332	-1801	-229	8	440	69
1577	61	-1212	-1795	3	14	
240	-13	-3	9		6	55
2405	244	4177	4421	1400	245	190
27	16	48	48			2
235	-1	152	154	77	10	11
166	176	-684	-539			

3－12 续表5

纺织、服装及日用品专门零售

地 区	营业收入合计	主营业务收入	主营业务成本	主营业务税金及附加	主营业务利润	其他业务利润	营业费用
全 国	**1678711**	**1652814**	**1272761**	**7331**	**358746**	**48091**	**253722**
北 京	202148	198375	133404	995	63975	4956	44984
天 津	40529	40423	33036	168	7219	642	6929
河 北	10576	10575	8783	144	1649	210	616
山 西	37129	36920	30262	275	4947	810	3002
内蒙古	21185	21185	14270	98	6334	1716	3043
辽 宁	57749	57433	47152	259	8710	3639	7294
吉 林	8479	7928	7076	33	818	546	584
黑龙江	4396	4396	3124	20	1253		565
上 海	411740	407932	298597	1338	106790	15957	55943
江 苏	53924	52874	39356	351	8278	1077	8632
浙 江	97954	95216	77987	400	16828	3267	12768
安 徽	18727	18312	15373	58	2880	242	1944
福 建	9987	9987	6460	52	3185	51	2160
江 西	5876	5876	5479	21	376	112	269
山 东	129022	128890	101155	1173	24649	1135	15634
河 南	43957	43920	38827	432	4661	1645	2848
湖 北	53072	53072	43290	174	9608	238	7720
湖 南	27308	27208	20388	32	6788	306	4381
广 东	263854	261201	206271	347	54582	6379	55410
广 西	14074	14074	12395	78	1600		866
海 南	1702	1702	1208	9	485		181
重 庆	14630	14630	11182	5	1762	－223	1894
四 川	47500	47495	37990	185	8555	186	4826
贵 州	51473	48669	39788	358	8523	2453	5332
云 南							
西 藏							
陕 西	21208	14489	14850	191	－553	2126	1726
甘 肃	2077	2077	1400	4	672	23	48
青 海							
宁 夏							
新 疆	28438	27958	23655	131	4172	600	4127

单位:万元

管理费用	财务费用	营业利润	利润总额	应交所得税	劳动、失业保险费	住房公积金和住房补贴
159354	**14503**	**4343**	**1992**	**10088**	**12189**	**2381**
22257	414	1282	1311	1761	2519	526
3922	1011	-4001	-4632	176	213	79
1121	174	-51	-53	22	108	17
4399	1373	-1355	-1430	2	122	8
1347	246	3910	2880	69	106	
7544	1811	-2986	-3215	199	358	136
3252	153	-2623	-2330	5	14	
548	-1	157	148		6	
56211	327	11513	13872	5946	3418	812
7254	883	-2276	-2928	58	1129	186
5959	1120	248	203	206	632	31
1183	89	-94	-316	8	41	
856	142	78	63	49	4	
590	64	48	47	8		
7607	1209	5555	5185	237	319	46
2514	1176	-231	-696	18	464	1
2754	59	-605	-628	107	185	39
1903	416	394	409	27	6	
14015	1044	-6588	-5939	363	1849	281
637	29	69	75			
315	-1	-10	-10		4	
2021	47	-743	-713	7	113	7
3762	78	900	404	345	144	33
4150	943	550	1196	221	293	125
1314	1111	1111	228	91	47	56
598	98	52	52	1		
1323	487	42	-1190	162	95	

3－12 续表6

服装零售

地　区	营业收入合　计	主营业务收　入	主营业务成　本	主营业务税金及附加	主营业务利　润	其他业务利　润	营业费用
全　国	**1132683**	**1116754**	**876838**	**5309**	**224017**	**24538**	**164712**
北　京	143806	140818	97152	633	43033	1596	31951
天　津	17902	17796	14940	97	2758	198	4744
河　北	8571	8570	6898	59	1613	1	599
山　西	29411	29322	24500	197	4130	709	2061
内蒙古	20129	20129	13843	98	6187	589	1754
辽　宁	52289	51974	43943	204	6514	3592	5943
吉　林	8479	7928	7076	33	818	546	584
黑龙江	1065	1065	897	3	165		70
上　海	174132	171800	120563	666	50572	3927	20532
江　苏	50941	49891	37775	325	7227	1004	8049
浙　江	77424	75232	61627	358	13248	2620	9887
安　徽	15730	15315	12798	53	2463	210	1557
福　建	4814	4814	3876	9	929		669
江　西	5876	5876	5479	21	376	112	269
山　东	77589	77458	63892	1038	10615	526	5497
河　南	28237	28200	24353	395	3452	1441	2160
湖　北	41133	41133	33520	128	7486	165	6237
湖　南	14679	14579	11438	32	3109	294	2582
广　东	218227	215893	173329	121	42442	3577	43845
广　西	14074	14074	12395	78	1600		866
海　南	1702	1702	1208	9	485		181
重　庆	12481	12481	10094	5	701	－223	665
四　川	24082	24078	20208	110	3136	115	3511
贵　州	51473	48669	39788	358	8523	2453	5332
云　南							
西　藏							
陕　西	10001	10001	11591	147	－1737	486	1041
甘　肃							
青　海							
宁　夏							
新　疆	28438	27958	23655	131	4172	600	4127

单位:万元

管理费用	财务费用	营业利润	利润总额	应交所得税	劳动、失业保险费	住房公积金和住房补贴
101332	**10359**	**-6526**	**-8254**	**4220**	**7650**	**1290**
13410	283	-1013	-1044	380	1448	277
2358	18	-4165	-4640	25	116	43
945	127	-56	-56	21	40	17
3257	1209	-1067	-1134	2		
878	54	4104	4107	69	65	
6768	1774	-3066	-3299	177	262	79
3252	153	-2623	-2330	5	14	
96						
28957	172	4839	5990	2466	1537	245
6624	790	-2418	-3051	20	988	162
4637	848	496	442	202	355	31
1143	85	-113	-333	7	27	
100	88	72	67	10		
590	64	48	47	8		
5089	657	4120	3720	129	319	46
1909	1156	-332	-695	12	422	
1894	18	-414	-562	94	89	3
928	217	-324	-321	27	6	
8371	426	-4111	-4156	152	1496	256
637	29	69	75			
315	-1	-10	-10		4	
1928	21	-454	-425	7	44	7
1050	22	-649	-571	23	7	
4150	943	550	1196	221	293	125
727	723	-52	-82		25	
1323	487	42	-1190	162	95	

3－12 续表7

文化、体育用品及器材专门零售

地 区	营业收入合 计	主营业务收 入	主营业务成 本	主营业务税金及附加	主营业务利 润	其他业务利 润	营业费用
全 国	**1732597**	**1698188**	**1245505**	**9524**	**424156**	**38496**	**194215**
北 京	179841	177051	124861	1044	51146	3144	24704
天 津	26157	25516	20666	320	2141	2362	2983
河 北	24566	23406	17425	85	5897	1310	2030
山 西	33064	32045	25906	483	4371	310	2652
内蒙古	7583	6990	4173	23	2794	410	534
辽 宁	39841	39699	31063	152	8187	1080	3553
吉 林	13866	13866	10310	28	3528	286	921
黑龙江	29295	27773	21785	97	5620	703	3071
上 海	125146	124369	100710	526	22240	3300	11736
江 苏	145228	142189	105475	984	30709	2441	12813
浙 江	67801	66024	47470	318	18236	2244	7842
安 徽	32100	32026	23738	128	8160	945	3980
福 建	22732	22399	16999	80	5319	646	3141
江 西	18800	18702	15622	75	2413	395	2027
山 东	110255	105616	81909	689	23018	2379	9070
河 南	94746	92966	70928	410	21628	1851	10642
湖 北	60274	53824	40335	663	12029	1272	4518
湖 南	68560	67682	51963	145	15574	1001	9819
广 东	222098	220065	160643	1158	57445	8567	30861
广 西	21641	21431	15633	109	3913	540	2151
海 南	2719	2719	1725	14	980	－127	653
重 庆	12203	12203	10811	18	1374	24	958
四 川	231397	229697	141782	1540	86374	1707	28544
贵 州	3496	3413	2531	13	870	83	407
云 南	44228	43745	32101	148	11497	626	4979
西 藏							
陕 西	31882	31882	24149	84	7649	113	3595
甘 肃	5921	5921	4047	16	663	113	670
青 海	1509	1509	926	18	565	168	205
宁 夏	3430	3430	2370	14	1046	109	530
新 疆	52223	50034	37452	145	8772	496	4627

单位:万元

管理费用	财务费用	营业利润	利润总额	应交所得税	劳动、失业保险费	住房公积金和住房补贴
221155	**8340**	**60638**	**62753**	**11711**	**25815**	**9650**
24668	1276	3642	7840	3344	3804	1471
3202	37	671	165	57	485	161
5086	8	83	26	83	597	157
3552	359	89	45	11	270	111
1626	76	968	-405		182	47
6765	256	-1011	1	147	1047	424
2728	-3	169	156	25	262	67
2959	96	469	434	213	670	114
9913	121	4664	5959	582	1220	319
15849	2794	7121	5459	704	2377	714
9411	206	3021	3481	469	990	410
4288	-59	896	1080	425	575	259
2823	21	-22	-55	209	170	219
2831	-18	555	367	177	219	135
14345	269	1738	1835	786	1919	1587
12665	337	-165	-515	370	2089	269
7938	504	1660	1260	602	895	174
5423	274	1062	651	258	355	235
26257	865	8527	10067	1780	3274	1371
2982	285	675	683	225	210	134
833	313	-945	-1024			
410	203	-173	-175		40	23
37240	-284	22581	21456	82	1807	542
664	-2	-115	-115		109	107
5222	93	1828	1787	291	636	185
3967	-78	277	344	80	610	144
1027	-3	-264	-263	8	285	27
365	179	-15	-15			
533	34	59	53	18	95	
5587	177	2595	2172	765	624	245

3－12 续表8

体育用品零售

地区	营业收入合计	主营业务收入	主营业务成本	主营业务税金及附加	主营业务利润	其他业务利润	营业费用
全国	**190584**	**190530**	**160867**	**318**	**29344**	**1062**	**14190**
北京	21855	21801	17493	33	4275	54	2540
天津							
河北							
山西							
内蒙古							
辽宁	3405	3405	2987	3	414		
吉林							
黑龙江	4572	4572	3812	3	757		745
上海	89846	89846	78368	154	11323	367	3684
江苏	4555	4555	3986	11	558	514	485
浙江							
安徽							
福建							
江西							
山东							
河南							
湖北							
湖南	26674	26674	22039	44	4591		3279
广东	39677	39677	32183	68	7426	127	3457
广西							
海南							
重庆							
四川							
贵州							
云南							
西藏							
陕西							
甘肃							
青海							
宁夏							
新疆							

单位:万元

管理费用	财务费用	营业利润	利润总额	应 交 所得税	劳动、失业 保 险 费	住房公积金 和住房补贴
8698	**885**	**6634**	**7391**	**321**	**1291**	**257**
2095	364	-669	-502		557	119
636		-222	-222		1	
78	44	-109	-115		5	
3303	45	4659	5150	167	384	125
439	129	20	15	5	165	13
460	253	599	260	107	39	
1688	50	2357	2805	42	140	

3－12 续表9

图书零售

地 区	营业收入合计	主营业务收入	主营业务成本	主营业务税金及附加	主营业务利润	其他业务利润	营业费用
全 国	**1299214**	**1266685**	**910453**	**5302**	**335375**	**31113**	**143305**
北 京	89789	87470	64315	297	22857	2219	8047
天 津	11883	11241	8027	110	2281	694	1417
河 北	24566	23406	17425	85	5897	1310	2030
山 西	20749	19730	15155	58	3413	292	2024
内蒙古	7583	6990	4173	23	2794	410	534
辽 宁	33909	33767	25549	144	7777	1080	3549
吉 林	13866	13866	10310	28	3528	286	921
黑龙江	24723	23201	17973	94	4863	703	2326
上 海	10641	9864	6632	40	2300	672	1580
江 苏	109914	106875	77623	288	25272	1885	10488
浙 江	60593	60001	44343	277	15381	1732	5817
安 徽	32100	32026	23738	128	8160	945	3980
福 建	19440	19107	14366	73	4668	646	2654
江 西	15600	15501	13304	62	1543	335	1666
山 东	96192	91717	71108	328	20281	2196	7333
河 南	90549	88768	67753	281	20735	1821	10474
湖 北	46122	39733	28822	192	10291	986	3234
湖 南	41885	41007	29925	101	10982	1001	6539
广 东	150237	148204	104993	649	41744	8094	22663
广 西	21641	21431	15633	109	3913	540	2151
海 南	2719	2719	1725	14	980	－127	653
重 庆	12203	12203	10811	18	1374	24	958
四 川	225180	223480	137246	1484	84750	1701	27991
贵 州	3496	3413	2531	13	870	83	407
云 南	38673	38190	28030	133	10027	586	4243
西 藏							
陕 西	31882	31882	24149	84	7649	113	3595
甘 肃	5921	5921	4047	16	663	113	670
青 海	1509	1509	926	18	565	168	205
宁 夏	3430	3430	2370	14	1046	109	530
新 疆	52223	50034	37452	145	8772	496	4627

单位:万元

管理费用	财务费用	营业利润	利润总额	应 交 所得税	劳动、失业 保 险 费	住房公积金 和住房补贴
188205	**5610**	**46067**	**46423**	**8047**	**22261**	**8428**
14289	254	2486	5615	1338	2534	935
1742	18	622	78	26	75	76
5086	8	83	26	83	597	157
2783	1	2	10	-5	270	111
1626	76	968	-405		182	47
6045	256	-696	315	147	1046	424
2728	-3	169	156	25	262	67
2882	52	578	549	213	665	114
2146	4	135	342	27	393	84
13192	2616	4619	3337	610	2038	625
8287	248	2761	3224	384	894	366
4288	-59	896	1080	425	575	259
2678	14	-32	-60	208	170	219
2475	-15	338	240	104	194	99
13738	164	1268	1370	722	1894	1587
12021	223	-163	-515	370	1997	269
6916	277	1279	904	602	807	161
4963	21	463	391	151	316	235
22952	694	4027	5115	1189	3051	1234
2982	285	675	683	225	210	134
833	313	-945	-1024			
410	203	-173	-175		40	23
36342	-447	22565	21440	76	1803	540
664	-2	-115	-115		109	107
4662	99	1609	1551	255	526	140
3967	-78	277	344	80	610	144
1027	-3	-264	-263	8	285	27
365	179	-15	-15			
533	34	59	53	18	95	
5587	177	2595	2172	765	624	245

3－12　续表 10

医药及医疗器材专门零售

地　区	营业收入合　计	主营业务收　入	主营业务成　本	主营业务税金及附加	主营业务利　润	其他业务利　润	营业费用
全　国	**3421322**	**3392715**	**2923684**	**9812**	**437554**	**46119**	**295091**
北　京	255943	241158	189030	453	51675	14158	41684
天　津	21973	21973	18426	107	2770	370	1505
河　北	63436	63436	56467	150	6182	189	4814
山　西	96741	96201	88417	93	6099	549	4253
内蒙古	17056	17056	15274	52	716	32	936
辽　宁	359617	359617	318730	1436	38879	1807	20411
吉　林	41014	41014	34672	97	6244	1311	4550
黑龙江	281360	281118	247618	818	30922	380	7564
上　海	165135	163728	129877	600	33000	3064	18966
江　苏	365829	365557	324861	658	33457	1783	24963
浙　江	472521	468276	426749	639	40888	5057	22288
安　徽	36284	36247	33495	63	2689	121	2799
福　建	35941	35897	29887	102	5724	284	3469
江　西	41099	40174	33007	187	6902	34	3825
山　东	194732	194717	171437	575	21424	671	10852
河　南	152017	151971	138339	597	13036	652	6558
湖　北	70957	70957	59119	311	10997	583	7118
湖　南	138304	138066	118180	775	19110	1257	11622
广　东	306550	302161	235213	1372	65575	10367	65339
广　西	42497	42267	35271	82	3687	216	3617
海　南							
重　庆	32097	31952	27777	58	4117	1270	3771
四　川	28780	28472	23674	106	3812	247	3188
贵　州	13988	13988	11238	46	2213		1304
云　南	109714	109392	89652	238	19502	1384	13477
西　藏	1978	1978	1730	1	134	78	113
陕　西	22561	22556	21088	32	933	97	1584
甘　肃	12556	12143	11167	37	141	44	926
青　海	11438	11438	9661	33	1458	23	875
宁　夏	9135	9135	6972	53	2110	77	921
新　疆	20071	20070	16657	41	3158	16	1800

单位:万元

管理费用	财务费用	营业利润	利润总额	应交所得税	劳动、失业保险费	住房公积金和住房补贴
192452	**18603**	**26418**	**34135**	**12591**	**19999**	**5766**
20839	789	2521	3670	1418	2859	1285
925	6	1374	1122	5	58	
2956	155	-910	-695	7	309	110
3311	493	233	107	99	441	98
1297	52	75	-265	12	168	3
13568	1504	6213	7608	2236	1226	326
1863	267	886	881	4	19	29
24089	1881	5424	4250	2445	567	443
13965	738	2646	2774	851	1827	409
15738	807	1332	285	468	1961	539
19224	4069	365	7968	2330	2449	761
1894	729	-2568	-2428	47	307	7
2105	679	-31	138	183	333	95
4551	916	-2270	-1965	19	917	10
12552	1359	-1018	-550	85	1716	1103
6920	668	-459	-464	103	1024	2
4205	386	466	818	301	356	30
5600	435	2857	2858	154	194	22
18321	648	9087	9068	1505	2360	276
2148	197	-336	-347	36	58	53
2470	340	-1191	-687		114	67
1522	222	7	33	67	95	
1333	-3	70	-219		22	7
5131	532	1746	1916	267	240	
228	118		-134	-134		
1702	92	-436	-1003		95	9
648	106	-401	-698	6	17	
617	170	106	136	28	60	15
1148	260	-142	39	14	42	50
1582	-11	775	-79	35	166	19

3－12 续表11

药品零售

地区	营业收入合计	主营业务收入	主营业务成本	主营业务税金及附加	主营业务利润	其他业务利润	营业费用
全国	**3254070**	**3232923**	**2803341**	**9506**	**398697**	**37679**	**242906**
北京	157210	149796	123574	345	25877	7155	16664
天津	21973	21973	18426	107	2770	370	1505
河北	63436	63436	56467	150	6182	189	4814
山西	96741	96201	88417	93	6099	549	4253
内蒙古	17056	17056	15274	52	716	32	936
辽宁	359617	359617	318730	1436	38879	1807	20411
吉林	41014	41014	34672	97	6244	1311	4550
黑龙江	281360	281118	247618	818	30922	380	7564
上海	153083	151676	120741	553	30131	2598	17487
江苏	363265	362992	322751	652	33294	1706	24678
浙江	472521	468276	426749	639	40888	5057	22288
安徽	32094	32057	29794	58	2205	121	2415
福建	35941	35897	29887	102	5724	284	3469
江西	41099	40174	33007	187	6902	34	3825
山东	191222	191207	168403	569	20954	671	10678
河南	139610	139566	126476	591	12499	660	6304
湖北	70957	70957	59119	311	10997	583	7118
湖南	138304	138066	118180	775	19110	1257	11622
广东	272754	268453	210169	1245	57039	9465	40749
广西	42497	42267	35271	82	3687	216	3617
海南							
重庆	32097	31952	27777	58	4117	1270	3771
四川	28780	28472	23674	106	3812	247	3188
贵州	13988	13988	11238	46	2213		1304
云南	109714	109392	89652	238	19502	1384	13477
西藏	1978	1978	1730	1	134	78	113
陕西	22561	22556	21088	32	933	97	1584
甘肃	12556	12143	11167	37	141	44	926
青海	11438	11438	9661	33	1458	23	875
宁夏	9135	9135	6972	53	2110	77	921
新疆	20071	20070	16657	41	3158	16	1800

单位:万元

管理费用	财务费用	营业利润	利润总额	应 交 所得税	劳动、失业 保 险 费	住房公积金 和住房补贴
178255	**17730**	**28679**	**35537**	**12381**	**18840**	**5014**
11215	85	5069	5487	1294	2310	606
925	6	1374	1122	5	58	
2956	155	-910	-695	7	309	110
3311	493	233	107	99	441	98
1297	52	75	-265	12	168	3
13568	1504	6213	7608	2236	1226	326
1863	267	886	881	4	19	29
24089	1881	5424	4250	2445	567	443
12275	723	2495	2626	851	1827	409
15432	785	1420	282	465	1889	522
19224	4069	365	7968	2330	2449	761
1799	719	-2563	-2434	47	247	7
2105	679	-31	138	183	333	95
4551	916	-2270	-1965	19	917	10
12289	1312	-1007	-539	85	1710	1099
6648	632	-426	-452	103	937	2
4205	386	466	818	301	356	30
5600	435	2857	2858	154	194	22
16373	610	8814	8787	1421	1976	225
2148	197	-336	-347	36	58	53
2470	340	-1191	-687		114	67
1522	222	7	33	67	95	
1333	-3	70	-219		22	7
5131	532	1746	1916	267	240	
228	118		-134	-134		
1702	92	-436	-1003		95	9
648	106	-401	-698	6	17	
617	170	106	136	28	60	15
1148	260	-142	39	14	42	50
1582	-11	775	-79	35	166	19

3－12 续表12

汽车、摩托车、燃料及零配件专门零售

地　区	营业收入合　计	主营业务收　入	主营业务成　本	主营业务税金及附加	主营业务利　润	其他业务利　润	营业费用
全　国	**17244965**	**17219831**	**16009769**	**19649**	**1154988**	**22239**	**578016**
北　京	2191595	2181987	2048878	2574	130535	525	76915
天　津	319981	319936	296953	319	22663	35	15191
河　北	628945	628945	583551	1600	34695	5109	23588
山　西	836269	836139	792408	1333	39971	112	15103
内蒙古	973133	973022	910701	948	61123	521	42684
辽　宁	951446	951349	866503	907	83938	115	41141
吉　林	831776	831654	770108	667	60879	381	62354
黑龙江	52622	52622	49043	54	3526	23	1153
上　海	3401635	3400818	3200089	3208	197187	7921	81785
江　苏	224112	224081	211467	206	8140	209	5149
浙　江	155198	151301	144032	279	6990	817	3789
安　徽	403769	400769	369753	504	30511	1035	9928
福　建	941902	941262	874427	1157	65493	777	18446
江　西	35269	35122	33161	36	1925	92	1162
山　东	697085	695158	638166	839	54901	1390	18969
河　南	397785	397442	369991	379	27072	260	11027
湖　北	359244	359117	329956	483	25148	－8	10345
湖　南	761252	761213	666128	643	94441	118	33339
广　东	2334619	2332561	2176138	2244	142037	977	59879
广　西	109216	108998	99212	148	9456	218	3641
海　南							
重　庆	6445	6445	5403	15	1028	50	609
四　川	290396	290265	264877	656	24141	266	18023
贵　州							
云　南	57174	55926	53031	82	2813	553	1276
西　藏	29592	29399	23673	30	5437	33	3027
陕　西	12661	12661	12484	18	160	647	200
甘　肃							
青　海							
宁　夏							
新　疆	241845	241640	219638	323	20779	65	19294

单位:万元

管理费用	财务费用	营业利润	利润总额	应 交 所得税	劳动、失业 保 险 费	住房公积金 和住房补贴
199753	**55584**	**383978**	**372797**	**88273**	**25319**	**8183**
23121	5120	25904	40128	16218	2910	757
5942	2501	-936	-2089		35	876
8029	2086	15201	4904	3545	868	66
10717	3499	14539	14004	2214	399	73
6114	3017	16748	17077	1599	1935	884
5591	1522	35800	31002	1910	2500	853
2581	3579	-6001	-7232	65	3394	1094
1445	461	491	518	103	128	49
36907	7073	79679	81246	25226	4016	685
6158	2335	-1019	-1057	68	479	41
2593	2568	-1142	6309	743	373	13
9329	2939	9350	9858	2501	230	
6989	33	41301	37862	10727	1536	295
921	215	-79	-200	32	78	24
18425	6232	14117	12317	117	444	338
4664	61	11581	11284	82	101	49
5281	711	12338	7927	1215	463	76
6834	294	54099	51086	10601	1104	304
28780	7543	51702	48564	10308	2369	607
693	196	5326	5262		14	35
447	4	19	9	4		
3093	1692	4116	3692	616	963	518
1762	372	-44	-46	105	175	49
1100	152	1450	1235	7		82
457	-2	152	211	178		46
1781	1383	-714	-1073	87	804	370

3－12 续表13

汽车零售

地 区	营业收入合 计	主营业务收 入	主营业务成 本	主营业务税金及附加	主营业务利 润	其他业务利 润	营业费用
全 国	**4620366**	**4602898**	**4345019**	**5893**	**231983**	**20177**	**100835**
北 京	79237	73188	69367	210	3611	2663	3002
天 津							
河 北	385043	385043	364766	1322	18955	5109	7899
山 西	303666	303666	284394	758	16702	162	5251
内蒙古	178444	178344	168596	231	9267	556	5204
辽 宁	14169	14076	13332	8	736	87	491
吉 林	40313	40313	37952	55	2306	1	675
黑龙江	39502	39502	37028	33	2441	23	431
上 海	1089076	1088874	1038765	505	49270	4505	20068
江 苏	220246	220216	208123	180	7645	190	4971
浙 江	24339	20669	19730	32	907	475	261
安 徽	403769	400769	369753	504	30511	1035	9928
福 建	12094	12094	11362	10	722	38	238
江 西	35269	35122	33161	36	1925	92	1162
山 东	393681	391766	362567	439	27968	1798	10781
河 南	40700	40357	38607	23	1726	485	1061
湖 北	153048	152928	143112	242	9574	217	4162
湖 南	42386	42386	38738	22	3626	130	1573
广 东	1030542	1029761	980165	1005	37387	1699	20524
广 西	11432	11214	10877	7	148	218	183
海 南							
重 庆							
四 川	41535	41448	37360	200	3887	142	1246
贵 州							
云 南	47926	47406	45162	37	2207	546	826
西 藏	12022	11829	11117	2	451		259
陕 西	9760	9760	9836	14	－91		79
甘 肃							
青 海							
宁 夏							
新 疆	12168	12168	11148	20	100	8	564

单位:万元

管理费用	财务费用	营业利润	利润总额	应交所得税	劳动、失业保险费	住房公积金和住房补贴
98878	**33238**	**34444**	**37945**	**12827**	**4903**	**830**
5249	374	-2352	3555	101	232	86
4449	2054	9662	7836	3534	400	2
7159	3136	3404	3322	921	23	4
3424	1548	908	1357	360	186	41
274	133	-74	-74	3	6	
1504	538	796	-337	4	67	3
1258	237	539	518	97	15	
20503	4893	8648	10287	1779	1288	22
5910	2253	-1025	-1064	67	477	38
644	250	227	150	144	49	
9329	2939	9350	9858	2501	230	
413	37	73	73	13		3
921	215	-79	-200	32	78	24
15839	5886	-1853	-1850	68	339	203
1103	36	12	3	4	6	
3553	703	1373	980	335	169	46
1099	289	801	823	2	4	33
12442	6788	2951	1486	2547	1105	272
261	130	-27	-26		3	4
1176	236	1390	1435	164	46	
1612	352	-38	-39	105	175	49
343	153	-45	50	7		
139		-309	-309			
276	58	111	110	40	4	

3－12 续表14

机动车燃料零售

地区	营业收入合计	主营业务收入	主营业务成本	主营业务税金及附加	主营业务利润	其他业务利润	营业费用
全国	**12370535**	**12363017**	**11449765**	**13134**	**886185**	**1722**	**468850**
北京	2112358	2108798	1979511	2364	126924	－2137	73913
天津	319981	319936	296953	319	22663	35	15191
河北	242764	242764	218257	215	15193		14783
山西	529145	529016	505353	568	23095	－50	9237
内蒙古	794689	794678	742105	717	51856	－36	37480
辽宁	934548	934542	850808	896	82838	28	40493
吉林	791463	791341	732156	612	58573	380	61680
黑龙江	13120	13120	12015	21	1085		722
上海	2290637	2290170	2145648	2622	141900	3218	59970
江苏							
浙江	127325	127098	121782	163	5154	227	2963
安徽							
福建	929809	929168	863065	1148	64770	739	18207
江西							
山东	300736	300723	274062	282	26378	－408	7624
河南	357085	357085	331384	355	25346	－225	9966
湖北	200592	200585	181574	237	15557	－224	5870
湖南	529299	529260	464047	461	64752	－4	29306
广东	1294694	1293417	1187442	1166	103971	－737	38891
广西	87590	87590	79122	138	8329		3099
海南							
重庆	6445	6445	5403	15	1028	50	609
四川	248861	248818	227517	456	20254	124	16778
贵州							
云南	9247	8520	7869	45	606	7	450
西藏	17570	17570	12555	28	4986	33	2769
陕西	2901	2901	2648	3	250	647	121
甘肃							
青海							
宁夏							
新疆	229677	229473	208490	303	20679	57	18730

单位:万元

管理费用	财务费用	营业利润	利润总额	应交所得税	劳动、失业保险费	住房公积金和住房补贴
97532	**21882**	**322860**	**309809**	**74358**	**19926**	**7277**
17872	4746	28255	36574	16117	2678	671
5942	2501	-936	-2089		35	876
3579	9	5922	-2551	11	387	65
3449	292	11141	10670	1287	376	69
2691	1469	15840	15720	1239	1749	843
5199	1389	35786	30988	1878	2494	853
1078	3041	-6797	-6895	62	3327	1091
187	224	-48		6	113	49
15551	2204	67393	66975	22685	2646	661
1560	2140	-1283	6224	599	255	6
6576	-4	41229	37789	10715	1536	292
2296	309	15742	13939	4	73	135
3561	25	11569	11282	78	95	49
1637		11047	7029	880	294	30
4959	2	30481	29421	10386	915	207
16123	682	48651	47017	7732	1227	335
180	50	5000	4936		10	31
447	4	19	9	4		
1917	1455	2726	2257	452	918	518
150	20	-6	-7			
757		1495	1186			82
318	-3	460	519	178		46
1505	1325	-825	-1183	48	799	370

3－12 续表15

家用电器及电子产品专门零售

地区	营业收入合计	主营业务收入	主营业务成本	主营业务税金及附加	主营业务利润	其他业务利润	营业费用
全国	**10798071**	**10535020**	**9745160**	**16505**	**684682**	**340363**	**664218**
北京	1598672	1513938	1405014	1371	107553	68633	98120
天津	322330	296689	284665	250	11775	13327	20366
河北	123115	120418	114480	95	5843	2077	6386
山西	59111	58519	54941	49	2441	51	1588
内蒙古	30202	29305	27026	40	2239	804	1895
辽宁	203188	198950	184683	292	13451	6783	12731
吉林	25879	25879	21767	240	3872	393	1376
黑龙江	138667	138641	128268	57	10205	4609	7537
上海	1469417	1465708	1369087	1377	94254	38173	118706
江苏	1440535	1385700	1206451	1915	112868	46605	84584
浙江	529292	507552	467967	920	38666	18998	35063
安徽	113412	111869	102697	129	9043	3498	9945
福建	190544	190544	178331	338	7581	8110	15922
江西	49392	47588	43706	72	3811	1836	2835
山东	1348302	1345451	1297219	1187	42036	8567	22899
河南	119004	116488	107995	326	8167	2404	7021
湖北	501331	491753	459130	1968	28921	15257	24260
湖南	118033	118033	104732	1207	12094	3121	11618
广东	1220541	1192632	1091696	1262	99674	57102	104191
广西	35679	35679	32394	106	2792	297	1820
海南	4714	4714	4197	38	479	444	
重庆	198464	196221	177584	1871	16169	7223	13689
四川	487654	478824	453192	709	16311	14233	33737
贵州	5965	5965	5521	4	34	193	406
云南	137255	137097	125247	175	11675	3658	7354
西藏							
陕西	242007	236863	219457	385	17020	10692	15075
甘肃	1714	1714	1560	3	151	126	196
青海	17027	17027	16144	23	861	397	750
宁夏	8462	8462	7966	2	38	248	456
新疆	58166	56799	52046	96	4657	2509	3695

单位:万元

管理费用	财务费用	营业利润	利润总额	应交所得税	劳动、失业保险费	住房公积金和住房补贴
247745	**24508**	**211771**	**203028**	**48802**	**16771**	**4152**
58246	5278	14544	16528	8956	3003	974
5088	305	-658	-675	2225	677	145
4229	72	-1301	-2192	291	396	53
1862	559	-361	-14	1	8	
555	180	1262	1268	8	3	
6378	423	1227	1426	1381	569	90
1224	148	1516	1523	99	114	32
3898	167	3472	3552	1363	258	2
31617	3189	7599	11063	4733	426	82
33335	3021	109766	110883	13570	2856	735
12964	2207	7431	8235	2434	1225	188
1788	-8	818	736	523	177	7
3223	39	914	437	860	249	11
1570	224	1018	1036	10	90	4
14617	4619	9779	10264	2910	1287	324
2548	327	675	408	185	48	
15485	-458	6973	6649	581	790	743
2673	319	801	953	121	156	154
24386	3004	25895	18728	3552	2758	371
1641	-52	-169	-163	245	4	
898		25	26	4		
2403	540	7356	1622	1269	396	53
8954	-55	-3378	-6014	1055	661	121
217	2	13	4	4		
2578	97	5305	5372	1040	215	16
3635	98	8905	8932	1338	218	
31	2	48	49	16		
386	69	54	120	32	2	
337	260	-311	-312			
983	-66	2554	2585		186	49

3－12　续表16

家用电器零售

地　区	营业收入合　计	主营业务收　入	主营业务成　本	主营业务税金及附加	主营业务利　润	其他业务利　润	营业费用
全　国	**9295185**	**9063687**	**8413526**	**12546**	**554669**	**311239**	**560402**
北　京	1352137	1289038	1212123	598	76317	55223	63656
天　津	312680	287040	277831	131	9078	13325	19189
河　北	96723	94027	89776	70	4180	1926	5435
山　西	56413	55821	52345	46	2389	18	1541
内蒙古	25495	24599	22776	27	1795	804	1528
辽　宁	197218	192981	179323	247	12887	6778	12399
吉　林	16782	16782	15222	19	1542	393	1368
黑龙江	138667	138641	128268	57	10205	4609	7537
上　海	1314320	1314259	1234609	1201	78449	34678	104171
江　苏	1070195	1017958	861918	1004	90631	44629	73032
浙　江	450373	429306	395976	760	32570	17539	31023
安　徽	108233	106690	97936	123	8632	3428	9402
福　建	182661	182661	171280	319	6767	7969	15239
江　西	41289	39485	36681	42	2762	1836	2394
山　东	1306869	1304360	1259928	1034	38389	7774	20925
河　南	81978	79728	73494	199	6034	2009	5670
湖　北	481213	471985	441868	1833	26550	14849	23337
湖　南	95870	95870	85094	1068	9707	3003	9652
广　东	999805	973363	894123	831	78409	53499	88756
广　西	17952	17952	16986	19	561	24	376
海　南							
重　庆	198464	196221	177584	1871	16169	7223	13689
四　川	409673	400843	381387	533	14535	12932	28874
贵　州							
云　南	83508	83350	75053	120	8177	3391	5041
西　藏							
陕　西	175743	171173	158431	276	12466	10173	11269
甘　肃	1714	1714	1560	3	151	126	196
青　海	12581	12581	11943	17	622	327	552
宁　夏	8462	8462	7966	2	38	248	456
新　疆	58166	56799	52046	96	4657	2509	3695

单位:万元

管理费用	财务费用	营业利润	利润总额	应 交 所得税	劳动、失业 保 险 费	住房公积金 和住房补贴
196505	**13072**	**205555**	**193944**	**45364**	**13742**	**3319**
46875	-743	21753	22359	7762	2060	456
4368	306	-1461	-1482	2218	496	94
3442	54	-1365	-2196	287	380	53
1767	532	-324	23	1	8	
496	171	511	517	5	3	
6217	408	1165	1240	1359	568	89
267	145	155	157		32	5
3898	167	3472	3552	1363	258	2
27574	1789	7287	10529	4672	396	57
23069	1473	102142	102771	12909	2642	667
9321	1736	8029	8130	2346	1061	160
1710	-6	957	876	523	156	7
3128	18	759	287	838	239	11
1104	115	985	1004	0	69	4
12440	4358	9598	10065	2775	1210	304
1421	288	665	426	167	31	
14677	-537	5968	5687	402	673	743
2228	38	840	918	109	155	154
15961	2378	25514	18402	3387	1633	275
402	-63	21	19	8	2	
2403	540	7356	1622	1269	396	53
7503	-328	-4129	-6732	799	653	121
1914	-71	4683	4740	831	215	16
2762	43	8566	8594	1287	216	
31	2	48	49	16		
208	69	120	116	32	2	
337	260	-311	-312			
983	-66	2554	2585		186	49

3－12 续表17

计算机、软件及辅助设备零售

地区	营业收入合计	主营业务收入	主营业务成本	主营业务税金及附加	主营业务利润	其他业务利润	营业费用
全国	**743804**	**731671**	**653351**	**2256**	**75028**	**11247**	**58412**
北京	110739	101300	78413	493	22394	8969	27307
天津							
河北							
山西	2698	2698	2596	3	53	33	47
内蒙古							
辽宁	5970	5970	5360	45	565	5	331
吉林	9097	9097	6545	221	2330		8
黑龙江							
上海	116748	116748	102957	66	12735		9943
江苏	349098	346500	324979	840	20682	1487	10082
浙江	32416	32406	30608	9	1789	123	1530
安徽							
福建							
江西	8103	8103	7025	30	1048		441
山东	14127	14127	13163	20	944	73	644
河南	11200	11120	10914	8	198	78	332
湖北	9415	9415	7562	100	1754	58	276
湖南	16624	16624	14818	128	1679	7	1145
广东	37741	37735	31052	206	6477	72	4727
广西	15384	15384	13158	83	2143	273	1403
海南							
重庆							
四川							
贵州							
云南							
西藏							
陕西							
甘肃							
青海	4446	4446	4201	6	239	70	198
宁夏							
新疆							

单位:万元

管理费用	财务费用	营业利润	利润总额	应交所得税	劳动、失业保险费	住房公积金和住房补贴
26072	**8260**	**1283**	**3974**	**2091**	**906**	**584**
7309	4833	-8086	-7173	825	196	415
94	28	-36	-37			
161	15	63	186	22		
958	4	1361	1366	99	81	27
2372	1386	24	243	10	7	25
9535	1403	7863	8496	652	156	59
887	55	-560	77	25	19	
466	109	33	32	10	22	
313	42	18	18	9	6	19
70	16	-142	-142		14	
554	68	913	906	161	99	
329	270	-58	27	11		
1650	20	151	158	31	307	39
1197	12	-195	-186	236		
178		-66	4			

3－12 续表18

通讯设备零售

地区	营业收入合计	主营业务收入	主营业务成本	主营业务税金及附加	主营业务利润	其他业务利润	营业费用
全国	**727460**	**708041**	**651525**	**1498**	**50328**	**17270**	**43646**
北京	128206	116011	107611	253	8147	4442	6933
天津	9650	9650	6834	119	2697	2	1176
河北	26392	26392	24704	25	1663	151	951
山西							
内蒙古	4707	4707	4250	12	444		367
辽宁							
吉林							
黑龙江							
上海	38349	34701	31521	110	3070	3495	4592
江苏	21241	21241	19555	72	1555	489	1470
浙江	35097	34433	31953	75	2406	1337	1740
安徽	5178	5178	4761	6	411	69	543
福建	7883	7883	7051	18	814	141	684
江西							
山东	27306	26964	24128	132	2704	720	1331
河南	25826	25640	23586	118	1935	316	1019
湖北	10703	10353	9700	35	618	349	647
湖南	5539	5539	4820	12	708	111	821
广东	175085	173624	160257	162	13205	3369	9942
广西	2343	2343	2249	5	88		42
海南							
重庆							
四川	77981	77981	71805	175	1777	1301	4863
贵州	5965	5965	5521	4	34	193	406
云南	53747	53747	50194	55	3498	267	2313
西藏							
陕西	66264	65690	61026	110	4554	519	3806
甘肃							
青海							
宁夏							
新疆							

单位:万元

管理费用	财务费用	营业利润	利润总额	应交所得税	劳动、失业保险费	住房公积金和住房补贴
22246	**3043**	**4482**	**4676**	**1277**	**1980**	**221**
3609	1191	856	1323	363	746	98
720	-1	803	808	7	180	51
787	18	65	4	4	17	
59	9	751	751	3	1	
1671	14	288	291	51	23	
731	146	-240	-384	9	58	10
1774	298	-68	15	56	92	10
78	-2	-139	-139		21	
95	21	155	149	22	10	
1864	219	164	181	126	72	
1057	23	152	124	18	3	
254	10	92	57	19	18	
116	11	19	8	1		
6185	588	-143	-206	80	729	52
42	-1	4	4	1	2	
1451	273	751	718	256	7	
217	2	13	4	4		
664	167	622	632	209		
873	55	339	339	51	2	

3－12　续表19

五金、家具及室内装修材料专门零售

地区	营业收入合计	主营业务收入	主营业务成本	主营业务税金及附加	主营业务利润	其他业务利润	营业费用
全国	**997429**	**961215**	**770615**	**6825**	**169454**	**52652**	**176694**
北京	122367	113382	90558	97	22727	6393	24609
天津	64162	61682	49556	145	11981	2453	9650
河北	2844	2844	2278	2	257	33	307
山西	6671	6657	6615	1	1	491	62
内蒙古	59998	59998	41386	392	12221		1319
辽宁	42951	40389	36333	51	3079	2380	8465
吉林	5239	5239	4549	6	684	296	1858
黑龙江	18005	17412	14408	66	582	564	4278
上海	89246	88357	74895	87	10624	6366	20649
江苏	73920	73920	61598	507	9891	3504	10744
浙江	8748	7707	6097	14	1596	1041	2076
安徽	8524	8521	7542	45	934	1181	2624
福建	37824	37025	29916	299	6795	2195	7268
江西	20627	20627	16442	1769	2416		729
山东	87383	86842	73476	1813	11553	1596	9044
河南	18447	18423	12257	173	5993	133	1417
湖北	37755	37755	34179	137	3439	2560	2054
湖南	16111	16111	14507	56	1549	701	1459
广东	170497	152720	117811	597	34313	18121	38482
广西							
海南							
重庆	24377	23871	19779	59	4033	1091	7555
四川	22992	22992	19627	310	3056	153	2906
贵州							
云南	11615	11615	8869	－2	2748	531	1930
西藏							
陕西	19434	19434	14440	60	4934	870	6697
甘肃	1529	1529	1300	6	223		162
青海							
宁夏							
新疆	26164	26164	12201	136	13827		10352

单位:万元

管理费用	财务费用	营业利润	利润总额	应 交 所得税	劳动、失业 保 险 费	住房公积金 和住房补贴
60916	**10729**	**524**	**-1878**	**4055**	**3724**	**1497**
11145	2549	-9184	-9233	7	491	380
4739	192	-147	-62	107	446	177
571	8	-290	-288		6	
493		-23	-22		86	
4464	1653	11266	11491	253	99	
3663	91	-5834	-3284		107	56
114	2	-993	-989		28	5
611	373	-1761	-2213	11	59	22
5847	292	-6454	-6050	315	153	42
1728	659	2953	2066	319	420	103
218	-2	345	333		66	15
1016	17	-1542	-1547		45	5
1672	714	-664	-650	29	197	73
294	9	1385	1284		1	
3678	830	2706	1924	657	490	182
1625	361	2723	1432	161		
1289	23	2702	2683	8	65	86
322	654	-126	-53	7		
5631	661	7660	9176	1926	692	178
1783	329	-4544	-3988	128	161	75
3083	241	80	84	18	31	
219	-1	1131	1166	81	77	21
3938	399	-951	-5215		1	
54		8		2		
2720	676	79	80	26	5	77

3－12　续表 20

无店铺及其他零售

地　区	营业收入合　计	主营业务收　入	主营业务成　本	主营业务税金及附加	主营业务利　润	其他业务利　润	营业费用
全　国	**704365**	**700510**	**627071**	**1921**	**67592**	**4977**	**45697**
北　京	15967	15673	12868	41	2764	189	816
天　津	9084	9084	6314	44	587	40	1746
河　北	6009	6009	5530	11	468	78	525
山　西	5733	5733	4814	389	405	116	126
内蒙古	4326	4326	2679	57	1274	32	316
辽　宁							
吉　林							
黑龙江	2102	1113	1478		－365	41	433
上　海	67339	67268	52207	368	14668	306	8735
江　苏	35921	35905	30773	151	4981	101	4012
浙　江	1575	1575	1464	5	107		29
安　徽	2129	2129	1822	5	303		153
福　建	57931	57922	54313	108	3498	59	2453
江　西							
山　东	23460	23200	20156	84	2772	445	1821
河　南	24929	23572	21719	66	1787	90	1672
湖　北	5688	5688	5688		－357		357
湖　南	9236	9236	8424	12	800	117	39
广　东	402218	401704	374193	384	26354	2655	19195
广　西	10237	9894	8375	27	1491	304	928
海　南							
重　庆							
四　川	8837	8837	5149	130	3558	238	805
贵　州							
云　南							
西　藏							
陕　西	4574	4574	2919	30	1625	112	982
甘　肃							
青　海	2066	2066	1685	2	378	－30	248
宁　夏	5004	5004	4500	8	495	84	304
新　疆							

单位:万元

管理费用	财务费用	营业利润	利润总额	应交所得税	劳动、失业保险费	住房公积金和住房补贴
26774	**5571**	**2173**	**6171**	**1745**	**2357**	**972**
2169	18	-51	-41	5	130	50
576	14	430	529	178	27	14
	4	18	17		13	
265	-1	317	200	63		
543	36	769	769	236	3	
308	-1	-1064	-119			
8147	2737	-3499	-780	18	400	147
2403	21	-1349	-1363	116	45	5
60		18	18	6	2	
135	15				6	15
777	47	279	-97		52	21
1057	223	304	291	88	156	44
1886	292	-1974	-1976		127	16
695	688		33			
611	11	256	559		66	36
3590	536	7216	6467	508	1099	517
617	50	200	202	94	9	19
1628	315	1048	1954	434	111	16
887	535	-666	-404		11	33
92	7	1	1		35	6
329	26	-79	-90		66	33

3－12　续表21

邮购及电子销售

地　区	营业收入合　计	主营业务收　入	主营业务成　本	主营业务税金及附加	主营业务利　润	其他业务利　润	营业费用
全　国	**33320**	**33234**	**19475**	**51**	**13708**	**318**	**8337**
北　京	6852	6852	5756	10	1086		185
天　津							
河　北							
山　西							
内蒙古							
辽　宁							
吉　林							
黑龙江							
上　海	24776	24705	12447	28	12230	305	6536
江　苏	1692	1677	1272	13	392	13	1616
浙　江							
安　徽							
福　建							
江　西							
山　东							
河　南							
湖　北							
湖　南							
广　东							
广　西							
海　南							
重　庆							
四　川							
贵　州							
云　南							
西　藏							
陕　西							
甘　肃							
青　海							
宁　夏							
新　疆							

单位:万元

管理费用	财务费用	营业利润	利润总额	应交所得税	劳动、失业保险费	住房公积金和住房补贴
7400	**569**	**-1159**	**-1368**	**1**	**22**	**62**
888	8	5	5	1	10	
5572	560	987	786		12	62
939		-2150	-2159			

3－13 大中型零售企业分行业工资、福利及增值税

单位:万元

地区	零售业合计			综合零售		
	本年应付工资总额	本年应付福利费总额	本年应交增值税	本年应付工资总额	本年应付福利费总额	本年应交增值税
全国	**2457484**	**351871**	**1660780**	**1584710**	**233676**	**1017466**
北京	296281	43741	213386	183156	28109	134586
天津	71380	8462	20144	52324	6191	10435
河北	65069	9725	27361	51772	7517	20001
山西	31049	11118	20068	15919	6413	11244
内蒙古	31691	4293	33084	9957	1173	4269
辽宁	130130	13340	91710	75014	9245	62716
吉林	35895	8156	73712	14995	3391	10959
黑龙江	46757	8268	26623	31958	5534	18620
上海	337458	68526	265295	236175	55551	143668
江苏	200892	23827	115668	142534	17156	95444
浙江	130364	16849	68473	89769	11136	51151
安徽	45251	6444	23516	32933	5079	17235
福建	47456	3979	38435	23941	1504	15700
江西	22824	3490	8035	13596	1429	5634
山东	164001	26549	111196	112216	18316	85093
河南	67575	7418	19171	38516	3765	10027
湖北	84717	11044	49153	63027	8343	37820
湖南	53214	6618	50449	34895	3885	38981
广东	319037	28619	174666	186931	13210	103566
广西	25777	4282	17517	18083	3055	13783
海南	2258	378	961	828	153	364
重庆	54529	10169	57963	46075	9246	31922
四川	68828	10062	49467	32462	3982	28592
贵州	8158	903	4316	4065	420	2226
云南	28117	4118	17456	13620	2191	10861
西藏	865	87	371			
陕西	44336	5394	42923	33882	4177	37305
甘肃	9605	1374	4989	7472	1088	4493
青海	3458	431	1464	2370	296	819
宁夏	6811	890	3880	4920	628	3459
新疆	23704	3318	29332	11308	1497	6492

3－13　续表1

单位:万元

地　区	百货零售			超级市场零售		
	本年应付工资总额	本年应付福利费总额	本年应交增值税	本年应付工资总额	本年应付福利费总额	本年应交增值税
全　国	**760492**	**110825**	**581284**	**749669**	**107750**	**405030**
北　京	100577	15427	96759	78387	12152	36991
天　津	20406	2878	6218	31269	3210	3881
河　北	36168	5393	15053	15414	2097	4884
山　西	5312	703	1980	10350	5697	9248
内蒙古	6739	860	2879	3218	313	1390
辽　宁	57964	8039	53580	16477	1129	8941
吉　林	9468	2731	9534	5422	649	1400
黑龙江	24076	5136	17193	7882	398	1428
上　海	28699	5655	28658	158831	37282	99201
江　苏	73726	10858	60302	67342	6198	33879
浙　江	33972	4449	25180	52765	6328	25151
安　徽	16178	1810	9718	16293	3215	7493
福　建	7735	264	1901	13739	950	5858
江　西	6623	610	3661	6973	819	1974
山　东	75498	12753	68698	35271	5276	15832
河　南	12399	1195	4014	23795	2496	4903
湖　北	31527	4278	22154	31016	4060	15532
湖　南	16333	1775	21743	17305	2070	17041
广　东	84379	7237	39250	98416	5885	63060
广　西	12818	1801	7231	4795	1132	6388
海　南	828	153	364			
重　庆	39667	8919	30057	6308	326	1866
四　川	15445	2329	23381	16515	1584	5085
贵　州	1337	292	1634	2525	99	535
云　南	5906	831	5283	7714	1360	5578
西　藏						
陕　西	17617	1874	12333	14672	2094	24757
甘　肃	5850	885	3910	1622	203	583
青　海	1582	208	357	787	88	462
宁　夏	4406	568	3313	514	59	146
新　疆	7255	915	4948	4054	582	1544

3－13 续表2

单位:万元

地区	食品、饮料及烟草制品专门零售			纺织、服装及日用品专门零售		
	本年应付工资总额	本年应付福利费总额	本年应交增值税	本年应付工资总额	本年应付福利费总额	本年应交增值税
全国	**74076**	**12893**	**34613**	**99891**	**9705**	**50702**
北京	13425	2921	7217	18294	1669	9175
天津	2106	142	561	1924	149	1080
河北	308	344	19	367	50	390
山西	3012	2476	1549	2059	183	632
内蒙古	312			1175	68	85
辽宁	1226	161	668	4077	302	1973
吉林	233	33	57	584	47	116
黑龙江	279	53	257	415	55	8
上海	12741	1754	6702	22929	1968	13970
江苏	3837	326	660	3968	454	2036
浙江	6233	942	1870	4160	655	1723
安徽	61		72	1050	82	105
福建	3250	231	3139	1034	145	327
江西				302	19	49
山东	8354	1394	4999	7401	1119	1606
河南	2870	197	175	1934	98	778
湖北	265	31	66	2197	145	1037
湖南	1222	116	86	1260	10	999
广东	8814	848	4919	16237	1492	9335
广西	872	382	166	389	54	116
海南	552	99	166	134	19	289
重庆	875	96	11	853	63	164
四川	1310	105	73	2660	141	1332
贵州	169	26	23	2142	282	1542
云南	1060	140	1020			
西藏						
陕西	70		3	1352	297	1073
甘肃	482	59	138	209	29	42
青海						
宁夏	139	17				
新疆				785	110	723

3－13 续表3

单位:万元

地区	服装零售			文化、体育用品及器材专门零售		
	本年应付工资总额	本年应付福利费总额	本年应交增值税	本年应付工资总额	本年应付福利费总额	本年应交增值税
全　国	**59005**	**5877**	**31157**	**136928**	**19388**	**84211**
北　京	11400	908	6153	15862	2035	7336
天　津	1128	37	410	2131	298	964
河　北	334	47	288	2030	322	704
山　西	1198	63	503	2331	328	1089
内蒙古	808	38	－12	727	72	200
辽　宁	3533	224	1611	11613	561	977
吉　林	584	47	116	1372	192	291
黑龙江	81	4	5	1661	468	685
上　海	6854	787	4108	5902	1202	29715
江　苏	3565	430	1816	9969	1460	2223
浙　江	3218	525	1433	4972	803	2625
安　徽	899	71	72	2599	391	1149
福　建	215	30	83	1691	167	664
江　西	302	19	49	2517	1305	631
山　东	4691	630	1245	7899	1006	5525
河　南	1229	36	575	7453	1292	3273
湖　北	1512	117	696	3886	480	1539
湖　南	517	10	451	3803	532	1789
广　东	11273	1165	7486	20510	2493	6301
广　西	389	54	116	1923	267	985
海　南	134	19	289	397	61	69
重　庆	638	42	90	500	78	182
四　川	1070	112	802	14603	2078	11315
贵　州	2142	282	1542	353	57	112
云　南				3285	496	1337
西　藏						
陕　西	508	71	508	2208	283	764
甘　肃				681	95	124
青　海				131	18	49
宁　夏				360	51	143
新　疆	785	110	723	3560	498	1454

3－13 续表4

单位:万元

地区	体育用品零售			图书零售		
	本年应付工资总额	本年应付福利费总额	本年应交增值税	本年应付工资总额	本年应付福利费总额	本年应交增值税
全国	**7986**	**1288**	**30028**	**112872**	**15861**	**45357**
北京	1897	103	850	7687	1077	3041
天津				977	137	693
河北				2030	322	704
山西				1904	270	794
内蒙古				727	72	200
辽宁	58	8	4	11528	550	973
吉林				1372	192	291
黑龙江	372	25	12	1290	443	673
上海	2572	770	27757	1345	181	249
江苏	421	59	178	8534	1244	1098
浙江				4544	688	2272
安徽				2599	391	1149
福建				1595	167	664
江西				2247	1258	623
山东				7143	930	5161
河南				7263	1265	3120
湖北				3420	415	1486
湖南	1106	155	425	2697	378	1363
广东	1561	168	802	16568	1983	4656
广西				1923	267	985
海南				397	61	69
重庆				500	78	182
四川				14461	2058	11098
贵州				353	57	112
云南				2830	432	1167
西藏						
陕西				2208	283	764
甘肃				681	95	124
青海				131	18	49
宁夏				360	51	143
新疆				3560	498	1454

3－13　续表5

单位:万元

地　区	医药及医疗器材专门零售			药品零售		
	本年应付工资总额	本年应付福利费总额	本年应交增值税	本年应付工资总额	本年应付福利费总额	本年应交增值税
全　国	**146369**	**18444**	**67650**	**133781**	**17815**	**62036**
北　京	17745	1496	14030	8705	1329	9905
天　津	806	76	766	806	76	766
河　北	2322	387	772	2322	387	772
山　西	1885	349	803	1885	349	803
内蒙古	933	286	1108	933	286	1108
辽　宁	7376	836	5715	7376	836	5715
吉　林	1361	191	823	1361	191	823
黑龙江	8328	1150	4747	8328	1150	4747
上　海	9931	1376	4886	9931	1376	4886
江　苏	12845	1378	4535	12677	1305	4465
浙　江	12816	1706	5893	12816	1706	5893
安　徽	1461	219	409	1308	215	409
福　建	2138	247	796	2138	247	796
江　西	3723	473	1061	3723	473	1061
山　东	9355	1700	2878	9200	1678	2825
河　南	9372	1385	1431	9085	1365	1385
湖　北	3085	577	1718	3085	577	1718
湖　南	4476	601	1349	4476	601	1349
广　东	20444	1831	7738	17658	1489	6417
广　西	2012	259	724	2012	259	724
海　南						
重　庆	1719	240	1581	1719	240	1581
四　川	1504	287	544	1504	287	544
贵　州	861	117	373	861	117	373
云　南	6018	842	1801	6018	842	1801
西　藏	154			154		
陕　西	1090	76	171	1090	76	171
甘　肃	319	39	159	319	39	159
青　海	502	60	286	502	60	286
宁　夏	817	114	157	817	114	157
新　疆	973	147	398	973	147	398

3－13　续表6

单位:万元

地　区	汽车、摩托车、燃料及零配件专门零售			汽车零售		
	本年应付工资总额	本年应付福利费总额	本年应交增值税	本年应付工资总额	本年应付福利费总额	本年应交增值税
全　国	**174738**	**24740**	**251712**	**45737**	**6106**	**33692**
北　京	10067	1815	24289	2590	327	564
天　津	3851	621	3011			
河　北	5178	683	4502	2104	224	2312
山　西	4600	865	4250	1992	500	3891
内蒙古	14987	2188	26782	2626	479	792
辽　宁	26283	1738	15789	184	26	63
吉　林	16376	4173	61226	636	62	545
黑龙江	598	91	580	475	59	258
上　海	20110	2810	31548	6078	889	5009
江　苏	2702	377	－702	2564	358	－864
浙　江	2065	236	419	423	52	278
安　徽	4526	380	3533	4526	380	3533
福　建	8958	639	13987	237	27	76
江　西	675	94	365	675	94	365
山　东	4036	1017	4162	2714	822	2666
河　南	2983	181	2494	658	71	220
湖　北	3291	434	2115	2078	219	1145
湖　南	4110	517	5873	625	69	242
广　东	21399	1941	22481	11741	1080	10435
广　西	1092	62	1145	168	8	140
海　南						
重　庆	290	41	106			
四　川	7480	2570	3960	936	132	1373
贵　州						
云　南	1682	226	344	1390	185	283
西　藏	711	87	371	99	14	22
陕　西	548	74	184	23	3	143
甘　肃						
青　海						
宁　夏						
新　疆	6142	880	18899	194	27	203

3－13 续表7

单位:万元

地 区	机动车燃料零售			家用电器及电子产品专门零售		
	本年应付工资总额	本年应付福利费总额	本年应交增值税	本年应付工资总额	本年应付福利费总额	本年应交增值税
全 国	**125005**	**18185**	**215334**	**176364**	**23155**	**122912**
北 京	7477	1488	23726	30503	4415	14325
天 津	3851	621	3011	4499	491	1178
河 北	2906	436	2190	2637	366	898
山 西	2362	331	298	834	154	389
内蒙古	12360	1709	25991	749	138	329
辽 宁	26021	1702	15702	3258	238	2151
吉 林	15740	4112	60681	740	97	181
黑龙江	123	32	322	2482	314	1668
上 海	12913	1794	25804	22712	2933	32668
江 苏				20662	2241	9350
浙 江	1425	162	114	9843	1358	4501
安 徽				2093	237	625
福 建	8721	612	13911	3984	501	2257
江 西				1074	137	140
山 东	1202	162	1388	8734	1294	4169
河 南	2325	110	2274	2663	320	740
湖 北	1125	203	957	7382	824	4195
湖 南	2564	356	4178	2348	822	1215
广 东	8985	817	11950	28864	4314	9302
广 西	695	22	999	1094	158	350
海 南				347	46	73
重 庆	290	41	106	2744	172	23113
四 川	6543	2438	2587	7815	764	3282
贵 州				568		40
云 南	292	41	61	2121	212	2041
西 藏	612	74	349			
陕 西	525	71	40	3996	334	2442
甘 肃				394	55	32
青 海				318	39	288
宁 夏				171	24	16
新 疆	5949	853	18697	737	159	956

3－13　续表8

单位:万元

地区	家用电器零售			计算机、软件及辅助设备零售		
	本年应付工资总额	本年应付福利费总额	本年应交增值税	本年应付工资总额	本年应付福利费总额	本年应交增值税
全国	**135484**	**17885**	**109649**	**20806**	**3081**	**6785**
北京	18021	2461	10179	9212	1578	2948
天津	3836	438	1155			
河北	1923	275	716			
山西	784	147	389	50	7	
内蒙古	619	121	249			
辽宁	3112	217	2096	145	20	54
吉林	298	35	167	441	62	14
黑龙江	2482	314	1668			
上海	18950	2505	31880	2402	349	163
江苏	17309	1902	7173	2638	296	1808
浙江	7336	1063	3971	544	77	54
安徽	1899	210	566			
福建	3752	487	2104			
江西	906	116	22	168	20	118
山东	7375	1064	3725	273	24	69
河南	1908	249	556	109		48
湖北	6727	768	4014	457	56	180
湖南	1769	745	770	579	77	353
广东	20590	3280	7043	3025	386	722
广西	352	27	115	630	114	219
海南						
重庆	2744	172	23113			
四川	6997	733	3232			
贵州						
云南	1432	116	2031			
西藏						
陕西	2877	177	1456			
甘肃	394	55	32			
青海	184	25	255	134	14	33
宁夏	171	24	16			
新疆	737	159	956			

3－13 续表9

单位:万元

地　区	通讯设备零售			五金、家具及室内装修材料专门零售		
	本年应付工资总额	本年应付福利费总额	本年应交增值税	本年应付工资总额	本年应付福利费总额	本年应交增值税
全　国	**18378**	**1926**	**5828**	**42295**	**6179**	**23166**
北　京	3140	364	922	6025	1115	2150
天　津	662	54	24	3120	416	1513
河　北	714	91	182	325	42	14
山　西				163	10	31
内蒙古	130	17	80	2354	333	222
辽　宁				1284	258	1722
吉　林				235	32	60
黑龙江				738	344	18
上　海	1360	79	625	3234	276	1488
江　苏	714	43	369	2673	218	1864
浙　江	1366	146	292	300	12	273
安　徽	194	27	59	394	37	163
福　建	232	14	153	1567	417	1052
江　西				936	35	154
山　东	1086	206	375	4956	545	2014
河　南	646	71	136	550	48	32
湖　北	199			1314	155	666
湖　南			92	539	66	159
广　东	4629	515	1419	8174	1362	7282
广　西	112	17	16			
海　南						
重　庆				1474	233	884
四　川	818	31	50	635	90	216
贵　州	568		40			
云　南	689	97	11	331	12	51
西　藏						
陕　西	1119	157	986	727	90	726
甘　肃				49	7	
青　海						
宁　夏						
新　疆				200	28	411

3－13　续表10

单位:万元

地　区	无店铺及其他零售			邮购及电子销售		
	本年应付工资总额	本年应付福利费总额	本年应交增值税	本年应付工资总额	本年应付福利费总额	本年应交增值税
全　国	**22114**	**3692**	**8348**	**2691**	**164**	**383**
北　京	1206	167	278	206	29	104
天　津	621	79	636			
河　北	129	15	61			
山　西	247	340	81			
内蒙古	497	35	88			
辽　宁						
吉　林						
黑龙江	297	258	40			
上　海	3724	657	651	2009	135	181
江　苏	1703	217	259	476		98
浙　江	206	3	18			
安　徽	134	19	226			
福　建	894	130	513			
江　西						
山　东	1051	160	750			
河　南	1234	132	221			
湖　北	271	55				
湖　南	562	68				
广　东	7665	1129	3744			
广　西	312	44	249			
海　南						
重　庆						
四　川	359	47	152			
贵　州						
云　南						
西　藏						
陕　西	463	65	255			
甘　肃						
青　海	137	19	22			
宁　夏	404	56	104			
新　疆						

3-14 大中型零售企业分行业经济效益分析指标

综合零售

地区	负债比率（%）	毛利率（%）	人均营业收入（万元）	流动资产周转次数（次）	费用率（%）
全国	**74.0**	**13.0**	**44.8**	**3.1**	**14.8**
北京	65.4	15.3	67.5	2.3	16.9
天津	75.3	11.1	49.6	2.8	17.6
河北	79.8	12.2	30.2	2.8	15.2
山西	88.1	12.3	20.1	1.4	14.8
内蒙古	75.6	12.1	25.2	3.4	12.3
辽宁	69.5	13.3	47.5	2.8	15.2
吉林	74.4	8.3	51.2	4.5	11.4
黑龙江	82.3	14.0	25.4	4.1	16.4
上海	74.8	13.8	57.1	4.0	15.5
江苏	72.4	13.4	46.3	3.2	13.1
浙江	74.9	11.6	45.9	3.1	14.4
安徽	77.1	8.9	38.8	3.1	10.0
福建	86.2	14.8	27.2	3.8	18.9
江西	73.4	11.6	32.2	3.0	12.8
山东	78.1	10.3	53.7	3.2	10.3
河南	94.0	10.1	17.4	1.7	17.9
湖北	70.7	13.5	36.0	3.4	15.4
湖南	67.5	15.3	27.1	2.9	16.6
广东	75.3	13.7	58.3	3.0	17.1
广西	77.8	15.2	32.3	2.6	16.5
海南	99.1	6.7	23.7	1.8	26.1
重庆	77.9	11.4	58.2	3.3	12.6
四川	75.4	13.6	35.3	3.6	13.1
贵州	83.0	16.7	25.8	2.0	14.8
云南	68.8	16.4	40.3	2.7	15.4
西藏					
陕西	70.4	12.9	32.5	2.8	15.1
甘肃	67.5	19.0	30.1	2.5	19.9
青海	62.7	20.4	23.7	3.2	25.2
宁夏	39.8	14.4	35.2	3.3	13.1
新疆	71.3	15.8	29.6	2.4	21.2

注：费用率等于营业费用、管理费用、财务费用三项之和除以营业收入合计（下表同）。

3-14 续表1

百货零售

地 区	负债比率（%）	毛利率（%）	人均营业收入（万元）	流动资产周转次数（次）	费用率（%）
全 国	**69.4**	**14.4**	**48.6**	**2.7**	**14.1**
北 京	57.8	21.3	72.2	2.0	19.1
天 津	70.4	11.1	70.7	2.3	13.5
河 北	77.3	12.9	31.4	2.9	14.7
山 西	84.8	15.5	15.5	2.2	15.5
内蒙古	82.5	11.6	27.0	3.8	12.2
辽 宁	63.5	13.8	49.7	2.8	14.5
吉 林	71.9	8.6	63.1	4.9	9.9
黑龙江	78.5	14.4	23.3	3.9	15.1
上 海	51.2	19.5	89.8	3.5	18.4
江 苏	68.4	15.5	54.3	2.8	12.3
浙 江	68.6	13.6	53.5	2.4	15.0
安 徽	74.9	7.8	48.4	2.6	7.6
福 建	81.3	20.0	26.2	2.6	30.2
江 西	72.1	11.0	57.1	2.8	10.3
山 东	77.7	10.9	59.3	3.0	10.2
河 南	104.8	11.1	14.0	1.9	19.1
湖 北	69.9	14.4	42.4	2.9	15.0
湖 南	61.9	18.4	46.1	2.1	16.5
广 东	72.9	16.8	66.0	2.5	16.5
广 西	83.4	16.9	33.3	2.5	16.7
海 南	99.1	6.7	23.7	1.8	26.1
重 庆	79.0	11.2	62.3	3.2	11.7
四 川	75.4	19.7	31.8	2.7	17.2
贵 州	85.5	18.3	34.1	1.7	16.4
云 南	77.8	16.8	51.5	2.2	14.1
西 藏					
陕 西	63.9	13.3	32.7	3.3	11.9
甘 肃	73.9	20.4	33.1	2.8	21.1
青 海	67.6	15.4	18.4	4.2	22.8
宁 夏	38.4	14.6	37.9	3.3	12.6
新 疆	69.3	19.3	29.6	2.1	22.7

3－14　续表2

超级市场零售

地　区	负债比率（%）	毛利率（%）	人均营业收入（万元）	流动资产周转次数（次）	费用率（%）
全　国	**80.1**	**11.4**	**43.0**	**3.5**	**15.2**
北　京	75.6	10.1	66.7	2.7	14.8
天　津	89.1	10.8	36.5	3.8	22.5
河　北	88.4	10.5	27.6	2.6	16.7
山　西	89.3	10.5	24.2	1.1	14.8
内蒙古	51.7	14.0	19.9	2.3	12.7
辽　宁	94.3	11.3	44.8	3.0	16.9
吉　林	86.1	6.8	30.3	3.5	16.7
黑龙江	104.6	12.5	37.3	4.9	20.8
上　海	83.1	12.6	59.4	3.8	14.8
江　苏	81.7	10.8	40.1	4.0	13.9
浙　江	81.7	10.4	43.1	3.7	14.0
安　徽	81.3	10.2	31.0	4.1	13.1
福　建	89.7	13.6	26.7	4.1	16.5
江　西	76.8	12.9	16.1	3.8	18.8
山　东	77.8	8.9	45.8	4.2	10.3
河　南	82.2	10.3	19.0	2.7	19.4
湖　北	72.0	12.5	31.5	4.0	15.8
湖　南	76.3	13.3	22.1	4.0	16.5
广　东	76.9	11.0	54.0	3.6	17.3
广　西	58.6	10.0	33.5	3.7	16.6
海　南					
重　庆	63.8	14.0	36.6	4.3	20.9
四　川	76.1	9.3	39.5	4.7	10.2
贵　州	72.8	14.1	17.9	2.7	11.9
云　南	59.6	16.0	34.7	3.5	16.5
西　藏					
陕　西	76.0	12.8	33.9	2.6	18.9
甘　肃	35.0	13.6	22.7	1.8	15.5
青　海	54.4	23.9	29.8	2.8	27.0
宁　夏	63.6	12.1	17.6	3.0	20.9
新　疆	81.0	11.4	29.7	2.9	19.4

3－14 续表3

食品、饮料及烟草制品专门零售

地区	负债比率（%）	毛利率（%）	人均营业收入（万元）	流动资产周转次数（次）	费用率（%）
全国	**61.6**	**19.9**	**30.3**	**2.2**	**15.2**
北京	62.0	17.1	35.6	2.6	16.4
天津	79.0	11.6	14.0	2.6	13.4
河北	81.0	26.2	8.8	4.1	27.3
山西	79.5	18.0	27.1	3.1	18.0
内蒙古	101.6	11.2	27.9	4.8	8.1
辽宁	62.6	32.2	10.7	1.0	47.6
吉林	83.2	9.6	39.3	0.8	16.5
黑龙江	70.5	22.5	9.2	-71.3	45.4
上海	31.7	20.8	50.1	3.8	16.7
江苏	92.6	15.7	16.0	1.4	21.5
浙江	75.5	14.8	26.4	4.3	16.2
安徽	80.7	3.3	25.1	2.6	3.2
福建	28.4	32.7	54.1	7.3	5.6
江西					
山东	73.3	18.6	31.2	2.2	12.3
河南	84.6	9.2	16.2	0.6	14.0
湖北	86.3	8.5	10.8	4.5	11.5
湖南	71.4	7.3	28.7	2.3	11.6
广东	37.6	30.2	62.2	1.5	16.9
广西	43.1	27.9	13.5	1.7	24.5
海南	26.4	16.7	8.7	2.6	2.9
重庆	113.9	6.4	21.4	1.5	21.1
四川	66.9	10.2	17.1	2.5	24.3
贵州	43.9	19.7	7.4	1.6	22.8
云南	41.8	23.1	25.8	1.5	13.7
西藏					
陕西	65.8	14.8	13.9	2.2	14.9
甘肃	61.5	12.3	19.5	5.0	13.7
青海					
宁夏	113.6	-1.3	14.2	0.8	12.9
新疆					

3－14 续表4

纺织、服装及日用品专门零售

地　区	负债比率（%）	毛利率（%）	人均营业收入（万元）	流动资产周转次数（次）	费用率（%）
全　国	**76.1**	**23.0**	**25.9**	**2.2**	**25.5**
北　京	80.9	32.8	23.9	2.1	33.5
天　津	43.2	18.3	41.9	1.2	29.3
河　北	82.3	16.9	9.2	3.6	18.1
山　西	97.3	18.0	12.6	1.4	23.6
内蒙古	61.7	32.6	15.0	2.6	21.9
辽　宁	66.0	17.9	19.3	2.9	28.8
吉　林	112.8	10.7	11.8	1.5	47.0
黑龙江	90.0	28.9	11.3	1.5	25.3
上　海	63.7	26.8	44.0	2.1	27.3
江　苏	97.0	25.6	16.6	2.1	31.1
浙　江	88.8	18.1	33.6	1.2	20.3
安　徽	87.8	16.0	17.6	1.5	17.2
福　建	68.1	35.3	13.4	1.9	31.6
江　西	76.7	6.8	9.9	1.0	15.7
山　东	58.6	21.5	17.4	4.2	19.0
河　南	112.9	11.6	14.9	2.5	14.9
湖　北	99.8	18.4	24.9	4.0	19.8
湖　南	79.2	25.1	26.6	2.1	24.5
广　东	95.8	21.0	35.3	3.7	26.7
广　西	102.8	11.9	57.9	7.1	10.9
海　南	105.3	29.0	13.1	2.2	29.1
重　庆	104.9	23.6	17.3	2.1	27.1
四　川	68.1	20.0	19.6	2.9	18.2
贵　州	67.3	18.2	31.1	2.3	20.3
云　南					
西　藏					
陕　西	48.6	-2.5	26.3	1.1	19.6
甘　肃	50.3	32.6	12.2	1.0	35.8
青　海					
宁　夏					
新　疆	83.8	15.4	48.0	1.0	20.9

3-14 续表5

服装零售

地　区	负债比率（%）	毛利率（%）	人均营业收入（万元）	流动资产周转次数（次）	费用率（%）
全　国	**76.5**	**21.5**	**25.8**	**2.4**	**24.4**
北　京	85.1	31.0	24.7	2.3	31.7
天　津	13.1	16.0	39.7	4.4	39.8
河　北	87.4	19.5	15.0	3.3	19.5
山　西	97.0	16.4	12.8	1.3	22.2
内蒙古	73.0	31.2	18.7	4.7	13.3
辽　宁	64.9	15.5	21.4	2.9	27.7
吉　林	112.8	10.7	11.8	1.5	47.0
黑龙江	56.1	15.8	7.9	4.2	15.5
上　海	52.7	29.8	40.6	2.6	28.5
江　苏	98.3	24.3	17.4	2.2	30.4
浙　江	89.5	18.1	35.3	1.0	19.9
安　徽	88.2	16.4	19.2	1.5	17.7
福　建	70.1	19.5	34.9	1.4	17.8
江　西	76.7	6.8	9.9	1.0	15.7
山　东	52.2	17.5	15.0	3.8	14.5
河　南	121.7	13.6	14.8	2.8	18.5
湖　北	104.4	18.5	29.3	4.4	19.8
湖　南	83.4	21.5	17.7	5.4	25.4
广　东	92.9	19.7	44.3	4.3	24.1
广　西	102.8	11.9	57.9	7.1	10.9
海　南	105.3	29.0	13.1	2.2	29.1
重　庆	101.9	19.1	18.5	2.1	20.9
四　川	69.7	16.1	16.1	3.8	19.0
贵　州	67.3	18.2	31.1	2.3	20.3
云　南					
西　藏					
陕　西	51.4	-15.9	32.1	0.7	24.9
甘　肃					
青　海					
宁　夏					
新　疆	83.8	15.4	48.0	1.0	20.9

3－14 续表6

文化、体育用品及器材专门零售

地 区	负债比率（%）	毛利率（%）	人均营业收入（万元）	流动资产周转次数（次）	费用率（%）
全 国	**62.8**	**26.7**	**28.5**	**1.6**	**24.5**
北 京	77.4	29.5	32.3	1.0	28.2
天 津	38.6	19.0	29.6	2.0	23.8
河 北	78.7	25.6	20.2	1.4	29.0
山 西	63.7	19.2	18.8	1.4	19.8
内 蒙 古	104.4	40.3	15.1	2.3	29.5
辽 宁	68.0	21.8	14.2	1.3	26.5
吉 林	77.6	25.6	24.3	1.9	26.3
黑 龙 江	82.8	21.6	16.1	1.5	20.9
上 海	79.9	19.0	53.8	1.7	17.4
江 苏	71.7	25.8	43.6	2.6	21.7
浙 江	44.0	28.1	38.9	1.3	25.7
安 徽	39.7	25.9	26.0	1.0	25.6
福 建	38.2	24.1	27.2	2.5	26.3
江 西	48.5	16.5	23.4	3.1	25.7
山 东	73.4	22.4	30.4	1.9	21.5
河 南	55.9	23.7	14.8	1.9	25.0
湖 北	76.4	25.1	22.7	1.8	21.5
湖 南	60.7	23.2	36.5	2.9	22.6
广 东	55.5	27.0	26.7	1.9	26.1
广 西	77.8	27.1	27.4	1.9	25.0
海 南	107.4	36.6	18.4	0.6	66.2
重 庆	55.3	11.4	43.3	3.2	12.9
四 川	44.7	38.3	37.8	1.2	28.3
贵 州	81.5	25.9	19.6	1.2	30.6
云 南	57.9	26.6	27.6	3.0	23.3
西 藏					
陕 西	66.8	24.3	23.8	2.0	23.5
甘 肃	89.2	31.6	15.7	0.9	28.6
青 海	88.0	38.6	9.5	0.4	49.6
宁 夏	78.7	30.9	11.9	1.6	32.0
新 疆	59.1	25.1	43.4	2.5	19.9

3－14 续表7

体育用品零售

地　区	负债比率（%）	毛利率（%）	人均营业收入（万元）	流动资产周转次数（次）	费用率（%）
全　国	**75.1**	**15.6**	**45.0**	**2.2**	**12.5**
北　京	75.6	19.8	31.5	1.3	22.9
天　津					
河　北					
山　西					
内蒙古					
辽　宁	102.9	12.3	28.4	1.8	18.7
吉　林					
黑龙江	73.8	16.6	12.6	1.3	18.9
上　海	77.7	12.8	79.9	1.9	7.8
江　苏	59.5	12.5	33.5	5.9	23.1
浙　江					
安　徽					
福　建					
江　西					
山　东					
河　南					
湖　北					
湖　南	89.0	17.4	51.2	4.8	15.0
广　东	60.6	18.9	31.1	3.2	13.1
广　西					
海　南					
重　庆					
四　川					
贵　州					
云　南					
西　藏					
陕　西					
甘　肃					
青　海					
宁　夏					
新　疆					

3－14 续表8

图书零售

地 区	负债比率（%）	毛利率（%）	人均营业收入（万元）	流动资产周转次数（次）	费用率（%）
全 国	**59.9**	**28.1**	**27.0**	**1.6**	**25.9**
北 京	79.1	26.5	36.7	1.0	25.2
天 津	34.4	28.6	30.9	1.7	26.7
河 北	78.7	25.6	20.2	1.4	29.0
山 西	64.5	23.2	15.0	1.7	23.2
内蒙古	104.4	40.3	15.1	2.3	29.5
辽 宁	64.1	24.3	13.8	1.2	29.0
吉 林	77.6	25.6	24.3	1.9	26.3
黑龙江	84.2	22.5	17.0	1.6	21.3
上 海	81.0	32.8	23.3	1.3	35.1
江 苏	73.3	27.4	44.4	2.6	23.9
浙 江	41.1	26.1	37.1	1.4	23.7
安 徽	39.7	25.9	26.0	1.0	25.6
福 建	38.2	24.8	28.8	2.1	27.5
江 西	48.2	14.2	22.2	3.6	26.5
山 东	76.0	22.5	31.0	2.0	22.1
河 南	54.2	23.7	14.9	1.9	25.1
湖 北	74.2	27.5	20.5	1.7	22.6
湖 南	54.9	27.0	30.9	2.4	27.5
广 东	53.0	29.2	26.5	1.7	30.8
广 西	77.8	27.1	27.4	1.9	25.0
海 南	107.4	36.6	18.4	0.6	66.2
重 庆	55.3	11.4	43.3	3.2	12.9
四 川	42.9	38.6	37.7	1.2	28.4
贵 州	81.5	25.9	19.6	1.2	30.6
云 南	56.3	26.6	28.0	3.1	23.3
西 藏					
陕 西	66.8	24.3	23.8	2.0	23.5
甘 肃	89.2	31.6	15.7	0.9	28.6
青 海	88.0	38.6	9.5	0.4	49.6
宁 夏	78.7	30.9	11.9	1.6	32.0
新 疆	59.1	25.1	43.4	2.5	19.9

3－14　续表9

医药及医疗器材专门零售

地　区	负债比率（%）	毛利率（%）	人均营业收入（万元）	流动资产周转次数（次）	费用率（%）
全　国	**76.9**	**13.8**	**28.2**	**2.3**	**14.8**
北　京	68.5	21.6	41.6	2.1	24.7
天　津	50.7	16.1	33.4	3.6	11.1
河　北	96.6	11.0	17.1	2.1	12.5
山　西	79.8	8.1	52.3	1.9	8.3
内蒙古	74.5	10.4	15.5	2.5	13.4
辽　宁	65.4	11.4	37.1	1.9	9.9
吉　林	81.3	15.5	22.3	2.5	16.3
黑龙江	106.3	11.9	44.6	2.4	11.9
上　海	44.5	20.7	28.4	4.0	20.4
江　苏	85.3	11.1	36.6	2.7	11.3
浙　江	68.6	8.9	66.8	2.7	9.6
安　徽	84.4	7.6	19.2	1.9	14.9
福　建	83.4	16.7	19.8	0.5	17.4
江　西	118.6	17.8	9.5	1.6	22.6
山　东	102.5	12.0	18.5	2.1	12.7
河　南	89.8	9.0	12.3	3.3	9.3
湖　北	76.3	16.7	18.3	1.7	16.5
湖　南	62.2	14.4	24.7	2.3	12.8
广　东	69.3	22.2	26.0	2.8	27.5
广　西	73.3	16.6	21.9	3.5	14.0
海　南					
重　庆	86.5	13.1	23.9	2.9	20.5
四　川	66.0	16.9	18.3	3.0	17.1
贵　州	77.4	19.7	21.8	2.6	18.8
云　南	80.9	18.0	20.3	4.5	17.4
西　藏	109.8	12.5	16.1	0.5	23.2
陕　西	97.1	6.5	15.0	1.9	15.0
甘　肃	84.7	8.0	21.9	3.4	13.4
青　海	60.0	15.5	24.8	1.2	14.5
宁　夏	85.8	23.7	14.3	2.8	25.5
新　疆	93.6	17.0	21.8	1.8	16.8

3－14 续表10

药品零售

地 区	负债比率（%）	毛利率（%）	人均营业收入（万元）	流动资产周转次数（次）	费用率（%）
全 国	**76.1**	**13.3**	**27.8**	**2.3**	**13.5**
北 京	50.6	17.5	32.0	2.4	17.8
天 津	50.7	16.1	33.4	3.6	11.1
河 北	96.6	11.0	17.1	2.1	12.5
山 西	79.8	8.1	52.3	1.9	8.3
内蒙古	74.5	10.4	15.5	2.5	13.4
辽 宁	65.4	11.4	37.1	1.9	9.9
吉 林	81.3	15.5	22.3	2.5	16.3
黑龙江	106.3	11.9	44.6	2.4	11.9
上 海	43.5	20.4	28.1	3.9	19.9
江 苏	85.7	11.1	37.0	2.7	11.3
浙 江	68.6	8.9	66.8	2.7	9.6
安 徽	84.1	7.1	19.5	1.8	15.4
福 建	83.4	16.7	19.8	0.5	17.4
江 西	118.6	17.8	9.5	1.6	22.6
山 东	102.5	11.9	18.5	2.0	12.7
河 南	88.4	9.4	11.8	3.3	9.7
湖 北	76.3	16.7	18.3	1.7	16.5
湖 南	62.2	14.4	24.7	2.3	12.8
广 东	68.1	21.7	26.7	2.6	21.2
广 西	73.3	16.6	21.9	3.5	14.0
海 南					
重 庆	86.5	13.1	23.9	2.9	20.5
四 川	66.0	16.9	18.3	3.0	17.1
贵 州	77.4	19.7	21.8	2.6	18.8
云 南	80.9	18.0	20.3	4.5	17.4
西 藏	109.8	12.5	16.1	0.5	23.2
陕 西	97.1	6.5	15.0	1.9	15.0
甘 肃	84.7	8.0	21.9	3.4	13.4
青 海	60.0	15.5	24.8	1.2	14.5
宁 夏	85.8	23.7	14.3	2.8	25.5
新 疆	93.6	17.0	21.8	1.8	16.8

3－14 续表11

汽车、摩托车、燃料及零配件专门零售

地　区	负债比率（%）	毛利率（%）	人均营业收入（万元）	流动资产周转次数（次）	费用率（%）
全　国	**65.4**	**7.0**	**177.1**	**4.7**	**4.8**
北　京	47.6	6.1	298.3	18.1	4.8
天　津	55.7	7.2	147.3	11.6	7.4
河　北	69.8	7.2	150.2	2.7	5.4
山　西	68.8	5.2	160.4	8.6	3.5
内蒙古	83.9	6.4	127.0	5.4	5.3
辽　宁	71.9	8.9	150.3	19.8	5.1
吉　林	143.5	7.4	130.5	19.1	8.2
黑龙江	56.4	6.8	82.2	6.2	5.8
上　海	40.4	5.9	320.2	12.9	3.7
江　苏	87.3	5.6	110.8	1.7	6.1
浙　江	53.4	4.8	139.3	4.2	5.8
安　徽	79.7	7.7	179.5	4.7	5.5
福　建	12.9	7.1	158.0	56.5	2.7
江　西	68.2	5.6	80.7	2.8	6.5
山　东	71.4	8.2	179.1	1.7	6.3
河　南	60.9	6.9	140.2	7.7	4.0
湖　北	76.9	8.1	120.2	5.8	4.5
湖　南	168.1	12.5	160.3	11.6	5.3
广　东	57.8	6.7	199.3	1.4	4.1
广　西	59.3	9.0	115.0	6.6	4.1
海　南					
重　庆	60.7	16.2	25.8	13.8	16.4
四　川	68.0	8.7	98.7	8.9	7.9
贵　州					
云　南	73.8	5.2	47.5	2.5	6.0
西　藏	28.1	19.5	88.6	3.7	14.5
陕　西	46.4	1.4	28.8	2.1	5.2
甘　肃					
青　海					
宁　夏					
新　疆	114.7	9.1	88.0	15.9	9.3

3－14　续表 12

汽车零售

地　区	负债比率（%）	毛利率（%）	人均营业收入（万元）	流动资产周转次数（次）	费用率（%）
全　国	**80.8**	**5.6**	**169.4**	**2.8**	**5.0**
北　京	56.2	5.2	63.1	2.8	10.9
天　津					
河　北	70.9	5.3	302.2	1.7	3.7
山　西	58.8	6.3	227.6	4.1	5.1
内蒙古	83.0	5.5	117.8	1.6	5.7
辽　宁	68.3	5.3	56.2	4.2	6.3
吉　林	78.0	5.9	74.7	2.0	6.7
黑龙江	70.0	6.3	98.3	3.8	4.9
上　海	63.7	4.6	298.1	5.5	4.2
江　苏	87.5	5.5	114.7	1.7	6.0
浙　江	78.7	4.5	101.0	5.4	4.7
安　徽	79.7	7.7	179.5	4.7	5.5
福　建	80.9	6.1	60.2	2.3	5.7
江　西	68.2	5.6	80.7	2.8	6.5
山　东	96.6	7.5	179.8	1.5	8.3
河　南	82.8	4.3	63.9	1.9	5.4
湖　北	85.9	6.4	105.9	2.9	5.5
湖　南	91.0	8.6	88.9	3.2	7.0
广　东	93.7	4.8	208.9	2.9	3.9
广　西	63.3	3.0	65.3	3.2	5.0
海　南					
重　庆					
四　川	77.3	9.9	54.2	2.8	6.4
贵　州					
云　南	82.5	4.7	48.8	2.3	5.8
西　藏	62.2	6.0	95.4	2.0	6.3
陕　西	73.7	-0.8	61.8	3.2	2.2
甘　肃					
青　海					
宁　夏					
新　疆	86.9	8.4	104.0	2.1	7.4

3－14　续表13

机动车燃料零售

地　区	负债比率（%）	毛利率（%）	人均营业收入（万元）	流动资产周转次数（次）	费用率（%）
全　国	**52.8**	**7.4**	**185.3**	**6.3**	**4.8**
北　京	46.7	6.1	346.7	22.8	4.6
天　津	55.7	7.2	147.3	11.6	7.4
河　北	52.4	10.1	93.3	31.9	7.6
山　西	95.7	4.5	150.0	27.8	2.5
内蒙古	84.8	6.6	129.3	11.3	5.2
辽　宁	71.9	9.0	156.8	21.8	5.0
吉　林	153.4	7.5	135.6	34.0	8.3
黑龙江	3.7	8.4	55.1	-6.8	8.6
上　海	22.5	6.3	353.1	40.7	3.4
江　苏					
浙　江	50.7	4.2	166.7	4.0	5.2
安　徽					
福　建	10.0	7.1	161.4	81.1	2.7
江　西					
山　东	29.9	8.9	188.8	1.9	3.4
河　南	56.8	7.2	162.2	11.8	3.8
湖　北	60.7	9.5	141.5	26.8	3.7
湖　南	48.2	12.3	153.4	10.5	6.5
广　东	48.7	8.2	207.5	1.0	4.3
广　西	36.2	9.7	170.7	16.2	3.8
海　南					
重　庆	60.7	16.2	25.8	13.8	16.4
四　川	64.9	8.6	114.4	13.9	8.1
贵　州					
云　南	44.6	7.6	41.8	3.5	6.7
西　藏	8.0	28.5	84.5	8.7	20.1
陕　西	26.3	8.7	10.3	1.0	15.0
甘　肃					
青　海					
宁　夏					
新　疆	116.9	9.1	87.3	24.7	9.4

3－14 续表 14

家用电器及电子产品专门零售

地　区	负债比率（%）	毛利率（%）	人均营业收入（万元）	流动资产周转次数（次）	费用率（%）
全　国	**79.4**	**7.5**	**90.3**	**2.9**	**8.7**
北　京	98.2	7.2	127.1	2.4	10.1
天　津	90.7	4.1	135.6	2.3	8.0
河　北	94.4	4.9	42.7	2.9	8.7
山　西	79.6	6.1	36.5	2.8	6.8
内蒙古	72.5	7.8	35.2	4.4	8.7
辽　宁	93.3	7.2	71.8	2.3	9.6
吉　林	42.5	15.9	69.2	4.1	10.6
黑龙江	82.7	7.5	60.6	2.2	8.4
上　海	79.1	6.6	120.7	5.4	10.4
江　苏	52.9	12.9	92.8	2.2	8.4
浙　江	80.5	7.8	77.3	2.9	9.5
安　徽	72.9	8.2	61.5	3.0	10.3
福　建	90.2	6.4	96.4	2.0	10.1
江　西	93.4	8.2	51.9	2.9	9.4
山　东	74.7	3.6	156.7	4.1	3.1
河　南	57.0	7.3	36.4	2.8	8.3
湖　北	81.3	6.6	85.5	3.7	7.8
湖　南	94.0	11.3	75.7	2.1	12.4
广　东	80.6	8.5	66.3	3.0	10.8
广　西	90.4	9.2	41.3	1.3	9.6
海　南	71.1	11.0	17.5	4.6	19.0
重　庆	93.6	9.5	58.8	2.5	8.4
四　川	93.5	5.4	91.1	3.0	8.7
贵　州	96.3	7.4	23.9	2.5	10.5
云　南	75.8	8.6	61.0	2.1	7.3
西　藏					
陕　西	80.6	7.3	84.7	2.8	7.8
甘　肃	42.8	9.0	6.6	5.8	13.4
青　海	72.9	5.2	42.1	2.8	7.1
宁　夏	99.5	5.9	79.8	0.7	12.4
新　疆	83.6	8.4	73.9	2.2	7.9

3-14 续表15

家用电器零售

地　区	负债比率（%）	毛利率（%）	人均营业收入（万元）	流动资产周转次数（次）	费用率（%）
全　国	**78.2**	**7.2**	**95.3**	**2.8**	**8.3**
北　京	91.0	6.0	152.9	2.3	8.1
天　津	92.5	3.2	151.6	2.4	7.6
河　北	95.3	4.5	43.5	2.5	9.2
山　西	83.8	6.2	39.7	2.7	6.8
内蒙古	77.6	7.4	33.7	4.2	8.6
辽　宁	93.7	7.1	73.1	2.4	9.6
吉　林	106.6	9.3	68.8	6.1	10.6
黑龙江	82.7	7.5	60.6	2.2	8.4
上　海	76.2	6.1	130.7	6.2	10.2
江　苏	50.0	15.3	78.9	1.9	9.1
浙　江	82.2	7.8	94.0	2.7	9.3
安　徽	72.3	8.2	63.3	3.1	10.3
福　建	90.3	6.2	97.6	2.0	10.1
江　西	114.2	7.1	48.5	2.9	8.8
山　东	73.4	3.4	173.3	4.4	2.9
河　南	52.8	7.8	34.1	2.4	9.0
湖　北	81.8	6.4	90.1	3.7	7.8
湖　南	97.6	11.2	106.1	2.2	12.4
广　东	83.5	8.1	68.8	2.9	10.7
广　西	91.2	5.4	47.2	0.9	4.0
海　南					
重　庆	93.6	9.5	58.8	2.5	8.4
四　川	94.0	4.9	88.0	2.8	8.8
贵　州					
云　南	76.3	10.0	55.3	1.5	8.2
西　藏					
陕　西	80.2	7.4	85.6	2.3	8.0
甘　肃	42.8	9.0	6.6	5.8	13.4
青　海	72.5	5.1	42.8	3.0	6.6
宁　夏	99.5	5.9	79.8	0.7	12.4
新　疆	83.6	8.4	73.9	2.2	7.9

3－14　续表 16

计算机、软件及辅助设备零售

地　区	负债比率（%）	毛利率（%）	人均营业收入（万元）	流动资产周转次数（次）	费用率（%）
全　国	**95.1**	**10.7**	**92.1**	**3.3**	**12.5**
北　京	225.3	22.6	73.7	3.0	35.6
天　津					
河　北					
山　西	－29.6	3.8	13.5	98.1	6.3
内蒙古					
辽　宁	87.2	10.2	45.2	1.4	8.5
吉　林	17.6	28.0	70.0	2.6	10.7
黑龙江					
上　海	82.9	11.8	105.8	2.2	11.7
江　苏	67.6	6.2	240.4	4.3	6.0
浙　江	28.0	5.5	44.9	4.9	7.6
安　徽					
福　建					
江　西	9.4	13.3	81.0	2.5	12.5
山　东	60.6	6.8	53.1	7.7	7.1
河　南	73.2	1.9	109.8	7.9	3.7
湖　北	60.8	19.7	24.3	2.7	9.5
湖　南	83.0	10.9	33.6	1.5	10.5
广　东	86.2	17.7	37.3	4.9	17.0
广　西	93.1	14.5	42.3	2.5	17.0
海　南					
重　庆					
四　川					
贵　州					
云　南					
西　藏					
陕　西					
甘　肃					
青　海	74.2	5.5	40.4	2.3	8.4
宁　夏					
新　疆					

3－14　续表 17

通讯设备零售

地　区	负债比率（%）	毛利率（%）	人均营业收入（万元）	流动资产周转次数（次）	费用率（%）
全　国	**80.8**	**8.0**	**56.3**	**3.6**	**9.5**
北　京	82.6	7.2	62.4	3.2	9.2
天　津	46.4	29.2	30.6	1.8	19.6
河　北	87.3	6.4	40.0	6.1	6.7
山　西					
内蒙古	22.6	9.7	45.7	6.7	9.2
辽　宁					
吉　林					
黑龙江					
上　海	165.1	9.2	37.7	6.4	16.4
江　苏	91.1	7.9	42.3	3.0	11.0
浙　江	82.7	7.2	34.3	5.6	10.9
安　徽	79.9	8.1	38.4	2.0	12.0
福　建	75.7	10.6	75.1	9.2	10.2
江　西					
山　东	89.1	10.5	34.3	0.9	12.5
河　南	88.4	8.0	33.8	4.1	8.1
湖　北	99.9	6.3	77.6	4.1	8.5
湖　南	75.9	13.0	34.6	9.0	17.1
广　东	62.5	7.7	69.1	3.7	9.5
广　西	61.2	4.0	19.5	2.1	3.6
海　南					
重　庆					
四　川	89.1	7.9	111.7	4.6	8.4
贵　州	96.3	7.4	23.9	2.5	10.5
云　南	73.5	6.6	72.7	4.6	5.8
西　藏					
陕　西	84.0	7.1	82.4	6.6	7.1
甘　肃					
青　海					
宁　夏					
新　疆					

3－14　续表18

五金、家具及室内装修材料专门零售

地　区	负债比率（%）	毛利率（%）	人均营业收入（万元）	流动资产周转次数（次）	费用率（%）
全　国	**71.5**	**19.8**	**38.5**	**2.0**	**24.9**
北　京	90.9	20.1	57.4	2.5	31.3
天　津	90.5	19.7	49.7	3.2	22.7
河　北	86.3	19.9	10.9	1.3	31.2
山　西	56.7	0.6	13.8	4.1	8.3
内蒙古	15.8	31.0	24.5	0.9	12.4
辽　宁	83.7	10.0	56.4	0.7	28.4
吉　林	28.4	13.2	47.6	21.1	37.7
黑龙江	102.2	17.3	40.9	3.2	29.2
上　海	48.3	15.2	52.3	3.0	30.0
江　苏	72.9	16.7	39.3	2.6	17.8
浙　江	155.8	20.9	78.1	2.0	26.2
安　徽	87.5	11.5	24.4	1.2	42.9
福　建	82.2	19.2	38.7	2.0	25.5
江　西	59.2	20.3	24.7	7.7	5.0
山　东	102.7	15.4	23.1	3.4	15.5
河　南	40.4	33.5	26.2	2.8	18.4
湖　北	88.5	9.5	45.2	5.2	8.9
湖　南	36.4	10.0	53.0	1.2	15.1
广　东	79.2	22.9	56.8	2.7	26.3
广　西					
海　南					
重　庆	117.5	17.1	29.3	3.2	39.7
四　川	60.8	14.6	28.8	2.0	27.1
贵　州					
云　南	50.7	23.6	72.1	2.1	18.5
西　藏					
陕　西	74.7	25.7	26.8	0.7	56.8
甘　肃	20.6	15.0	11.5	1.3	14.1
青　海					
宁　夏					
新　疆	59.3	53.4	31.1	1.5	52.5

3－14 续表19

无店铺及其他零售

地　区	负债比率（%）	毛利率（%）	人均营业收入（万元）	流动资产周转次数（次）	费用率（%）
全　国	**70.6**	**10.5**	**48.6**	**3.1**	**11.1**
北　京	63.7	17.9	20.0	2.3	18.8
天　津	50.1	30.5	24.2	2.1	25.7
河　北	112.5	8.0	48.5	7.2	8.8
山　西	36.4	16.0	19.6	13.9	6.8
内蒙古	33.2	38.1	13.5	1.4	20.7
辽　宁					
吉　林					
黑龙江	55.3	－32.8	14.3	25.9	35.2
上　海	64.1	22.4	42.1	1.7	29.1
江　苏	105.8	14.3	39.8	3.6	17.9
浙　江	78.7	7.1	8.3	0.5	5.7
安　徽	95.2	14.4	15.4	4.4	14.2
福　建	74.3	6.2	62.1	1.7	5.7
江　西					
山　东	76.0	13.1	31.7	3.3	13.2
河　南	68.3	7.9	21.3	2.0	15.4
湖　北	90.2	0.0	22.0	0.6	30.6
湖　南	92.7	8.8	35.8	2.5	7.2
广　东	73.3	6.8	83.8	5.0	5.8
广　西	80.3	15.4	45.5	9.6	15.6
海　南					
重　庆					
四　川	30.0	41.7	25.4	2.3	31.1
贵　州					
云　南					
西　藏					
陕　西	137.9	36.2	9.3	1.6	52.6
甘　肃					
青　海	102.7	18.4	18.0	0.8	16.8
宁　夏	23.3	10.1	17.5	2.2	13.2
新　疆					

3－14　续表20

邮购及电子销售

地　区	负债比率（%）	毛利率（%）	人均营业收入（万元）	流动资产周转次数（次）	费用率（%）
全　国	**205.9**	**41.4**	**36.4**	**1.7**	**48.9**
北　京	60.7	16.0	49.7	6.7	15.8
天　津					
河　北					
山　西					
内蒙古					
辽　宁					
吉　林					
黑龙江					
上　海	217.9	49.6	38.0	1.5	51.1
江　苏	192.8	24.2	13.5	1.1	151.1
浙　江					
安　徽					
福　建					
江　西					
山　东					
河　南					
湖　北					
湖　南					
广　东					
广　西					
海　南					
重　庆					
四　川					
贵　州					
云　南					
西　藏					
陕　西					
甘　肃					
青　海					
宁　夏					
新　疆					

3－15 大中型住宿企业分行业基本情况

地区	住宿业合计		旅游饭店	
	法人企业（个）	年末从业人数（人）	法人企业（个）	年末从业人数（人）
全国	**454**	**255225**	**440**	**248302**
北京	64	44268	63	43796
天津	10	4696	10	4696
河北	11	5859	10	5283
山西	5	2564	4	2136
内蒙古	3	1582	3	1582
辽宁	12	6277	11	5813
吉林	8	3689	8	3689
黑龙江	5	2489	4	2049
上海	18	11444	18	11444
江苏	26	12342	26	12342
浙江	52	31688	52	31688
安徽	6	2406	6	2406
福建	5	1420	4	994
江西	6	2796	6	2796
山东	19	9997	18	9997
河南	10	4777	9	4511
湖北	5	1992	5	1992
湖南	12	5793	10	4667
广东	102	62412	100	60640
广西	9	4387	9	4387
海南	10	5563	10	5563
重庆	11	5430	10	5009
四川	12	4780	12	4780
贵州	2	1119	2	1119
云南	8	3818	7	3286
西藏	1	489	1	489
陕西	9	4553	9	4553
甘肃	4	2164	4	2164
青海				
宁夏	1	478	1	478
新疆	8	3953	8	3953

3－15 续表

地 区	一般旅馆		其他住宿服务	
	法人企业（个）	年末从业人数（人）	法人企业（个）	年末从业人数（人）
全 国	**14**	**6923**		
北 京	1	472		
天 津				
河 北	1	576		
山 西	1	428		
内蒙古				
辽 宁	1	464		
吉 林				
黑龙江	1	440		
上 海				
江 苏				
浙 江				
安 徽				
福 建	1	426		
江 西				
山 东	1			
河 南	1	266		
湖 北				
湖 南	2	1126		
广 东	2	1772		
广 西				
海 南				
重 庆	1	421		
四 川				
贵 州				
云 南	1	532		
西 藏				
陕 西				
甘 肃				
青 海				
宁 夏				
新 疆				

3－16 大中型住宿企业分行业经营情况

旅游饭店

单位：万元

地 区	营业额	客房收入	餐费收入	商品销售收入	其他收入
全 国	**3562835**	**1699023**	**1358102**	**77772**	**427937**
北 京	854442	451940	274465	10860	117176
天 津	67604	37728	19669	587	9620
河 北	49812	18909	21856	1772	7275
山 西	16581	5454	10130	469	528
内蒙古	19419	7988	10684		747
辽 宁	63780	33580	24393	3001	2807
吉 林	34108	13337	16575	602	3594
黑龙江	24109	12391	9117	379	2221
上 海	251335	138278	81986	6853	24218
江 苏	182512	86335	77899	2284	15993
浙 江	369324	147177	180002	10566	31579
安 徽	33474	14144	11001	2247	6082
福 建	17009	8099	7044	78	1788
江 西	27788	14960	5957	2684	4188
山 东	135311	56708	50308	5757	22536
河 南	52194	22405	17912	3273	8604
湖 北	24008	12122	8228	490	3168
湖 南	79192	30652	38556	194	9789
广 东	830281	360365	343783	8007	118127
广 西	45844	18427	22706	2777	1934
海 南	61006	36191	19665	205	4945
重 庆	54938	25756	20154	3374	5654
四 川	96631	55655	26962	3607	10407
贵 州	10156	5350	3822	411	573
云 南	37763	20158	12692	1075	3840
西 藏	3752	2775	869	108	
陕 西	58605	33675	19562	1840	3529
甘 肃	15854	8532	5795	690	837
青 海					
宁 夏	4971	2067	803	627	1474
新 疆	41035	17866	15508	2956	4705

3－16 续表

一般旅馆 单位:万元

地区	营业额	客房收入	餐费收入	商品销售收入	其他收入
全国	**113894**	**48772**	**45589**	**1392**	**18142**
北京	8530	3691	1962		2877
天津					
河北	4357	2074	2161		122
山西	3011	978	1561		473
内蒙古					
辽宁	3825	2310	1386	50	80
吉林					
黑龙江	5304	3123	2079		103
上海					
江苏					
浙江					
安徽					
福建	7390	2956	3504		930
江西					
山东	3955	1436	2227	71	222
河南	4434	1793	2641		
湖北					
湖南	7600	3893	3279	328	100
广东	54133	23809	18447	90	11787
广西					
海南					
重庆	5898	1433	3602		864
四川					
贵州					
云南	5455	1277	2739	853	586
西藏					
陕西					
甘肃					
青海					
宁夏					
新疆					

3－17 大中型住宿企业分行业年末资产负债

旅游饭店

单位:万元

地区	流动资产合计	固定资产原价	累计折旧	资产总计	负债合计	所有者权益合计
全国	**2679114**	**9686670**	**3756260**	**10785476**	**7479767**	**3305708**
北京	467022	2263626	888039	2335158	1512177	822981
天津	138944	210529	76797	461972	271365	190606
河北	28292	196680	41505	208454	113945	94509
山西	7864	24872	6884	37903	24382	13521
内蒙古	5945	62563	20117	56279	17461	38818
辽宁	25071	194664	71591	158412	92571	65841
吉林	58634	153094	52875	187786	80411	107375
黑龙江	20106	164295	44693	156527	87893	68634
上海	96241	587730	291141	482589	303259	179329
江苏	85786	619011	219415	640882	521801	119082
浙江	341984	883895	312980	1165793	830157	335636
安徽	14757	54880	23010	57309	24512	32797
福建	15922	59051	25378	55927	62335	－6408
江西	17803	83663	30128	82139	38339	43800
山东	103811	256250	91447	316175	243132	73043
河南	29800	92812	35460	102790	74769	28021
湖北	14140	59754	22438	65528	57569	7958
湖南	87803	247380	82646	305600	141231	164369
广东	842065	1893725	831020	2391918	1769016	622902
广西	20477	155307	61085	120310	134638	－14328
海南	49161	300832	99009	322813	224758	98055
重庆	33882	212366	91915	202543	166369	36174
四川	78440	323358	97245	370859	298368	72491
贵州	3205	17813	8763	14428	11465	2963
云南	33540	119700	61545	106637	52889	53747
西藏	6473	28778	12113	23361	5258	18103
陕西	24804	193423	93687	137154	220976	－83822
甘肃	7415	74167	28367	64161	46833	17328
青海						
宁夏	551	5376	1621	14171	743	13429
新疆	19180	147077	33351	139898	51146	88752

3－17 续表

一般旅店

单位：万元

地 区	流动资产合计	固定资产原价	累计折旧	资产总计	负债合计	所有者权益合计
全 国	**151552**	**294648**	**91737**	**414228**	**232188**	**182040**
北 京	12997	56597	14877	59955	64938	－4982
天 津						
河 北	3140	3606	985	8387	9883	－1496
山 西	1203	4369	1472	8744	4250	4495
内蒙古						
辽 宁	1193	33327	3430	32712	19625	13087
吉 林						
黑龙江	4030	22680	5849	20868	22819	－1952
上 海						
江 苏						
浙 江						
安 徽						
福 建	3446	1160	663	7515	6099	1416
江 西						
山 东	1664	17964	8820	11446	1707	9738
河 南	5014	2058	1419	21611	19590	2021
湖 北						
湖 南	18492	23479	3126	39079	37741	1339
广 东	30019	80393	44111	70043	28375	41668
广 西						
海 南						
重 庆	608	12596	4496	14202	15587	－1386
四 川						
贵 州						
云 南	69747	36419	2489	119667	1574	118093
西 藏						
陕 西						
甘 肃						
青 海						
宁 夏						
新 疆						

3-18 大中型住宿企业分行业实收资本及构成

旅游饭店　　　　单位：万元

地区	实收资本	国家资本	集体资本	法人资本	个人资本	港澳台资本	外商资本
全国	**3435449**	**1462035**	**63789**	**892155**	**155012**	**489758**	**344395**
北京	675600	227177	4500	226544	10534	125049	81795
天津	95084	54385		32288		1854	6557
河北	126344	76584		47711	1550	500	
山西	12769	9800		2752	217		
内蒙古	50189	49989		200			
辽宁	59387	23233		15756		4248	16150
吉林	93197	89061		3077			1059
黑龙江	71307	240		53480		360	17227
上海	190299	95099	400	78654		4867	11279
江苏	259547	125689	2523	31315	13137	29069	57815
浙江	274509	116297	12617	62445	23942	43942	15266
安徽	21588	3599		5200	939	1850	10000
福建	11928	1003		6123		4801	
江西	26902	4827			10123		11952
山东	78259	23406	20000	16646	1839	3760	12609
河南	29998	19530		4000	1815		4653
湖北	16256	3354		6295	205	201	6200
湖南	84048	68588	14460			1000	
广东	695804	268030	6830	152501	47326	192580	28538
广西	56265	25034		1323	100	1502	
海南	122821	32972		70727		10920	8202
重庆	61101	15478	750	3061	2250	20018	19543
四川	105668	17737		26675	41034	20222	
贵州	5385	4885				500	
云南	49567	8138		19710		21719	
西藏	9733	9733					
陕西	43593	16866	1710	2923			22093
甘肃	29155	9041		6657			13457
青海							
宁夏	14416			14416			
新疆	64731	62260		1675		797	

3－18 续表

一般旅店 单位:万元

地区	实收资本	国家资本	集体资本	法人资本	个人资本	港澳台资本	外商资本
全国	**83420**	**45269**	**1890**	**24119**	**40**	**6003**	**6100**
北京	32104	22794				3210	6100
天津							
河北	2294	2294					
山西	5030			5030			
内蒙古							
辽宁	11931			10339		1592	
吉林							
黑龙江	100			100			
上海							
江苏							
浙江							
安徽							
福建	20	20					
江西							
山东	16802	16802					
河南	4330		1890	1200	40	1200	
湖北							
湖南	300			300			
广东	3359	3359					
广西							
海南							
重庆	2150			2150			
四川							
贵州							
云南	5000			5000			
西藏							
陕西							
甘肃							
青海							
宁夏							
新疆							

3－19 大中型住宿企业

旅游饭店

地区	营业收入合计	主营业务收入	主营业务成本	主营业务税金及附加	主营业务利润	其他业务利润
全国	**3995138**	**3927439**	**1121771**	**198947**	**2565158**	**31247**
北京	895020	892988	136824	46525	709640	1821
天津	67604	67604	9748	3327	49936	
河北	49590	49497	27182	2876	17998	388
山西	19164	19164	7389	1070	7403	
内蒙古	20051	20051	4966	1110	13975	3
辽宁	64166	56601	20988	4254	34460	3
吉林	34221	33922	8465	1874	18186	37
黑龙江	24259	24259	5126	1140	17352	3
上海	256722	256722	60762	13114	165660	6304
江苏	182512	180629	48144	9553	115703	2423
浙江	725438	715968	395100	21325	299542	8545
安徽	33474	27633	8029	2055	23390	4
福建	17009	17009	4290	956	10820	140
江西	28284	25878	5336	1450	18111	1367
山东	134687	134310	42692	6260	70099	1199
河南	52888	52405	12203	2841	37362	461
湖北	24203	17304	4122	1365	18715	7
湖南	80877	73421	21884	4290	52642	758
广东	850715	835763	199376	48006	591133	3739
广西	46270	44962	11684	2219	27352	599
海南	61019	59821	10410	5950	45148	
重庆	54925	54841	18531	2852	28891	497
四川	95921	95237	14438	4780	76019	542
贵州	10182	10156	1793	544	7818	25
云南	37525	36131	5829	2012	28291	1169
西藏	3752	3752	393	206	1193	
陕西	58605	55821	9051	2936	43835	893
甘肃	15806	15580	7144	908	7527	143
青海						
宁夏	4971	4971	1170	452	3349	
新疆	45281	45042	18704	2698	23609	177

分行业损益及分配

单位:万元

营业费用	管理费用	财务费用	营业利润	利润总额	应交所得税	劳动、失业保险费	住房公积金和住房补贴
1083691	**1570337**	**183045**	**227802**	**202518**	**68392**	**62435**	**21568**
222225	299230	43642	150924	145925	28762	15717	6835
23147	30196	6410	-5224	-5226	330	2297	765
27706	12190	6373	-10795	-13717	554	937	343
6815	3767	615	-486	-522		1	
4734	8579	735	-70	-71	17	109	22
12837	347663	-988	3573	3669	340	875	469
11764	14198	1341	-3430	-3390		562	140
7104	11158	2631	-3535	-3611	198	195	78
54537	81784	9017	35142	37043	8943	4773	1692
55395	69528	13286	-9379	-9584	555	2997	1264
126351	126846	24677	30212	33827	13424	7142	2572
10743	8113	1239	3300	3055	133	574	52
24820	6829	1519	-3450	-3442	9	160	4
10354	8977	908	1297	1023	202	518	125
34675	42362	4530	8959	5015	956	2085	878
16243	20869	2199	-1488	-1696	376	884	246
6738	9590	1607	787	825	211	415	59
12071	31556	4747	7387	9384	2354	427	53
289446	259144	35751	36905	25735	9130	15404	3776
19814	14935	4421	-6498	-6552	11	238	559
16372	38811	2728	-10495	-18893	101	771	31
12768	23681	2059	-4551	-3128	-189	774	80
27420	36923	8152	4264	4176	215	1613	474
4142	3865	162	-326	-312		113	20
10822	17034	870	1790	1810	39	616	223
1959	652	140	333	332	210	173	63
13933	25311	3648	3759	2064	1027	880	414
3970	4111	163	-573	-1390		190	86
2564	687	-1	99	121		61	13
12224	11752	468	-629	47	485	884	232

3－19　续表

一般旅馆

地　区	营业收入合　计	主营业务收　入	主营业务成　本	主营业务税金及附加	主营业务利　润	其他业务利　润
全　国	**114458**	**114311**	**23821**	**5795**	**80267**	**288**
北　京	8820	8820	2214	467	6139	
天　津						
河　北	4357	4235	1260	232	2865	
山　西	3012	3012	1211	169	1632	18
内蒙古						
辽　宁	3825	3825	752	187	2886	
吉　林						
黑龙江	5432	5432	1024	353	4056	12
上　海						
江　苏						
浙　江						
安　徽						
福　建	7180	7180	1391	394	5395	199
江　西						
山　东	3955	3955	1165	225	2566	41
河　南	4434	4434	1677	245	2512	
湖　北						
湖　南	7600	7600	1624	427	2101	
广　东	54490	54490	7736	2795	42857	
广　西						
海　南						
重　庆	5898	5892	1841	231	3820	
四　川						
贵　州						
云　南	5455	5437	1926	72	3439	19
西　藏						
陕　西						
甘　肃						
青　海						
宁　夏						
新　疆						

单位:万元

营业费用	管理费用	财务费用	营业利润	利润总额	应交所得税	劳动、失业保险费	住房公积金和住房补贴
38998	**35192**	**2704**	**8784**	**7562**	**4579**	**2989**	**1310**
1791	6807	13	-2472	-2678		10	58
1317	1855	267		-570		150	29
724	619	326	-20	-22			
896	2812	39	-861	-840			48
2025	1994	23	27	26			
2013	2200	357	1024	1063	245	52	13
1695	1707	13	-808	-808		35	45
1332	772	731	-324	-312		29	
3094	2092	48	315	154		29	1
17487	12622	542	13308	12901	4334	2617	1114
2372	1032	357	59	-135		37	
4252	680	-10	-1464	-1218		30	

3－20 大中型住宿企业

地区	住宿业合计		旅游饭店	
	本年应付工资总额	本年应付福利费总额	本年应付工资总额	本年应付福利费总额
全国	**577429**	**88393**	**560497**	**82646**
北京	128699	21986	127345	21414
天津	12283	984	12283	984
河北	7641	1764	6798	1688
山西	1909	366	1487	308
内蒙古	2507	467	2507	467
辽宁	8205	1042	7658	965
吉林	5888	587	5888	587
黑龙江	4426	433	3778	343
上海	41472	6486	41472	6486
江苏	29689	4160	29689	4160
浙江	63156	7704	63156	7704
安徽	5581	517	5581	517
福建	4150	495	3212	338
江西	4284	612	4284	612
山东	15762	2187	14900	2066
河南	7426	812	6957	805
湖北	3908	554	3908	554
湖南	11234	1283	9826	1187
广东	147961	20994	139908	16696
广西	8747	1451	8747	1451
海南	8642	1620	8642	1620
重庆	9108	1067	8525	985
四川	14453	2616	14453	2616
贵州	1780	243	1780	243
云南	7465	1506	6661	1394
西藏	683		683	
陕西	8778	3243	8778	3243
甘肃	3189	585	3189	585
青海				
宁夏	697	95	697	95
新疆	7710	2534	7710	2534

分行业工资、福利

单位:万元

一般旅店		其他住宿服务	
本年应付工资总额	本年应付福利费总额	本年应付工资总额	本年应付福利费总额
16932	**5747**		
1354	572		
843	76		
422	58		
547	77		
648	91		
939	157		
862	121		
470	7		
1408	96		
8053	4298		
583	82		
804	113		

3－21 大中型住宿企业分行业经济效益分析指标

旅游饭店

地 区	负债比率（%）	毛利率（%）	人均营业收入（万元）	流动资产周转次数（次）	费用率（%）
全 国	**69.4**	**71.4**	**15.6**	**1.5**	**71.0**
北 京	64.8	84.7	20.2	1.9	63.1
天 津	58.7	85.6	13.4	0.5	88.4
河 北	54.7	45.1	9.7	1.8	93.3
山 西	64.3	61.4	8.7	2.4	58.4
内蒙古	31.0	75.2	11.8	3.4	70.1
辽 宁	58.4	62.9	10.8	2.6	560.3
吉 林	42.8	75.0	8.9	0.6	79.8
黑龙江	56.2	78.9	11.8	1.2	86.1
上 海	62.8	76.3	21.5	2.7	56.6
江 苏	81.4	73.3	14.4	2.1	75.7
浙 江	71.2	44.8	26.0	2.1	38.3
安 徽	42.8	70.9	11.8	2.3	60.0
福 建	111.5	74.8	9.4	1.1	195.0
江 西	46.7	79.4	10.1	1.6	71.6
山 东	76.9	68.2	13.1	1.3	60.6
河 南	72.7	76.7	10.6	1.8	74.3
湖 北	87.9	76.2	9.6	1.7	74.1
湖 南	46.2	70.2	12.0	0.9	59.8
广 东	74.0	76.1	13.5	1.0	68.7
广 西	111.9	74.0	8.8	2.3	84.7
海 南	69.6	82.6	11.2	1.2	94.9
重 庆	82.1	66.2	11.0	1.6	70.1
四 川	80.5	84.8	13.3	1.2	75.6
贵 州	79.5	82.3	9.1	3.2	80.2
云 南	49.6	83.9	11.2	1.1	76.6
西 藏	22.5	89.5	9.1	0.6	73.3
陕 西	161.1	83.8	12.3	2.4	73.2
甘 肃	73.0	54.1	7.1	2.1	52.2
青 海					
宁 夏	5.2	76.5	10.2	9.0	65.4
新 疆	36.6	58.5	11.0	2.4	54.0

注：费用率等于营业费用、管理费用、财务费用三项之和除以营业收入合计（下表同）。

3－21 续表

一般旅馆

地　区	负债比率（%）	毛利率（%）	人均营业收入（万元）	流动资产周转次数（次）	费用率（%）
全　国	**56.1**	**79.2**	**14.3**	**0.8**	**67.2**
北　京	108.3	74.9	18.8	0.7	97.6
天　津					
河　北	117.8	70.2	7.6	1.4	78.9
山　西	48.6	59.8	7.1	2.5	55.4
内蒙古					
辽　宁	60.0	80.3	8.6	3.2	98.0
吉　林					
黑龙江	109.4	81.2	12.3	1.3	74.4
上　海					
江　苏					
浙　江					
安　徽					
福　建	81.2	80.6	16.9	2.1	63.6
江　西					
山　东	14.9	70.5	7.0	2.4	86.3
河　南	90.6	62.2	10.8	0.9	64.0
湖　北					
湖　南	96.6	78.6	7.0	0.4	68.9
广　东	40.5	85.8	24.5	1.8	56.3
广　西					
海　南					
重　庆	109.8	68.8	13.7	9.7	63.8
四　川					
贵　州					
云　南	1.3	64.6	10.3	0.1	90.2
西　藏					
陕　西					
甘　肃					
青　海					
宁　夏					
新　疆					

3－22 大中型餐饮企业

地区	餐饮业合计		正餐服务	
	法人企业（个）	年末从业人数（人）	法人企业（个）	年末从业人数（人）
全国	**220**	**269513**	**152**	**122084**
北京	27	43079	17	18540
天津	4	8722	2	1119
河北	1	427	1	427
山西	6	2595	5	2470
内蒙古				
辽宁	7	11692	3	1030
吉林	2	777	2	777
黑龙江	2	835	1	535
上海	26	45401	15	18480
江苏	21	24181	15	7663
浙江	11	15250	8	5363
安徽	3	1445	3	1445
福建	6	5396	3	1583
江西	3	2566	2	1124
山东	10	12706	8	5197
河南	1	737	1	737
湖北	11	14665	9	7871
湖南	6	6247	4	2137
广东	47	41797	34	19913
广西	2	1043		
海南				
重庆	6	15960	6	15960
四川	4	2787	2	907
贵州				
云南	2	1365	2	1365
西藏				
陕西	8	7249	7	6241
甘肃	2	1439	1	720
青海				
宁夏	1	480	1	480
新疆	1	672		

分行业基本情况

快餐服务		饮料及冷饮服务		其他餐饮服务	
法人企业（个）	年末从业人数（人）	法人企业（个）	年末从业人数（人）	法人企业（个）	年末从业人数（人）
54	**137398**	**3**	**3149**	**11**	**6882**
8	23058	1	926	1	555
2	7603				
1	125				
4	10662				
1	300				
6	20991	1	1666	4	4264
5	16187			1	331
2	9559			1	328
2	3393			1	420
1	1442				
1	6952	1	557		
2	6794				
2	4110				
10	20900			3	984
2	1043				
2	1880				
1	1008				
1	719				
1	672				

3－23 大中型餐饮企业分行业经营情况

正餐服务

单位：万元

地区	营业额	客房收入	餐费收入	商品销售收入	其他收入
全国	**1314078**	**86480**	**1114596**	**70747**	**42255**
北京	234926	88	219908	9927	5003
天津	11488		11488		
河北	6681		6681		
山西	20337	1069	18144	657	468
内蒙古					
辽宁	16634	336	15262	625	411
吉林	12387	4193	6790	296	1107
黑龙江	4636		3861	775	
上海	222392	141	218600	3597	54
江苏	107800	21211	75776	5915	4898
浙江	69941	3659	57187	8388	708
安徽	13031		10946	2085	
福建	15727	1991	13527		209
江西	8293	3951	3502	238	601
山东	59116	10362	36185	9778	2791
河南	4301		3504	583	215
湖北	76952	1252	75002	698	
湖南	17599		17598		1
广东	226184	20982	181433	11311	12458
广西					
海南					
重庆	53554	6962	42739	319	3535
四川	14986	1593	9544	1803	2046
贵州					
云南	22235	251	16877	1675	3432
西藏					
陕西	83100	7615	59154	12070	4261
甘肃	6114		6114		
青海					
宁夏	5667	827	4776	5	59
新疆					

3－23 续表1

快餐服务

单位:万元

地区	营业额	客房收入	餐费收入	商品销售收入	其他收入
全国	**2005375**		**2000403**	**4736**	**236**
北京	291733		289164	2333	236
天津	134365		134365		
河北					
山西	28104		28104		
内蒙古					
辽宁	179193		179193		
吉林					
黑龙江	5704		5704		
上海	409182		407159	2023	
江苏	233601		233222	379	
浙江	58801		58801		
安徽					
福建	55844		55844		
江西	19733		19733		
山东	72888		72888		
河南					
湖北	78941		78941		
湖南	22623		22623		
广东	324663		324663		
广西	22319		22319		
海南					
重庆					
四川	32033		32033		
贵州					
云南					
西藏					
陕西	17674		17674		
甘肃	10850		10850		
青海					
宁夏					
新疆	7125		7125		

3－23 续表2

饮料及冷饮服务

单位:万元

地区	营业额	客房收入	餐费收入	商品销售收入	其他收入
全国	**55890**		**53951**	**1938**	
北京	18184		16246	1938	
天津					
河北					
山西					
内蒙古					
辽宁					
吉林					
黑龙江					
上海	33963		33963		
江苏					
浙江					
安徽					
福建					
江西					
山东	3743		3743		
河南					
湖北					
湖南					
广东					
广西					
海南					
重庆					
四川					
贵州					
云南					
西藏					
陕西					
甘肃					
青海					
宁夏					
新疆					

3－23　续表3

其他餐饮服务

单位:万元

地　区	营业额	客房收入	餐费收入	商品销售收入	其他收入
全　国	**100017**	**4010**	**88382**	**1760**	**5865**
北　京	6560		4266		2294
天　津					
河　北					
山　西					
内蒙古					
辽　宁					
吉　林					
黑龙江					
上　海	62717		58886	1118	2713
江　苏	3819		3819		
浙　江	6079		6079		
安　徽					
福　建	4396		4396		
江　西					
山　东					
河　南					
湖　北					
湖　南					
广　东	16445	4010	10936	642	858
广　西					
海　南					
重　庆					
四　川					
贵　州					
云　南					
西　藏					
陕　西					
甘　肃					
青　海					
宁　夏					
新　疆					

3－24 大中型餐饮企业分行业年末资产负债

正餐服务

单位:万元

地　区	流动资产合　计	固定资产原　价	累计折旧	资产总计	负债合计	所有者权益合　计
全　国	**715865**	**948898**	**308689**	**1766716**	**1113556**	**653160**
北　京	76537	117434	39525	203963	128606	75357
天　津	6924	1285	585	11059	8124	2936
河　北	1887	529	237	2534	1274	1260
山　西	6321	6472	2536	12884	9316	3568
内蒙古						
辽　宁	2558	16565	2752	18013	9422	8591
吉　林	3437	39299	7331	36388	13062	23326
黑龙江	5074	1010	697	9470	2112	7359
上　海	137844	111493	34155	262929	160257	102673
江　苏	77379	128330	48370	203493	142306	61187
浙　江	31672	35253	11459	91680	57456	34224
安　徽	9061	5854	1862	20319	15296	5022
福　建	3835	1374	502	9332	5693	3639
江　西	4194	21393	377	25259	16613	8647
山　东	44132	59250	18169	141221	99338	41883
河　南	2890	2949	485	7795	7486	309
湖　北	41093	33738	9517	74745	57016	17729
湖　南	6764	9922	3168	18149	13715	4435
广　东	85674	167010	70836	214153	115966	98187
广　西						
海　南						
重　庆	127134	90488	26048	242634	134670	107964
四　川	10166	12248	6118	24346	19592	4754
贵　州						
云　南	7194	18444	5209	26399	25890	509
西　藏						
陕　西	22018	67383	17913	106253	67666	38587
甘　肃	412	1039	823	1654	1040	615
青　海						
宁　夏	1667	138	17	2043	1642	401
新　疆						

3－24 续表1

快餐服务

单位:万元

地 区	流动资产合计	固定资产原价	累计折旧	资产总计	负债合计	所有者权益合计
全 国	**221722**	**948528**	**407764**	**981397**	**599001**	**382396**
北 京	42854	122484	66430	147680	83022	64657
天 津	25386	64056	27845	65150	38990	26160
河 北						
山 西	3493	12475	4443	12215	4958	7258
内蒙古						
辽 宁	13793	84459	27843	77620	32869	44751
吉 林						
黑龙江	300	2180	827	3307	3161	146
上 海	29325	116563	54583	112705	118741	－6036
江 苏	23138	104083	44697	87981	55943	32038
浙 江	14268	47748	17392	80526	56606	23921
安 徽						
福 建	5762	30247	12815	26007	10780	15227
江 西	1260	10880	5018	7122	1790	5332
山 东	8035	32832	12924	32830	14177	18653
河 南						
湖 北	7014	35141	16587	36510	30395	6115
湖 南	1744	24014	8798	19474	15073	4401
广 东	27028	208327	86186	218860	113473	105387
广 西	1541	13517	3556	12731	8168	4563
海 南						
重 庆						
四 川	5197	17924	8140	15140	5462	9678
贵 州						
云 南						
西 藏						
陕 西	9677	10864	5843	17495	2208	15287
甘 肃	774	5727	2138	4706	2026	2679
青 海						
宁 夏						
新 疆	1132	5008	1701	3339	1161	2179

3－24 续表2

饮料及冷饮服务　　单位:万元

地区	流动资产合计	固定资产原价	累计折旧	资产总计	负债合计	所有者权益合计
全国	**14125**	**12558**	**4004**	**28648**	**14068**	**14580**
北京	7375	4406	2391	11220	2064	9157
天津						
河北						
山西						
内蒙古						
辽宁						
吉林						
黑龙江						
上海	6198	5069		13551	5510	8041
江苏						
浙江						
安徽						
福建						
江西						
山东	552	3083	1613	3877	6494	－2618
河南						
湖北						
湖南						
广东						
广西						
海南						
重庆						
四川						
贵州						
云南						
西藏						
陕西						
甘肃						
青海						
宁夏						
新疆						

3－24 续表3

其他餐饮服务

单位:万元

地 区	流动资产合 计	固定资产原 价	累计折旧	资产总计	负债合计	所有者权益合 计
全 国	**35969**	**32209**	**6526**	**70493**	**32329**	**38164**
北 京	1331	734	432	1666	2476	－811
天 津						
河 北						
山 西						
内蒙古						
辽 宁						
吉 林						
黑龙江						
上 海	20956	9285	3110	33126	10625	22502
江 苏	1231	369	175	2027	577	1450
浙 江	2298	531	277	2588	1856	732
安 徽						
福 建	4605	1617	775	6129	4318	1811
江 西						
山 东						
河 南						
湖 北						
湖 南						
广 东	5549	19674	1757	24957	12477	12480
广 西						
海 南						
重 庆						
四 川						
贵 州						
云 南						
西 藏						
陕 西						
甘 肃						
青 海						
宁 夏						
新 疆						

3－25 大中型餐饮企业分行业实收资本及构成

正餐服务　　单位:万元

地区	实收资本	国家资本	集体资本	法人资本	个人资本	港澳台资本	外商资本
全　国	**357000**	**86103**	**6802**	**121171**	**88572**	**40169**	**14184**
北　京	39088	3119	90	25466	6043		4370
天　津	3950			400	3550		
河　北	200				200		
山　西	4229			2100	2129		
内蒙古							
辽　宁	1900			600	1300		
吉　林	21161	21081			80		
黑龙江	5000				5000		
上　海	29189	4060	170	4218	11418	3230	6093
江　苏	38995	2276		20702	11119	1336	3561
浙　江	18094	5111	2737	620	9626		
安　徽	4790			3957	833		
福　建	4206	4000		5	95	106	
江　西	9754	9754					
山　东	19036	14605	1905	1561	965		
河　南	308				308		
湖　北	15768			1141	14467		160
湖　南	5951		1800	3851	300		
广　东	60074	11135		15817	11186	21937	
广　西							
海　南							
重　庆	47250		100	36760	507	9884	
四　川	1510			50	1460		
贵　州							
云　南	1275			150	1125		
西　藏							
陕　西	23983	10961		2985	6361	3676	
甘　肃	789			789			
青　海							
宁　夏	500				500		
新　疆							

3－25　续表1

快餐服务

单位:万元

地　区	实收资本	国家资本	集体资本	法人资本	个人资本	港澳台资本	外商资本
全　国	**276604**	**4573**		**29126**	**6037**	**41409**	**195459**
北　京	24321	156		9162	1120	300	13583
天　津	14328						14328
河　北							
山　西	1739						1739
内蒙古							
辽　宁	18739			780		900	17059
吉　林							
黑龙江	2482					2482	
上　海	51397	3434		11893	2573	3434	30063
江　苏	22500			813	1163		20524
浙　江	14703			6478			8225
安　徽							
福　建	7718						7718
江　西	2109						2109
山　东	6630						6630
河　南							
湖　北	14671					6246	8425
湖　南	4224						4224
广　东	72004	983			1180	21232	48609
广　西	3978						3978
海　南							
重　庆							
四　川	6216						6216
贵　州							
云　南							
西　藏							
陕　西	6815					6815	
甘　肃	1410						1410
青　海							
宁　夏							
新　疆	621						621

3－25 续表2

饮料及冷饮服务 单位:万元

地区	实收资本	国家资本	集体资本	法人资本	个人资本	港澳台资本	外商资本
全国	**15841**					**4201**	**11640**
北京	9157						9157
天津							
河北							
山西							
内蒙古							
辽宁							
吉林							
黑龙江							
上海	4201					4201	
江苏							
浙江							
安徽							
福建							
江西							
山东	2483						2483
河南							
湖北							
湖南							
广东							
广西							
海南							
重庆							
四川							
贵州							
云南							
西藏							
陕西							
甘肃							
青海							
宁夏							
新疆							

3－25 续表3

其他餐饮服务

单位:万元

地 区	实收资本	国家资本	集体资本	法人资本	个人资本	港澳台资本	外商资本
全 国	**16191**	**21**		**4919**	**4638**	**4294**	**2319**
北 京	1821						1821
天 津							
河 北							
山 西							
内蒙古							
辽 宁							
吉 林							
黑龙江							
上 海	6219			3736		2483	
江 苏	500				500		
浙 江	100	21		22	58		
安 徽							
福 建	1811					1811	
江 西							
山 东							
河 南							
湖 北							
湖 南							
广 东	5740			1162	4081		498
广 西							
海 南							
重 庆							
四 川							
贵 州							
云 南							
西 藏							
陕 西							
甘 肃							
青 海							
宁 夏							
新 疆							

3－26 大中型餐饮企业

正餐服务

地　区	营业收入合　计	主营业务收　入	主营业务成　本	主营业务税金及附加	主营业务利　润	其他业务利　润
全　国	**1454572**	**1443600**	**663654**	**74119**	**665646**	**12796**
北　京	276434	273196	122864	13525	136808	2703
天　津	11488	11488	6402	676	2913	
河　北	6681	6681	4372		1056	
山　西	20337	20337	10904	1166	7477	41
内蒙古						
辽　宁	16636	16634	9425	924	5652	－2
吉　林	12387	12387	4200	678	7508	
黑龙江	4636	4636	1915	322	2399	
上　海	236378	235210	87166	11579	122743	1959
江　苏	107800	107791	42631	5727	54137	1000
浙　江	69943	69748	36949	3478	29321	290
安　徽	13004	13004	6892	724	5387	
福　建	15727	15727	7856	944	6927	1
江　西	8293	8293	4459	405	3429	
山　东	70832	70727	29093	3630	35986	501
河　南	4301	4301	2412	218	1671	
湖　北	77131	77131	39037	4077	30599	4
湖　南	17577	17576	11079	962	5536	1
广　东	231687	230169	110361	13329	104764	242
广　西						
海　南						
重　庆	128733	124566	62621	6129	48468	3611
四　川	15169	14599	4080	824	9693	538
贵　州						
云　南	14519	14519	6835	773	6911	181
西　藏						
陕　西	83100	83100	46907	3366	32827	1726
甘　肃	6114	6114	2622	350	652	
青　海						
宁　夏	5667	5667	2574	312	2781	
新　疆						

分行业损益及分配

单位:万元

营业费用	管理费用	财务费用	营业利润	利润总额	应交所得税	劳动、失业保险费	住房公积金和住房补贴
453029	**184609**	**26805**	**46349**	**71931**	**17959**	**17294**	**4836**
85186	32616	1385	20323	21536	5808	4898	1958
2054	855	153	-149	-95		796	
1253	174	62	820	865		44	
5237	2397	146	528	558	261	1	
3459	1651	494	726	1119	302	76	9
1197	6387	450	-526	-546	365	214	3
1426	1319	57	-403	-397	203	8	
94147	29462	4539	9163	19165	3219	2796	1013
35892	19710	2768	1433	2883	1060	1722	262
18710	10082	1791	-972	7824	671	1250	229
4000	1195	534	-342	-253		146	3
5732	1629	232	-666	-660	160	237	39
1322	3456	529	-1878	152		80	27
20242	12795	1501	4025	3929	1386	519	249
1051	620	-1	1	1		85	21
23024	6967	1929	-1212	-750	484	116	
5908	926	340	-654	-596	1	114	7
69725	26023	4378	7664	9847	2464	2420	714
37085	13548	1588	3638	3896	245	210	17
4457	3731	522	1523	-326		111	125
2606	2932	540	1014	1007	310	496	119
25006	5210	2799	1676	2204	957	952	42
2490	165	16	471	471	34		
1820	760	55	146	96	32	2	1

3－26　续表1

快餐服务

地　区	营业收入合　计	主营业务收　入	主营业务成　本	主营业务税金及附加	主营业务利　润	其他业务利　润
全　国	**2162819**	**2158820**	**763088**	**109061**	**1123821**	**－5728**
北　京	296768	294584	110716	14781	169087	852
天　津	134365	134365	48079	6710	42851	－796
河　北						
山　西	28104	28104	9660	1418	17026	－233
内蒙古						
辽　宁	179265	179193	63081	9109	107004	－1179
吉　林						
黑龙江	5704	5704	2416	285	3003	－27
上　海	255254	255221	88777	12818	122842	12
江　苏	219112	219112	75942	11055	67416	－1537
浙　江	200971	200736	70179	10348	120209	235
安　徽						
福　建	54891	54891	18531	3012	33348	194
江　西	19734	19734	6897	987	4965	
山　东	73106	73106	24900	3679	44527	－6
河　南						
湖　北	78948	78948	27496	4277	47175	
湖　南	52904	52904	14321	2615	35968	－64
广　东	470699	469977	171851	23435	274690	－3058
广　西	22193	22193	5690	820	9571	－131
海　南						
重　庆						
四　川	32788	32033	10707	1607	5745	30
贵　州						
云　南						
西　藏						
陕　西	17674	17674	6522	936	10216	
甘　肃	10850	10850	3865	694	6291	－121
青　海						
宁　夏						
新　疆	9490	9490	3462	475	1887	101

单位:万元

营业费用	管理费用	财务费用	营业利润	利润总额	应交所得税	劳动、失业保险费	住房公积金和住房补贴
899470	**146483**	**12751**	**217107**	**205801**	**56636**	**14382**	**5662**
120196	19388	1385	28970	27688	8142	4840	1148
50152	9725	696	18206	17830	4972		
9419	2068	1	5305	5318	1672	10	60
69780	14202	577	21266	21200	6289	170	54
2762	160	116	-63	7			
128278	10104	1295	13561	11857	1509	458	1304
79957	17842	1475	31652	29227	10349	2396	1118
88776	4310	1700	25659	25342	8516	216	585
23530	5492	319	4202	4033	640	9	54
6886	1284	69	3513	3436	1004	25	15
24413	6299	-49	13859	13518	4168		
33121	6774	1036	5907	4975	77	250	200
22941	7961	1492	3576	2366	1410		
204043	33931	2421	31238	29104	4887	4831	1029
6722	1133	10	1578	1464	371	20	24
12634	3841	64	3759	3533	1229	732	38
8192	341	-8	2740	2731	901	294	
4000	858	50	1263	1262	298		
3667	770	100	916	911	201	131	34

3－26 续表2

饮料及冷饮服务

地　区	营业收入合　计	主营业务收　入	主营业务成　本	主营业务税金及附加	主营业务利　润	其他业务利　润
全　国	**58896**	**58896**	**15853**	**2763**	**23769**	
北　京	18433	18433	4298	824	13310	
天　津						
河　北						
山　西						
内蒙古						
辽　宁						
吉　林						
黑龙江						
上　海	33963	33963	8894	1614	6944	
江　苏						
浙　江						
安　徽						
福　建						
江　西						
山　东	6500	6500	2661	325	3514	
河　南						
湖　北						
湖　南						
广　东						
广　西						
海　南						
重　庆						
四　川						
贵　州						
云　南						
西　藏						
陕　西						
甘　肃						
青　海						
宁　夏						
新　疆						

单位:万元

营业费用	管理费用	财务费用	营业利润	利润总额	应 交 所得税	劳动、失业 保 险 费	住房公积金和 住房补贴
28747	**6163**	**182**	**5188**	**4966**	**1760**	**482**	**269**
8841	2667	-62	1864	1672	540	462	230
16512	3237	-19	3725	3695	1220		
3394	259	262	-401	-401		20	39

3－26 续表3

其他餐饮服务

地　区	营业收入合计	主营业务收入	主营业务成本	主营业务税金及附加	主营业务利润	其他业务利润
全　国	**100931**	**100793**	**45942**	**5056**	**47277**	**1531**
北　京	7029	7029	5730	351	948	
天　津						
河　北						
山　西						
内蒙古						
辽　宁						
吉　林						
黑龙江						
上　海	62804	62717	25288	3023	34407	1447
江　苏	3819	3819	3097	213	509	
浙　江	6079	6079	2788	339	2953	
安　徽						
福　建	4396	4396	1321	220	2855	
江　西						
山　东						
河　南						
湖　北						
湖　南						
广　东	16804	16752	7718	911	5606	83
广　西						
海　南						
重　庆						
四　川						
贵　州						
云　南						
西　藏						
陕　西						
甘　肃						
青　海						
宁　夏						
新　疆						

单位:万元

营业费用	管理费用	财务费用	营业利润	利润总额	应交所得税	劳动、失业保险费	住房公积金和住房补贴
25232	**14272**	**79**	**11977**	**12289**	**1328**	**1237**	**610**
	1358	52	-463	-469		15	107
15957	8866	-54	11085	11359	888	1003	327
454	233		58	72	24	24	1
1757	515	-13	693	695	229	128	20
2348	435	-17	89	89	7	3	75
4717	2865	111	514	542	180	65	81

3－27 大中型餐饮企业

地区	餐饮业合计		正餐服务	
	本年应付工资总额	本年应付福利费总额	本年应付工资总额	本年应付福利费总额
全国	**380043**	**54593**	**172609**	**25096**
北京	69671	8970	34904	4109
天津	8973	444	1295	317
河北	477	66	477	66
山西	4387	498	2387	338
内蒙古				
辽宁	10286	1217	748	116
吉林	1925	275	1925	275
黑龙江	1096	160	656	92
上海	59484	12546	29467	6010
江苏	32129	6706	14195	3664
浙江	29860	7905	9808	1291
安徽	1686	164	1686	164
福建	7286	1217	2621	618
江西	2953	95	1541	70
山东	13634	1864	7342	1305
河南	635	57	635	57
湖北	17760	1559	9171	1041
湖南	6874	350	2443	184
广东	83199	7733	30291	2998
广西	1210	131		
海南				
重庆	5977	612	5977	612
四川	4645	358	1335	180
贵州				
云南	2158	304	2158	304
西藏				
陕西	11472	1054	9904	1054
甘肃	1268	177	736	103
青海				
宁夏	909	127	909	127
新疆	92	2		

分行业工资、福利

单元:万元

快餐服务		饮料及冷饮服务		其他餐饮服务	
本年应付工资总额	本年应付福利费总额	本年应付工资总额	本年应付福利费总额	本年应付工资总额	本年应付福利费总额
192189	**27812**	**5258**	**416**	**9988**	**1269**
31820	4394	1840	138	1107	329
7678	128				
2000	160				
9538	1100				
440	68				
22352	5662	2914	234	4751	641
17410	3036			525	7
19548	6528			504	86
4173	579			492	20
1411	25				
5788	515	504	44		
8590	517				
4431	166				
50299	4548			2609	186
1210	131				
3310	178				
1568					
532	74				
92	2				

3－28　大中型餐饮企业分行业经济效益分析指标

正餐服务

地　区	负债比率（%）	毛利率（%）	人均营业收入（万元）	流动资产周转次数（次）	费用率（%）
全　国	**63.0**	**54.0**	**12.3**	**2.0**	**45.7**
北　京	63.1	55.0	14.5	3.6	43.1
天　津	73.5	44.3	10.3	1.7	26.7
河　北	50.3	34.6	13.6	3.5	22.3
山　西	72.3	46.4	8.3	3.2	38.3
内蒙古					
辽　宁	52.3	43.3	10.4	6.5	33.7
吉　林	35.9	66.1	12.0	3.6	64.9
黑龙江	22.3	58.7	8.9	0.9	60.4
上　海	61.0	62.9	23.3	1.7	54.2
江　苏	69.9	60.5	13.8	1.4	54.1
浙　江	62.7	47.0	13.0	2.2	43.7
安　徽	75.3	47.0	9.1	1.4	44.1
福　建	61.0	50.0	9.6	4.1	48.3
江　西	65.8	46.2	6.9	2.0	64.0
山　东	70.3	58.9	13.8	1.6	48.8
河　南	96.0	43.9	7.3	1.5	38.8
湖　北	76.3	49.4	8.4	1.9	41.4
湖　南	75.6	37.0	9.0	2.6	40.8
广　东	54.2	52.1	11.3	2.7	43.2
广　西					
海　南					
重　庆	55.5	49.7	7.7	1.0	40.6
四　川	80.5	72.0	13.7	1.5	57.4
贵　州					
云　南	98.1	52.9	10.7	2.0	41.9
西　藏					
陕　西	63.7	43.6	12.1	3.8	39.7
甘　肃	62.8	57.1	8.9	14.9	43.7
青　海					
宁　夏	80.4	54.6	11.8	3.4	46.5
新　疆					

注：费用率等于营业费用、管理费用、财务费用三项之和除以营业收入合计（下表同）。

3－28　续表1

快餐服务

地区	负债比率（%）	毛利率（%）	人均营业收入（万元）	流动资产周转次数（次）	费用率（%）
全国	**61.0**	**64.7**	**14.1**	**9.8**	**49.0**
北京	56.2	62.4	16.2	6.9	47.5
天津	59.8	64.2	17.6	5.3	45.1
河北					
山西	40.6	65.6	14.4	8.0	40.9
内蒙古					
辽宁	42.3	64.8	16.8	13.0	47.2
吉林					
黑龙江	95.6	57.6	8.4	19.0	53.3
上海	105.4	65.2	12.5	8.7	54.7
江苏	63.6	65.3	11.9	9.5	45.3
浙江	70.3	65.0	14.1	14.1	47.2
安徽					
福建	41.4	66.2	16.2	9.5	53.5
江西	25.1	65.1	13.7	15.7	41.8
山东	43.2	65.9	11.1	9.1	41.9
河南					
湖北	83.3	65.2	11.6	11.3	51.8
湖南	77.4	72.9	12.6	30.3	61.2
广东	51.8	63.4	14.7	17.4	51.1
广西	64.2	74.4	11.9	14.4	35.4
海南					
重庆					
四川	36.1	66.6	14.1	6.3	50.4
贵州					
云南					
西藏					
陕西	12.6	63.1	17.7	1.8	48.2
甘肃	43.1	64.4	17.2	14.0	45.2
青海					
宁夏					
新疆	34.8	63.5	15.4	8.4	47.8

3-28 续表2

饮料及冷饮服务

地　区	负债比率（%）	毛利率（%）	人均营业收入（万元）	流动资产周转次数（次）	费用率（%）
全　国	**49.1**	**73.1**	**19.8**	**4.2**	**59.6**
北　京	18.4	76.7	21.1	2.5	62.1
天　津					
河　北					
山　西					
内蒙古					
辽　宁					
吉　林					
黑龙江					
上　海	40.7	73.8	22.1	5.5	58.1
江　苏					
浙　江					
安　徽					
福　建					
江　西					
山　东	167.5	59.1	11.7	11.8	60.2
河　南					
湖　北					
湖　南					
广　东					
广　西					
海　南					
重　庆					
四　川					
贵　州					
云　南					
西　藏					
陕　西					
甘　肃					
青　海					
宁　夏					
新　疆					

3－28 续表3

其他餐饮服务

地 区	负债比率（%）	毛利率（%）	人均营业收入（万元）	流动资产周转次数（次）	费用率（%）
全 国	**45.9**	**54.4**	**13.2**	**2.8**	**39.2**
北 京	148.7	18.5	16.6	5.3	20.1
天 津					
河 北					
山 西					
内蒙古					
辽 宁					
吉 林					
黑龙江					
上 海	32.1	59.7	14.6	3.0	39.4
江 苏	28.5	18.9	7.8	3.1	18.0
浙 江	71.7	54.1	13.5	2.6	37.2
安 徽					
福 建	70.5	70.0	10.5	1.0	62.9
江 西					
山 东					
河 南					
湖 北					
湖 南					
广 东	50.0	53.9	10.6	3.0	45.8
广 西					
海 南					
重 庆					
四 川					
贵 州					
云 南					
西 藏					
陕 西					
甘 肃					
青 海					
宁 夏					
新 疆					

4. 企 业 篇

简要说明：

一、本篇提供了大型批发零售和住宿餐饮企业名单、所属行业、所在地及资产总计、销售额及全部从业人员年平均人数等主要经济指标。

二、本篇资料来源于2006年批发零售和住宿餐饮企业上报的统计年报。

4－1　大型批发企业名单及主要经济指标

企业名称	资产总计（万元）	销售额（万元）	全部从业人员年平均人数（人）	所属行业	企业所在地
中国粮油食品（集团）有限公司	5361044	1837824	501	谷物、豆及薯类批发	北京市东城区
诺基亚（中国）投资有限公司	1553380	4574658	2348	通讯及广播电视设备批发	北京市大兴区
云南红塔烟叶有限责任公司	1358442	410468	835	其他农畜产品批发	云南省玉溪市红塔区
西门子（中国）有限公司	1342240	562433	4921	通讯及广播电视设备批发	北京市朝阳区
五矿钢铁有限责任公司	1311598	5503311	230	金属及金属矿批发	北京市海淀区
中国航空技术进出口总公司	1172899	233191	540	其他未列明的批发	北京市朝阳区
松下电器（中国）有限公司	1108145	1334432	1569	家用电器批发	北京市朝阳区
中国北方工业公司	1048162	285288	523	其他未列明的批发	北京市宣武区
中国石油天然气股份有限公司华北销售分公司	942122	3820275	212	石油及制品批发	北京市朝阳区
山西煤炭进出口集团公司	935271	1167572	210	煤炭及制品批发	山西省太原市杏花岭区
中国石油物资装备（集团）总公司	874060	271293	282	金属及金属矿批发	北京市西城区
武钢集团国际经济贸易公司	838320	488156	1389	贸易经纪与代理	湖北省武汉市青山区
中国机械设备进出口总公司	818430	470352	513	其他机械设备及电子产品批发	北京市宣武区
淄川服装城管委会	800000	937200	3000	服装批发	山东省淄博市淄川区
中化化肥有限公司	746770	1915984	2332	化肥批发	北京市西城区
中国石化国际事业有限公司	719965	372342	354	贸易经纪与代理	北京市朝阳区
深圳市中金岭南有色金属股份有限公司	719787	221682	8970	金属及金属矿批发	广东省深圳市福田区
索尼（中国）有限公司	703469	1620729	1639	家用电器批发	北京市朝阳区
厦门建发股份有限公司	701315	1284531	871	服装批发	福建省厦门市思明区
上海市医药股份有限公司	683387	1028642	3036	西药批发	上海市浦东新区
中国石油化工股份有限公司江苏石油分公司	679159	3186529	17671	石油及制品批发	江苏省南京市鼓楼区
中化国际控股股份有限公司	672290	1134887	313	其他化工产品批发	上海市浦东新区
中国石油化工股份有限公司浙江石油分公司	665925	1713891	5448	石油及制品批发	浙江省杭州市上城区
大连东展集团有限公司	656027	966890	453	金属及金属矿批发	辽宁省大连市沙河口区
中国石油化工股份有限公司河南分公司	647336	3200436	12257	石油及制品批发	河南省郑州市金水区
鞍钢集团国际经济贸易公司	639938	3850396	583	金属及金属矿批发	辽宁省鞍山市铁东区
中国石油天然气股份有限公司西北销售分公司	618605	3247577	203	石油及制品批发	甘肃省兰州市城关区
中国石化销售有限公司西南分公司	608036	5567251	922	石油及制品批发	广东省茂名市茂南区
一汽丰田汽车销售有限公司	534808	4745880	540	汽车、摩托车及零配件批发	北京市海淀区
中国石油化工股份有限公司广州石油分公司	495698	1318013	1874	石油及制品批发	广东省广州市越秀区
黑龙江省农业生产资料公司	490224	546390	344	化肥批发	黑龙江省哈尔滨市道外区
天津市亚益成工贸有限责任公司	487451	609194	466	金属及金属矿批发	天津市西青区
中国矿产有限责任公司	473959	1927489	237	金属及金属矿批发	北京市海淀区
中国石油天然气股份有限公司四川销售分公司	463425	1968566	16637	石油及制品批发	四川省成都市青羊区
中国石化销售有限公司华北分公司	461301	13200000	333	石油及制品批发	天津市和平区
上海浦东国际机场航空油料有限责任公司	440359	1227094	208	石油及制品批发	上海市浦东新区
厦门象屿集团有限公司	427819	653571	266	其他未列明的批发	福建省厦门市湖里区
江苏省海外企业集团有限公司	426543	416144	1197	建材批发	江苏省南京市玄武区
重庆市烟草公司	416260	1095666	8473	烟草制品批发	重庆市江北区
云南省烟草公司曲靖公司	413845	700972	1804	烟草制品批发	云南省曲靖市麒麟区
江苏国泰国际集团有限公司	411796	1312775	2018	纺织品、针织品及原料批发	江苏省苏州市张家港市
深圳市天音通信发展有限公司	406189	1383134	2000	通讯及广播电视设备批发	广东省深圳市福田区
厦门国贸集团股份有限公司	404836	1049005	405	金属及金属矿批发	福建省厦门市思明区
浙江物产金属集团有限公司	402513	1677178	516	金属及金属矿批发	浙江省杭州市下城区
中国石油化工股份有限公司山西石油分公司	388736	81489	255	石油及制品批发	山西省太原市万柏林区
中国神华能源股份有限公司煤炭销售中心	382858	2404359	571	煤炭及制品批发	北京市东城区
施耐德电气（中国）投资有限公司	379741	679918	2188	其他机械设备及电子产品批发	北京市朝阳区
江苏苏美达集团公司	371559	718346	4175	纺织品、针织品及原料批发	江苏省南京市玄武区
北电网络（中国）有限公司	352720	177550	1092	通讯及广播电视设备批发	北京市东城区

4－1 续表 1

企业名称	资产总计（万元）	销售额（万元）	全部从业人员年平均人数（人）	所属行业	企业所在地
浙江省新华书店集团有限公司	346582	183284	610	图书批发	浙江省杭州市西湖区
中国石油化工股份有限公司广西石油分公司	332610	54407	11152	石油及制品批发	广西壮族自治区南宁市青秀区
江苏省烟草公司南京分公司	326369	504040	218	烟草制品批发	江苏省南京市白下区
索尼爱立信移动通信产品（中国）有限公司	324495	825477	642	其他机械设备及电子产品批发	北京市朝阳区
南京纺织品进出口股份有限公司	323609	789343	357	纺织品、针织品及原料批发	江苏省南京市鼓楼区
中国电子进出口总公司	309600	266022	308	贸易经纪与代理	北京市海淀区
新疆农资（集团）有限责任公司	305758	178817	311	化肥批发	新疆维吾尔族自治区乌鲁木齐市天山区
神华煤焦化工有限责任公司	305081	117299	646	煤炭及制品批发	内蒙古自治区乌海市海勃湾区
中国烟草总公司深圳市公司	298545	628660	271	烟草制品批发	广东省深圳市福田区
湖北银丰实业集团有限责任公司	298279	152875	1515	棉、麻批发	湖北省武汉市江岸区
上海华冶钢铁集团有限公司	293238	454295	261	金属及金属矿批发	上海市宝山区
江苏省烟草公司苏州分公司	290615	593046	250	烟草制品批发	江苏省苏州市金阊区
中国烟草总公司北京市公司	289605	670460	993	烟草制品批发	北京市东城区
云南省烟草公司红河州公司	288236	331121	2185	烟草制品批发	云南省红河哈尼族彝族自治州弥勒县
遵义市烟草专卖局（分公司）	285968	462652	7094	烟草制品批发	贵州省遵义市红花岗区
重庆医药股份有限公司	282211	483442	5155	西药批发	重庆市渝中区
苏宁电器股份有限公司南京采购中心	277574	1876822	654	家用电器批发	江苏省南京市鼓楼区
乐金电子（中国）有限公司	271002	915564	2293	家用电器批发	北京市朝阳区
佳能（中国）有限公司	267712	780078	932	其他机械设备及电子产品批发	北京市朝阳区
中国石油天然气股份有限公司重庆销售分公司	267149	932839	7647	石油及制品批发	重庆市渝中区
广东省广新外贸轻纺控股公司	263318	728078	1209	服装批发	广东省广州市越秀区
浙江物产国际贸易有限公司	262778	1251625	432	金属及金属矿批发	浙江省杭州市下城区
辽宁成大股份有限公司	262131	179775	253	纺织品、针织品及原料批发	辽宁省大连市中山区
中国石油化工股份有限公司广东清远分公司	259518	201809	1033	石油及制品批发	广东省清远市清城区
卡特彼勒（中国）投资有限公司	258539	336113	254	其他机械设备及电子产品批发	北京市朝阳区
陕西东岭集团	256619	880026	291	金属及金属矿批发	陕西省宝鸡市金台区
福建省烟草公司	247636	424551	268	烟草制品批发	福建省福州市鼓楼区
四川省烟草公司凉山州公司	242483	307855	2780	烟草制品批发	四川省凉山州西昌市
中国石油化工股份有限公司天津石油分公司	241534	1341042	6076	石油及制品批发	天津市南开区
山东省机械进出口集团公司	239370	510220	576	其他机械设备及电子产品批发	山东省青岛市市南区
中国石油化工股份有限公司深圳石油分公司	238760	1704775	3011	石油及制品批发	广东省深圳市罗湖区
深圳市燃气集团有限公司	238404	143723	1395	石油及制品批发	广东省深圳市福田区
青岛益佳国际贸易集团有限公司	236876	242783	691	服装批发	山东省青岛市市南区
江苏舜天国际集团机械进出口股份有限公司	235271	358510	342	其他机械设备及电子产品批发	江苏省南京市白下区
中国铁路物资沈阳公司	231405	861089	405	金属及金属矿批发	辽宁省沈阳市和平区
上海永达（集团）股份有限公司	230215	915046	1860	汽车、摩托车及零配件批发	上海市卢湾区
中国（福建）对外贸易中心集团	228237	204235	765	贸易经纪与代理	福建省福州市鼓楼区
江苏省烟草公司无锡分公司	225975	467106	854	烟草制品批发	江苏省无锡市崇安区
新疆兵团棉麻公司	222915	245005	692	棉、麻批发	新疆维吾尔族自治区乌鲁木齐市沙依巴克区
丽珠医药集团股份有限公司	221401	68646	2132	医疗用品及器材批发	广东省珠海市香洲区
中国化工建设总公司	220323	175818	247	其他化工产品批发	北京市朝阳区
欧莱雅（中国）有限公司	214682	400184	1418	化妆品及卫生用品批发	上海市静安区
贵州省烟草公司毕节分公司	214302	337326	10782	烟草制品批发	贵州省毕节地区毕节市
中国石油天然气股份有限公司江苏销售分公司	212302	606605	5389	石油及制品批发	江苏省南京市鼓楼区
中国铁路物资北京公司	212094	1013553	252	金属及金属矿批发	北京市宣武区
中国石化销售有限公司川渝分公司	210148	1121558	2952	石油及制品批发	四川省成都市青羊区
四川烟草公司成都分公司	209894	594162	700	烟草制品批发	四川省成都市青羊区
广东省丝绸（集团）公司	209319	605958	425	纺织品、针织品及原料批发	广东省广州市越秀区
松下电器机电（上海）有限公司	209032	1056323	594	其他机械设备及电子产品批发	上海市浦东新区
中国石油天然气股份有限公司河南销售分公司	208901	546837	1083	石油及制品批发	河南省郑州市金水区

4－1 续表2

企业名称	资产总计（万元）	销售额（万元）	全部从业人员年平均人数（人）	所属行业	企业所在地
广州医药有限公司	207725	681826	547	西药批发	广东省广州市荔湾区
昆明船舶设备集团有限公司	207411	127523	317	其他机械设备及电子产品批发	云南省昆明市盘龙区
深圳市光汇石油化工股份有限公司	206291	102258	550	石油及制品批发	广东省深圳市龙岗区
中国烟草总公司天津市公司	206185	347659	1093	烟草制品批发	天津市和平区
烟台张裕葡萄酿酒公司销售有限公司	205302	211706	345	饮料及茶叶批发	山东省烟台市芝罘区
广东省电信器材公司	204477	208818	314	通讯及广播电视设备批发	广东省广州市越秀区
中国烟草总公司大连市烟草公司	203564	349431	796	烟草制品批发	辽宁省大连市西岗区
宁波市慈溪进出口股份有限公司	201776	504597	674	首饰、工艺品及收藏品批发	浙江省宁波市慈溪市
中国石油化工股份有限公司广东河源分公司	199320	69244	451	石油及制品批发	广东省河源市源城区
江苏舜天股份有限公司	194148	128473	295	服装批发	江苏省南京市白下区
浙江康桥汽车工贸集团股份有限公司	192542	388876	2090	汽车、摩托车及零配件批发	浙江省杭州市拱墅区
国药控股有限公司	192129	672065	399	西药批发	上海市黄浦区
江苏开元股份有限公司	192007	380993	316	纺织品、针织品及原料批发	江苏省南京市白下区
湖北省烟草公司武汉市公司	191478	534684	2047	烟草制品批发	湖北省武汉市东西湖区
中国烟草公司吉林省公司	190632	110862	341	烟草制品批发	吉林省长春市朝阳区
北京医药股份有限公司	187251	364098	848	西药批发	北京市东城区
上海市五金矿产进出口公司	183027	446012	432	金属及金属矿批发	上海市闸北区
北京李宁体育用品有限公司	182275	357936	688	服装批发	北京市崇文区
云南省烟草烟叶公司	181241	333643	336	烟草制品批发	云南省昆明市官渡区
浙江中油华电能源有限公司	178349	411949	250	石油及制品批发	浙江省温州市洞头县
青岛海尔国际贸易有限公司	177211	474670	320	其他机械设备及电子产品批发	山东省青岛市崂山区
中国石油天然气股份有限公司大连销售分公司	176615	873541	3905	石油及制品批发	辽宁省大连市中山区
重庆新华书店(集团)有限责任公司	176386	122719	3382	图书批发	重庆市渝中区
中国铁路物资上海公司	175935	918604	335	金属及金属矿批发	上海市闸北区
深圳市怡亚通供应链股份有限公司	175680	467434	232	贸易经纪与代理	广东省深圳市福田区
中石化山东威海石油分公司	171344	70282	257	石油及制品批发	山东省威海市环翠区
重庆桐君阁股份有限公司	170587	230475	1920	中药材及中成药批发	重庆市渝中区
中国石油化工股份有限公司阳江石油分公司	170071	122133	635	石油及制品批发	广东省阳江市江城区
山东潍坊海工银河医药有限公司	170026	431000	776	中药材及中成药批发	山东省潍坊市奎文区
中国铁路物资成都公司	168424	319229	453	金属及金属矿批发	四川省成都市青羊区
九禾农资股份有限公司	168372	382075	279	化肥批发	重庆市九龙坡区
中国石油天然气股份有限公司山西销售分公司	167034	137638	447	石油及制品批发	山西省太原市小店区
新疆奎屯农七师供销棉麻总公司	165983	131426	411	棉、麻批发	新疆维吾尔族自治区伊犁州奎屯市
内蒙古阿拉善盟吉兰泰进出口贸易公司	165631	71596	2547	盐及调味品批发	内蒙古自治区阿拉善盟阿拉善左旗
安徽省徽商股份有限公司	164554	758855	410	金属及金属矿批发	安徽省合肥市包河区
重庆中汽西南实业有限公司	163014	335790	1324	汽车、摩托车及零配件批发	重庆市九龙坡区
施耐德电气(中国)投资有限公司上海分公司	161679	279464	1200	其他机械设备及电子产品批发	上海市普陀区
南京金属物流集团有限公司	161592	401907	446	金属及金属矿批发	江苏省南京市白下区
云南省烟草楚雄州公司	160267	277291	329	烟草制品批发	云南省楚雄州楚雄市
淄博金彩沙发城有限公司	160000	398500	3316	其他未列明的批发	山东省淄博市周村区
浙江远大进出口有限公司	159052	849920	200	其他化工产品批发	浙江省宁波市北仑区
浙江特产集团有限公司	158441	359775	292	其他机械设备及电子产品批发	浙江省杭州市上城区
浙江新大集团有限公司	158309	346328	568	纺织品、针织品及原料批发	浙江省杭州市滨江区
广东中烟工业公司	156465	1083460	240	烟草制品批发	广东省广州市天河区
上海海烟物流发展有限公司	155183	622591	661	烟草制品批发	上海市静安区
福建省烟草公司泉州分公司	154657	604244	1292	烟草制品批发	福建省泉州市丰泽区
上海雷允上药业有限公司	151200	217582	3250	中药材及中成药批发	上海市黄浦区
山东新华书店	151023	219722	794	图书批发	山东省济南市市中区
福建省烟草公司三明分公司	150223	263457	273	烟草制品批发	福建省三明市梅列区
江阴市长江钢管有限公司	149456	227880	458	金属及金属矿批发	江苏省无锡市江阴市

4－1 续表3

企业名称	资产总计（万元）	销售额（万元）	全部从业人员年平均人数（人）	所属行业	企业所在地
湖南省烟草公司长沙市公司	148791	344616	919	烟草制品批发	湖南省长沙市雨花区
广东省建材公司	148454	261717	224	建材批发	广东省广州市越秀区
中钢设备公司	147885	162110	268	其他机械设备及电子产品批发	北京市东城区
英迈(中国)商业有限公司	147869	578814	220	其他未列明的批发	上海市徐汇区
上海新华传媒有限公司	146999	207586	3471	图书批发	上海市黄浦区
湖北省烟草公司恩施州公司	146964	55283	3294	烟草制品批发	湖北省恩施州恩施市
广东省金属材料公司	145762	451347	212	金属及金属矿批发	广东省广州市黄埔区
深圳市广聚能源股份有限公司	145000	61403	356	石油及制品批发	广东省深圳市南山区
埃克森美孚(中国)投资有限公司	142716	318922	596	石油及制品批发	上海市徐汇区
江苏省新华书店集团有限公司	141677	282082	399	图书批发	江苏省南京市玄武区
江苏博西家用电器销售有限公司	140678	539249	1931	家用电器批发	江苏省南京市鼓楼区
国药控股天津有限公司	139658	580343	977	西药批发	天津市和平区
重庆海尔电器销售有限公司	138748	193782	600	家用电器批发	重庆市江北区
厦门集力发展股份有限公司	138727	129872	266	其他机械设备及电子产品批发	福建省厦门市思明区
南京红太阳农资商贸连锁有限公司	137932	248883	338	农药批发	江苏省南京市高淳县
中国铁路物资天津公司	137037	757399	256	金属及金属矿批发	天津市河东区
中国出国人员服务总公司	136103	59188	547	贸易经纪与代理	北京市朝阳区
中基宁波对外贸易股份有限公司	136056	594239	212	服装批发	浙江省宁波市鄞州区
云南省烟草保山市公司	135070	173639	1648	烟草制品批发	云南省保山市隆阳区
浙江凯喜雅国际股份有限公司	134672	194778	271	纺织品、针织品及原料批发	浙江省杭州市下城区
安徽辉隆农资集团有限公司	134389	161858	213	化肥批发	安徽省合肥市庐阳区
广东烟草广州市有限公司	133867	617834	1156	烟草制品批发	广东省广州市天河区
江苏时代超市有限公司	133689	555827	9890	其他食品批发	江苏省南通市崇川区
上海云峰(集团)有限公司	133534	99162	418	汽车、摩托车及零配件批发	上海市闵行区
南方建材股份有限公司	132053	174770	1502	建材批发	湖南省长沙市芙蓉区
东方国际创业股份有限公司	131794	151929	243	服装批发	上海市长宁区
湖北联谊实业集团有限公司	130869	264344	214	其他化工产品批发	湖北省武汉市武昌区
国药集团药业股份有限公司	129682	313211	289	西药批发	北京市崇文区
江苏弘业国际集团有限公司	129588	209397	2775	纺织品、针织品及原料批发	江苏省南京市白下区
上海市机械设备成套(集团)有限公司	128075	345909	386	其他机械设备及电子产品批发	上海市普陀区
航天通信控股集团股份有限公司	127769	81482	228	通讯及广播电视设备批发	浙江省杭州市上城区
上海新宇钟表集团股份有限公司	127736	200999	243	其他日用品批发	上海市卢湾区
江苏省烟草公司常州分公司	127304	268022	461	烟草制品批发	江苏省常州市钟楼区
中国石油天然气股份有限公司北京销售分公司	126212	653680	2249	石油及制品批发	北京市朝阳区
江苏开元国际集团轻工业品进出口股份有限公司	125699	182771	282	其他日用品批发	江苏省南京市白下区
山东潍坊烟草有限公司	125264	247505	2484	烟草制品批发	山东省潍坊市奎文区
中国铁路物资哈尔滨公司	124962	510625	275	石油及制品批发	黑龙江省哈尔滨市南岗区
山东省农业生产资料有限责任公司	123823	215747	230	化肥批发	山东省济南市历下区
云南省烟草公司昭通市公司	123596	241380	1250	烟草制品批发	云南省昭通市昭阳区
晋城市阳城公路煤炭销售有限公司	122905	191453	629	煤炭及制品批发	山西省晋城市阳城县
中国石化股份有限公司海南石油分公司	122574	527302	2173	石油及制品批发	海南省海口市秀英区
广东省机械进出口股份有限公司	122224	307342	330	其他机械设备及电子产品批发	广东省广州市越秀区
中国石油天然气股份有限公司柳州分公司	121863	54422	220	石油及制品批发	广西壮族自治区柳州市柳北区
国药控股广州有限公司	119087	387363	350	西药批发	广东省广州市荔湾区
上海市药材有限公司	117993	92480	1332	中药材及中成药批发	上海市黄浦区
江苏苏豪国际集团股份有限公司	116357	410375	304	纺织品、针织品及原料批发	江苏省南京市白下区
中国医药对外贸易公司	116317	151349	239	西药批发	北京市海淀区
中国石油天然气股份有限公司广西销售分公司	115693	121560	2588	石油及制品批发	广西壮族自治区南宁市青秀区
河南省新华书店	114017	221079	588	图书批发	河南省郑州市金水区
沈阳市烟草公司	113918	353971	1440	烟草制品批发	辽宁省沈阳市沈河区

4-1 续表4

企业名称	资产总计（万元）	销售额（万元）	全部从业人员年平均人数（人）	所属行业	企业所在地
晋城金驹实业有限公司	113837	53298	4470	煤炭及制品批发	山西省晋城市城区
福建省农资集团公司	113672	177615	604	化肥批发	福建省福州市鼓楼区
中国石油天然气股份有限公司黑龙江哈尔滨销售分公司	113574	351183	2231	石油及制品批发	黑龙江省哈尔滨市道里区
福建省烟草公司福州分公司	113412	466350	1176	烟草制品批发	福建省福州市晋安区
北京中石化首创石油投资经营有限公司	113072	266189	921	石油及制品批发	北京市朝阳区
广州纺织品进出口集团有限公司	112849	189236	316	服装批发	广东省广州市越秀区
福建省龙岩烟草分公司	112527	195950	399	烟草制品批发	福建省龙岩市新罗区
江苏省烟草公司盐城分公司	112519	285292	1035	烟草制品批发	江苏省盐城市市辖区
大金（中国）投资有限公司	112332	51133	1307	其他机械设备及电子产品批发	北京市东城区
江苏省烟草公司扬州分公司	111343	280966	1053	烟草制品批发	江苏省扬州市郊区
浙江英特药业有限责任公司	110923	312077	266	西药批发	浙江省杭州市下城区
中国浦发机械工业股份有限公司	110914	220987	250	其他机械设备及电子产品批发	上海市黄浦区
中石化中海船舶燃料供应有限公司	110399	760557	673	石油及制品批发	广东省广州市天河区
阿尔派电子（中国）有限公司	110373	67370	436	汽车、摩托车及零配件批发	北京市朝阳区
安徽华源医药股份有限公司	109814	841681	1712	西药批发	安徽省阜阳市太和县
浙江省烟草公司温州分公司	108977	429788	338	烟草制品批发	浙江省温州市鹿城区
深圳一致药业股份有限公司	108600	144324	305	西药批发	广东省深圳市福田区
泰科电子（上海）有限公司	108555	153586	253	其他未列明的批发	上海市浦东新区
睢阳区棉麻公司	108215	42697	1590	棉、麻批发	河南省商丘市睢阳区
湖南省粮油食品进出口集团有限公司	107675	100000	999	米、面制品及食用油批发	湖南省长沙市芙蓉区
开封机电设备股份有限公司	106974	57939	416	汽车、摩托车及零配件批发	河南省开封市郊区
中国电子器材总公司	106830	168371	749	其他机械设备及电子产品批发	北京市海淀区
青岛市烟草专卖局青岛烟草有限公司	105829	369713	1130	烟草制品批发	山东省青岛市市北区
明尼苏达矿业制造（上海）国际贸易有限公司	104492	281199	650	其他未列明的批发	上海市长宁区
中国石油化工有限公司河北石家庄分公司	104451	468366	2386	石油及制品批发	河北省石家庄市裕华区
江苏省烟草公司徐州分公司	104286	258216	1484	烟草制品批发	江苏省徐州市云龙区
广东新华发行集团股份有限公司	103810	131276	620	图书批发	广东省广州市越秀区
天津太平（集团）有限公司	103520	350942	920	西药批发	大津市和平区
上海伊藤忠商事有限公司	102502	383646	223	其他未列明的批发	上海市浦东新区
浙江省土产畜产进出口集团公司	101919	310105	240	其他食品批发	浙江省杭州市下城区
沈阳温州城商品交易市场有限公司	101917	318182	1342	盐及调味品批发	辽宁省沈阳市和平区
武汉医药集团股份有限公司	101732	61525	378	西药批发	湖北省武汉市江岸区
上海烟草集团黄浦烟草糖酒有限公司	101579	200719	550	烟草制品批发	上海市黄浦区
中国铁路物资武汉公司	101121	364155	330	金属及金属矿批发	湖北省武汉市武昌区
江苏省烟草公司泰州分公司	100854	246529	246	烟草制品批发	江苏省泰州市海陵区
江苏省烟草公司镇江分公司	100182	226906	709	烟草制品批发	江苏省镇江市京口区
深圳市爱施德实业有限公司	100022	246716	216	通讯及广播电视设备批发	广东省深圳市福田区
松下电器机电（深圳）有限公司	99690	491563	280	其他机械设备及电子产品批发	广东省深圳市福田区
合肥丰乐种业股份有限公司	97938	33725	422	种子、饲料批发	安徽省合肥市蜀山区
广东省食品进出口集团公司	97658	160348	2179	肉、禽、蛋及水产品批发	广东省广州市越秀区
山东绮丽集团公司	97649	142602	2981	服装批发	山东省青岛市市南区
中国石油化工股份有限公司福建福州分公司	97637	534333	2856	石油及制品批发	福建省福州市鼓楼区
上海兰生股份有限公司	97512	174491	1066	鞋帽批发	上海市虹口区
哈尔滨市烟草公司	97127	273387	709	烟草制品批发	黑龙江省哈尔滨市道里区
湖南省新华书店	94909	204376	552	图书批发	湖南省长沙市芙蓉区
郴州市烟草公司	94685	263386	3517	烟草制品批发	湖南省郴州市北湖区
浙江中大集团股份有限公司	94447	348203	327	纺织品、针织品及原料批发	浙江省杭州市下城区
陕西省烟草公司西安分公司	94330	326420	1717	烟草制品批发	陕西省西安市碑林区
重庆力帆实业集团销售有限公司	93855	132315	1105	汽车、摩托车及零配件批发	重庆市沙坪坝区
巴楚县良种轧花厂	93810	72869	1103	棉、麻批发	新疆维吾尔族自治区喀什地区巴楚县

4－1 续表5

企业名称	资产总计（万元）	销售额（万元）	全部从业人员年平均人数（人）	所属行业	企业所在地
贵州省烟草公司贵阳市分公司	92646	251443	1748	烟草制品批发	贵州省贵阳市南明区
瑞表国际贸易（上海）有限公司	92469	288260	243	其他日用品批发	上海市徐汇区
中国石油天然气股份有限公司青海销售分公司	91891	370238	2218	石油及制品批发	青海省西宁市
中国石油化工股份有限公司浙江宁波石油分公司	91847	884526	305	石油及制品批发	浙江省宁波市海曙区
浙江省茶叶进出口有限公司	91846	314892	226	服装批发	浙江省杭州市下城区
中国药材集团公司	91150	87703	238	中药材及中成药批发	北京市宣武区
上海电力物资有限公司	90586	586667	236	其他机械设备及电子产品批发	上海市黄浦区
广东中人企业（集团）有限公司	90154	62465	427	石油及制品批发	广东省广州市天河区
浙江省粮油食品进出口股份有限公司	89885	198684	298	米、面制品及食用油批发	浙江省杭州市下城区
山西省农业生产资料公司	89273	103117	264	化肥批发	山西省太原市迎泽区
中国石化山东泰山石油股份有限公司	88877	302135	265	石油及制品批发	山东省泰安市泰山区
北京市糖业烟酒公司	88581	135585	477	糕点、糖果及糖批发	北京市崇文区
温州菜篮子集团有限公司	88282	83456	1907	果品、蔬菜批发	浙江省温州市鹿城区
华北制药集团销售有限公司	88208	93542	695	西药批发	河北省石家庄市长安区
山东临沂烟草有限公司	88184	263796	1421	烟草制品批发	山东省临沂市兰山区
南京森昊木业集团有限公司	86922	33119	400	建材批发	江苏省南京市白下区
广州市立白企业集团有限公司	86837	476326	1400	厨房、卫生间用具及日用杂货批发	广东省广州市荔湾区
中国再生资源开发公司	86469	2004790	435	再生物资回收与批发	北京市西城区
中国医药保健品有限公司	85410	85390	267	中药材及中成药批发	北京市崇文区
福建省烟草公司漳州分公司	85150	272238	864	烟草制品批发	福建省漳州市芗城区
中国石油化工股份有限公司河北唐山分公司	84503	504916	1349	石油及制品批发	河北省唐山市路北区
中石化长江燃料有限公司	84503	52911	2466	石油及制品批发	湖北省武汉市江岸区
联合利华服务（合肥）有限公司	83523	545536	931	其他化工产品批发	安徽省合肥市蜀山区
河南省烟草公司许昌分公司	83336	136725	280	烟草制品批发	河南省许昌市魏都区
河南省粮油食品进出口公司	82847	115232	218	米、面制品及食用油批发	河南省郑州市金水区
江苏省燃料总公司	82496	424213	214	金属及金属矿批发	江苏省南京市鼓楼区
湖北九洲通医药有限公司	82208	268068	647	西药批发	湖北省武汉市汉阳区
广州市粮食集团有限责任公司	82065	63946	502	米、面制品及食用油批发	广东省广州市越秀区
湖南省烟草专卖局衡阳市公司	82010	280263	577	烟草制品批发	湖南省衡阳市蒸湘区
贵州省烟草公司黔西南州分公司	81990	128146	1993	烟草制品批发	贵州省黔西南州兴义市
云南红塔物资有限责任公司	81402	373562	261	其他机械设备及电子产品批发	云南省玉溪市红塔区
万年能源集团有限公司	81253	56793	450	煤炭及制品批发	江苏省连云港市新浦区
浙江省烟草公司绍兴分公司	81026	284607	285	烟草制品批发	浙江省绍兴市越城区
德力西集团营销有限公司	80531	205903	310	其他机械设备及电子产品批发	浙江省温州市乐清市
安徽省技术进出口股份有限公司	80401	472374	356	其他机械设备及电子产品批发	安徽省合肥市蜀山区
重庆华轻商业公司	80136	170003	251	金属及金属矿批发	重庆市渝中区
上海市农业生产资料公司	80077	158854	299	化肥批发	上海市闸北区
河南平高电气销售有限责任公司	79738	140149	210	其他机械设备及电子产品批发	河南省郑州市管城回族区
中国石油化工股份有限公司山东省潍坊分公司	78790	222481	1890	石油及制品批发	山东省潍坊市潍城区
河南省烟草公司平顶山分公司	78722	76284	446	烟草制品批发	河南省平顶山市新华区
烟台市农业生产资料总公司	78328	156070	273	化肥批发	山东省烟台市芝罘区
中国石油天然气股份公司江西销售分公司	78034	197534	1252	石油及制品批发	江西省南昌市青山湖区
东莞市百业进出口有限公司	77958	144105	219	建材批发	广东省东莞市
国石油化工股份有限公司广东佛山石油分公司	77605	790816	1697	石油及制品批发	广东省佛山市禅城区
广州鹰泰数码动力科技有限公司	77592	237151	584	通讯及广播电视设备批发	广东省广州市天河区
浙江东方集团股份有限公司	77307	394830	537	服装批发	浙江省杭州市上城区
贵州省烟草公司铜仁分公司	77212	123706	1982	烟草制品批发	贵州省铜仁地区铜仁市
上海丝绸集团股份有限公司	77175	466128	443	服装批发	上海市徐汇区
浙江省纺织品进出口集团有限公司	77080	313186	354	其他机械设备及电子产品批发	浙江省杭州市上城区
厦门烟草分公司	76630	631401	282	烟草制品批发	福建省厦门市思明区

4－1 续表6

企业名称	资产总计（万元）	销售额（万元）	全部从业人员年平均人数（人）	所属行业	企业所在地
攀钢集团国贸攀枝花有限公司	76242	478774	329	金属及金属矿批发	四川省攀枝花市东区
广东省轻工进出口股份有限公司	75914	303788	1420	贸易经纪与代理	广东省广州市越秀区
上海燃料浦东有限责任公司	75700	619369	212	石油及制品批发	上海市黄浦区
新疆生产建设兵团农业生产资料供应公司	75444	126314	206	化肥批发	新疆维吾尔族自治区乌鲁木齐市新市区
安徽新兴格力空调销售有限公司	75099	151904	278	家用电器批发	安徽省合肥市瑶海区
上海中发电气(集团)有限公司	74785	42596	337	其他机械设备及电子产品批发	上海市普陀区
宁波波导销售有限公司	74637	270627	881	通讯及广播电视设备批发	浙江省宁波市奉化市
中国石油天然气股份有限公司河北销售分公司	74531	125978	6904	石油及制品批发	河北省廊坊市广阳区
湖北新兴格力电器销售有限公司	74460	104962	630	家用电器批发	湖北省武汉市乔口区
深圳三九医药贸易有限公司	74425	139181	1069	中药材及中成药批发	广东省深圳市罗湖区
石油化工股份有限公司福建泉州石油分公司	74210	446088	1959	石油及制品批发	福建省泉州市鲤城区
深圳市青岛啤酒华南营销有限公司	74021	259579	1200	饮料及茶叶批发	广东省深圳市罗湖区
广州食品企业集团有限公司	73978	30397	547	肉、禽、蛋及水产品批发	广东省广州市荔湾区
云南省医药有限公司	73719	233633	360	西药批发	云南省昆明市盘龙区
河北省烟草公司石家庄分公司	73360	272826	1520	烟草制品批发	河北省石家庄市桥西区
开利空调销售服务(上海)有限公司	73106	191193	850	其他机械设备及电子产品批发	上海市黄浦区
山东翔龙实业集团有限公司	72637	55724	208	化肥批发	山东省临沂市兰山区
中国石油化工股份有限公司赣州石油分公司	72516	237041	1201	石油及制品批发	江西省赣州市章贡区
中石化山东淄博石油分公司	72210	308880	240	石油及制品批发	山东省淄博市张店区
岳阳市烟草公司	71954	229902	792	烟草制品批发	湖南省岳阳市岳阳楼区
贵州省烟草公司黔南分公司	71829	87222	2198	烟草制品批发	贵州省黔南布依族苗族自治州都匀市
云南省烟草宣威市公司	71793	118808	501	烟草制品批发	云南省曲靖市宣威市
福建华闽进出口有限公司	71274	217725	497	鞋帽批发	福建省福州市鼓楼区
浙江震元股份有限公司	70883	61912	333	中药材及中成药批发	浙江省绍兴市越城区
中国石油化工股份有限公司河北保定市石油分司	70489	267927	1143	石油及制品批发	河北省保定市南市区
大金(中国)投资有限公司上海分公司	70049	389399	628	计算机、软件及辅助设备批发	上海市静安区
甘肃省烟草兰州公司	70001	173383	984	烟草制品批发	甘肃省兰州市城关区
库柏电气(上海)有限公司	69463	172177	301	其他机械设备及电子产品批发	上海市浦东新区
浙江省邮电器材公司	69329	171818	232	通讯及广播电视设备批发	浙江省杭州市下城区
山东烟台烟草有限公司	69326	254263	975	烟草制品批发	山东省烟台市莱山区
中国石油化工股份有限公司河南郑州石油分公司	69224	375291	503	石油及制品批发	河南省郑州市管城回族区
中油黑龙江农垦石油有限公司	69176	209306	1567	石油及制品批发	黑龙江省哈尔滨市动力区
大同市东周窑煤炭集团有限责任公司	68788	39435	2380	煤炭及制品批发	山西省大同市左云县
中国石油化工股份有限公司广东江门石油分公司	68656	302783	1679	石油及制品批发	广东省江门市蓬江区
玛纳斯县供销社	68651	50657	1018	棉、麻批发	新疆维吾尔族自治区昌吉回族自治州玛纳斯县
广东烟草东莞市有限公司	68223	310136	533	服装批发	广东省东莞市
江西汇仁集团医药科研营销有限公司	67981	168552	440	中药材及中成药批发	江西省南昌市青山湖区
苏州市苏创集团有限公司	67531	33252	230	石油及制品批发	江苏省苏州市太仓市
江苏省烟草公司淮安分公司	67231	145166	790	烟草制品批发	江苏省淮安市清浦区
重庆建设销售有限责任公司	66885	122088	651	汽车、摩托车及零配件批发	重庆市九龙坡区
江西省烟草公司南昌分公司	66726	229413	863	烟草制品批发	江西省南昌市西湖区
青岛海尔工贸有限公司	66378	158746	1495	家用电器批发	山东省青岛市崂山区
江苏小天鹅营销有限责任公司	66067	314345	480	家用电器批发	江苏省无锡市北塘区
富士施乐实业发展(上海)有限公司	65612	143571	902	其他未列明的批发	上海市浦东新区
河南省烟草公司南阳分公司	65599	254126	484	烟草制品批发	河南省南阳市宛城区
佳杰科技(上海)有限公司	65494	482671	475	计算机、软件及辅助设备批发	上海市长宁区
长沙双鹤医药有限责任公司	65274	224597	619	西药批发	湖南省长沙市岳麓区
中国石油化工股份有限公司安徽阜阳石油分公司	65202	156256	750	石油及制品批发	安徽省阜阳市市辖区
上海电力燃料有限公司	65116	539287	563	煤炭及制品批发	上海市卢湾区
河北省烟草公司唐山分公司	65007	221087	807	烟草制品批发	河北省唐山市路北区

4－1　续表7

企业名称	资产总计（万元）	销售额（万元）	全部从业人员年平均人数（人）	所属行业	企业所在地
湖南省烟草公司株洲市公司	64940	204723	369	饮料及茶叶批发	湖南省株洲市芦淞区
新疆生产建设兵团石油有限公司	64557	250144	1501	石油及制品批发	新疆维吾尔族自治区乌鲁木齐市天山区
山东济南烟草有限公司	64518	214996	943	烟草制品批发	山东省济南市历城区
山东道恩集团有限公司	64474	311960	290	其他化工产品批发	山东省烟台市龙口市
中国农业机械华北集团有限公司	64375	68402	282	汽车、摩托车及零配件批发	天津市和平区
浙江省烟草公司嘉兴分公司	64161	288658	230	烟草制品批发	浙江省嘉兴市秀洲区
广东华农温氏畜牧股份有限公司	64032	81341	1937	肉、禽、蛋及水产品批发	广东省云浮市新兴县
河北省新华书店	63866	133020	410	图书批发	河北省石家庄市桥西区
中化上海公司	63743	121575	211	其他化工产品批发	上海市黄浦区
新疆机电设备有限责任公司	63722	120204	428	汽车、摩托车及零配件批发	新疆维吾尔族自治区乌鲁木齐市新市区
云南省烟草陆良县公司	63702	75685	373	烟草制品批发	云南省曲靖市陆良县
安徽省烟草公司合肥市公司	63536	244241	624	烟草制品批发	安徽省合肥市蜀山区
湖南省烟草公司常德市公司	63403	70394	892	烟草制品批发	湖南省常德市武陵区
镇海炼化物资装备股份有限责任公司	62942	196222	245	其他机械设备及电子产品批发	浙江省宁波市镇海区
安徽省烟草公司安庆公公司	62810	157638	1252	烟草制品批发	安徽省安庆市迎江区
安徽省服装进出口股份有限公司	62525	144742	269	服装批发	安徽省合肥市庐阳区
山东济宁烟草有限公司	62145	222322	1536	烟草制品批发	山东省济宁市市中区
金佰利（中国）有限公司	62034	74684	1053	化妆品及卫生用品批发	上海市黄浦区
福建同春药业股份有限公司	62032	123097	928	西药批发	福建省福州市仓山区
浙江省工艺品进出口有限公司	61702	190776	312	首饰、工艺品及收藏品批发	浙江省杭州市下城区
北京服装进出口股份有限公司	61615	122501	303	服装批发	北京市朝阳区
黑龙江华宇工贸（集团）有限责任公司	61119	79340	330	金属及金属矿批发	黑龙江省牡丹江市东宁县
中石化股份安徽合肥石油分公司	61092	383120	1260	石油及制品批发	安徽省合肥市包河区
山西省烟草公司太原市分公司	61050	224059	621	烟草制品批发	山西省太原市迎泽区
成都西部医药经营有限公司	61000	203900	245	西药批发	四川省成都市金牛区
沈阳市第一粮库	60727	33643	339	米、面制品及食用油批发	辽宁省沈阳市铁西区
河北圣仑进出口集团公司	60499	183740	676	服装批发	河北省石家庄市新华区
深圳市华孚进出口有限公司	60349	100952	365	纺织品、针织品及原料批发	广东省深圳市福田区
深圳招商石化有限公司	60216	42762	670	其他化工产品批发	广东省深圳市南山区
湖南省烟草公司永州市公司	59860	229220	1999	烟草制品批发	湖南省永州市冷水滩区
中国石化武汉石油（集团）股份有限公司	59503	360420	1866	石油及制品批发	湖北省武汉市江汉区
中国石油化工股份有限公司安徽分公司	59502	195493	314	石油及制品批发	安徽省蚌埠市龙子湖区
湖南省烟草公司湘西自治州公司	59363	128185	1534	烟草制品批发	湖南省湘西土家族苗族自治州吉首市
江西南华医药有限公司	59040	93053	577	西药批发	江西省南昌市西湖区
中山市物资集团有限公司	58949	232073	272	金属及金属矿批发	广东省中山市
绥化市医药有限公司	58703	72481	1457	西药批发	黑龙江省绥化市北林区
重庆新兴格力电器销售有限责任公司	58695	121565	361	家用电器批发	重庆市九龙坡区
内蒙古鄂尔多斯羊绒制品股份公司原料分公司	58576	111139	474	纺织品、针织品及原料批发	内蒙古自治区鄂尔多斯市东胜区
浙江省烟草公司湖州分公司	58268	210824	350	烟草制品批发	浙江省湖州市吴兴区
河南省烟草公司洛阳分公司	57956	69310	391	烟草制品批发	河南省洛阳市洛龙区
松下电工（中国）有限公司	57906	32558	467	五金、交电批发	北京市东城区
上海博世力士乐液压及自动化有限公司	57863	112978	235	其他机械设备及电子产品批发	上海市浦东新区
吉林省新华书店集团有限责任公司	57854	58024	287	图书批发	吉林省长春市二道区
常州药业股份有限公司	57799	87730	351	西药批发	江苏省常州市天宁区
湖北省烟草公司襄樊市公司	57499	154154	1481	烟草制品批发	湖北省襄樊市樊城区
广州市番禺番龙石油化工有限公司	57231	84242	217	石油及制品批发	广东省广州市番禺区
上海广电信息电子销售有限公司	57034	77854	312	家用电器批发	上海市徐汇区
浙江省烟草公司杭州市萧山区公司	56943	119532	222	烟草制品批发	浙江省杭州市萧山区
河北省烟草公司廊坊分公司	56901	122065	708	烟草制品批发	河北省廊坊市广阳区
陕西华远医药商业集团有限责任公司	56825	203258	980	西药批发	陕西省西安市碑林区

4－1 续表 8

企业名称	资产总计（万元）	销售额（万元）	全部从业人员年平均人数（人）	所属行业	企业所在地
云南省烟草丽江市公司	56803	91069	396	烟草制品批发	云南省丽江市古城区
内盟古铁鑫煤化有限公司	56771	135000	256	煤炭及制品批发	内蒙古自治区包头市东河区
吉林省烟草公司长春分公司	56715	202454	1030	烟草制品批发	吉林省长春市二道区
中糖世纪股份有限公司	56616	102081	200	糕点、糖果及糖批发	北京市西城区
南京医药合肥天星有限公司	56267	124854	461	西药批发	安徽省合肥市庐阳区
中国石化集团河南石油总公司南阳公司	55973	226391	469	石油及制品批发	河南省南阳市卧龙区
上海神州数码有限公司	55774	351060	453	计算机、软件及辅助设备批发	上海市长宁区
浙江省医药保健品进出口有限责任公司	55639	240758	200	中药材及中成药批发	浙江省杭州市下城区
北京方正延中信息系统有限公司	55621	75206	399	计算机、软件及辅助设备批发	北京市海淀区
中国石油天然气股份有限公司陕西西安销售分公司	55580	255791	2275	石油及制品批发	陕西省西安市莲湖区
温州金州集团有限公司	55199	154886	315	服装批发	浙江省温州市鹿城区
浙江省烟草公司台州分公司	54796	304931	276	烟草制品批发	浙江省台州市椒江区
四川科伦医药贸易公司	54564	172497	340	中药材及中成药批发	四川省成都市新都区
中国石油化工股份有限公司山东烟台石油分公司	54443	367194	1604	石油及制品批发	山东省烟台市芝罘区
北京中邮普泰移动通信设备有限责任公司	53716	164110	232	通讯及广播电视设备批发	北京市丰台区
河北省烟草公司保定分公司	53220	268751	1708	烟草制品批发	河北省保定市北市区
安徽省烟草公司六安市公司	52961	135128	251	烟草制品批发	安徽省六安市金安区
宁波医药股份有限公司	52916	199884	256	西药批发	浙江省宁波市海曙区
玉环县环洲钢业股份有限公司	52836	159750	300	金属及金属矿批发	浙江省台州市玉环县
广西新华书店集团有限公司	52721	78423	667	图书批发	广西壮族自治区南宁市青秀区
四川省烟草公司泸州市公司	52647	93192	1280	烟草制品批发	四川省泸州市江阳区
福建省烟草公司南平分公司	52640	104368	282	烟草制品批发	福建省南平市延平区
浙江省五金交电化工有限公司	52568	90917	210	家用电器批发	浙江省杭州市上城区
珠海市燃气集团有限公司	52535	151011	577	石油及制品批发	广东省珠海市香洲区
江苏省烟草公司连云港分公司	52410	128679	862	烟草制品批发	江苏省连云港市新浦区
中石化工股份有限公司广东肇庆石油分公司	52175	90404	1036	石油及制品批发	广东省肇庆市端州区
中国石油化工股份有限公司湖南永州石油公司	52050	97841	576	石油及制品批发	湖南省永州市冷水滩区
广东省肇庆土产进出口公司	51901	226883	351	五金、交电批发	广东省肇庆市端州区
新疆维吾尔自治区新华书店	51900	84400	435	图书批发	新疆维吾尔族自治区乌鲁木齐市天山区
中国石油化工股份有限公司安阳石油分公司	51822	108470	417	石油及制品批发	河南省安阳市北关区
浙江省烟草宁波分公司	51723	523736	277	烟草制品批发	浙江省宁波市江东区
河南省烟草公司郑州分公司	51704	293131	418	烟草制品批发	河南省郑州市中原区
石家庄乐仁堂股份有限公司	51411	189025	1145	西药批发	河北省石家庄市桥西区
安徽安粮国际发展股份有限公司	51320	205143	259	纺织品、针织品及原料批发	安徽省合肥市庐阳区
湖北省烟草公司荆州市公司	51121	177782	1949	烟草制品批发	湖北省荆州市沙市区
安徽省烟草公司宣城市公司	51093	125316	712	烟草制品批发	安徽省宣城市宣州区
东风裕隆汽车销售有限公司	50919	293925	334	汽车、摩托车及零配件批发	湖北省武汉市经济开发区
江西省烟草公司赣州分公司	50737	143707	1917	烟草制品批发	江西省赣州市章贡区
云南省烟草思茅市公司	50562	116184	747	烟草制品批发	云南省思茅市翠云区
烟草公司绵阳分公司	50552	134214	689	烟草制品批发	四川省绵阳市游仙区
广东省土产进出口(集团)公司	50304	160753	268	饮料及茶叶批发	广东省广州市海珠区
中国石油化工股份有限公司江西南昌石油分公司	50071	279558	1300	石油及制品批发	江西省南昌市青山湖区
广州市番禺沙园集团有限公司	49966	72155	304	家用电器批发	广东省广州市番禺区
广东中域电讯连锁有限公司	49936	87921	465	通讯及广播电视设备批发	广东省东莞市
中国烟草总公司辽宁省丹东分公司	49867	66580	379	烟草制品批发	辽宁省丹东市振兴区
南京蓝燕石化储运实业有限公司	49494	154724	263	石油及制品批发	江苏省南京市栖霞区
广东烟草梅州市有限公司	49408	187329	228	烟草制品批发	广东省梅州市梅江区
吉林省北方医药有限责任公司	49358	75303	900	西药批发	吉林省长春市宽城区
内蒙古自治区烟草公司呼市分公司	49136	171167	625	烟草制品批发	内蒙古自治区呼和浩特市玉泉区
江苏省烟草公司宿迁分公司	48929	107175	775	烟草制品批发	江苏省宿迁市宿城区

4-1 续表9

企业名称	资产总计（万元）	销售额（万元）	全部从业人员年平均人数（人）	所属行业	企业所在地
北京市恒物金属材料有限公司	48841	188048	246	金属及金属矿批发	北京市宣武区
北京新华书店首都发行所有限公司	48739	102423	561	图书批发	北京市西城区
邵阳市烟草公司	48720	45337	1043	烟草制品批发	湖南省邵阳市大祥区
芜湖市烟草公司	48584	107488	228	烟草制品批发	安徽省芜湖市马塘区
福建省烟草公司宁德市公司	48430	143189	703	烟草制品批发	福建省宁德市 蕉城区
河北省烟草公司沧州分公司	48376	160831	1382	烟草制品批发	河北省沧州市运河区
陕西省烟草公司咸阳分公司	48329	132677	1051	烟草制品批发	陕西省咸阳市秦都区
广西壮族自治区百色市烟草公司	48129	101803	1135	烟草制品批发	广西壮族自治区百色市右江区
江苏苏舜工贸集团有限公司	47992	118732	315	汽车、摩托车及零配件批发	江苏省南京市玄武区
湖北省烟草公司宜昌市公司	47656	162125	1201	烟草制品批发	湖北省宜昌市西陵区
中国邮电器材中南公司	47529	181031	285	通讯及广播电视设备批发	湖北省武汉市江岸区
天津服装进出口股份有限公司	47448	175350	202	服装批发	天津市河西区
中国石油天然气股份有限公司内蒙古赤峰分公司	47425	238500	2274	石油及制品批发	内蒙古自治区赤峰市红山区
中国石油化工股份有限公司贵州贵阳分公司	47395	242312	990	石油及制品批发	贵州省贵阳市南明区
浙江省烟草公司金华分公司	47357	273224	270	烟草制品批发	浙江省金华市婺城区
广州格力空调销售有限公司	47327	71980	250	家用电器批发	广东省广州市越秀区
中国石化销售有限公司西北陕西分公司	47237	113489	825	石油及制品批发	陕西省西安市碑林区
河北省烟草公司邯郸分公司	47012	183637	1437	烟草制品批发	河北省邯郸市丛台区
河北东盛英华医药有限公司	46956	165037	400	西药批发	河北省邢台市邢台县
中石化广东粤东石油公司	46871	185585	297	石油及制品批发	广东省汕头市龙湖区
合肥海尔空调器有限公司	46796	210500	799	家用电器批发	安徽省合肥市蜀山区
中国电子器件工业有限公司	46501	115269	215	计算机、软件及辅助设备批发	北京市海淀区
常熟市交电家电有限责任公司	46262	123639	216	家用电器批发	江苏省苏州市常熟市
巢湖市烟草公司	46206	147469	1091	烟草制品批发	安徽省巢湖市居巢区
山西新华书店集团有限公司	46182	89570	429	图书批发	山西省太原市迎泽区
德利多富信息系统(上海)有限公司	46113	100316	300	其他未列明的批发	上海市浦东新区
湖北省烟草公司黄冈市公司	45730	156596	1046	烟草制品批发	湖北省黄冈市市辖区
山东机械设备进出口集团公司	45562	53071	239	其他机械设备及电子产品批发	山东省青岛市市南区
中国石油天然气股份有限公司辽宁鞍山销售分公司	45526	287484	1318	石油及制品批发	辽宁省鞍山市铁东区
上海史泰博企业发展有限公司	45206	85827	658	文具用品批发	上海市长宁区
国石油化工股份有限公司广东韶关石油分公司	45202	237136	788	石油及制品批发	广东省韶关市浈江区
浙江省烟草公司温岭市公司	45135	98936	269	烟草制品批发	浙江省台州市温岭市
雅培贸易(上海)有限公司	45058	73280	327	其他食品批发	上海市黄浦区
芜湖亚夏实业有限公司	44899	104917	360	汽车、摩托车及零配件批发	安徽省芜湖市鸠江区
四川省烟草公司宜宾市公司	44676	134773	1339	烟草制品批发	四川省宜宾市翠屏区
山西省烟草公司大同市公司	44666	139216	725	烟草制品批发	山西省大同市城区
上海海尔工贸有限公司	44665	217175	256	家用电器批发	上海市浦东新区
江苏开元国际集团畜产进出口股份有限公司	44496	148078	233	服装批发	江苏省南京市白下区
南京药业股份有限公司	44442	109734	565	中药材及中成药批发	江苏省南京市白下区
浙江金冶实业集团有限公司	44374	68851	204	建材批发	浙江省湖州市吴兴区
山东大陆集团有限公司	44292	48633	1322	金属及金属矿批发	山东省临沂市兰山区
桂林市烟草公司	44164	123132	800	烟草制品批发	广西壮族自治区桂林市象山区
河南省烟草公司信阳分公司	43760	159107	1800	烟草制品批发	河南省信阳市平桥区
山东新星购销总部	43728	301759	2718	饮料及茶叶批发	山东省淄博市淄川区
上海中燃船舶燃料有限公司	43503	108008	824	石油及制品批发	上海市虹口区
河北省烟草公司邢台分公司	43359	134070	1449	烟草制品批发	河北省邢台市桥东区
中国石油化工股份有限公司山东滨州分公司	43354	57291	230	石油及制品批发	山东省滨州市滨城区
广州市药材公司	43190	115194	397	中药材及中成药批发	广东省广州市荔湾区
广州联新能源发展有限公司	43186	105213	570	石油及制品批发	广东省广州市越秀区
北京师范大学出版社发行部	43129	66811	255	图书批发	北京市海淀区

4－1 续表 10

企业名称	资产总计（万元）	销售额（万元）	全部从业人员年平均人数（人）	所属行业	企业所在地
广东九州通医药有限公司	42783	193684	449	西药批发	广东省中山市
江西省烟草公司上饶市公司	42758	186886	1155	烟草制品批发	江西省上饶市信州区
山西省烟草公司临汾市公司	42730	166526	820	烟草制品批发	山西省临汾市尧都区
中国邮电器材重庆公司	42633	82983	580	通讯及广播电视设备批发	重庆市渝中区
中铁物资集团东北有限公司	42282	71045	276	金属及金属矿批发	辽宁省沈阳市大东区
西宁中油燃起有限责任公司	42279	38667	257	石油及制品批发	青海省西宁市城西区
昆明七彩云南实业股份有限公司	42213	65407	903	首饰、工艺品及收藏品批发	云南省昆明市呈贡县
贵州省烟草公司安顺分公司	42109	89918	1536	烟草制品批发	贵州省安顺市西秀区
广东佛陶集团物资工贸有限公司	42064	43809	320	金属及金属矿批发	广东省佛山市禅城区
中石化安徽滁州石油公司	42041	103988	547	石油及制品批发	安徽省滁州市琅琊区
广东茶叶进出口有限公司	42013	40859	208	饮料及茶叶批发	广东省广州市天河区
中国石油化工股份有限公司黄山分公司	41929	67883	320	石油及制品批发	安徽省黄山市屯溪区
江西省宜春市烟草分公司	41793	150312	1062	烟草制品批发	江西省宜春市袁州区
杰伟世(中国)投资有限公司	41560	98505	206	家用电器批发	北京市朝阳区
中国石化工股份有限公司安徽宣城石油分公司	41554	106551	482	石油及制品批发	安徽省宣城市宣州区
山东省福瑞达集团有限公司	41538	30979	796	金属及金属矿批发	山东省淄博市周村区
中国石油化工股份有限公司河北邯郸石油分公司	41488	273122	1060	石油及制品批发	河北省邯郸市邯山区
山东德州扒鸡集团有限公司	41397	44042	1450	肉、禽、蛋及水产品批发	山东省德州市德城区
上海南浦食品公司浦东分公司	41343	102143	584	其他食品批发	上海市浦东新区
吉林省烟草公司延边州公司	41099	74452	384	烟草制品批发	吉林省延边朝鲜族自治州延吉市
江苏省苏南盐业有限公司	41099	42885	362	盐及调味品批发	江苏省苏州市金阊区
盂县煤炭运销公司	40684	193316	1069	煤炭及制品批发	山西省阳泉市盂县
江西省烟草公司九江分公司	40680	168608	858	烟草制品批发	江西省九江市浔阳区
河北恒祥医药集团有限公司	40675	101144	296	西药批发	河北省邢台市桥西区
河南省烟草公司周口分公司	40460	182143	2320	烟草制品批发	河南省周口市川汇区
上海罗捷斯迪电子有限公司	40322	371517	212	其他未列明的批发	上海市浦东新区
杭州万事利丝绸科技有限公司	40244	63841	279	纺织品、针织品及原料批发	浙江省杭州市江干区
南京华东医药有限责任公司	40204	137062	439	中药材及中成药批发	江苏省南京市玄武区
广州市振戎燃气连锁经营有限公司	40047	139624	650	石油及制品批发	广东省广州市天河区
郑州海尔工贸有限公司	39975	151257	1030	家用电器批发	河南省郑州市管城回族区
深圳天俊实业股份有限公司	39928	31412	332	牲畜批发	广东省深圳市罗湖区
中油吉林省吉林市销售分公司	39853	239190	1732	石油及制品批发	吉林省吉林市昌邑区
深圳健安医药有限公司	39830	91262	1423	西药批发	广东省深圳市福田区
福建省烟草公司莆田分公司	39733	131579	430	烟草制品批发	福建省莆田市城厢区
安徽省烟草公司滁州市公司	39686	126124	798	烟草制品批发	安徽省滁州市琅琊区
厦门医药采购供应站	39613	87927	424	医疗用品及器材批发	福建省厦门市思明区
中国石油天然气股份有限公司河北保定销售分公司	39494	171630	1424	石油及制品批发	河北省保定市新市区
云南省烟草寻甸回族彝族自治县公司	39482	36379	318	烟草制品批发	云南省昆明市寻甸回族彝族自治县
中石化湖北宜昌石油分公司	39432	37832	1010	石油及制品批发	湖北省宜昌市伍家岗区
济南药业集团有限责任公司	39047	102025	846	中药材及中成药批发	山东省济南市市中区
上海市轻工业品进出口有限公司	39032	211015	219	贸易经纪与代理	上海市普陀区
中国石油化工股份有限公司江西九江分公司	38982	156925	770	石油及制品批发	江西省九江市浔阳区
四川省烟草公司攀枝花市公司	38945	63154	212	烟草制品批发	四川省攀枝花市东区
贵州省烟草公司六盘水分公司	38749	71622	1262	烟草制品批发	贵州省六盘水市钟山区
国石油化工股份有限公司广东珠海石油分公司	38726	132329	450	石油及制品批发	广东省珠海市香洲区
中国石油公司呼和浩特分公司	38672	208930	1756	石油及制品批发	内蒙古自治区呼和浩特市新城区
台州医药有限公司	38662	104163	319	西药批发	浙江省台州市椒江区
贵州省烟草公司黔东南分公司	38614	94445	1402	烟草制品批发	贵州省黔东南苗族侗族自治州凯里市
宿州中石化公司	38547	129076	747	石油及制品批发	安徽省宿州市埇桥区
无锡山禾医药集团物流股份有限公司	38185	107259	461	西药批发	江苏省无锡市南长区

4－1　续表 11

企业名称	资产总计（万元）	销售额（万元）	全部从业人员年平均人数（人）	所属行业	企业所在地
宿州烟草公司	37939	106738	1097	烟草制品批发	安徽省宿州市墉桥区
东宁吉信工贸(集团)有限责任公司	37912	72800	1150	鞋帽批发	黑龙江省牡丹江市东宁县
深圳市金活医药有限公司	37865	50285	212	中药材及中成药批发	广东省深圳市罗湖区
上海家化销售有限公司	37844	107725	223	化妆品及卫生用品批发	上海市虹口区
甘肃省烟草公司庆阳分公司	37833	49872	670	烟草制品批发	甘肃省庆阳市西峰区
山西省烟草公司吕梁市公司	37832	139106	473	烟草制品批发	山西省吕梁市 离石区
渤海石油物资供应公司	37826	73535	534	石油及制品批发	天津市塘沽区
上海烟草集团闵行烟草糖酒有限公司	37597	76129	403	烟草制品批发	上海市闵行区
中石化巢湖公司	37563	80864	200	石油及制品批发	安徽省巢湖市居巢区
山西省烟草公司长治分公司	37452	126543	712	烟草制品批发	山西省长治市城区
山西省烟草公司运城市公司	37184	150699	989	烟草制品批发	山西省运城市盐湖区
云南省烟草罗平县公司	37112	56496	1382	烟草制品批发	云南省曲靖市罗平县
青岛森泰达橡胶有限公司	37108	58990	265	金属及金属矿批发	山东省青岛市城阳区
广州海尔工贸有限公司	37048	127724	670	家用电器批发	广东省广州市越秀区
安徽阜阳医药集团有限公司	36989	117155	260	西药批发	安徽省阜阳市市辖区
重庆市盐业公司	36864	45830	1400	盐及调味品批发	重庆市渝中区
安徽徽商农家福有限公司	36784	137780	410	化肥批发	安徽省合肥市包河区
河南九州通医药有限公司	36717	161351	462	西药批发	河南省郑州市管城回族区
吉林省烟草公司吉林分公司	36679	119742	781	烟草制品批发	吉林省吉林市丰满区
四川省烟草公司德阳市分公司	36621	110174	520	烟草制品批发	四川省德阳市旌阳区
金利来(中国)有限公司广州分公司	36619	58190	241	纺织品、针织品及原料批发	广东省广州市天河区
湖南省烟草公司怀化分公司	36497	33676	650	烟草制品批发	湖南省怀化市鹤城区
深圳市金立通信设备有限公司	36428	221173	356	通讯及广播电视设备批发	广东省深圳市福田区
陕西省新华书店	36246	68243	381	图书批发	陕西省西安市莲湖区
山东淄博烟草有限公司	36186	123315	1011	烟草制品批发	山东省淄博市张店区
云南省烟草江川县公司	36127	35026	376	烟草制品批发	云南省玉溪市江川县
美敦力医疗用品技术服务(上海)有限公司	36107	97667	534	医疗用品及器材批发	上海市浦东新区
中国石油化工股份有限公司江西宜春石油分公司	35928	140365	232	石油及制品批发	江西省宜春市袁州区
重庆东风渝安汽车销售有限公司	35894	160401	212	汽车、摩托车及零配件批发	重庆市沙坪坝区
四川省烟草公司达州分公司	35879	119832	918	烟草制品批发	四川省达州市通川区
湖南省烟草公司湘潭市公司	35866	52933	391	烟草制品批发	湖南省湘潭市岳塘区
烟台开发区舒家批发市场有限公司	35860	217908	1000	其他食品批发	山东省烟台市福山区
内蒙古自治区烟草公司包头分公司	35772	115102	366	烟草制品批发	内蒙古自治区包头市青山区
上海烟草集团卢湾烟草糖酒有限公司	35672	50891	770	烟草制品批发	上海市卢湾区
深圳虎威制衣有限公司广州分公司	35666	104122	445	服装批发	广东省广州市越秀区
宜宾智溢酒业有限公司	35583	73899	1000	饮料及茶叶批发	四川省宜宾市翠屏区
中国石油化工股份有限公司河南焦作石油分公司	35568	115257	590	石油及制品批发	河南省焦作市山阳区
宁波博洋服饰有限公司	35452	73280	481	服装批发	浙江省宁波市海曙区
新疆巴州尉犁县棉麻公司	35419	44668	243	棉、麻批发	新疆维吾尔族自治区巴州尉犁县
中石化股份有限公司广东揭阳石油分公司	35306	42236	406	石油及制品批发	广东省揭阳市榕城区
山东北药鲁抗有限公司	35297	133582	1679	西药批发	山东省济宁市市中区
中国石化山东日照石油分公司	35159	191005	497	石油及制品批发	山东省日照市东港区
上海市医药保健品进出口公司	35067	173623	221	西药批发	上海市黄浦区
济南中信医药有限公司	34993	131760	530	西药批发	山东省济南市槐荫区
陕西省烟草公司延安分公司	34958	96233	794	烟草制品批发	陕西省延安市宝塔区
山东菏泽烟草有限公司	34948	168862	1550	烟草制品批发	山东省菏泽市牡丹区
北京明炬达科技发展有限公司	34900	174434	216	计算机、软件及辅助设备批发	北京市朝阳区
广西壮族自治区南宁市烟草公司	34800	112148	968	烟草制品批发	广西壮族自治区南宁市西乡塘区
香奈尔(中国)贸易有限公司	34780	38766	388	服装批发	上海市浦东新区
东营鲁能方大集团有限责任公司	34725	39147	236	其他机械设备及电子产品批发	山东省东营市东营区

4－1 续表12

企业名称	资产总计（万元）	销售额（万元）	全部从业人员年平均人数（人）	所属行业	企业所在地
中国石油化工股份有限公司河南新乡石油分公司	34702	130911	243	石油及制品批发	河南省卫滨区
中国石油化工股份公司江西吉安分公司	34394	192655	988	石油及制品批发	江西省吉州区
三星电子(北京)技术有限公司	34392	64262	291	家用电器批发	北京市朝阳区
湖北省烟草公司孝感市分公司	34297	129133	790	烟草制品批发	湖北省孝南区
北京市京新龙医药销售有限公司	34270	159588	378	西药批发	北京市朝阳区
湖南省烟草公司张家界市公司	34216	107717	746	烟草制品批发	湖南省永定区
浙江省烟草公司桐乡市公司	34053	76145	235	烟草制品批发	浙江省桐乡市
湖北省十堰市烟草公司	34047	87307	623	烟草制品批发	湖北省茅箭人民南路6#
榆林市烟草公司榆林分公司	33971	122357	667	烟草制品批发	陕西省榆阳区
山西省灵石县煤炭运销公司	33895	35402	255	煤炭及制品批发	山西省灵石县
达能食品贸易(中国)有限公司	33888	91114	428	糕点、糖果及糖批发	上海市徐汇区
云南香格里拉金六福酒业销售有限公司	33796	135119	4000	其他未列明的批发	云南省经济开发区
浙江东菱股份有限公司	33699	167443	215	金属及金属矿批发	浙江省南湖区
江苏大德生药房连锁有限公司	33654	106406	941	西药批发	江苏省广陵区
安徽省阜阳市烟草公司	33614	143942	1300	烟草制品批发	安徽省颍东
安徽国生电器有限责任公司	33455	163687	865	家用电器批发	安徽省庐阳区
师宗县烟草公司	33366	48495	929	烟草制品批发	云南省师宗
江西省抚州石油分公司	33338	137579	784	石油及制品批发	江西省临川区
上海烟草集团松江烟草糖酒有限公司	33116	69042	357	其他食品批发	上海市松江区
济南海尔工贸有限公司	33069	151068	682	家用电器批发	山东省历城
金山烟草糖酒有限公司	33037	82613	858	烟草制品批发	上海市金山区
中国石化股份有限公司河北邢台石油分公司	32991	228432	842	石油及制品批发	河北省桥西区
中国石油天然气股份有限公司新疆阿克苏销售分公司	32989	128176	368	石油及制品批发	新疆维吾尔族自治区阿克苏市
浙江省烟草公司瑞安市公司	32896	80661	207	烟草制品批发	浙江省瑞安市
华普信息技术有限公司	32895	66642	556	计算机、软件及辅助设备批发	上海市浦东新区
上海东风柴油机销售公司	32885	193897	268	其他机械设备及电子产品批发	上海市杨浦区
深圳市康哲药业有限公司	32749	30362	550	西药批发	广东省福田区
河南省烟草公司驻马店分公司	32682	187860	349	烟草制品批发	河南省驿城区
中油燃气有限责任公司	32578	104549	260	石油及制品批发	北京市西城区
上海烟草集团浦东烟草糖酒有限公司	32571	112160	491	烟草制品批发	上海市浦东新区
陕西省烟草公司安康市公司	32566	91589	1170	烟草制品批发	陕西省汉滨
贵州省新华书店	32432	67500	270	图书批发	贵州省云岩区
山西省烟草公司晋中市公司	32408	131212	620	烟草制品批发	山西省榆次区
陕西省烟草公司宝鸡分公司	32339	94778	1160	烟草制品批发	陕西省渭滨区
云南省华宁县烟草公司	32300	35304	463	其他农畜产品批发	云南省华宁
中国石油天燃汽股份有限公司黑龙江齐齐哈尔销售分公司	32197	146118	1890	石油及制品批发	黑龙江省铁锋区
湖南省烟草公司娄底分公司	32121	139882	419	烟草制品批发	湖南省娄星区
四川省医药有限公司	32069	83708	200	西药批发	四川省青羊区
山东日照烟草有限公司	31948	76705	932	烟草制品批发	山东省东港区
云南省沾益县公司	31784	47629	210	烟草制品批发	云南省沾益
内蒙古自治区烟草公司赤峰公司	31644	83916	696	烟草制品批发	内蒙古自治区红山区
广州市煤建公司	31600	55205	611	煤炭及制品批发	广东省越秀区
中国石油天然气股份有限公司东北销售大庆分公司	31591	1521444	474	石油及制品批发	黑龙江省龙凤区
中国石油天然气有限公司宝鸡分公司	31442	80197	955	石油及制品批发	陕西省金台区
上海雷允上药业西区有限公司	31201	35710	347	西药批发	上海市静安区
中国石油天燃气股份有限公司新疆库尔勒销售分公司	31097	165708	1139	石油及制品批发	新疆维吾尔族自治区库尔勒市
山东枣庄烟草有限公司	30952	112785	877	烟草制品批发	山东省滕州
新疆九州通医药有限公司	30907	90178	356	西药批发	新疆维吾尔族自治区高新
河北省烟草公司张家口分公司	30893	118987	773	烟草制品批发	河北省桥东区
上海烟草集团嘉定烟草糖烟有限公司	30789	98212	682	烟草制品批发	上海市嘉定区

4－1 续表 13

企业名称	资产总计（万元）	销售额（万元）	全部从业人员年平均人数（人）	所属行业	企业所在地
河北省烟草公司秦皇岛分公司	30788	84554	615	烟草制品批发	河北省秦皇岛市海港区
山东瑞康药业有限公司	30565	55881	200	西药批发	山东省烟台市芝罘区
中国石油化工股份有限公司河北衡水分公司	30465	182067	1189	石油及制品批发	河北省衡水市桃城区
中国石油化工股份有限公司湖北襄樊分公司	30425	166857	1259	石油及制品批发	湖北省襄樊市樊城区
浙江省烟草公司义乌市公司	30413	88308	231	烟草制品批发	浙江省金华市义乌市
湖北省新华书店	30411	98839	355	图书批发	湖北省武汉市乔口区
上海复星药业有限公司	30384	49263	219	中药材及中成药批发	上海市普陀区
潍坊市钢联金属材料有限公司	30375	135803	405	金属及金属矿批发	山东省潍坊市潍城区
广东省中山食品水产进出口集团有限公司	30296	394394	832	肉、禽、蛋及水产品批发	广东省中山市中山市
黑龙江省烟草公司牡丹江烟叶公司	30229	69859	885	烟草制品批发	黑龙江省牡丹江市宁安市
吉安市烟草公司	30229	108349	813	烟草制品批发	江西省吉安市吉州区
广东烟草普宁市有限责任公司	30167	127794	289	烟草制品批发	广东省揭阳市普宁市
上海浦星贸易有限公司	30127	159610	279	其他食品批发	上海市浦东新区
中国石油天然气股份有限公司辽宁营口销售分公司	30110	155715	699	石油及制品批发	辽宁省营口市站前区
中国烟草总公司辽宁省铁岭分公司	30078	86662	883	烟草制品批发	辽宁省铁岭市银州区
江西省烟草公司抚州分公司	29987	113879	1201	烟草制品批发	江西省抚州市 临川区
新世纪控股集团有限公司	29959	150637	315	五金、交电批发	浙江省台州市椒江区
中国烟草总公司辽宁省鞍山分公司	29929	123466	526	烟草制品批发	辽宁省鞍山市铁东区
伊犁州伊欣棉业有限责任公司	29763	30457	241	棉、麻批发	新疆维吾尔族自治区伊犁州奎屯市
中国石油天然气内蒙古巴彦淖尔销售分公司	29758	130967	1110	石油及制品批发	内蒙古自治区巴彦淖尔市临河区
广东烟草惠州市有限责任公司	29678	176572	216	烟草制品批发	广东省惠州市惠城区
广州神州数码有限公司	29591	275696	425	通讯及广播电视设备批发	广东省广州市天河区
中国石油化工股份有限公司河南平顶山石油分公司	29587	84469	220	石油及制品批发	河南省平顶山市卫东区
江苏悦达集团有限公司	29555	79431	261	煤炭及制品批发	江苏省盐城市市辖区
上海百红商业贸易有限公司	29297	93822	255	化妆品及卫生用品批发	上海市闸北区
青岛圣元乳业有限公司	29224	48737	402	饮料及茶叶批发	山东省青岛市黄岛区
无锡朝阳股份有限公司	29156	221398	501	果品、蔬菜批发	江苏省无锡市南长区
安徽省烟草公司黄山市公司	29101	67192	439	烟草制品批发	安徽省黄山市屯溪区
江苏华瑞国际实业集团有限公司	29075	119271	240	服装批发	江苏省南京市白下区
四川省烟草公司广元市公司	29056	76344	632	烟草制品批发	四川省广元市市中区
新疆维吾尔自治区烟草公司乌鲁木齐分公司	28973	132245	488	烟草制品批发	新疆维吾尔族自治区乌鲁木齐市天山区
上海烟草集团宝山烟草糖酒有限公司	28880	62545	527	烟草制品批发	上海市宝山区
厦门夏商农产品集团有限公司	28811	339031	250	果品、蔬菜批发	福建省厦门市湖里区
广西柳州市烟草公司	28630	62857	544	烟草制品批发	广西壮族自治区柳州市柳北区
河北省宏远国际经贸集团公司	28565	71548	349	纺织品、针织品及原料批发	河北省石家庄市新华区
中国石油化工股份有限公司湖北黄石石油分公司	28531	84024	415	石油及制品批发	湖北省黄石市黄石港区
北京双鹤药业经营有限责任公司	28496	113472	864	西药批发	北京市东城区
甘肃省烟草公司天水分公司	28465	83612	222	烟草制品批发	甘肃省天水市秦城区
广东烟草南雄市有限公司	28445	53937	738	烟草制品批发	广东省韶关市南雄市
思创数码科技股份有限公司	28424	63716	414	计算机、软件及辅助设备批发	江西省南昌市青山湖区
吉列(上海)产品服务有限公司	28395	125856	239	其他日用品批发	上海市浦东新区
河南省烟草公司安阳分公司	28388	116767	869	烟草制品批发	河南省安阳市北关区
中国烟草总公司辽宁省烟草公司营口分公司	28353	72320	384	烟草制品批发	辽宁省营口市站前区
河南省烟草公司漯河分公司	28352	60534	1416	烟草制品批发	河南省漯河市郾城区
中国石油天然气股份有限公司鸡西销售分公司	28052	101029	431	石油及制品批发	黑龙江省鸡西市鸡冠区
华润雪花啤酒(中国)有限公司	28002	43923	741	饮料及茶叶批发	北京市东城区
中国石油化工股份有限公司山东聊城石油分公司	27994	165656	863	石油及制品批发	山东省聊城市东昌府区
山西省烟草公司忻州市公司	27977	112038	732	烟草制品批发	山西省忻州市忻府区
温州人本机电城有限公司	27939	103710	312	其他机械设备及电子产品批发	浙江省温州市鹿城区
江苏五洋集团有限公司	27896	36775	226	其他化工产品批发	江苏省苏州市太仓市

4－1　续表 14

企业名称	资产总计（万元）	销售额（万元）	全部从业人员年平均人数（人）	所属行业	企业所在地
河南省烟草公司新乡分公司新乡市烟草专买	27778	35204	875	果品、蔬菜批发	河南省新乡市牧野区
山东康惠医药有限公司	27682	66552	204	西药批发	山东省潍坊市奎文区
上海烟草集团崇明烟草糖酒有限公司	27673	110347	1173	烟草制品批发	上海市崇明县
辽宁省烟草公司朝阳市公司	27598	67288	587	烟草制品批发	辽宁省朝阳市双塔区
浙江省烟草公司苍南县公司	27539	67799	213	烟草制品批发	浙江省温州市苍南县
中国石油化工股份有限公司上饶分公司	27437	181048	760	石油及制品批发	江西省上饶市信州区
河南省烟草公司开封分公司	27396	108059	823	烟草制品批发	河南省开封市鼓楼区
伊藤忠纤维贸易（中国）有限公司	27375	98570	376	纺织品、针织品及原料批发	上海市长宁区
浙江温岭市医药药材有限公司	27363	73567	256	西药批发	浙江省台州市温岭市
山东德州烟草有限公司	27248	98190	939	烟草制品批发	山东省德州市德城区
安徽洽洽食品有限公司	27240	113973	1008	其他食品批发	安徽省合肥市蜀山区
中国石油天然气股份有限公司辽宁辽阳销售分公司	27203	127656	711	石油及制品批发	辽宁省辽阳市太子河区
云南省烟草镇雄县公司	27170	62921	691	烟草制品批发	云南省昭通市镇雄县
TCL 家用电器（惠州）有限公司	27052	97829	1250	家用电器批发	广东省惠州市惠城区
博白县食品总公司	27046	36575	722	牲畜批发	广西壮族自治区玉林市兴业县
四川省烟草公司南充分公司南充市烟草专卖局	27038	118609	723	烟草制品批发	四川省南充市顺庆区
云南省烟草石林彝族自治县公司	27017	45480	824	烟草制品批发	云南省昆明市石林彝族自治县
福达（中国）投资有限公司	27006	44239	378	盐及调味品批发	广东省广州市从化市
安徽省烟草公司淮南市公司	26952	94810	438	烟草制品批发	安徽省淮南市田家庵区
贵州省医药（集团）有限责任公司	26937	59472	237	西药批发	贵州省贵阳市云岩区
深圳市亨吉利世界名表中心有限公司	26917	30121	654	其他日用品批发	广东省深圳市南山区
佛山市顺德区乐从镇供销集团有限公司	26835	136436	1933	金属及金属矿批发	广东省佛山市顺德区
上海实业外联发国际物流有限公司	26725	30728	381	其他机械设备及电子产品批发	上海市浦东新区
内蒙古自治区烟草公司乌兰察布分公司	26699	80524	512	烟草制品批发	内蒙古自治区乌兰察布市集宁区
安徽省烟草公司淮北市公司	26683	56595	381	烟草制品批发	安徽省淮北市相山区
蚌埠市烟草专卖局（公司）	26675	89026	722	烟草制品批发	安徽省蚌埠市禹会区
安徽轻工国际贸易有限公司	26642	118300	216	其他日用品批发	安徽省合肥市蜀山区
保定银河棉业有限公司	26486	35164	371	棉、麻批发	河北省保定市新市区
中国石油化工股份有限公司湖南邵阳石油分公司	26392	44305	930	石油及制品批发	湖南省邵阳市双清区
中国石油化工股份有限公司河南濮阳石油分公司	26357	136015	410	石油及制品批发	河南省濮阳市华龙区
云南东骏药业有限公司	26250	63735	1396	西药批发	云南省昆明市西山区
中国石油天然气股份有限公司安徽合肥分公司	26233	97822	620	石油及制品批发	安徽省合肥市庐阳区
中国石油天然气股份有限公司辽宁本溪销售分公司	26170	134218	566	石油及制品批发	辽宁省本溪市明山区
重庆金属回收有限责任公司	26128	163583	231	再生物资回收与批发	重庆市渝中区
安徽省烟草公司池州市公司	26079	62322	539	烟草制品批发	安徽省池州市市辖区
浙江省再生资源有限公司	26020	374684	200	金属及金属矿批发	浙江省杭州市上城区
广西河池市烟草公司	26010	82744	743	烟草制品批发	广西壮族自治区河池市金城江区
山西省煤炭运销公司临汾分公司乡宁县公司	25986	50337	662	煤炭及制品批发	山西省临汾市乡宁县
抚顺石化经济技术开发实业总公司	25965	168315	256	其他化工产品批发	辽宁省抚顺市新抚区
江西江中医贸有限责任公司	25963	125958	557	中药材及中成药批发	江西省南昌市青山湖区
浙江新世纪国际贸易有限公司	25953	134506	277	五金、交电批发	浙江省金华市东阳市
绵阳市酒鑫鑫商贸有限公司	25944	43565	438	饮料及茶叶批发	四川省绵阳市绵阳市
佛山市日丰企业有限公司	25930	89256	385	建材批发	广东省佛山市禅城区
南京海尔工贸有限公司	25917	99898	689	家用电器批发	江苏省南京市玄武区
中国石油化工股份有限公司河北承德石油分公司	25726	181767	1246	石油及制品批发	河北省承德市双桥区
国药集团西北医药有限公司	25612	31315	786	西药批发	陕西省西安市碑林区
湖北省烟草公司黄石分公司	25601	80484	381	烟草制品批发	湖北省黄石市西塞山区
中国石油天然气股份有限公司新疆伊犁销售分公司	25581	32191	903	石油及制品批发	新疆维吾尔族自治区伊犁州伊宁市
上海天成企业发展有限公司	25567	44656	258	其他食品批发	上海市浦东新区
云南新华书店图书有限公司	25564	32801	202	图书批发	云南省昆明市官渡区

4－1 续表15

企业名称	资产总计（万元）	销售额（万元）	全部从业人员年平均人数（人）	所属行业	企业所在地
吉林农安国家粮食储备库	25547	44067	508	谷物、豆及薯类批发	吉林省长春市农安县
南京东沛国际贸易有限公司	25485	188453	204	其他机械设备及电子产品批发	江苏省南京市白下区
中国石油天然气股份有限公司榆林销售分公司	25432	197426	1381	石油及制品批发	陕西省榆林市绥德县
浙江烟草公司余姚市公司	25396	90347	250	烟草制品批发	浙江省宁波市余姚市
安徽省烟草公司马鞍山市公司	25355	65086	392	烟草制品批发	安徽省马鞍山市花山区
中国石油化工股份有限公司湖北高速公路油站	25222	117298	470	石油及制品批发	湖北省武汉市乔口区
驻马店中油销售有限公司	25131	31832	233	石油及制品批发	河南省驻马店市驿城区
宁夏回族自治区烟草公司银川市分公司	25116	80692	353	烟草制品批发	宁夏回族自治区银川市兴庆区
天津市正泰实业总公司	25109	99446	276	家用电器批发	天津市河北区
珠海格力空调销售有限公司	25106	64422	300	家用电器批发	广东省珠海市香洲区
中国石油化工股份有限公司江西景德镇分公司	25047	94296	496	石油及制品批发	江西省景德镇市珠山区
大连经济技术开发区星航石化产品销售中心	25043	76041	480	石油及制品批发	辽宁省大连市金州区
中国石油天然气股份有限公司渭南销售分公司	25013	117887	777	石油及制品批发	陕西省渭南市临渭区
山东泰安烟草有限公司	24855	114622	954	烟草制品批发	山东省泰安市泰山区
中国石油天然气股份有限公司内蒙古乌兰察布销售分公司	24808	136957	1882	石油及制品批发	内蒙古自治区乌兰察布市集宁区
湖北省烟草公司荆门市公司	24796	71188	398	烟草制品批发	湖北省荆门市东宝区
鄂尔多斯市蒙凯汽车销售有限责任公司	24678	33955	214	汽车、摩托车及零配件批发	内蒙古自治区鄂尔多斯市东胜区
甘肃省烟草公司陇南分公司	24618	60098	633	烟草制品批发	甘肃省陇南市武都区
尤尼佳生活用品服务（上海）有限公司	24553	91511	268	化妆品及卫生用品批发	上海市黄浦区
中国石油天然气股份有限公司辽宁抚顺销售分公司	24403	207461	659	石油及制品批发	辽宁省抚顺市新抚区
广西族自治区贺州市烟草公司	24301	40674	646	烟草制品批发	广西壮族自治区贺州市兴宁区
深圳市沙头角商业外贸有限公司	24249	40067	335	烟草制品批发	广东省深圳市盐田区
福建省医药（集团）有限责任公司	24216	47129	316	中药材及中成药批发	福建省福州市鼓楼区
中国石油化工股份有限公司河北廊坊石油分公司	24115	183741	978	石油及制品批发	河北省廊坊市广阳区
杭州市轻工工艺纺织品进出口有限公司	24029	216176	270	服装批发	浙江省杭州市拱墅区
广东省中山食品进出口有限公司	24003	136596	422	肉、禽、蛋及水产品批发	广东省中山市
福建远洋渔业集团公司	23899	33161	739	肉、禽、蛋及水产品批发	福建省福州市鼓楼区
安徽省烟草公司亳州市公司	23886	91415	1275	烟草制品批发	安徽省亳州市谯城区
山西省烟草公司晋城市公司	23790	86584	450	烟草制品批发	山西省晋城市城区
上海烟草集团青浦烟草糖酒有限公司	23714	75195	645	烟草制品批发	上海市青浦区
广东烟草潮阳有限公司	23689	114721	215	烟草制品批发	广东省汕头市潮阳区
山西省朔州市矿业公司金沙滩煤炭集运站	23660	50596	715	煤炭及制品批发	山西省朔州市怀仁县
四川省烟草公司内江分公司	23631	96727	525	烟草制品批发	四川省内江市东兴区
中国石油化工股份有限公司云南大理分公司	23602	132453	231	石油及制品批发	云南省大理白族自治州大理市
上虞市医药有限责任公司	23500	50572	217	西药批发	浙江省绍兴市上虞市
三星（中国）投资有限公司广州分公司	23492	251192	260	家用电器批发	广东省广州市越秀区
中国石化股份有限公司荆门石油分公司	23453	67336	668	石油及制品批发	湖北省荆门市掇刀区
北京一商美洁商业有限公司	23334	114803	484	化妆品及卫生用品批发	北京市丰台区
海南省烟草公司海口公司	23321	180341	431	烟草制品批发	海南省海口市龙华区
武汉海尔工贸有限公司	23181	106759	1420	家用电器批发	湖北省武汉市东西湖区
湖南双舟医药有限公司	23151	64692	202	西药批发	湖南省长沙市长沙县
中国石油天然气股份有限公司辽宁盘锦销售分公司	23068	111913	792	石油及制品批发	辽宁省盘锦市双台子区
中国烟草总公司辽宁葫芦岛分公司	22899	82330	393	烟草制品批发	辽宁省葫芦岛市龙港区
烟台市供销石油公司	22837	62671	277	石油及制品批发	山东省烟台市芝罘区
黑龙江烟草公司大庆分公司	22824	96983	410	烟草制品批发	黑龙江省大庆市萨尔图区
内蒙古自治区烟草公司通辽分公司	22640	66902	604	烟草制品批发	内蒙古自治区通辽市科尔沁区
中国船舶燃料供应广州公司	22462	273924	384	石油及制品批发	广东省广州市黄埔区
湖北省烟草公司咸宁分公司	22434	83197	731	烟草制品批发	湖北省咸宁市市辖区
施华洛世奇（上海）贸易有限公司	22300	42701	216	其他日用品批发	上海市黄浦区
捷成（中国）贸易有限公司	22293	53818	309	饮料及茶叶批发	北京市东城区

4－1 续表16

企业名称	资产总计（万元）	销售额（万元）	全部从业人员年平均人数（人）	所属行业	企业所在地
浙江省烟草公司衢州分公司	22280	118575	208	烟草制品批发	浙江省衢州市柯城区
黑龙江省烟草公司齐齐哈尔分公司	22230	110434	711	烟草制品批发	黑龙江省齐齐哈尔市龙沙区
中国石油股份有限公司陕西汉中销售公司	22177	84826	797	石油及制品批发	陕西省汉中市汉台区
佛山市顺德区越大化工贸易有限公司	22175	156246	568	其他化工产品批发	广东省佛山市顺德区
云南省烟草公司马龙县公司	22060	33189	304	烟草制品批发	云南省曲靖市马龙县
福建省烟草公司宁化县公司	21972	37954	697	烟草制品批发	福建省三明市宁化县
云南省祥云县烟草公司	21949	34491	268	烟草制品批发	云南省大理白族自治州祥云县
中国石油化工股份有限公司河北张家口石油分公司	21902	184129	1048	石油及制品批发	河北省张家口市桥东区
杭州萧山医药有限公司	21839	53176	214	西药批发	浙江省杭州市萧山区
中油吉林松原销售分公司	21806	90916	312	石油及制品批发	吉林省松原市宁江区
上海烟草集团南汇烟草糖酒有限公司	21768	63318	500	烟草制品批发	上海市南汇区
中国石油新疆和田销售分工司	21630	48846	293	石油及制品批发	新疆维吾尔族自治区和田地区和田市
上海森联木业发展有限公司	21466	63975	258	建材批发	上海市黄浦区
中国船舶燃料供应大连公司	21414	54653	327	石油及制品批发	辽宁省大连市中山区
天津海尔工贸有限公司	21272	77053	450	家用电器批发	天津市北辰区
中国石油化工股份有限公司福建莆田石油分公司	21165	108184	785	石油及制品批发	福建省莆田市涵江区
上海市果品有限公司	21142	37857	500	果品、蔬菜批发	上海市黄浦区
成都海尔工贸有限公司	21115	94855	728	家用电器批发	四川省成都市青羊区
四川省烟草公司自贡分公司	21069	76321	340	烟草制品批发	四川省自贡市自流井区
保定市科美贸易有限公司	20958	221747	485	汽车、摩托车及零配件批发	河北省保定市南市区
沈阳十二线农副产品有限公司	20791	38331	254	果品、蔬菜批发	辽宁省沈阳市和平区
玉林市烟草公司	20747	91561	621	烟草制品批发	广西壮族自治区玉林市玉州区
中国石油天然气股份有限公司辽宁阜新销售分司	20609	118784	701	石油及制品批发	辽宁省阜新市海州区
辽宁省烟草公司抚顺市公司	20599	81894	361	烟草制品批发	辽宁省抚顺市新抚区
襄城县烟草公司	20557	36109	591	烟草制品批发	河南省许昌市襄城县
云南烟草西双版纳傣族自治州公司	20553	43313	226	烟草制品批发	云南省西双版纳州景洪市
浙江省诸暨市对外经济贸易有限公司	20317	54758	241	服装批发	浙江省绍兴市诸暨市
浙江国商实业股份有限公司	20317	40861	263	家用电器批发	浙江省台州市椒江区
中国石油化工股份有限公司湖南郴州分公司	20283	179833	830	石油及制品批发	湖南省郴州市苏仙区
友讯电子设备（上海）有限公司	20278	45803	203	计算机、软件及辅助设备批发	上海市长宁区
中国出版对外贸易总公司	20225	39079	710	图书批发	北京市朝阳区
黑龙江省烟草公司绥化分公司	20117	92239	1004	烟草制品批发	黑龙江省绥化市北林区
河北省烟草公司衡水分公司	20071	94315	1057	烟草制品批发	河北省衡水市桃城区
吉林省烟草公司松原分公司	20025	57607	428	烟草制品批发	吉林省松原市宁江区
温州成功集团有限公司	20017	52244	244	服装批发	浙江省温州市鹿城区
河北机械进出口公司	19982	60906	206	其他机械设备及电子产品批发	河北省石家庄市新华区
榆林市煤炭出口集团有限责任公司	19978	32056	349	煤炭及制品批发	陕西省府谷市府谷县
四川省绵阳药业集团公司	19962	42342	623	西药批发	四川省绵阳市涪城区
耐克体育（中国）有限公司	19921	31915	435	鞋帽批发	江苏省苏州市太仓市
中国石油化工股份有限公司安徽淮南分公司	19878	149402	632	石油及制品批发	安徽省淮南市田家庵区
陕西省烟草公司汉中分公司	19863	93739	805	烟草制品批发	陕西省汉中市汉台区
四川省烟草公司眉山分公司	19791	74681	342	烟草制品批发	四川省眉山市东坡区
杭州海尔工贸有限公司	19724	62291	800	家用电器批发	浙江省杭州市上城区
常州糖烟酒股份有限公司	19630	78306	206	其他食品批发	江苏省常州市钟楼区
江西四特酒营销有限责任公司	19624	67819	732	饮料及茶叶批发	江西省宜春市樟树市
中国石油化工股份有限公司河南漯河石油分公司	19620	93030	450	石油及制品批发	河南省漯河市召陵区
烟台天航汽车销售服务有限公司	19612	32520	200	汽车、摩托车及零配件批发	山东省烟台市芝罘区
上海市江桥批发市场经营管理有限公司	19564	217266	646	果品、蔬菜批发	上海市嘉定区
中国石油天然气股份有限公司安康销售分公司	19543	84500	595	石油及制品批发	陕西省安康市汉滨区
中国石油化工股份有限公司六盘水石油分公司	19524	75260	621	石油及制品批发	贵州省六盘水市钟山区

4－1　续表 17

企业名称	资产总计（万元）	销售额（万元）	全部从业人员年平均人数（人）	所属行业	企业所在地
甘肃省烟草公司白银分公司	19469	47399	376	烟草制品批发	甘肃省白银市白银区
山东药山医药有限公司	19411	105127	330	西药批发	山东省济南市历城区
中石化湖北石油公司恩施分公司	19397	85848	620	石油及制品批发	湖北省恩施州恩施市
云南省烟草禄劝县公司	19359	33794	211	烟草制品批发	云南省昆明市禄劝彝族苗族自治县
银川新华百货东桥家电有限公司	19325	64039	340	家用电器批发	宁夏回族自治区银川市金凤区
山东东营烟草有限公司	19317	69264	384	烟草制品批发	山东省东营市东营区
昆山双鹤医药有限责任公司	19305	56795	371	西药批发	江苏省苏州市昆山市
山东荣庆物流有限公司	19270	48214	2660	果品、蔬菜批发	黑龙江省哈尔滨市道里区
黑龙江省新华书店	19270	40193	228	图书批发	山东省临沂市苍山县
中国石油天然气股份有限公司河北沧州销售公司	19269	69146	685	石油及制品批发	河北省沧州市运河区
中国石油天然汽股份有限公司四川绵阳销售分司	19238	57364	581	石油及制品批发	四川省绵阳市涪城区
广东烟草中山市有限责任公司	19230	123149	250	烟草制品批发	广东省中山市
山西省蒲县煤炭运销公司	19196	233772	779	煤炭及制品批发	山西省临汾市蒲县
四川省烟草公司广安分公司	19103	75184	459	烟草制品批发	四川省广安市广安区
陕西省烟草公司商洛分公司	19055	49631	850	烟草制品批发	陕西省商洛市商州区
天津罗升企业有限公司	18973	43015	221	其他机械设备及电子产品批发	天津市东丽区
中国船舶燃料供应青岛公司	18937	217701	345	石油及制品批发	山东省青岛市市北区
中国石油四川广元销售分公司	18871	77518	653	石油及制品批发	四川省广元市市中区
上海雅马哈建设摩托车销售有限公司	18834	186369	238	汽车、摩托车及零配件批发	上海市徐汇区
中国石油天然气股份有限公司攀枝花分公司	18814	57760	619	石油及制品批发	四川省攀枝花市东区
安徽省烟草公司铜陵市公司	18789	46564	224	烟草制品批发	安徽省铜陵市狮子山区
浙江温州医药商业集团有限公司	18762	41009	305	西药批发	浙江省温州市鹿城区
中国石油天然气股份有限公司四川南充销售分司	18712	99116	747	石油及制品批发	四川省南充市顺庆区
广东省南海食品进出口有限公司	18675	94231	202	其他食品批发	广东省佛山市南海区
江苏永乐家用电器有限公司	18632	120668	677	家用电器批发	江苏省无锡市崇安区
四川省烟草公司资阳市公司	18620	61689	523	烟草制品批发	四川省资阳市雁江区
绍兴县华通医药有限公司	18570	38471	422	西药批发	浙江省绍兴市绍兴县
广东龙粤通信设备有限公司	18525	83916	505	通讯及广播电视设备批发	广东省广州市天河区
山东聊城烟草有限公司	18478	105950	955	烟草制品批发	山东省聊城市东昌府区
中国石油化工股份有限公司湖南怀化石油分公司	18474	51072	890	石油及制品批发	湖南省怀化市鹤城区
浙江康恩贝医药销售有限公司	18357	49873	210	西药批发	浙江省杭州市上城区
中国石化股份有限公司黔南石油分公司	18286	77280	287	石油及制品批发	贵州省黔南布依族苗族自治州都匀市
中国石油河北销售廊坊分公司	18253	95075	768	石油及制品批发	河北省廊坊市广阳区
上海虹桥药业有限公司	18196	65867	429	其他未列明的批发	上海市闵行区
芜湖中油石油有限公司	18165	79617	373	石油及制品批发	安徽省芜湖市鸠江区
内蒙古河套酒业集团销售有限公司	18142	53073	467	饮料及茶叶批发	内蒙古自治区巴彦淖尔市杭锦后旗
合肥海尔工贸有限公司	18129	90295	892	家用电器批发	安徽省合肥市瑶海区
中国石油化工股份有限公司江西萍乡石油分公司	18080	70029	391	石油及制品批发	江西省萍乡市安源区
吉林省烟草公司四平分公司	18034	52626	527	烟草制品批发	吉林省四平市铁东区
中国石油天然气股份有限公司四川德阳销售分公司	18007	117800	705	石油及制品批发	四川省德阳市旌阳区
中油黑龙江牡丹江销售分公司	17951	103847	360	石油及制品批发	黑龙江省牡丹江市阳明区
中国石油化工股份有限公司江西新余石油分公司	17892	86162	563	石油及制品批发	江西省新余市渝水区
国石油化工股份有限公司广东云浮石油分公司	17844	59232	354	石油及制品批发	广东省云浮市云城区
连云港市康缘医药商业有限公司	17775	37086	273	西药批发	江苏省连云港市新浦区
茂名市实业发展集团公司	17745	44188	329	其他化工产品批发	广东省茂名市茂南区
内蒙古自治区烟草公司兴安分公司	17673	39658	354	烟草制品批发	内蒙古自治区兴安盟乌兰浩特市
济宁海尔工贸有限公司	17642	59493	350	家用电器批发	山东省济宁市任城区
中国石油天然气股份公司四川宜宾销售分公司	17626	112750	643	石油及制品批发	四川省宜宾市翠屏区
中油陕西延安销售公司	17491	330991	948	石油及制品批发	陕西省延安市宝塔区
深圳市海尔贸易有限公司	17453	48075	791	家用电器批发	广东省深圳市福田区

4－1 续表 18

企业名称	资产总计（万元）	销售额（万元）	全部从业人员年平均人数（人）	所属行业	企业所在地
中国石油四川川南销售分公司	17432	61599	360	石油及制品批发	四川省自贡市自流井区
四川本草堂药业有限公司	17308	73650	230	西药批发	四川省成都市金牛区
南宁市医药有限责任公司	17285	30378	278	西药批发	广西壮族自治区南宁市西乡塘区
宁波大榭海尔工贸有限公司	17279	59652	500	家用电器批发	浙江省宁波市北仑区
中国石油化工股份有限公司黔东南石油分公司	17266	64915	420	石油及制品批发	贵州省黔东南苗族侗族自治州凯里市
黑龙江省农业机械有限责任公司	17239	46563	219	农业机械批发	黑龙江省哈尔滨市南岗区
中石油天然气股份有限公司福建福州销售分公司	17223	90902	342	石油及制品批发	福建省福州市鼓楼区
吉林省烟草公司通化分公司	17169	73961	387	烟草制品批发	吉林省通化市东昌区
辽宁省烟草公司阜新市公司	17058	55829	528	烟草制品批发	辽宁省阜新市海州区
内蒙古烟草公司巴彦淖尔市公司	17034	59113	325	烟草制品批发	内蒙古自治区巴彦淖尔市临河区
福建九州通医药有限公司	16972	64120	297	西药批发	福建省福州市马尾区
中国烟草总公司辽宁省本溪分公司	16951	62318	296	烟草制品批发	辽宁省本溪市明山区
太原海尔工贸有限公司	16909	72092	390	家用电器批发	山西省太原市小店区
河北烟草公司承德分公司	16906	84388	587	烟草制品批发	河北省承德市双桥区
上海烟草集团杨浦区烟草糖酒有限公司	16875	50930	363	烟草制品批发	上海市杨浦区
山东滨州烟草有限公司	16871	95508	702	烟草制品批发	山东省滨州市滨城区
上海市良菱配销有限公司	16828	36739	564	米、面制品及食用油批发	上海市徐汇区
无锡海尔工贸有限公司	16816	81423	589	家用电器批发	江苏省无锡市锡山区
梧州市烟草公司	16815	67873	202	烟草制品批发	广西壮族自治区梧州市长洲区
长沙海尔工贸有限公司	16604	78926	540	家用电器批发	湖南省长沙市天心区
呼伦贝尔烟草公司	16587	64072	644	烟草制品批发	内蒙古自治区呼伦贝尔市海拉尔区
江西省烟草公司萍乡分公司	16452	65290	377	烟草制品批发	江西省萍乡市安源区
上海烟草集团普陀烟草糖酒有限公司	16399	63818	431	烟草制品批发	上海市普陀区
中国石油股份有限公司内蒙古兴安销售分公司	16391	97622	1184	石油及制品批发	内蒙古自治区兴安盟乌兰浩特市
中国石油天然气股份有限公司四川凉山销售分公司	16367	88989	535	石油及制品批发	四川省凉山州西昌市
甘肃省烟草公司武威分公司	16246	34418	350	烟草制品批发	甘肃省武威市凉州区
中油西藏销售分公司拉萨公司	16239	63019	292	石油及制品批发	西藏自治区拉萨市市辖区
云南省烟草腾冲县公司	16062	46954	237	烟草制品批发	云南省保山市腾冲县
江西省烟草公司鹰潭分公司	15956	50473	269	烟草制品批发	江西省鹰潭市月湖区
花王（上海）产品服务有限公司	15879	49893	362	化妆品及卫生用品批发	上海市黄浦区
云南省烟草宾川县公司	15800	30465	289	其他农畜产品批发	云南省大理白族自治州宾川县
中国石油化工股份有限公司三明石油分公司	15725	144693	860	石油及制品批发	福建省三明市梅列区
黑龙江省烟草公司牡丹江分公司	15723	67466	440	烟草制品批发	黑龙江省牡丹江市爱民区
山西省烟草公司阳泉市公司	15652	44661	269	烟草制品批发	山西省阳泉市城区
北京中得高雅经贸有限公司	15643	31832	500	其他日用品批发	北京市朝阳区
中国石油天然气股份有限公司新疆吐鲁番销售分公司	15609	52737	418	石油及制品批发	新疆维吾尔族自治区吐鲁番地区吐鲁番市
杭州果品有限公司	15541	59590	207	果品、蔬菜批发	浙江省杭州市江干区
四川省烟草公司雅安分公司	15492	42163	238	烟草制品批发	四川省雅安市雨城区
江苏通灵翠钻有限公司	15446	55986	320	首饰、工艺品及收藏品批发	江苏省南京市白下区
四川射洪沱牌曲酒营萧有限公司	15381	71628	215	饮料及茶叶批发	四川省遂宁市射洪县
宗申产业集团重庆动力产品销售有限公司	15089	111317	250	汽车、摩托车及零配件批发	重庆市九龙坡区
北京鑫方盛五金交电有限公司	15084	63313	711	五金、交电批发	北京市丰台区
广州爱联科技有限公司	15080	77542	210	计算机、软件及辅助设备批发	广东省广州市天河区
中油北京销售有限公司	15068	107451	362	石油及制品批发	北京市海淀区
河南省烟草公司焦作分公司	14993	64748	692	烟草制品批发	河南省焦作市山阳区
重庆煤炭集团物资有限责任公司	14881	62713	215	煤炭及制品批发	重庆市渝中区
上海烟草集团静安烟草糖酒有限公司	14793	30132	238	烟草制品批发	上海市静安区
广西壮族自治区贵港市烟草公司	14772	68310	464	烟草制品批发	广西壮族自治区贵港市港北区
佛山市顺德区北窖镇供销社	14765	33697	290	家用电器批发	广东省佛山市顺德区
广西壮族自治区北海市烟草公司	14709	43715	240	烟草制品批发	广西壮族自治区北海市海城区

4－1 续表 19

企业名称	资产总计（万元）	销售额（万元）	全部从业人员年平均人数（人）	所属行业	企业所在地
怀仁县南窑煤业有限责任公司	14695	38500	315	煤炭及制品批发	山西省朔州市怀仁县
宁波市鄞州医药药材有限公司	14644	32315	215	西药批发	浙江省宁波市江东区
云南白药大药房有限公司	14612	42764	333	其他化工产品批发	云南省昆明市盘龙区
中国烟草总公司辽宁省辽阳市分公司	14576	64434	280	烟草制品批发	辽宁省辽阳市文圣区
广东省烟草兴宁市有限公司	14531	49278	202	烟草制品批发	广东省梅州市兴宁市
上海雷允上北区药业股份有限公司	14482	44468	471	中药材及中成药批发	上海市虹口区
吉林敖东医药有限责任公司	14475	34830	645	中药材及中成药批发	吉林省延边朝鲜族自治州延吉市
楚雄州烟草楚雄市公司	14447	35182	284	烟草制品批发	云南省楚雄州楚雄市
金华市医药有限公司	14434	37903	262	西药批发	浙江省金华市婺城区
湖南省印刷物资总公司	14406	40760	253	其他未列明的批发	湖南省长沙市开福区
中国石油天然气股份有限公司四川达州销售分司	14379	91242	613	石油及制品批发	四川省达州市通川区
上海东洋之花经贸有限公司	14371	32056	272	化妆品及卫生用品批发	上海市浦东新区
中国烟草总公司辽宁省盘锦分公司	14348	49934	215	烟草制品批发	辽宁省盘锦市兴隆台区
广东烟草南海市有限公司	14274	113511	210	烟草制品批发	广东省佛山市南海区
上海烟草集团长宁烟草糖酒有限公司	14239	44803	296	烟草制品批发	上海市长宁区
沾化县王尔庄海产品有限公司	14200	203567	367	肉、禽、蛋及水产品批发	黑龙江省双鸭山市尖山区
黑龙江双鸭山市石油公司	14200	83306	766	石油及制品批发	山东省滨州市沾化县
江西省仁和药业有限公司	14178	65574	3000	中药材及中成药批发	江西省宜春市樟树市
上海华氏大药房配送中心有限公司	14045	62018	420	西药批发	上海市虹口区
吉林省烟草公司白城分公司	14007	44509	350	烟草制品批发	吉林省白城市洮北区
佛山市联强电通贸易有限公司	13999	33678	200	家用电器批发	广东省佛山市顺德区
乐金生活健康贸易（上海）有限公司	13985	58508	447	化妆品及卫生用品批发	上海市徐汇区
厦门青岛啤酒东南营销有限公司	13869	64161	460	其他食品批发	福建省厦门市思明区
烟草公司	13855	48355	380	烟草制品批发	湖北省随州市市辖区
穆勒电气（上海）有限公司	13847	38087	221	其他机械设备及电子产品批发	上海市黄浦区
四川省烟草公司阿坝州公司	13821	30897	212	烟草制品批发	四川省阿坝州汶川县
成都新亚通讯技术有限公司	13785	56867	514	通讯及广播电视设备批发	四川省成都市武侯区
黑龙江省烟草公司佳木斯分公司	13751	66567	521	烟草制品批发	黑龙江省佳木斯市向阳区
大连海尔工贸有限公司	13688	51297	303	其他机械设备及电子产品批发	辽宁省大连市中山区
哈尔滨海尔工贸有限公司	13668	107949	450	家用电器批发	黑龙江省哈尔滨市道外区
泰科医疗器材国际贸易（上海）有限公司	13618	36464	345	医疗用品及器材批发	上海市徐汇区
中国物资储运衡阳公司	13546	63675	217	金属及金属矿批发	湖南省衡阳市衡南县
中国石油天然气股份有限公司浙江宁波销售分公司	13494	103034	276	石油及制品批发	浙江省宁波市江东区
中石油天然气股份有限公司黑龙江鹤岗分公司	13436	47076	370	石油及制品批发	黑龙江省鹤岗市工农区
天津百货商务贸易总公司	13379	35240	205	其他日用品批发	天津市和平区
中国船舶燃料供应秦皇岛公司	13363	64225	241	石油及制品批发	河北省秦皇岛市海港区
中油石油天然气股份有限公司江苏淮安分公司	13262	45862	400	石油及制品批发	江苏省淮安市清河区
上海微欣工贸有限公司	13243	68944	269	计算机、软件及辅助设备批发	上海市长宁区
福州海尔工贸有限公司	13226	59828	563	家用电器批发	福建省福州市鼓楼区
吉林省烟草公司辽源市公司	13207	31610	304	烟草制品批发	吉林省辽源市龙山区
浙江帅康营销有限公司	13163	76831	504	家用电器批发	浙江省宁波市余姚市
宁夏回族自治区烟草公司吴忠市分公司	13057	46214	239	烟草制品批发	宁夏回族自治区吴忠市利通区
福安市医药有限公司	12975	42247	332	西药批发	福建省宁德市 福安市
山东鲁南蔬菜产业有限公司	12957	135701	369	果品、蔬菜批发	山东省临沂市苍山县
中国石油天然气股分有限公司黑龙江佳木斯销售分公司	12894	75639	1102	石油及制品批发	黑龙江省佳木斯市向阳区
中国石油天然气股份有限公司黑龙江大庆销售分公司	12880	168491	402	石油及制品批发	黑龙江省大庆市龙凤区
中国石化股份公司湘西自治州石油分公司	12848	39687	500	石油及制品批发	湖南省湘西土家族苗族自治州吉首市
成都德仁堂药业有限公司	12757	32488	405	中药材及中成药批发	四川省成都市青羊区
上海汇丰医药药材有限责任公司	12756	38944	312	西药批发	上海市徐汇区
怀仁县宋庄煤炭运销站	12718	30654	500	煤炭及制品批发	山西省朔州市怀仁县

4－1 续表 20

企业名称	资产总计（万元）	销售额（万元）	全部从业人员年平均人数（人）	所属行业	企业所在地
海南省烟草公司琼海公司	12716	68289	210	烟草制品批发	海南省琼海市琼海市
中国石油天然气股份公司阿勒泰分公司	12693	55872	582	石油及制品批发	新疆维吾尔族自治区阿勒泰地区阿勒泰市
郑州铁路煤炭运销有限公司	12671	76096	349	煤炭及制品批发	河南省郑州市二七区
甘肃仕通汽车销售有限公司	12584	53224	278	汽车、摩托车及零配件批发	甘肃省兰州市七里河区
包头宁鹿石油有限公司	12556	94513	283	石油及制品批发	内蒙古自治区包头市九原区
四川省烟草公司巴中分公司	12521	50623	387	烟草制品批发	四川省巴中市巴州区
山东鲁抗药品经营有限公司	12510	53249	221	西药批发	山东省济宁市任城区
江西创力医药有限公司	12422	40096	218	西药批发	江西省南昌市青山湖区
河北常青实业集团有限公司	12244	38008	720	石油及制品批发	河北省石家庄市井陉县
辽宁众汇实业发展有限公司	12213	37653	356	服装批发	辽宁省大连市中山区
中石化长江燃料有限公司南京分公司	12141	217062	474	石油及制品批发	江苏省南京市下关区
云南省烟草大理市烟草公司	11952	35987	217	烟草制品批发	云南省大理白族自治州大理市
中国石油天然气股份有限公司四川雅安销售分公司	11949	64942	331	石油及制品批发	四川省雅安市雨城区
四川省盐业总公司成都分公司	11877	31447	233	盐及调味品批发	四川省成都市青羊区
广西壮族自治区烟草公司钦州分公司	11835	52152	426	烟草制品批发	广西壮族自治区钦州市钦南区
中国石油天然气股份有限公司辽宁朝阳销售分公司	11601	144028	668	石油及制品批发	辽宁省朝阳市双塔区
江西省烟草公司新余分公司	11592	40612	252	烟草制品批发	江西省新余市渝水区
南昌海尔工贸有限公司	11557	45876	690	家用电器批发	江西省南昌市青山湖区
国药集团化学试剂有限公司	11480	40056	371	西药批发	上海市黄浦区
北京市汽车贸易公司	11478	37642	259	汽车、摩托车及零配件批发	北京市朝阳区
菏泽中油石油销售有限公司	11443	74257	331	石油及制品批发	山东省菏泽市牡丹区
成都市医药工业有限公司	11356	48322	202	西药批发	四川省成都市金牛区
中国石油化工股份有限公司吕梁石油公司	11351	164932	960	石油及制品批发	山西省吕梁市 孝义市
中国烟草总公司黑龙江省鸡西分公司	11309	47349	339	烟草制品批发	黑龙江省鸡西市鸡冠区
中石油集团股份有限公司商洛销售分公司	11289	65484	556	石油及制品批发	陕西省商洛市商州区
青海省烟草公司西宁分公司	11209	85547	305	烟草制品批发	青海省西宁市城西区
山东莱芜烟草有限公司	11166	32602	272	烟草制品批发	山东省莱芜市莱城区
天津裕华经济贸易总公司	11131	66845	319	其他化工产品批发	天津市和平区
宁波布利杰进出口有限公司	11108	72209	212	服装批发	浙江省宁波市江东区
新兴县温氏食品联营有限公司	11019	33136	327	肉、禽、蛋及水产品批发	广东省云浮市新兴县
福建省烟草公司永安市公司	11007	30180	233	烟草制品批发	福建省三明市永安市
中盐河北盐业专营有限公司	10994	33846	261	盐及调味品批发	河北省石家庄市桥东区
朔州矿业公司岱岳运销站	10977	66626	505	煤炭及制品批发	山西省朔州市山阴县
吉林省烟草公司白山分公司	10952	34453	275	烟草制品批发	吉林省白山市八道江区
江苏联发进出口有限公司	10947	52384	241	纺织品、针织品及原料批发	江苏省南通市海安县
深圳市大水联合酒业有限公司	10937	38540	712	饮料及茶叶批发	广东省深圳市罗湖区
重庆科渝药品经营有限责任公司	10889	61090	296	西药批发	重庆市南岸区
中国石油天然气股份有限公司四川巴中销售公司	10882	42846	352	石油及制品批发	四川省巴中市巴州区
中石化股份有限公司安徽淮北石油分公司	10880	80678	335	石油及制品批发	安徽省淮北市相山区
广州开发区中穗燃气有限公司	10878	162851	264	石油及制品批发	广东省广州市黄埔区
北京紫竹医药经营有限公司	10854	59844	295	西药批发	北京市海淀区
九江石化三鑫实业总公司	10755	166226	201	石油及制品批发	江西省九江市浔阳区
长春海尔工贸有限公司	10596	49322	248	家用电器批发	吉林省长春市宽城区
上海中油大庆石油化工销售公司	10580	45405	219	石油及制品批发	上海市虹口区
上海蒙牛乳业有限公司	10488	81339	437	其他食品批发	上海市闸北区
中国石油天然气股份有限公司山东聊城销售分公司	10454	34765	304	石油及制品批发	山东省聊城市东昌府区
黑龙江省双鸭山市烟草分公司	10439	45146	265	烟草制品批发	黑龙江省双鸭山市尖山区
海南省烟草公司三亚公司	10427	76080	256	烟草制品批发	海南省三亚市市辖区
天津市新的纺织品进出口有限公司	10420	31779	219	纺织品、针织品及原料批发	天津市和平区
西宁农业机械化有限责任公司	10357	115749	301	农业机械批发	青海省西宁市城北区

4－1　续表21

企业名称	资产总计（万元）	销售额（万元）	全部从业人员年平均人数（人）	所属行业	企业所在地
上海三联集团钟表眼镜照相器材批发中心	10306	55256	452	其他日用品批发	上海市黄浦区
曲江县宜达燃料开发有限公司	10272	44722	318	煤炭及制品批发	广东省韶关市曲江区
温岭市食品总公司	10260	41013	525	肉、禽、蛋及水产品批发	浙江省台州市温岭市
广西壮族自治区来宾市烟草公司	10229	48998	364	烟草制品批发	广西壮族自治区来宾市兴宾区
仙居制药销售有限公司	10211	48264	627	西药批发	浙江省台州市仙居县
西安新西北双鹤医药有限责任公司	10210	43929	208	中药材及中成药批发	陕西省西安市未央区
西安海尔工贸有限公司	10198	54456	365	家用电器批发	陕西省西安市碑林区
浙江省烟草公司象山县公司	10080	68008	251	烟草制品批发	浙江省宁波市象山县
湖北省烟草公司鄂州市公司	9996	34183	200	烟草制品批发	湖北省鄂州市鄂城区
乌鲁木齐海尔工贸有限公司	9991	43519	735	家用电器批发	新疆维吾尔族自治区乌鲁木齐市天山区
上海第一食品连锁发展有限公司	9988	32338	251	其他食品批发	上海市黄浦区
晋城市沁水县公路煤炭销售有限公司	9868	89343	286	煤炭及制品批发	山西省晋城市沁水县
天津天服三悦服装有限责任公司	9856	53366	233	服装批发	天津市西青区
中国石油天然气股份有限公司安徽阜阳销售分公司	9817	33858	257	石油及制品批发	安徽省阜阳市市辖区
邢台大众汽车广场有限公司	9780	32916	230	汽车、摩托车及零配件批发	河北省邢台市邢台县
湖南南山食品有限公司(贸易)	9779	41750	220	其他未列明的批发	湖南省长沙市开福区
上海立丰食品有限公司	9735	44169	577	肉、禽、蛋及水产品批发	上海市静安区
宣威市煤炭供销公司	9571	59015	233	煤炭及制品批发	云南省曲靖市宣威市
新疆烟草公司巴州公司	9546	44749	205	烟草制品批发	新疆维吾尔族自治区巴州库尔勒市
仪征怡华商贸发展有限公司	9479	78027	366	其他化工产品批发	江苏省扬州市仪征市
广东温氏食品集团有限公司稔村分公司	9437	31699	384	肉、禽、蛋及水产品批发	广东省云浮市新兴县
上海青岛啤酒华东销售有限公司	9388	72747	355	其他食品批发	上海市宝山区
黑河市烟草公司	9365	41023	358	烟草制品批发	黑龙江省黑河市市辖区
湖北省烟草公司天门分公司	9349	36358	221	烟草制品批发	湖北省天门市天门市
成都神州数码有限公司	9298	151666	240	计算机、软件及辅助设备批发	四川省成都市武侯区
内蒙古伊利实业集团股份公司杜尔伯特分公司	9283	45159	364	其他农畜产品批发	黑龙江省大庆市杜尔伯特蒙古族自治县
厦门海尔工贸有限公司	9272	47445	280	家用电器批发	福建省厦门市思明区
南京医药南通健桥有限公司	9145	31958	265	西药批发	江苏省南通市如东县
商丘市华杰医药有限公司	9131	40600	202	西药批发	河南省商丘市睢阳区
大金(中国)投资有限公司广州分公司	9063	66018	217	家用电器批发	广东省广州市天河区
洛阳鼎信御安药业有限公司	8995	36735	200	中药材及中成药批发	河南省洛阳市西工区
北京蒙牛宏达乳制品有限责任公司	8981	105719	1032	饮料及茶叶批发	北京市丰台区
山西省煤炭运销总公司临汾分公司尧都区公司	8890	97380	730	煤炭及制品批发	山西省临汾市尧都区
中国石油化工股份有限公司安徽铜陵石油分公司	8848	66610	230	石油及制品批发	安徽省铜陵市铜官山区
天津国药渤海医药有限公司	8833	35095	200	西药批发	天津市南开区
上海雨润肉食品有限公司	8671	61931	280	其他农畜产品批发	上海市普陀区
攀钢集团钢城企业总公司	8651	44771	550	金属及金属矿批发	四川省攀枝花市东区
东莞市大地通讯连锁服务有限公司	8647	39131	235	通讯及广播电视设备批发	广东省东莞市
广东烟草五华县有限公司	8630	42445	397	烟草制品批发	广东省梅州市五华县
中国石油天然气股份有限公司七台河分公司	8619	56946	570	石油及制品批发	黑龙江省七台河市桃山区
广东温氏食品集团有限公司勒竹分公司	8427	32219	535	肉、禽、蛋及水产品批发	广东省云浮市新兴县
上海思创服饰有限公司	8327	57295	845	服装批发	上海市长宁区
安徽省宣城市医药有限公司	8324	34635	300	西药批发	安徽省宣城市宣州区
洛阳长仑农业机械有限公司	8305	52364	400	农业机械批发	河南省洛阳市涧西区
上海好德企业发展有限公司	8287	35047	220	其他食品批发	上海市卢湾区
宁夏回族自治区烟草公司固原分公司	8259	30124	234	烟草制品批发	宁夏回族自治区固原市原州区
济南轻骑销售有限公司	8237	69603	280	汽车、摩托车及零配件批发	山东省济南市历下区
青岛国运集团有限公司	8204	31372	311	汽车、摩托车及零配件批发	山东省青岛市李沧区
云南省烟草昭通市昭阳区公司	8118	55004	460	烟草制品批发	云南省昭通市昭阳区
中国石油天然气股份有限公司浙江舟山销售分公司	8056	88733	229	石油及制品批发	浙江省舟山市普陀区

4－1　续表 22

企业名称	资产总计（万元）	销售额（万元）	全部从业人员年平均人数（人）	所属行业	企业所在地
南宁市王者通讯设备有限公司	8025	45551	376	通讯及广播电视设备批发	广西壮族自治区南宁市青秀区
广州东方四海科技有限公司	7798	83269	366	计算机、软件及辅助设备批发	广东省广州市天河区
中国石油天然气股份有限公司黑龙江实华销售分公司	7790	40692	390	石油及制品批发	黑龙江省哈尔滨市道里区
济南果品总公司	7761	51980	337	果品、蔬菜批发	山东省济南市市中区
河南中油高速公路油品股份有限公司	7703	129154	518	石油及制品批发	河南省郑州市金水区
河南省烟草公司鹤壁分公司	7471	33104	307	烟草制品批发	河南省鹤壁市淇滨区
深圳市乌娜贸易有限公司	7390	57666	1250	饮料及茶叶批发	广东省深圳市福田区
中油天然气服份有限公司黑龙江肇东销售公司	6997	47335	486	石油及制品批发	黑龙江省绥化市肇东市
江苏真维斯服饰有限公司	6730	31776	800	服装批发	江苏省南京市雨花台区
中国石油新疆博州销售公司	6536	32429	323	石油及制品批发	新疆维吾尔族自治区博尔塔拉州博乐市
无锡北方化学工业公司	6523	33300	440	其他化工产品批发	江苏省无锡市锡山区
南京 TCL 电器销售有限公司	6416	94748	980	家用电器批发	江苏省南京市玄武区
福建吉马经贸有限公司	6413	36627	1096	饮料及茶叶批发	福建省漳州市芗城区
广东烟草梅县在限公司	6345	34180	290	烟草制品批发	广东省梅州市梅县
广州 TCL 电器销售有限公司	6303	76100	317	家用电器批发	广东省广州市越秀区
广东温氏食品集团有限公司车岗分公司	6294	32914	417	肉、禽、蛋及水产品批发	广东省云浮市新兴县
北京青岛啤酒北方销售有限公司	6249	68778	691	饮料及茶叶批发	北京市密云县
成都泰立电信商场有限公司	6200	50609	565	通讯及广播电视设备批发	四川省成都市青羊区
辽宁成大方圆医药有限公司	6188	52451	250	西药批发	辽宁省沈阳市和平区
中国石油天然气股份有限公司酒泉销售分公司	6117	128504	720	石油及制品批发	甘肃省酒泉市肃州区
中国石油天然气股份有限公司甘肃武威销售分公司	6035	105387	620	石油及制品批发	甘肃省武威市凉州区
河南省烟草公司邓州市公司	5904	32590	1238	烟草制品批发	河南省南阳市邓州市
昌吉州烟草商贸有限责任公司	5878	46613	256	烟草制品批发	新疆维吾尔族自治区昌吉回族自治州昌吉市
山西省平遥县煤炭运销公司	5763	30107	228	煤炭及制品批发	山西省晋中市平遥县
西双版纳中化安联橡胶有限公司	5497	39264	290	其他化工产品批发	云南省西双版纳州景洪市
昆明海尔工贸有限公司	5416	34822	304	家用电器批发	云南省昆明市五华区
内蒙古伊利实业集团股份有限公司济南分公司	5391	97543	280	饮料及茶叶批发	山东省济南市历下区
中国石油大然气股份有限公司黑龙江富锦销售分公司	5341	50558	268	石油及制品批发	黑龙江省佳木斯市富锦市
中油四川甘孜销售分公司	5312	55353	252	石油及制品批发	四川省甘孜州康定县
上海苏食肉品销售有限公司	5270	45193	349	肉、禽、蛋及水产品批发	上海市虹口区
北京市尧舜建材供应站	5242	41596	663	建材批发	北京市丰台区
新疆烟草公司阿克苏地区公司	5124	39226	225	烟草制品批发	新疆维吾尔族自治区阿克苏地区阿克苏市
河南波导销售有限公司	5089	41692	816	通讯及广播电视设备批发	河南省郑州市二七区
信宜市粤信肉类食品有限公司	5060	43528	643	肉、禽、蛋及水产品批发	广东省茂名市信宜市
中国石油天然气股份有限公司河北承德分公司	5020	53807	452	石油及制品批发	河北省承德市双桥区
南宁海尔工贸有限公司	4943	37145	443	家用电器批发	广西壮族自治区南宁市兴宁区
重庆金材物流有限公司	4895	44822	225	金属及金属矿批发	重庆市渝中区
中国石油化工股份有限公司湖北石油直属销售分公司	4870	289790	1250	石油及制品批发	湖北省武汉市乔口区
贵阳海尔工贸有限公司	4792	32506	375	家用电器批发	贵州省贵州省云岩区
苏州市物资回收利用有限公司	4721	30985	201	金属及金属矿批发	江苏省苏州市平江区
中国石油吉林长春销售分司榆树经营处	4592	43734	253	石油及制品批发	吉林省长春市榆树市
北京宝盛道吉体育用品有限公司	4362	43646	725	体育用品批发	北京市东城区
中国石油黑龙江省绥化销售分公司	4245	111286	924	石油及制品批发	黑龙江省绥化市北林区
高州市食品企业集团公司	4168	46535	847	肉、禽、蛋及水产品批发	广东省茂名市高州市
中国石化销售有限公司西北青海分公司	3980	35122	256	石油及制品批发	青海省西宁市城西区
北京 TCL 电子销售有限公司	3882	32202	214	家用电器批发	北京市西城区
杭州梯西爱乐(TCL)电器销售有限公司	3753	79635	421	家用电器批发	浙江省杭州市上城区
广西壮族自治区贵港市食品有限公司	3709	30739	308	肉、禽、蛋及水产品批发	广西壮族自治区贵港市港北区
中国石油化工股份有限公司忻州石油分公司	3708	105684	623	石油及制品批发	山西省忻州市忻府区
楚雄州烟草禄丰县公司	3662	36572	202	烟草制品批发	云南省楚雄州禄丰县

4－1 续表23

企业名称	资产总计（万元）	销售额（万元）	全部从业人员年平均人数（人）	所属行业	企业所在地
马鞍山市蓝天废旧物资回收有限公司	3654	31119	485	再生物资回收与批发	安徽省马鞍山市金家庄区
广西王者通讯设备有限公司	3605	34338	274	通讯及广播电视设备批发	广西壮族自治区南宁市青秀区
中石化股份有限公司湖北荆州石油分公司	3497	219462	1296	石油及制品批发	湖北省荆州市沙市区
海阳市胶东水产品批发市场	3200	55990	420	其他食品批发	山东省烟台市海阳市
包头市远大蔬菜瓜果副食品有限公司	3153	50807	739	果品、蔬菜批发	内蒙古自治区包头市东河区
深圳市晨光乳业有限公司	3057	40756	412	饮料及茶叶批发	广东省深圳市宝安区
四川省烟草公司乐山分公司	3000	95512	465	烟草制品批发	四川省乐山市市中区
肥城市银宝食品有限公司	2986	52911	840	肉、禽、蛋及水产品批发	山东省泰安市肥城市
济南 TCL 电器销售有限公司	2885	74374	665	家用电器批发	山东省济南市历城区
中国石油广西桂林销售分公司	2806	75918	300	石油及制品批发	广西壮族自治区桂林市七星区
中国石油天然气有限公司甘肃省庆阳销售分公司	2755	102033	469	石油及制品批发	甘肃省庆阳市西峰区
青岛海信营销有限公司广州分公司	2725	36965	300	五金、交电批发	广东省广州市海珠区
中国石油天然气股份有限公司甘肃临夏销售分公司	2675	46594	360	石油及制品批发	甘肃省临夏州临夏市
中油甘肃定西销售分公司	2593	81754	490	石油及制品批发	甘肃省定西市安定区
广东省东莞畜产进出口有限公司	2588	34200	236	其他机械设备及电子产品批发	广东省东莞市
长江 TCL 电器销售有限公司	2548	57497	353	家用电器批发	湖南省长沙市雨花区
中国石油天然气股份有限公司甘肃张掖销售分公司	2427	71529	468	石油及制品批发	甘肃省张掖市甘州区
成都 TCL 电器销售有限公司	2051	37151	258	家用电器批发	四川省成都市武侯区
内蒙古呱呱叫实业集团农副产品交易分公司	2019	39060	1160	其他农畜产品批发	内蒙古自治区包头市东河区
中国石油天然气股份有限公司玉林销售公司	1950	47708	268	石油及制品批发	广西壮族自治区玉林市玉州区
中石油化工股份有限公司山西临汾石油分公司	1889	103669	314	石油及制品批发	山西省临汾市尧都区
中国石油化工股份有限公司十堰石油分公司	1714	112215	401	石油及制品批发	湖北省十堰市茅箭区
中国石油天然气股份有限公司云南销售分公司	1711	53800	261	石油及制品批发	云南省大理白族自治州大理市
新疆中石化基钰化工销售有限公司	1551	30110	242	石油及制品批发	新疆维吾尔族自治区乌鲁木齐市新市区
深圳市鑫荣懋实业发展有限公司	1545	30559	216	果品、蔬菜批发	广东省深圳市罗湖区
内蒙古伊利集团成都分公司	1492	37524	259	其他食品批发	四川省成都市成华区
天津 TCL 电器销售有限公司	1488	41659	325	家用电器批发	天津市河西区
合肥 TCL 电器销售有限公司	1464	49495	270	家用电器批发	安徽省合肥市瑶海区
武汉 TCL 电器销售有限公司	1441	40087	328	家用电器批发	湖北省武汉市江岸区
中国石油化工股份有限公司湖北咸宁石分公司	1438	110558	605	石油及制品批发	湖北省咸宁市市辖区
中国石油天然气股份有限公司河南商丘销售分公司	1357	72443	651	石油及制品批发	河南省商丘市睢阳区
中国石油天然气股份有限公司湖南销售湘潭分公司	1314	34354	276	石油及制品批发	湖南省湘潭市雨湖区
上海江杨农产品批发市场经营管理有限公司	888	275646	340	果品、蔬菜批发	上海市宝山区
宇龙计算机通信科技（深圳）有限公司销售分公司	687	97301	600	通讯及广播电视设备批发	广东省深圳市福田区
中石油天然气公司河池分公司	51	49054	260	石油及制品批发	广西壮族自治区河池市金城江区
中国石油化工股份有限公司浙江绍兴石油分公司	0	349102	578	石油及制品批发	浙江省绍兴市越城区
中国烟草总公司辽宁公司	-562	131828	247	烟草制品批发	辽宁省沈阳市沈河区

4-2　大型零售企业名单及主要经济指标

企业名称	资产总计（万元）	销售额（万元）	全部从业人员年平均人数（人）	所属行业	企业所在地
联华超市股份有限公司	873820	2379728	46167	超级市场零售	上海市虹口区
重庆商社集团有限公司	870077	1737751	17589	百货零售	重庆市渝中区
国石油化工股份有限公司广东东莞石油分公司	583182	491638	1424	机动车燃料零售	广东省东莞市
中国石油化工股份有限公司北京石油分公司	554178	2533408	6093	机动车燃料零售	北京市朝阳区
上海百联集团股份有限公司	535506	238419	2864	百货零售	上海市黄浦区
大商集团股份有限公司	532462	429918	5932	百货零售	辽宁省大连市中山区
山东银座商城股份有限公司	517468	572175	2903	百货零售	山东省济南市历下区
农工商超市(集团)有限公司	484716	1724097	28470	超级市场零售	上海市普陀区
国美电器有限公司	473187	478278	3222	家用电器零售	北京市朝阳区
中石化上海石油分公司	426188	3054472	6487	机动车燃料零售	上海市黄浦区
中国石油化工股份有限公司惠州分公司	421187	116162	1293	机动车燃料零售	广东省惠州市惠城区
北京华联综合超市股份有限公司	406337	129334	1744	百货零售	北京市西城区
上海易初莲花连锁超市有限公司	399930	734483	2891	超级市场零售	上海市浦东新区
苏宁电器连锁集团股份有限公司	386268	474341	4584	家用电器零售	江苏省南京市鼓楼区
上海新世界股份有限公司	368078	191359	1380	百货零售	上海市黄浦区
上海大润发有限公司	362084	91211	1674	超级市场零售	上海市闸北区
武汉武商集团股份有限公司	341710	839292	7201	百货零售	湖北省武汉市江汉区
利群集团股份有限公司	327029	846521	4822	百货零售	山东省青岛市崂山区
北京王府井百货(集团)股份有限公司	313965	140667	2037	百货零售	北京市东城区
中百集团股份有限公司	308766	948011	11096	超级市场零售	湖北省武汉市江汉区
江苏五星电器有限公司	307722	564398	7356	家用电器零售	江苏省南京市鼓楼区
中石油化工股份有限公司湛江石油分公司	301030	220299	1322	机动车燃料零售	广东省湛江市霞山区
北京京客隆商业集团股份有限公司	298510	574690	5451	超级市场零售	北京市朝阳区
润华集团股份有限公司	286722	156589	786	汽车零售	山东省济南市槐荫区
深圳茂业商厦有限公司	267450	316060	1300	百货零售	广东省深圳市罗湖区
广东物资集团汽车贸易公司	267126	980912	2396	汽车零售	广东省广州市白云区
北京物美商业集团股份有限公司	265939	202594	864	超级市场零售	北京市石景山区
三联商社	255877	213407	1394	家用电器零售	山东省济南市历下区
四川新华文轩连锁股份有限公司	255678	274793	5792	图书零售	四川省成都市锦江区
华润万家有限公司	254535	543550	5688	超级市场零售	广东省深圳市罗湖区
唐山市冀东物贸集团有限公司	246322	398419	657	汽车零售	河北省唐山市滦县
中国石化股份有限公司广东中山石油分公司	240765	216009	776	机动车燃料零售	广东省中山市
北京市大中电器有限公司	240635	728725	2660	家用电器零售	北京市石景山区
苏果超市有限公司	238422	798208	15217	超级市场零售	江苏省南京市白下区
北京城乡贸易中心股份有限公司	232088	121847	787	百货零售	北京市海淀区
长沙通程实业集团有限公司	231447	114474	1749	百货零售	湖南省长沙市雨花区
上海永达控股(集团)有限公司	230215	307947	1860	汽车零售	上海市卢湾区
南京新街口百货商店股份有限公司	220806	158026	2127	百货零售	江苏省南京市白下区
北京物美综合超市有限公司	217169	308937	1411	超级市场零售	北京市大兴区
江苏无锡商业大厦集团有限公司	216206	434207	2118	百货零售	江苏省无锡市崇安区
天津一商友谊股份有限公司	206634	180455	1446	百货零售	天津市河西区
湖南友谊阿波罗股份有限公司	204322	176951	3997	百货零售	湖南省长沙市芙蓉区
锦江麦德龙现购自运有限公司	203969	936734	7667	超级市场零售	上海市普陀区
中石化股份有限公司山东临沂石油分公司	194267	192631	1285	机动车燃料零售	山东省临沂市河东区
长春欧亚集团股份有限公司	189920	668058	3279	百货零售	吉林省长春市朝阳区
沃尔玛深国投百货有限公司	186271	309417	6398	超级市场零售	广东省深圳市罗湖区
百盛商业发展有限公司	185313	190599	623	百货零售	北京市西城区
上海联家超市有限公司	181979	451083	5118	超级市场零售	上海市普陀区
华东医药股份有限公司	173078	348902	1055	药品零售	浙江省杭州市下城区
秦皇岛渤海物流控股股份有限公司	162249	85570	2460	百货零售	河北省秦皇岛市海港区

4－2　续表 1

企业名称	资产总计（万元）	销售额（万元）	全部从业人员年平均人数（人）	所属行业	企业所在地
中国石油化工股份有限公司广东梅州石油分公司	160401	145903	747	机动车燃料零售	广东省梅州市梅江区
深圳市国有免税商品(集团)有限公司	157329	111685	849	烟草制品零售	广东省深圳市罗湖区
大连美罗药业股份有限公司	155107	147517	1091	药品零售	辽宁省大连市甘井子区
宜兴华地百货有限公司	153843	94500	1438	百货零售	江苏省无锡市宜兴市
新疆友好集团股份有限公司	150106	90803	1508	百货零售	新疆维吾尔族自治区乌鲁木齐市沙依巴克区
南京金鹰国际购物集团有限公司	148711	180540	656	百货零售	江苏省南京市白下区
南京中央商场股份有限公司	148435	160760	2077	百货零售	江苏省南京市白下区
深圳天虹商场有限公司	148341	446992	4436	百货零售	广东省深圳市福田区
武汉中商集团股份有限公司	147444	600106	4815	百货零售	湖北省武汉市武昌区
深圳市国美电器有限公司	147285	224492	2706	家用电器零售	广东省深圳市福田区
北京市西单商场股份有限公司	146642	118855	3038	百货零售	北京市西城区
沈阳商业城股份有限公司	143558	114849	2340	百货零售	辽宁省沈阳市沈河区
广州友谊商店股份有限公司	142376	206000	1147	百货零售	广东省广州市越秀区
大连友谊(集团)股份有限公司	140352	104151	825	百货零售	辽宁省大连市中山区
浙江海越股份有限公司	139892	139139	764	机动车燃料零售	浙江省绍兴市诸暨市
内蒙古利丰集团有限公司	139772	143668	925	汽车零售	内蒙古自治区呼和浩特市回民区
广州百佳超级市场有限公司	136394	265467	1245	超级市场零售	广东省广州市天河区
天津劝业场(集团)股份有限公司	136229	173377	1683	百货零售	天津市和平区
山东潍坊百货集团股份有限公司	134394	182032	7471	超级市场零售	山东省潍坊市奎文区
上海世纪联华超市发展有限公司	128345	735483	16551	超级市场零售	上海市虹口区
上海国美地电器有限公司	127390	299575	1800	家用电器零售	上海市普陀区
上海第一八佰伴有限公司	127217	214623	852	百货零售	上海市浦东新区
中国石油天然气股份有限公司天津销售分公司	126793	374325	2173	机动车燃料零售	天津市河西区
哈药集团医药有限公司	125060	306819	3757	药品零售	黑龙江省哈尔滨市道里区
安徽商之都有限责任公司	123030	298700	693	百货零售	安徽省合肥市庐阳区
合肥百货大楼集团股份有限公司	122000	199392	1108	百货零售	安徽省合肥市庐阳区
大连国际商贸大厦有限公司	121394	137045	1465	百货零售	辽宁省大连市中山区
南昌洪城大厦股份有限公司	119985	141714	709	百货零售	江西省南昌市西湖区
烟台市振华百货集团股份有限公司振华商厦	119916	101405	829	百货零售	山东省烟台市芝罘区
天津国美电器有限公司	117420	271076	1438	家用电器零售	天津市南开区
淄博商厦股份有限公司	117253	420343	2855	百货零售	山东省淄博市张店区
成都人民商场(集团)股份有限公司	117049	115213	2705	百货零售	四川省成都市锦江区
步步高商业连锁股份有限公司	116903	350002	17000	超级市场零售	湖南省湘潭市雨湖区
北京庄胜崇光百货商场	116753	152834	780	百货零售	北京市宣武区
石家庄北国商城有限责任公司	113901	357599	2146	百货零售	河北省石家庄市桥东区
西安民生集团股份有限公司	113695	207353	2587	百货零售	陕西省西安市新城区
杭州联华华商集团有限公司	108657	148639	3032	超级市场零售	浙江省杭州市下城区
安徽风之星汽车股份有限公司	108547	193949	850	汽车零售	安徽省合肥市蜀山区
上海家得利超市有限公司	108184	269897	2845	超级市场零售	上海市徐汇区
北京易初莲花连锁超市有限公司	103486	196149	1045	超级市场零售	北京市朝阳区
广州市好又多百货商业广场有限公司	102369	154507	1970	百货零售	广东省广州市天河区
百大集团股份有限公司	101526	152108	992	百货零售	浙江省杭州市下城区
青岛润泰事业有限公司沈阳分公司	101192	208267	820	超级市场零售	辽宁省沈阳市和平区
中兴沈阳商业大厦(集团)股份有限公司	101145	245335	3496	百货零售	辽宁省沈阳市和平区
深圳岁宝百货有限公司	99183	148370	1537	百货零售	广东省深圳市福田区
宁波三江购物俱乐部有限公司	98971	203283	4714	超级市场零售	浙江省宁波市海曙区
西安开元商城有限公司	98337	210662	1032	百货零售	陕西省西安市碑林区
成都国美电器有限公司	98329	194807	1082	家用电器零售	四川省成都市金牛区
江苏明都汽车摩托车有限公司	97598	199178	980	汽车零售	江苏省常州市武进区
青岛永旺东泰商业有限公司	96049	116057	1369	百货零售	山东省青岛市市南区

4－2 续表 2

企业名称	资产总计（万元）	销售额（万元）	全部从业人员年平均人数（人）	所属行业	企业所在地
天津家世界连锁超市有限公司	96024	227200	5430	超级市场零售	天津市东丽区
天津滨江商厦有限公司	95555	47117	1012	百货零售	天津市和平区
西安爱家商贸有限公司	95107	107121	1300	超级市场零售	陕西省西安市新城区
华联超市股份有限公司	94265	221338	4215	超级市场零售	上海市杨浦区
上海太平洋百货有限公司	93552	228237	1085	百货零售	上海市徐汇区
深圳市发行(集团)公司	92455	47447	1850	图书零售	广东省深圳市罗湖区
北京家乐福商业有限公司	92315	266100	2928	超级市场零售	北京市丰台区
济南华联商厦集团股份有限公司	90908	205738	730	百货零售	山东省济南市槐荫区
南宁百货大楼股份有限公司	90509	103421	980	百货零售	广西壮族自治区南宁市兴宁区
南京宏图三胞企业发展有限公司	88950	236597	547	计算机、软件及辅助设备零售	江苏省南京市玄武区
南昌百货大楼股份有限公司	87467	188816	2230	百货零售	江西省南昌市东湖区
赛特集团有限公司	87365	138905	1706	百货零售	北京市朝阳区
北京宜家家居有限公司	87359	51775	509	家具零售	北京市朝阳区
济南人民大润发商业有限公司	86229	261373	1022	超级市场零售	山东省济南市历下区
中国石油天然气股份有限公司辽宁沈阳销售分公司	86057	660046	2838	机动车燃料零售	辽宁省沈阳市沈河区
江苏文峰大世界连锁发展股份有限公司南通分公司	85174	124532	1233	百货零售	江苏省南通市崇川区
新一佳超市有限公司	84779	162598	4931	超级市场零售	广东省深圳市罗湖区
武汉市汉商集团股份有限公司	81954	49101	1838	百货零售	湖北省武汉市汉阳区
山东省威海糖酒采购供应站	81657	444736	5468	超级市场零售	山东省威海市环翠区
北京双安商场有限责任公司	81150	126360	1028	百货零售	北京市海淀区
武汉市工贸有限公司	80819	273441	1350	家用电器零售	湖北省武汉市乔口区
哈尔滨秋林集团股份有限公司	80561	29980	1830	百货零售	黑龙江省哈尔滨市南岗区
辽宁卓展时代广场百货有限公司	80292	18975	850	百货零售	辽宁省沈阳市沈河区
广州市广百股份有限公司	79422	195173	1435	百货零售	广东省广州市越秀区
青岛维客集团股份有限公司	79353	105981	1038	百货零售	山东省青岛市李沧区
长春卓展时代广场百货有限公司	79264	117818	698	百货零售	吉林省长春市朝阳区
杭州解百集团股份有限公司	78674	124092	996	百货零售	浙江省杭州市上城区
华联集团吉买盛购物中心有限公司	78030	363267	3619	超级市场零售	上海市闸北区
广东新协力集团有限公司	77096	276678	872	汽车零售	广东省佛山市顺德区
银川新华百货商店股份有限公司	76364	87842	626	百货零售	宁夏回族自治区银川市兴庆区
广州市国美电器有限公司	76320	199953	4015	家用电器零售	广东省广州市萝岗区
兰州民百(集团)股份有限公司	76208	53949	1207	百货零售	甘肃省兰州市城关区
上海永乐家用电器有限公司	76074	744713	4254	家用电器零售	上海市浦东新区
石家庄东方城市广场	75836	91851	1143	百货零售	河北省石家庄市新华区
包头市金荣装饰建材城有限责任公司	75727	58534	1965	其他室内装修材料零售	内蒙古自治区包头市青山区
中原百货集团股份有限公司	75578	170536	850	百货零售	天津市和平区
黑龙江省远大购物中心有限责任公司	75437	136002	700	百货零售	黑龙江省哈尔滨市南岗区
华润万家生活超市广州有限公司	75215	108497	2251	超级市场零售	广东省广州市越秀区
中国石油化工股份有限公司福建漳州分公司	75202	255470	1749	机动车燃料零售	福建省漳州市芗城区
北京超市发连锁股份有限公司	75183	155243	3148	其他食品零售	北京市海淀区
常州百货大楼股份有限公司	74994	97726	1030	百货零售	江苏省常州市天宁区
深圳市民润农产品配送连锁商业有限公司	74373	64898	2000	超级市场零售	广东省深圳市罗湖区
北京翠微大厦股份有限公司	74330	165475	1607	百货零售	北京市海淀区
宝鸡商场集团股份有限公司	73321	75667	3826	百货零售	陕西省宝鸡市渭滨区
上海市第一食品商店股份有限公司	72059	50806	799	其他食品零售	上海市浦东新区
北京市新华书店	71544	19177	1041	图书零售	北京市西城区
唐山百货大楼集团有限责任公司	70397	200578	3080	百货零售	河北省唐山市路北区
湖南平和堂实业有限公司	67886	91631	868	百货零售	湖南省长沙市天心区
河北保龙仓商业连锁有限公司	67597	64145	1280	超级市场零售	河北省石家庄市裕华区
哈尔滨中央红集团股份有限公司	67360	121011	2802	百货零售	黑龙江省哈尔滨市道里区

4－2 续表3

企业名称	资产总计（万元）	销售额（万元）	全部从业人员年平均人数（人）	所属行业	企业所在地
辽宁兴隆百货集团有限公司	66470	88599	1200	百货零售	辽宁省盘锦市兴隆台区
广州易初蓬花连锁超市有限公司	65519	178661	1164	超级市场零售	广东省广州市白云区
华糖洋华堂商业有限公司	64932	210378	1700	百货零售	北京市朝阳区
北京燕莎友谊商城有限公司	64863	290565	1813	百货零售	北京市朝阳区
长春百货大楼集团股份有限公司	64815	113876	853	百货零售	吉林省长春市朝阳区
山西大昌汽车集团有限公司	64668	232305	502	汽车零售	山西省太原市小店区
北京稻香村食品有限责任公司	63411	37712	2073	糕点、面包零售	北京市东城区
山东德州百货大楼（集团）有限责任公司	63050	251889	2100	百货零售	山东省德州市德城区
重庆国美电器有限公司	62649	136615	2380	家用电器零售	重庆市沙坪坝区
湖南长沙新一佳商业投资有限公司	61850	138495	3275	超级市场零售	湖南省长沙市开福区
西安市国美电器有限公司	61825	106266	757	家用电器零售	陕西省西安市莲湖区
上海三联（集团）有限公司	60352	122855	1219	钟表、眼镜零售	上海市黄浦区
中贸联万客隆商业有限公司	60118	84561	772	超级市场零售	北京市朝阳区
北京当代商城实业公司	59922	89059	786	百货零售	北京市海淀区
北京美廉美连锁商业有限公司	58706	174703	2271	超级市场零售	北京市海淀区
安徽亚夏实业股份有限公司	58600	23505	1400	汽车零售	安徽省宣城市宁国市
北京苏宁电器有限公司	58484	306053	2330	家用电器零售	北京市通州区
奥林巴斯（北京）销售服务有限公司	58457	44564	821	医疗用品及器材零售	北京市东城区
武汉群光广场管理有限公司	58448	70283	570	百货零售	湖北省武汉市洪山区
北京物美大卖场商业管理有限公司	58212	124776	2359	超级市场零售	北京市大兴区
北京长安商场有限责任公司	58049	88535	1273	百货零售	北京市西城区
福州国美电器有限公司	57594	143038	580	家用电器零售	福建省福州市晋安区
湖州市浙北大厦有限责任公司	57574	145232	1449	百货零售	浙江省湖州市吴兴区
宁波市北仑加贝购物俱乐部	57430	83146	3635	超级市场零售	浙江省宁波市北仑区
上海宏图三胞电脑发展有限公司	57336	121365	887	计算机、软件及辅助设备零售	上海市长宁区
山西华宇商业发展股份有限公司	56893	86261	1060	百货零售	山西省太原市迎泽区
大商集团沈阳新玛特购物休闲广场有限公司	56760	67878	585	百货零售	辽宁省沈阳市大东区
上海烟草（集团）奉贤烟草糖酒有限公司	56506	83820	1637	其他综合零售	上海市奉贤区
中国石油天然气股份有限公司喀什分公司	56207	98672	1082	机动车燃料零售	新疆维吾尔族自治区喀什地区喀什市
三环集团公司（贸易部分）	55186	148590	1113	汽车零售	湖北省武汉武昌区
深圳市顺电连锁股份有限公司	54242	169435	999	家用电器零售	广东省深圳市福田区
内蒙古民族商场有限责任公司	54043	107728	780	百货零售	内蒙古自治区呼和浩特市回民区
日照百货大楼有限公司	53567	37707	1092	百货零售	山东省日照市东港区
青岛第一百盛有限公司	53511	61946	555	百货零售	山东省青岛市市南区
中石油吉林长春销售分公司	53413	248186	1064	机动车燃料零售	吉林省长春市朝阳区
中国石化集团河南石油总公司商丘公司	53395	94944	650	机动车燃料零售	河南省商丘市梁园区
人人乐连锁商业集团有限公司	53386	176606	1987	超级市场零售	广东省深圳市南山区
中国石油化工股份有限公司湖南益阳石油分公司	52993	112168	582	机动车燃料零售	湖南省益阳市赫山区
北京中友百货有限责任公司	52634	145271	859	百货零售	北京市西城区
浙江慈客隆超市有限公司	52440	138466	1537	超级市场零售	浙江省宁波市慈溪市
广东天河城百货有限公司	52414	140624	702	百货零售	广东省广州市天河区
山西双鹤药业有限公司	51708	80385	689	药品零售	山西省太原市迎泽区
黄骅信誉楼商贸有限公司	51556	47931	5726	百货零售	河北省沧州市黄骅市
徐州医药股份有限公司	51454	149057	1199	药品零售	江苏省徐州市鼓楼区
上海易买得超市有限公司	51376	113169	1464	百货零售	上海市虹口区
山西美特好连锁超市有限公司	51159	108728	2762	超级市场零售	山西省太原市杏花岭区
陕西家世界超市有限公司	50899	167956	2246	超级市场零售	陕西省西安市莲湖区
延边国际贸易大厦有限责任公司	50733	38624	1200	百货零售	吉林省延边朝鲜族自治州延吉市
沈阳国美电器有限公司	50487	93105	1300	家用电器零售	辽宁省沈阳市沈河区
辽宁成大方圆医药连锁有限公司	50179	110345	3633	药品零售	辽宁省沈阳市和平区

4－2 续表4

企业名称	资产总计（万元）	销售额（万元）	全部从业人员年平均人数（人）	所属行业	企业所在地
中国天然气股份有限公司呼伦贝尔销售分公司	50177	191569	1720	机动车燃料零售	内蒙古自治区呼伦贝尔市海拉尔区
北京甘家口大厦	49315	46251	1052	百货零售	北京市海淀区
兰州工贸集团股份有限公司	49194	28687	861	百货零售	甘肃省兰州市七里河区
成都红旗连锁有限公司	48744	311611	4761	超级市场零售	四川省成都市武侯区
黑龙江黑天鹅家电经销实业有限公司	48444	118955	760	家用电器零售	黑龙江省哈尔滨市南岗区
青岛国美电器有限公司	48408	107238	843	家用电器零售	山东省青岛市四方区
北京图书大厦有限责任公司	48199	51799	735	图书零售	北京市西城区
浙江雄风实业集团有限公司	48154	83755	619	家用电器零售	浙江省绍兴市诸暨市
武汉国美电器有限公司	47669	107124	1130	家用电器零售	湖北省武汉市江汉区
武汉市新华书店股份有限公司	47661	35200	1471	图书零售	湖北省武汉市江岸区
济南人民商场集团有限公司	47571	71281	888	百货零售	山东省济南市市中区
上海苏宁电器有限公司	47529	241401	3300	家用电器零售	上海市虹口区
河北保百集团有限公司	47217	161910	1661	百货零售	河北省保定市南市区
浙江国美电器有限公司	47061	76997	655	家用电器零售	浙江省杭州市下城区
昆明国美电器有限公司	46970	80800	892	家用电器零售	云南省昆明市五华区
武汉汉福超市有限公司	46338	126401	1694	超级市场零售	湖北省武汉市汉阳区
苏州函数集团有限责任公司	46249	79823	1450	百货零售	江苏省苏州市平江区
江阴华地百货有限公司	45825	38426	998	百货零售	江苏省无锡市江阴市
无锡市第一百货(集团)有限公司	45781	66450	655	百货零售	江苏省无锡市北塘区
宝鸡华通商厦有限责任公司	45483	40663	1220	百货零售	陕西省宝鸡市金台区
中国石化股份公司河南信阳分公司	45009	152032	757	机动车燃料零售	河南省信阳市平桥区
嘉事堂药业股份有限公司	44899	44029	1234	药品零售	北京市海淀区
重庆家乐福商业有限公司	44619	61723	1250	超级市场零售	重庆市渝中区
深圳百安居装饰建材有限公司	44485	82386	1000	其他室内装修材料零售	广东省深圳市罗湖区
沈阳家乐福商业有限公司	44385	116872	2538	超级市场零售	辽宁省沈阳市沈河区
宁波浙国美电器有限公司	44343	73058	1025	家用电器零售	浙江省宁波市海曙区
中油碧辟石油有限公司广州分公司	43806	259207	1894	其他未列明的零售	广东省广州市海珠区
浙江上百贸易有限公司	43638	82559	550	百货零售	浙江省绍兴市上虞市
湖南国美电器有限公司	43484	72407	656	家用电器零售	湖南省长沙市开福区
广州市新华书店集团有限公司	43130	20089	848	图书零售	广东省广州市越秀区
石家庄人民商场股份有限公司	42958	51599	1278	百货零售	河北省石家庄市桥西区
上海欧尚超市有限公司	42784	150766	1421	超级市场零售	上海市杨浦区
中国石油天然气股份有限公司吉林白城销售分公司	42656	103163	708	机动车燃料零售	吉林省白城市洮北区
宜兴新苏南商厦有限责任公司	42454	57724	1566	百货零售	江苏省无锡市宜兴市
南京悦家超市有限公司	42325	58721	1056	超级市场零售	江苏省南京市下关区
华润万家生活超市(浙江)有限公司	42265	90145	2522	超级市场零售	浙江省杭州市下城区
潍坊百货大楼股份有限公司	42212	60768	1255	百货零售	山东省潍坊市潍城区
青岛利客来商贸股份有限公司	41836	42729	680	百货零售	山东省青岛市李沧区
邯郸市新世纪商业广场股分有限公司	41643	59064	1404	百货零售	河北省邯郸市丛台区
昆山商厦股份有限公司	41603	112935	596	百货零售	江苏省苏州市昆山市
绍兴大通商城股份有限公司	41275	76140	507	百货零售	浙江省绍兴市上虞市
山西山姆士超市有限公司	41206	49845	1600	超级市场零售	山西省太原市小店区
华普超市有限公司	41071	92124	2085	超级市场零售	北京市朝阳区
天津金元宝商厦集团有限公司	40708	81970	1302	百货零售	天津市塘沽区
深圳市海王星辰医药有限公司	40598	58651	2600	药品零售	广东省深圳市南山区
安徽省商厦股份有限公司	40148	56558	1010	百货零售	安徽省阜阳市市辖区
百安居(中国)家居有限公司	39852	42688	677	其他室内装修材料零售	上海市普陀区
威海华联商厦股份有限公司	39600	36981	825	百货零售	山东省威海市环翠区
南京友谊华联(集团)有限责任公司	39597	15746	994	服装零售	江苏省南京市白下区
中国石油化工股份有限公司河南开封分公司	39487	101869	573	机动车燃料零售	河南省开封市鼓楼区

4－2 续表5

企业名称	资产总计（万元）	销售额（万元）	全部从业人员年平均人数（人）	所属行业	企业所在地
上海烟草集团虹口烟草糖酒有限公司	39408	108188	905	烟草制品零售	上海市虹口区
成都伊藤洋华堂有限公司	39239	146624	1565	百货零售	四川省成都市武侯区
沈阳市联营公司	38678	66570	1627	百货零售	辽宁省沈阳市和平区
广州屈臣氏个人用品商店有限公司	38460	235210	807	超级市场零售	广东省广州市越秀区
大商集团股份有限公司大庆新玛特购物休闲广场	38433	86802	3213	百货零售	黑龙江省大庆市龙凤区
宿州华夏商社	38252	52680	1050	超级市场零售	安徽省宿州市埇桥区
兰州国芳百盛购物广场有限责任公司	38200	65537	992	百货零售	甘肃省兰州市城关区
上海锐力运动用品有限公司	38025	78480	700	体育用品零售	上海市黄浦区
临沂九州经贸有限责任公司	37731	51979	1016	百货零售	山东省临沂市兰山区
中国石油天然气股份有限公司辽宁丹东销售分公司	37667	136975	891	机动车燃料零售	辽宁省丹东市振兴区
青岛家乐福商业有限公司	37633	61526	1485	超级市场零售	山东省青岛市市南区
合肥鼓楼商厦有限责任公司	37450	78567	707	百货零售	安徽省合肥市庐阳区
中国石油化工股分有限公司湖南衡阳石油分公司	37397	234752	1323	机动车燃料零售	湖南省衡阳市蒸湘区
苏州人民商场股份有限公司	37350	144750	527	百货零售	江苏省苏州市平江区
广西南宁康迈商业有限责任公司	37283	33756	874	超级市场零售	广西壮族自治区南宁市西乡塘区
上海好德便利有限公司	37205	158274	4162	其他综合零售	上海市普陀区
上海五申汽车销售有限公司	36784	24206	731	汽车零售	上海市普陀区
昆明家乐福超市有限公司	36702	72470	925	超级市场零售	云南省昆明市五华区
寿光百货大楼有限公司	36631	132234	1036	百货零售	山东省潍坊市寿光市
青岛北方国贸大厦股份有限公司	36296	110096	507	百货零售	山东省青岛市李沧区
太原贵都百货有限公司	36245	19311	860	服装零售	山西省太原市迎泽区
中国石油天然气股份有限公司锡林郭勒分公司	35995	129410	1238	机动车燃料零售	内蒙古自治区锡林郭勒盟锡林浩特市
北京小白羊超市连锁总店	35846	51290	1752	超级市场零售	北京市石景山区
镇江百盛商城有限公司	35824	50492	804	百货零售	江苏省镇江市京口区
湖北省金城大厦(集团)实业公司	35432	55117	1340	百货零售	湖北省荆门市东宝区
昆明云顺和商业发展有限公司	35218	60451	634	百货零售	云南省昆明市五华区
深圳岁宝连锁商业发展有限公司	34953	55482	761	百货零售	广东省深圳市福田区
浙江华联商厦有限公司	34913	78305	1378	百货零售	浙江省宁波市余姚市
青岛润泰事业有限公司	34794	29819	555	超级市场零售	山东省青岛市市南区
江西洪客隆实业有限公司	34684	63989	1398	百货零售	江西省南昌市东湖区
天津滨江购物中心	34656	28210	641	百货零售	天津市和平区
上海东方商厦	34580	130019	959	百货零售	上海市徐汇区
山东威海烟草有限公司	34389	91162	1180	烟草制品零售	山东省威海市环翠区
哈尔滨家乐福超市有限公司	34187	81571	1205	超级市场零售	黑龙江省哈尔滨市道外区
广州家广超市有限公司(家乐福万国店)	33993	129516	1800	超级市场零售	广东省广州市海珠区
成都市家乐福超市有限公司	33799	53001	913	超级市场零售	四川省成都市武侯区
广州友谊班尼路服饰有限公司	33741	195260	3035	服装零售	广东省广州市天河区
大商集团抚顺百货大楼有限公司	33290	165009	535	百货零售	辽宁省抚顺市新抚区
北京蓝岛大厦	33182	80159	1277	百货零售	北京市朝阳区
昆明百货大楼商业有限公司	32990	65035	742	百货零售	云南省昆明市五华区
湖南家润多超市有限公司	32829	101927	3609	超级市场零售	湖南省长沙市雨花区
美克美家家具装饰有限公司	32773	26164	840	家具零售	新疆维吾尔族自治区乌鲁木齐市新市区
柳州市百货股份公司	32640	31135	689	百货零售	广西壮族自治区柳州市城中区
上海伍缘现代杂货有限公司	32620	80163	2437	其他综合零售	上海市普陀区
上海文峰千家惠购物中心有限公司	32534	65446	522	超级市场零售	上海市浦东新区
浙江江南大厦股份有限公司	32521	36641	542	百货零售	浙江省嘉兴市秀城区
浙江雄城商贸股份有限公司	32358	52278	951	百货零售	浙江省绍兴市诸暨市
中国石油化工股份有限公司常德石油分公司	32301	62891	893	机动车燃料零售	湖南省常德市武陵区
济南大观园股份有限公司	32274	52435	1647	百货零售	山东省济南市市中区
武汉鲁巷广场购物中心	32042	47951	645	百货零售	湖北省武汉市洪山区

4－2 续表6

企业名称	资产总计（万元）	销售额（万元）	全部从业人员年平均人数（人）	所属行业	企业所在地
北京新世界商场	32001	140944	780	百货零售	北京市崇文区
浙江人本超市有限公司	31900	149888	3421	超级市场零售	浙江省温州市鹿城区
合肥百大合家福连锁超市有限责任公司	31578	74882	1175	超级市场零售	安徽省合肥市包河区
荆门市东方百货大厦	31557	49311	948	百货零售	湖北省荆门市市辖区
大商集团股份有限公司大庆百货大楼	31389	105649	1044	百货零售	黑龙江省大庆市萨尔图区
徐州中央百货大楼股份有限公司	31085	66650	1043	百货零售	江苏省徐州市云龙区
廊坊市商业明珠大厦	31065	72407	1221	百货零售	河北省廊坊市广阳区
武汉华联综合超市有限公司	31023	33466	1012	超级市场零售	湖北省武汉市武昌区
广州市宏丽有限公司	30991	64705	968	百货零售	广东省广州市白云区
株洲市百货有限公司	30827	83364	1377	百货零售	湖南省株洲市芦淞区
吉林省威宝恒客隆仓储百货有限公司	30790	39080	875	超级市场零售	吉林省长春市朝阳区
浙江东兴商厦股份有限公司	30774	41205	625	百货零售	浙江省嘉兴市桐乡市
锦州中百商厦有限公司	30696	43042	1225	百货零售	辽宁省锦州市凌河区
中国石油内蒙古通辽销售分公司	30161	209843	718	机动车燃料零售	内蒙古自治区通辽市科尔沁区
昆明金龙百货有限公司	30121	55218	868	百货零售	云南省昆明市盘龙区
上海联华快客便利有限公司	30106	290834	7439	其他综合零售	上海市虹口区
上海可的便利店有限公司	30093	238337	7026	其他综合零售	上海市闸北区
上海屈臣氏日用品有限公司	30053	69036	913	化妆品及卫生用品零售	上海市徐汇区
西安市人人乐商业有限公司西关购物广场	30004	114832	2700	超级市场零售	陕西省西安市莲湖区
安徽省徽商集团食品有限公司	29694	135043	914	超级市场零售	安徽省合肥市庐阳区
柳州工贸厦股份有限公司	29628	38069	1773	百货零售	广西壮族自治区柳州市城中区
中化石油股份有限公司湖北分公司	29596	18852	983	机动车燃料零售	湖北省黄冈市市辖区
江苏鹏润国美电器有限公司	29523	98681	747	家用电器零售	江苏省南京市白下区
深圳乐荣超市有限公司	29511	66046	870	超级市场零售	广东省深圳市南山区
深圳家乐福商业有限公司	29268	36179	500	超级市场零售	广东省深圳市福田区
淄博东泰集团	29111	47633	693	百货零售	山东省淄博市临淄区
广州市新大新公司	29094	76514	768	百货零售	广东省广州市越秀区
北京中复电讯设备有限责任公司	28929	111513	1113	通信设备零售	北京市朝阳区
福州福大自动化科技有限公司	28921	46382	552	其他未列明的零售	福建省福州市鼓楼区
中国石油天然气股份有限公司吉林四平分公司	28784	98120	1060	机动车燃料零售	吉林省四平市铁西区
上海七宝乐购购物中心有限公司	28685	65631	594	超级市场零售	上海市闵行区
云南沃尔玛百货有限公司	28400	104194	1886	超级市场零售	云南省昆明市五华区
陕西海星连锁超级市场有限责任公司	28326	29504	850	其他综合零售	陕西省西安市经济技术开发区
东营银座购物广场有限公司	28216	63716	802	百货零售	山东省东营市东营区
徐州金鹰国际实业有限公司	28149	60098	2125	百货零售	江苏省徐州市鼓楼区
哈尔滨联强商业发展有限公司	27847	93051	900	百货零售	黑龙江省哈尔滨市道里区
南京商厦股份有限公司	27837	52196	1054	百货零售	江苏省南京市玄武区
深圳恒波商业连锁有限公司	27803	91446	1106	通信设备零售	广东省深圳市罗湖区
合肥悦家商业有限公司	27736	61827	998	超级市场零售	安徽省合肥市蜀山区
无锡八佰伴经济管理有限公司	27581	117749	827	百货零售	江苏省无锡市崇安区
常州新世纪商城有限公司	27443	56938	558	百货零售	江苏省常州市钟楼区
台州市耀达商场有限公司	27402	33176	515	百货零售	浙江省台州市临海市
中国石油天然气股份有限公司四川岷江销售分公司	27369	127030	786	机动车燃料零售	四川省成都市都江堰市
中国石油天然气股份有限公司辽宁葫芦岛销售分公司	27306	178555	841	机动车燃料零售	辽宁省葫芦岛市龙港区
华润万家（苏州）超市有限公司	27219	80700	2630	超级市场零售	江苏省苏州市平江区
绍兴供销超市有限公司	27208	120001	1235	百货零售	浙江省绍兴市越城区
大连国美电器有限公司	27169	82313	714	家用电器零售	辽宁省大连市中山区
苏州欧尚超市有限公司	27130	84770	500	超级市场零售	江苏省苏州市平江区
新疆国美电器有限公司	26844	68101	787	家用电器零售	新疆维吾尔族自治区乌鲁木齐市沙依巴克区
广东吉之岛天贸百货有限公司	26837	60002	630	百货零售	广东省广州市天河区

4－2 续表7

企业名称	资产总计（万元）	销售额（万元）	全部从业人员年平均人数（人）	所属行业	企业所在地
茂名市明湖百货有限公司	26808	37015	597	超级市场零售	广东省茂名市茂南区
桂林微笑堂实业发展有限公司	26770	63044	833	百货零售	广西壮族自治区桂林市秀峰区
信阳亚兴集团有限责任公司	26500	30133	4000	超级市场零售	河南省信阳市师河区
山东省淄博糖酒站股份有限公司	26443	40095	1083	其他食品零售	山东省淄博市张店区
中石化股份有限公司福建厦门石油分公司	26385	307698	795	机动车燃料零售	福建省厦门市思明区
昆山市润华商业有限公司百润发分公司	26361	77363	612	超级市场零售	江苏省苏州市昆山市
西安市新华书店	25967	28744	980	图书零售	陕西省西安市新城区
陕西省军区军人服务社	25914	59100	1500	百货零售	陕西省西安市雁塔区
深圳市百佳华百货有限公司	25619	102876	2802	百货零售	广东省深圳市宝安区
中国石油天然气股份有限公司内蒙古鄂尔多斯销售分公司	25556	214318	1413	机动车燃料零售	内蒙古自治区鄂尔多斯市东胜区
云南烟草易门分公司	25535	27098	1454	烟草制品零售	云南省玉溪市易门县
广西联华超市股份公司	25366	55507	1220	超级市场零售	广西壮族自治区柳州市城中区
苍山县供销合作社联合社	25327	26695	522	其他综合零售	山东省临沂市苍山县
河南永乐生活电器有限公司	25078	97574	677	超级市场零售	河南省郑州市金水区
淄博银座商城有限责任公司	24946	38602	1500	百货零售	山东省淄博市张店区
厦门永乐思文家电有限公司	24601	88324	727	家用电器零售	福建省厦门市思明区
沈阳乐购超市有限公司	24549	28337	583	超级市场零售	辽宁省沈阳市皇姑区
章丘市供销合作社	24532	35535	1944	百货零售	山东省济南市章丘市
北京沃尔玛百货有限公司	24438	107669	1810	超级市场零售	北京市石景山区
山东省东营市百货大楼	24419	63231	1125	百货零售	山东省东营市东营区
芜湖华亿国际购物中心有限责任公司	24413	41866	737	百货零售	安徽省芜湖市镜湖区
中国石油天然气股份有限公司衡水销售分公司	24282	64312	630	机动车燃料零售	河北省衡水市桃城区
绍兴市国商大厦有限责任公司	24235	37288	502	百货零售	浙江省绍兴市越城区
广东苏宁电器有限公司	24148	145937	1626	家用电器零售	广东省广州市海珠区
无锡悦家商业有限公司	24106	69003	735	超级市场零售	江苏省无锡市南长区
天津家世界家居建材超市有限公司	24075	67428	1171	其他室内装修材料零售	天津市东丽区
东莞市长安供销社	23984	20430	562	百货零售	广东省东莞市
丹阳华地百货有限公司	23760	39631	1100	百货零售	江苏省镇江市丹阳市
大同市华林有限责任公司	23724	28451	4037	百货零售	山西省大同市城区
沃尔玛华东百货有限公司	23435	26535	607	超级市场零售	上海市浦东新区
南京福中信息产业集团有限公司	23358	100045	513	计算机、软件及辅助设备零售	江苏省南京市玄武区
延吉百货大楼股份有限公司	23296	45811	679	百货零售	吉林省延边朝鲜族自治州延吉市
朝阳商业城集团有限责任公司	23239	27147	2800	百货零售	辽宁省朝阳市双塔区
浙江星普五星电器有限公司	23172	38191	634	家用电器零售	浙江省杭州市西湖区
大连经济技术开发区昌临旺客隆连锁有限公司	23089	18518	865	超级市场零售	辽宁省大连市金州区
山东省东营市日用工业品公司	23001	42093	604	百货零售	山东省东营市东营区
溧阳华地百货有限公司	22955	25389	530	百货零售	江苏省常州市溧阳市
河南思达连锁商业有限公司	22887	51515	1253	超级市场零售	河南省郑州市金水区
沈阳铁西百货大楼有限公司	22791	78695	751	百货零售	辽宁省沈阳市铁西区
天津苏宁电器连锁加盟有限公司	22761	77759	624	家用电器零售	天津市和平区
中石化株洲石油分公司	22701	189567	822	汽车零配件零售	湖南省株洲市芦淞区
中油新疆乌鲁木齐销售公司	22587	63461	607	机动车燃料零售	新疆维吾尔族自治区乌鲁木齐市天山区
淮南华联商厦责任公司	22524	30480	845	百货零售	安徽省淮南市田家庵区
大连家乐福商业有限公司	22520	74402	914	超级市场零售	辽宁省大连市沙河口区
河北保定时代商厦有限公司	22401	75406	1432	百货零售	河北省保定市新市区
太原可口可乐饮料有限公司	22360	28508	641	饮料及茶叶零售	山西省太原市小店区
贵阳星力百货有限责任公司	22313	41130	927	百货零售	贵州省贵阳市云岩区
大商集团牡丹江百货大楼有限公司	22247	44210	992	百货零售	黑龙江省牡丹江市东安区
中国石油化工股份有限公司湖南娄底石油分公司	22001	93002	653	机动车燃料零售	湖南省娄底市娄星区
东莞市国贸超级市场有限公司	21981	63008	550	超级市场零售	广东省东莞市

4-2 续表8

企业名称	资产总计（万元）	销售额（万元）	全部从业人员年平均人数（人）	所属行业	企业所在地
江苏中央新亚百货股份有限公司	21860	55514	1145	百货零售	江苏省淮安市清河区
中国石油天然气股份有限公司吉林通化销售分公司	21558	119278	1024	机动车燃料零售	吉林省通化市东昌区
山东威海百货大楼集团股份有限公司	21324	34992	633	百货零售	山东省威海市环翠区
江阴国际购物中心有限公司	21091	22346	820	百货零售	江苏省无锡市江阴市
江阴华联商厦有限公司	20952	31856	566	百货零售	江苏省无锡市江阴市
宁波欧尚超市有限公司	20907	43148	779	超级市场零售	浙江省宁波市海曙区
北京华融家乐福商业有限公司	20887	57646	526	超级市场零售	北京市朝阳区
陕西世纪金花高新购物中心有限公司	20800	19326	878	百货零售	陕西省西安市高新区
合肥百货大楼集团蚌埠百货大楼有限责任公司	20627	30036	550	百货零售	安徽省蚌埠市蚌山区
家福来电器有限公司	20579	25754	605	家用电器零售	四川省绵阳市游仙区
北京顺义西单商场	20557	64086	924	百货零售	北京市顺义区
中国石油天然气股份有限公司泉州销售分公司	20555	63651	544	机动车燃料零售	福建省泉州市丰泽区
抚顺罕王商场有限公司	20542	29539	1003	百货零售	辽宁省抚顺市新抚区
中国石油天然气股份有限公司昌吉销售公司	20473	83342	837	机动车燃料零售	新疆维吾尔族自治区昌吉回族自治州昌吉市
河北华北油田商业有限公司	20394	28135	779	百货零售	河北省沧州市任丘市
大商集团牡丹江新玛特购物广场有限公司	20318	21023	998	百货零售	黑龙江省牡丹江市西安区
合肥新华书店有限公司	20312	20192	598	图书零售	安徽省合肥市庐阳区
沃尔玛深国投百货有限公司福州山姆会员店	20037	38100	1493	超级市场零售	福建省福州市鼓楼区
河南九头崖集团平顶山商业连锁有限公司	19801	16449	748	超级市场零售	河南省平顶山市卫东区
天津劝业家乐福超市有限公司	19792	59333	943	超级市场零售	天津市南开区
大商集团本溪商业大厦有限公司	19786	43394	1209	百货零售	辽宁省本溪市平山区
上海喜士多便利连锁有限公司	19749	24573	864	其他综合零售	上海市闸北区
西安易初莲花连锁超市有限公司	19622	30381	848	超级市场零售	陕西省西安市高新区
中山市壹加壹商业连锁有限公司	19615	97496	1897	百货零售	广东省中山市
天津华润超级市场有限公司	19609	49712	1182	超级市场零售	天津市和平区
广州购书中心有限公司	19529	31907	595	图书零售	广东省广州市天河区
沈阳维康医药连锁有限公司	19518	31953	1183	药品零售	辽宁省沈阳市铁西区
中国石油天然气股份有限公司吉林延边销售分公司	19515	148229	989	机动车燃料零售	吉林省延边朝鲜族自治州延吉市
武汉苏宁电器有限公司	19205	36544	529	家用电器零售	武汉市武汉市江岸区
杭州物美大卖场商业有限公司	18972	51967	626	超级市场零售	浙江省杭州市西湖区
深圳市苏宁电器有限公司	18924	88950	1300	家用电器零售	广东省深圳市福田区
宁波新江厦连锁超市有限公司	18884	37539	683	超级市场零售	浙江省宁波市鄞州区
济宁九龙家电有限公司	18833	37189	656	家用电器零售	山东省济宁市市中区
成都百货大楼集团有限公司	18768	34050	513	百货零售	四川省成都市锦江区
贵阳友谊集团股份有限公司	18682	17512	561	服装零售	贵州省贵阳市云岩区
中国石油化工股份有限公司福建宁德石油分公司	18600	113911	798	机动车燃料零售	福建省宁德市 蕉城区
重庆市新大兴实业(集团)有限公司	18592	36537	2821	百货零售	重庆市涪陵区
济南市新华书店	18542	23410	584	图书零售	山东省济南市历下区
上海捷强烟草糖酒(集团)连锁有限公司	18514	84864	1679	超级市场零售	上海市徐汇区
永安百货有限公司	18480	54567	688	百货零售	上海市黄浦区
包头百货大楼股份有限公司	18392	44690	862	百货零售	内蒙古自治区包头市昆都仑区
中国石油化工股份有限公司福建南平石油分公司	18369	143611	785	机动车燃料零售	福建省南平市延平区
湖北省十堰市人民商场股份有限公司	18303	58486	953	百货零售	湖北省十堰市茅箭区
购宝乐商业(湖南)有限公司	18302	25574	1995	超级市场零售	湖南省长沙市雨花区
上海良友金伴便利连锁有限公司	18276	103194	3116	其他综合零售	上海市徐汇区
江西黄庆仁栈华氏大药房有限公司	18196	23152	2878	药品零售	江西省南昌市西湖区
北京旺市百利商业有限公司	18109	72602	1555	超级市场零售	北京市朝阳区
北京物美京北大世界商贸有限公司	17978	31517	635	超级市场零售	北京市怀柔区
天津易初莲花连锁超市有限公司	17896	32017	1267	超级市场零售	天津市河西区
新华书店北方图书城有限公司	17866	17352	850	图书零售	辽宁省沈阳市沈河区

4－2　续表9

企业名称	资产总计（万元）	销售额（万元）	全部从业人员年平均人数（人）	所属行业	企业所在地
银川新华百货老大楼有限公司	17862	33015	774	百货零售	宁夏回族自治区银川市兴庆区
重庆苏宁电器连锁加盟有限公司	17810	67161	680	家用电器零售	重庆市渝中区
深圳市金海马实业有限公司	17706	28559	630	家具零售	广东省深圳市罗湖区
铁岭兴隆百货有限公司	17620	33587	979	百货零售	辽宁省铁岭市银州区
上海麦考林国际邮购有限公司	17613	28904	652	邮购及电子销售	上海市徐汇区
北京亿客隆商业股份有限公司	17315	25021	843	超级市场零售	北京市丰台区
枣庄购物中心有限公司	17290	58206	690	百货零售	山东省枣庄市市中区
北京市昌平新世纪商城	17258	30474	910	百货零售	北京市昌平区
北京市房山华冠商贸有限公司	17197	56296	841	超级市场零售	北京市房山区
江苏雅家乐集团有限公司	17146	52938	1282	超级市场零售	江苏省盐城市市辖区
烟台市家家悦超市有限公司	17143	75042	3837	超级市场零售	山东省烟台市芝罘区
四川永乐家用电器连锁有限公司	17132	73606	760	家用电器零售	四川省成都市金牛区
华润超级市场有限公司	17017	60326	1230	超级市场零售	北京市朝阳区
深圳市深燃石油气有限公司	17012	66617	1003	其他未列明的零售	广东省深圳市福田区
浙江苏宁电器有限公司	16987	106329	869	家用电器零售	浙江省杭州市下城区
南京新华书店	16925	26000	604	图书零售	江苏省南京市白下区
云南玉溪百信商贸集团有限公司	16800	26495	1020	超级市场零售	云南省玉溪市红塔区
北京崇文门菜市场物美综合超市有限公司	16704	27259	553	其他食品零售	北京市崇文区
大商集团阜新新玛特购物广场有限公司	16698	34966	558	百货零售	辽宁省阜新市海州区
宁波乐购生活购物有限公司	16660	43308	599	超级市场零售	浙江省宁波市海曙区
江苏盐阜人民商场有限公司	16623	47755	686	百货零售	江苏省盐城市市辖区
天津福业商业有限公司	16592	43504	717	超级市场零售	天津市南开区
东莞沃尔玛百货有限公司	16592	37778	1025	超级市场零售	广东省东莞市
玉林金城商厦有限责任公司	16583	17537	693	百货零售	广西壮族自治区玉林市玉州区
西宁大什字百货商店有限公司	16555	22506	739	百货零售	青海省西宁市城中区
中国石油化工股份有限公司山西运城石油分公司	16537	154995	880	机动车燃料零售	山西省运城市盐湖区
北京天超仓储超市有限责任公司	16527	76259	1706	超级市场零售	北京市崇文区
本溪华联商厦有限公司	16299	23470	569	百货零售	辽宁省本溪市平山区
上海迪亚联华零售有限公司	16126	52162	1714	其他综合零售	上海市浦东新区
广州城建开发宏城连锁超级市场有限公司	16005	37243	991	超级市场零售	广东省广州市天河区
大石桥市兴隆百货有限公司	15934	26596	656	百货零售	辽宁省营口市大石桥市
葫芦岛市百货大楼	15898	48458	1600	百货零售	辽宁省锦州市凌河区
大商集团锦州百货大楼有限公司	15898	54315	561	百货零售	辽宁省葫芦岛连山区
北京欧尚超市有限公司	15818	94632	780	超级市场零售	北京市海淀区
山西省临汾万家福仓储超市有限公司	15800	19318	1693	超级市场零售	山西省临汾市尧都区
山东省聊城市百货大楼有限责任公司	15751	40511	1082	百货零售	山东省聊城市东昌府区
宜兴市药业有限公司	15743	27115	603	药品零售	江苏省无锡市宜兴市
北京屈臣氏首创连锁商店有限责任公司	15691	44875	845	超级市场零售	北京市朝阳区
成都讯捷通讯有限公司	15660	69558	500	通信设备零售	四川省成都市青羊区
河南大张实业有限公司	15651	44624	1283	超级市场零售	河南省洛阳市涧西区
深圳西武百货有限公司	15633	48354	911	百货零售	广东省深圳市罗湖区
呼伦贝尔友谊有限责任公司	15570	28270	1121	百货零售	内蒙古自治区呼伦贝尔市海拉尔区
天津泰达易买得超市有限公司	15428	34172	550	超级市场零售	天津市河西区
北京金象大药房医药连锁有限责任公司	15401	36894	707	药品零售	北京市西城区
广州百佳超级市场有限公司深圳分公司	15346	61924	1250	超级市场零售	广东省深圳市罗湖区
大商集团鸡西新玛特购物广场有限公司	15299	42558	2498	百货零售	黑龙江省鸡西市鸡冠区
中国石油天然气股份有限公司吉林省白山销售分公司	15295	72703	688	机动车燃料零售	吉林省白山市八道江区
大庆市庆客隆连锁商贸有限公司	15246	36509	813	超级市场零售	黑龙江省大庆市萨尔图区
河南华联商厦有限公司	15183	39424	587	百货零售	河南省郑州市二七区
淄博奥德隆经贸有限公司	15134	62851	686	百货零售	山东省淄博市临淄区

4－2 续表 10

企业名称	资产总计（万元）	销售额（万元）	全部从业人员年平均人数（人）	所属行业	企业所在地
湖南老百姓大药房连锁有限公司	15097	38100	1083	药品零售	湖南省长沙市开福区
新疆好家乡超市有限公司	14994	51776	918	超级市场零售	新疆维吾尔族自治区乌鲁木齐市天山区
安徽五星电器有限公司	14951	55548	653	家用电器零售	安徽省合肥市庐阳区
深圳市深南燃气有限公司	14865	63387	502	生活用燃料零售	广东省深圳市南山区
河北国美电器有限公司	14847	52373	565	家用电器零售	河北省石家庄市桥西区
泰安银座商城有限公司	14810	47580	729	百货零售	山东省泰安市岱岳区
青海华联综合超市有限公司	14758	20649	548	超级市场零售	青海省西宁市城中区
中油河北秦皇岛销售分公司	14719	86525	826	机动车燃料零售	河北省秦皇岛市北戴河区
银川新华百货购物中心有限公司	14707	31847	603	百货零售	宁夏回族自治区银川市兴庆区
北京市复兴商业城有限公司	14665	34141	655	百货零售	北京市西城区
昆明新华书店连锁有限公司	14592	21927	646	图书零售	云南省昆明市五华区
傲胜(中国)商业有限公司	14572	34292	705	家用电器零售	上海市浦东新区
河南世纪联华超市有限公司	14569	66930	1033	超级市场零售	河南省郑州市金水区
昆山润华商业有限公司苏州高新区分公司	14477	53102	612	超级市场零售	江苏省苏州市虎丘区
唐山华盛超市有限公司	14465	58378	681	超级市场零售	河北省唐山市路南区
保定商场股份有限公司	14329	52034	1059	百货零售	河北省保定市南市区
上海华联罗森有限公司	14240	41961	1288	其他综合零售	上海市静安区
张市帝达购物广场有限公司	14175	25277	800	百货零售	河北省张家口市桥东区
江西鹏润国美电器有限公司	14112	42993	567	家用电器零售	江西省南昌市青云谱区
中国石油天然气股份有限公司四川资阳销售分公司	14092	68472	568	机动车燃料零售	四川省资阳市雁江区
大同北方电器有限责任公司	13970	32642	520	家用电器零售	山西省大同市城区
安徽省阜阳国贸商城有限公司	13886	20188	502	百货零售	安徽省阜阳市市辖区
沃尔玛深国投百货有限公司哈尔滨中山路分店	13781	44190	1089	超级市场零售	黑龙江省哈尔滨市南岗区
成都市人人乐商业有限公司	13771	46476	1901	超级市场零售	四川省成都市青羊区
大连沃尔玛百货有限公司	13759	63179	1372	超级市场零售	辽宁省大连市西岗区
厦门富山诚达百货商业广场有限公司	13673	53475	856	超级市场零售	福建省厦门市思明区
洛阳丹尼斯量贩有限公司	13650	29843	537	超级市场零售	河南省洛阳市涧西区
成都好又多百货商业广场有限公司	13583	67791	1754	超级市场零售	四川省成都市青羊区
江苏宏信商贸股份有限公司	13581	52619	900	百货零售	江苏省扬州市江都市
浙江易川服饰有限公司	13568	24904	732	服装零售	浙江省金华市婺城区
深圳永旺友谊商业有限公司	13547	44926	1053	百货零售	广东省深圳市福田区
大商集团佳木斯百货大楼	13502	43478	3225	百货零售	黑龙江省佳木斯市向阳区
深圳市永安南城百货有限公司	13450	24305	850	百货零售	广东省深圳市福田区
自贡九鼎实业有限公司	13446	15765	2100	百货零售	四川省自贡市自流井区
湖南心连心实业有限公司	13435	22986	604	超级市场零售	湖南省湘潭市雨湖区
四川省互惠商业有限责任公司	13329	46245	1066	超级市场零售	四川省成都市新都区
泰州第一百货商店股份有限公司	13314	42873	598	百货零售	江苏省泰州市海陵区
南京山西路大楼有限责任公司	13209	16250	573	百货零售	江苏省南京市鼓楼区
吉林大药房药业股份有限公司	13141	22284	997	药品零售	吉林省长春市南关区
延安百货大楼集团有限公司	13000	15677	996	百货零售	陕西省延安市宝塔区
上海古今内衣有限公司	12997	60580	1141	服装零售	上海市卢湾区
山东龙口市博商购物广场	12974	26933	933	百货零售	山东省烟台市龙口市
湖北省十堰市寿康永乐有限公司	12889	39727	973	超级市场零售	湖北省十堰市茅箭区
大庆商厦	12871	36071	649	百货零售	黑龙江省大庆市让胡路区
温州开太百货有限公司	12611	43652	1475	百货零售	浙江省温州市鹿城区
齐齐哈尔百货大楼股份有限公司	12445	18028	1030	百货零售	黑龙江省齐齐哈尔市龙沙区
葫芦岛宏运商厦有限公司	12418	15848	550	百货零售	辽宁省葫芦岛连山区
深圳市领跑体育用品有限公司	12400	21549	928	体育用品零售	广东省深圳市福田区
广州龙粤通信设备有限公司	12304	49139	585	通信设备零售	广东省广州市天河区
上海药房股份有限公司	12297	46225	604	药品零售	上海市卢湾区

4－2 续表 11

企业名称	资产总计（万元）	销售额（万元）	全部从业人员年平均人数（人）	所属行业	企业所在地
大连旅顺供销大厦有限公司	12267	20804	700	百货零售	辽宁省大连市旅顺口区
信阳市西亚商业有限公司	12195	15800	1352	超级市场零售	河南省信阳市师河区
九江市派拉蒙百货有限公司	12112	33469	891	超级市场零售	江西省九江市浔阳区
山东馨百商贸有限公司	12078	26960	826	百货零售	山东省莱芜市莱城区
襄樊鼓楼商场股份有限公司	12007	26875	1080	百货零售	湖北省襄樊市襄城区
中国石油天然气股份有限公司四川眉山分公司	11994	67950	562	机动车燃料零售	四川省眉山市东坡区
郑州正道花园商厦股份有限公司	11991	27340	531	百货零售	河南省郑州市金水区
天津市津工超市有限责任公司	11962	75205	2006	超级市场零售	天津市东丽区
北京首航国力商贸有限公司	11870	57611	1464	超级市场零售	北京市丰台区
泸州摩尔商业有限公司	11850	21461	800	百货零售	四川省泸州市江阳区
扬州市广润发超市有限公司	11821	39471	535	超级市场零售	江苏省扬州市广陵区
山东统一银座商业有限公司	11805	27726	963	超级市场零售	山东省济南市历下区
合肥百货大楼集团铜陵合百商厦有限责任公司	11796	20005	819	百货零售	安徽省铜陵市铜官山区
西安秋林公司	11757	34001	810	百货零售	陕西省西安市碑林区
莱州市百货大楼	11639	25954	1332	超级市场零售	山东省烟台市莱州市
珠海民润商业有限公司	11625	22683	596	超级市场零售	广东省珠海市香洲区
厦门银祥食品有限公司	11568	43715	831	肉、禽、蛋及水产品零售	福建省厦门市同安区
深圳市信南实业发展有限公司	11448	18780	772	超级市场零售	广东省深圳市宝安区
滨州银座购物广场有限公司	11426	32302	1150	超级市场零售	山东省滨州市滨城区
焦作市百货大楼股份有限公司	11425	23188	1339	百货零售	河南省焦作市解放区
衡水百货大楼(集团)股份有限公司	11409	16411	744	百货零售	河北省衡水市桃城区
北京迪亚首联商业零售有限公司	11352	36525	1361	超级市场零售	北京市朝阳区
湖南王一集团香江百货有限公司	11332	29064	1166	超级市场零售	湖南省衡阳市石鼓区
中国石油天然气股份有限公司辽宁锦州分公司	11328	103058	1024	机动车燃料零售	辽宁省锦州市古塔区
天津市人人乐商业有限公司	11326	36545	1356	超级市场零售	天津市南开区
山东梁山水泊商场	11325	15681	524	百货零售	山东省济宁市梁山县
广东益华百货有限公司	11316	31241	562	百货零售	广东省中山市
兖州市广场商厦	11306	29119	1315	百货零售	山东省济宁市兖州市
郑州市易初莲花连锁超市有限公司	11303	24642	610	超级市场零售	河南省郑州市管城回族区
哈尔滨新世界百货商场有限公司	11284	35018	525	百货零售	黑龙江省哈尔滨市南岗区
德阳洋洋百盛实业有限公司	11261	20875	1298	百货零售	四川省德阳市旌阳区
无锡天惠超市股份有限公司	11228	35242	1005	超级市场零售	江苏省无锡市南长区
中国石油化工股份有限公司福建龙岩石油分公司	11183	153931	731	机动车燃料零售	福建省龙岩市新罗区
常熟市百润发超市有限责任公司	11087	37730	520	超级市场零售	江苏省苏州市常熟市
广西南宁梦之岛购物中心	11060	22805	770	百货零售	广西壮族自治区南宁市青秀区
仙桃市供销商城大厦有限责任公司	11020	27663	500	百货零售	湖北省仙桃市仙桃市
菏泽牡丹医药责任有限公司	11005	16302	894	药品零售	山东省菏泽市牡丹区
邹城市百货大楼有限责任公司	10774	30889	958	百货零售	山东省济宁市邹城市
广州玛莉雅实业有限公司	10742	21168	536	家具零售	广东省广州市海珠区
阜阳华联超市有限公司	10581	25253	965	超级市场零售	安徽省阜阳市市辖区
深圳市国美电器有限公司东莞市分公司	10566	47520	748	家用电器零售	广东省东莞市
唐山市金客隆仓储批发超级商场	10521	45852	863	超级市场零售	河北省唐山市丰润区
大商集团佳木斯华联商厦有限公司	10507	21910	918	百货零售	黑龙江省佳木斯市向阳区
成都苏宁电器连锁加盟有限公司	10499	131401	1190	家用电器零售	四川省成都市金牛区
陕西蜂星电讯有限责任公司	10481	76857	804	通信设备零售	陕西省西安市碑林区
招远市百货金都有限公司	10479	21271	512	百货零售	山东省烟台市招远市
泰安凌云经贸有限公司	10403	19800	752	百货零售	山东省泰安市宁阳县
包头王府井百货有限责任公司	10368	37068	2386	百货零售	内蒙古自治区包头市昆都仑区
镇江家世界万方连锁超市有限责任公司	10327	16588	520	超级市场零售	江苏省镇江市京口区
华润万家生活超市(珠海)有限公司	10315	40141	714	百货零售	广东省珠海市香洲区

4－2　续表 12

企业名称	资产总计（万元）	销售额（万元）	全部从业人员年平均人数（人）	所属行业	企业所在地
深圳市中联大药房有限公司	10301	22219	831	药品零售	广东省深圳市罗湖区
贵阳国贸广场商贸有限公司	10289	28967	699	服装零售	贵州省贵阳市云岩区
青岛润泰产业有限公司武汉分公司	10255	30552	572	超级市场零售	湖北省武汉市江汉区
太原六味斋实业有限公司	10235	25451	509	肉、禽、蛋及水产品零售	山西省太原市小店区
上海颐盛商贸有限公司	10235	58080	735	服装零售	上海市黄浦区
舟山市民生商厦有限责任公司	10180	26316	656	超级市场零售	浙江省舟山市定海区
平顶山市普生药业零售连锁有限公司	10110	24878	666	药品零售	河南省平顶山市卫东区
北京兴宇班尼路服装服饰有限公司	10046	25364	644	服装零售	北京市东城区
江西青龙集团商厦有限公司	9988	24782	1788	超级市场零售	江西省宜春市袁州区
天津市新中国现代文化用品有限责任公司	9916	16536	500	文具用品零售	天津市和平区
广东赛壹便利店有限公司	9802	34301	1463	超级市场零售	广东省广州市越秀区
安徽省庐江县安德利贸易中心有限公司	9782	19675	602	百货零售	安徽省巢湖市庐江县
烟台开发区德胜商城	9710	31821	1300	纺织品及针织品零售	山东省烟台市福山区
大商集团吉林百货大楼有限公司	9703	22281	509	百货零售	吉林省吉林市昌邑区
长春远方实业集团有限公司	9663	20500	893	超级市场零售	吉林省长春市朝阳区
营口经济技术开发区商业大厦有限公司	9614	22280	1010	百货零售	辽宁省营口市鲅鱼圈区
大商集团股份有限公司大庆新东风购物广场	9577	15344	4066	百货零售	黑龙江省大庆市萨尔图区
昆山润华商业有限公司松江分公司	9563	44500	523	超级市场零售	上海市松江区
盐城商业大厦股份有限公司	9508	35077	801	百货零售	江苏省盐城市市辖区
绍兴好又多百货有限公司	9463	30113	700	超级市场零售	浙江省绍兴市越城区
南京宝庆银楼首饰有限公司	9381	30849	502	珠宝首饰零售	江苏省南京市白下区
北京顺天府商贸有限公司	9376	55868	1072	超级市场零售	北京市丰台区
沈阳沃尔玛百货有限公司	9371	35018	739	超级市场零售	辽宁省沈阳市大东区
重庆桐君阁大药房连锁有限责任公司	9361	24108	931	药品零售	重庆市渝中区
中国石油化工股份有限公司山西晋中石油分公司	9238	155468	1139	机动车燃料零售	山西省晋中市榆次区
泉州新华都购物广场有限公司	9193	47955	844	其他综合零售	福建省泉州市丰泽区
广东赛壹便利店有限公司深圳公司	9141	18819	683	其他综合零售	广东省深圳市罗湖区
北京家世界超市有限公司	9140	32480	662	超级市场零售	北京市丰台区
深圳市有荣配销有限公司	9079	25886	1300	超级市场零售	广东省深圳市福田区
上海诚达百货商业有限公司	8952	64138	939	超级市场零售	上海市徐汇区
云南讯捷通讯有限公司	8938	54504	636	通信设备零售	云南省昆明市五华区
安庆华联购物广场有限责任公司	8855	24370	2000	超级市场零售	安徽省安庆市迎江区
三门峡百货大楼股份有限公司	8812	17173	694	百货零售	河南省三门峡市湖滨区
郑州市紫荆山百货大楼	8789	17535	502	百货零售	河南省郑州市金水区
沃尔玛深国投百货有限公司天津和平路分店	8766	33067	883	百货零售	天津市和平区
吉林市吉润发超市有限公司	8748	27359	530	超级市场零售	吉林省吉林市昌邑区
许昌市胖东来商贸集团有限公司	8708	21722	711	超级市场零售	河南省许昌市魏都区
重庆永辉实业有限公司	8687	30587	503	超级市场零售	重庆市江北区
东莞市天和商贸有限公司	8651	34107	1130	百货零售	广东省东莞市
统杰法宝（北京）超市有限公司	8633	21758	514	超级市场零售	北京市朝阳区
河北世纪联华超市有限公司	8621	18666	801	超级市场零售	河北省石家庄市新华区
黄石市金虹大厦股份有限公司	8459	19952	510	超级市场零售	湖北省黄石市黄石港区
唐山市家世界超市有限公司	8452	26858	600	超级市场零售	河北省唐山市路北区
十堰市京华超市有限公司	8418	24740	686	超级市场零售	湖北省十堰市茅箭区
南京中央金城仓储超市有限责任公司	8339	34786	538	超级市场零售	江苏省南京市白下区
内蒙古石油公司乌海分公司	8284	92949	585	机动车燃料零售	内蒙古自治区乌海市海勃湾区
世纪联华发展有限公司	8274	26922	693	超级市场零售	安徽省芜湖市镜湖区
中国石化股份有限公司山西长治分公司	8166	131199	599	机动车燃料零售	山西省长治市城区
苏州联华超市有限公司	8147	23886	724	超级市场零售	江苏省苏州市虎丘区
内蒙古维多利商厦有限公司	8097	26130	2343	百货零售	内蒙古自治区呼和浩特市回民区

4－2 续表 13

企业名称	资产总计（万元）	销售额（万元）	全部从业人员年平均人数（人）	所属行业	企业所在地
天津一商联华超市有限公司	7893	23058	555	超级市场零售	天津市塘沽区
大商集团抚顺商贸大厦有限公司	7592	17402	1061	百货零售	辽宁省抚顺市望花区
湖北富迪有限公司	7564	32527	4500	超级市场零售	湖北省仙桃市仙桃市
深圳市兴万家商业发展有限公司	7536	16242	577	其他日用品零售	广东省深圳市罗湖区
江苏海王星辰健康药房连锁有限公司	7510	15666	1059	药品零售	江苏省苏州市平江区
黑龙江泰华医药有限公司	7467	20553	873	药品零售	黑龙江省绥化市北林区
中国石油天然气有限公司唐山销售分公司	7246	94323	1147	机动车燃料零售	河北省唐山市路北区
淮南苏果超市有限公司	7155	28178	525	超级市场零售	安徽省淮南市田家庵区
北京同仁堂连锁药店有限责任公司	7139	28636	992	药品零售	北京市西城区
南通通润发超市有限公司	7130	46134	569	超级市场零售	江苏省南通市崇川区
武汉易初莲花连锁超市有限公司	7111	20903	606	超级市场零售	湖北省武汉市江岸区
济阳方正家具市场	7082	19437	620	家具零售	山东省济南市济阳县
上海雷允上连锁经营有限公司	7067	31287	1196	药品零售	上海市黄浦区
昆山润华商业有限公司牡丹江分公司	7053	18703	500	超级市场零售	黑龙江省牡丹江市东安区
云南健之佳连锁健康药房有限公司	7030	28701	1205	药品零售	云南省昆明市盘龙区
广西辉煌交通石化有限公司	6962	72264	513	机动车燃料零售	广西壮族自治区南宁市青秀区
金华市中洋超市有限公司	6925	20048	762	超级市场零售	浙江省金华市婺城区
黑龙江好又多百货商业广场有限公司	6845	25667	860	超级市场零售	黑龙江省哈尔滨市南岗区
常州市武进明都超市有限公司	6791	22694	826	超级市场零售	江苏省常州市武进区
嘉兴市嘉润商业有限责任公司	6788	32020	507	超级市场零售	浙江省嘉兴市秀洲区
威海长江糖酒有限公司	6787	25409	1373	百货零售	山东省威海市文登市
长沙东之杰运动产业发展有限公司	6751	31209	521	体育用品零售	湖南省长沙市天心区
重庆市人人乐商业有限公司	6726	25070	950	超级市场零售	重庆市沙坪坝区
盘锦兴隆大厦二百有限公司	6690	22924	700	百货零售	辽宁省盘锦市双台子区
陕西苏宁电器有限责任公司	6577	64848	982	家用电器零售	陕西省西安市莲湖区
浙江天天惠超市有限公司	6558	21162	510	超级市场零售	浙江省舟山市定海区
南京家居乐龙蟠建材有限公司	6397	17537	560	其他室内装修材料零售	江苏省南京市秦淮区
佛山市好又多怡东百货商业有限公司	6316	23857	559	超级市场零售	广东省佛山市禅城区
浙江福泰隆连锁超市有限公司	6309	19519	586	超级市场零售	浙江省金华市婺城区
重庆好又多百货商业有限公司	6300	33592	908	百货零售	重庆市南岸区
百盛商业发展有限公司太原分公司	6277	24816	1467	百货零售	山西省太原市小店区
惠州市人人乐商业有限公司	6276	35428	856	超级市场零售	广东省惠州市惠城区
台州市三和自选商场有限公司	6264	25830	500	超级市场零售	浙江省台州市温岭市
深圳市好又多量贩百货有限公司	6264	22860	600	超级市场零售	广东省深圳市罗湖区
西安民生集团咸阳民生购物中心有限公司	6242	26352	812	超级市场零售	陕西省咸阳市秦都区
宿州美惠多超市	6235	21292	1569	超级市场零售	安徽省宿州市墉桥区
襄樊襄江商场股份有限公司	6197	19093	1891	百货零售	湖北省襄樊市樊城区
深圳市一致医药连锁有限公司	6182	22240	1650	药品零售	广东省深圳市福田区
秦皇岛市家惠商贸有限公司	6142	20081	1200	超级市场零售	河北省秦皇岛市海港区
浙江黄岩食品总公司	6122	18130	748	肉、禽、蛋及水产品零售	浙江省台州市黄岩区
宝鸡人民商场股份有限公司	5871	34001	665	百货零售	陕西省宝鸡市渭滨区

4－2 续表 14

企业名称	资产总计（万元）	销售额（万元）	全部从业人员年平均人数（人）	所属行业	企业所在地
济南漱玉平民大药房有限公司	5792	24236	938	药品零售	山东省济南市历下区
湖北雅斯连锁商业有限公司	5781	17800	534	超级市场零售	湖北省宜昌市西陵区
云南鸿翔药业有限公司	5772	71624	3076	药品零售	云南省昆明市西山区
大连大商集团有限公司大庆让胡路商场	5659	17547	836	百货零售	黑龙江省大庆市让胡路区
浙江宏图三胞科技发展有限公司	5623	27935	500	计算机、软件及辅助设备零售	浙江省杭州市西湖区
大连联华快客中山便利商业有限公司	5603	23836	1259	其他综合零售	辽宁省大连市中山区
宁海县太平洋百货有限公司	5521	18619	630	百货零售	浙江省宁波市宁海县
广州市海王星辰医药连锁有限公司	5456	27663	779	医疗用品及器材零售	广东省广州市海珠区
青岛中百佳乐家超市有限公司	5402	17482	692	超级市场零售	山东省青岛市平度市
常州市信特超市有限公司	5350	22689	895	超级市场零售	江苏省常州市天宁区
江西步步高商业连锁有限公司	5302	15587	800	超级市场零售	江西省南昌市东湖区
南京华诚超市有限公司	5277	35207	1719	超级市场零售	江苏省南京市白下区
胜利油田胜大贸易公司胜大自选商店	5105	30300	578	超级市场零售	山东省东营市东营区
天津劝宝超市有限责任公司	4905	15024	864	超级市场零售	天津市宝坻区
台州人本超市有限公司	4756	21693	555	超级市场零售	浙江省台州市温岭市
湖北新一佳超市有限公司	4670	22252	503	超级市场零售	湖北省武汉市洪山区
台州市路桥区商业有限公司	4521	15743	566	肉、禽、蛋及水产品零售	浙江省台州市路桥区
范县濮城镇军寨市场	4500	20218	792	超级市场零售	河南省濮阳市范县
北京星城商厦商贸有限责任公司	4382	17888	750	百货零售	北京市大兴区
福州闽台茶业有限公司	4382	68345	853	饮料及茶叶零售	福建省福州市晋安区
江苏超越超市连锁发展有限公司	4198	35016	502	超级市场零售	江苏省南通市崇川区
上海家家乐商业发展有限公司	4181	31396	743	超级市场零售	上海市浦东新区
上海蜂星电讯设备连锁有限公司	4122	22649	510	通信设备零售	上海市卢湾区
常熟华地百货有限公司	4114	16932	800	百货零售	江苏省苏州市常熟市
杭州好又多百货有限公司	4055	18109	587	超级市场零售	浙江省杭州市西湖区
上海梅林正广和便利连锁有限公司	3877	37673	1829	其他综合零售	上海市杨浦区
北京港佳好邻居连锁便利店有限责任公司	3801	15828	712	其他综合零售	北京市西城区
东莞市苏宁电器有限公司	3701	25343	530	家用电器零售	广东省东莞市
武汉市好又多百货商业有限公司	3648	18406	511	超级市场零售	湖北省武汉市江岸区
上饶市福昌国际家具城管理有限公司	3458	17505	516	家具零售	江西省上饶市上饶县
秦皇岛广缘商厦有限公司	3453	15062	686	超级市场零售	河北省秦皇岛市海港区
河南苏宁电器有限公司	3381	23858	552	家用电器零售	河南省郑州市二七区
随州市百货公司	3289	16631	596	百货零售	湖北省随州市曾都区
河南家世界超市有限公司	2504	26317	550	超级市场零售	河南省郑州市金水区
赣州国光购物广场有限责任公司	2503	15728	955	超级市场零售	江西省赣州市章贡区
山东世纪泰华集团有限公司	2238	31625	1260	百货零售	山东省潍坊市奎文区
安徽商之都六安商厦	2035	17775	1000	百货零售	安徽省六安市金安区
镇江市恺源旅游商贸有限责任公司	1864	17831	528	百货零售	江苏省镇江市京口区
中国石油化工股份有限公司山西阳泉石油分公司	1747	77826	576	机动车燃料零售	山西省阳泉市城区
南充盛华堂商业管理有限公司	1030	18700	836	服装零售	四川省南充市顺庆区

4-3 大型住宿企业名单及主要经济指标

企业名称	资产总计（万元）	销售额（万元）	全部从业人员年平均人数（人）	所属行业	企业所在地
北京九华山庄国际保健俱乐部集团有限公司	226955	38120	2653	旅游饭店	北京市昌平区
北京市北京饭店	165888	29698	1587	旅游饭店	北京市东城区
北京天伦饭店有限公司	131828	20625	917	旅游饭店	北京市东城区
湖南华天大酒店股份有限公司	130245	23057	1306	旅游饭店	湖南省长沙市芙蓉区
杭州大厦有限公司	100559	4526	1205	旅游饭店	浙江省杭州市下城区
广州市东方宾馆股份有限公司	82523	29316	1478	旅游饭店	广东省广州市越秀区
四川九寨天堂温泉酒店有限公司	79393	17200	905	旅游饭店	四川省阿坝州九寨沟县
中国大饭店	79213	63440	1131	旅游饭店	北京市朝阳区
北京燕莎中心有限公司	77034	34176	1102	旅游饭店	北京市朝阳区
北京国际俱乐部有限公司	75377	35644	862	旅游饭店	北京市朝阳区
上海锦江国际酒店(集团)股份有限公司	70277	21477	1035	旅游饭店	上海市卢湾区
北京国际饭店	69576	25525	1158	旅游饭店	北京市东城区
北京世纪金源大饭店有限责任公司	69575	26825	981	旅游饭店	北京市海淀区
白天鹅宾馆	62860	43200	1797	旅游饭店	广东省广州市荔湾区
广东亚洲国际大酒店	58749	18892	897	旅游饭店	广东省广州市越秀区
湖州浙北大厦有限公司	57574	2664	1449	旅游饭店	浙江省湖州市吴兴区
北京友谊宾馆	56058	30151	2426	旅游饭店	北京市海淀区
杭州国际大厦有限责任公司	54028	16682	900	旅游饭店	浙江省杭州市下城区
上海锦江饭店有限公司	53588	24112	1212	旅游饭店	上海市卢湾区
静安希尔顿饭店(上海)	52326	47463	1142	旅游饭店	上海市静安区
北京昆仑饭店有限公司	48016	33832	1441	旅游饭店	北京市朝阳区
广州花园酒店	46853	32217	2018	旅游饭店	广东省广州市越秀区
广州长隆酒店有限公司	42877	15057	860	旅游饭店	广东省广州市番禺区
深圳市香格里拉大酒店有限公司	41511	24595	818	旅游饭店	广东省深圳市罗湖区
北京亮马河大厦有限公司	41380	26194	954	旅游饭店	北京市朝阳区
济南舜耕山庄	39721	15428	1114	旅游饭店	山东省济南市市中区
北京市西苑饭店	33011	17901	1225	旅游饭店	北京市海淀区
佛山宾馆有限公司	32865	20021	830	旅游饭店	广东省佛山市禅城区
北京市长城饭店公司	30792	30372	940	旅游饭店	北京市朝阳区
中国大酒店	30399	47928	1760	一般旅馆	广东省广州市越秀区
青岛海天大酒店有限公司	28936	25913	1274	旅游饭店	山东省青岛市市南区
北京春晖园文化娱乐有限责任公司	26071	15073	872	旅游饭店	北京市顺义区
深圳圣廷苑酒店有限公司	24719	17555	1053	旅游饭店	广东省深圳市福田区
四川锦江宾馆	23632	19290	1465	旅游饭店	四川省成都市锦江区
花园饭店(上海)	22505	32532	912	旅游饭店	上海市卢湾区
上海银河宾馆有限公司	21864	17681	832	旅游饭店	上海市长宁区
东莞市会展国际大酒店	14898	19268	1300	旅游饭店	广东省东莞市
北京东方君悦大酒店	13701	59493	1267	旅游饭店	北京市东城区
江门市逸豪酒店有限公司	5618	15572	1083	旅游饭店	广东省江门市蓬江区

4－4 大型餐饮企业名单及主要经济指标

企业名称	资产总计（万元）	销售额（万元）	全部从业人员年平均人数（人）	所属行业	企业所在地
重庆陶然居饮食文化(集团)有限公司	147948	11473	12622	正餐服务	重庆市九龙坡区
西安饮食服务(集团)股份有限公司	85234	46637	2980	正餐服务	陕西省西安市碑林区
北京麦当劳食品有限公司	64838	93460	3340	快餐服务	北京市东城区
杭州肯德基有限公司	64032	34836	12105	快餐服务	浙江省杭州市西湖区
中国全聚德(集团)股份有限公司	62981	48288	1991	正餐服务	北京市宣武区
百胜餐饮(广东)有限公司	61213	59126	11231	快餐服务	广东省广州市越秀区
上海肯得基有限公司	56981	154366	11980	快餐服务	上海市徐汇区
广东三元麦当劳食品有限公司	54713	68726	5340	快餐服务	广东省广州市越秀区
山东蓝海股份有限公司	54248	19551	1214	正餐服务	山东省东营市东营区
百胜餐饮(沈阳)有限公司	54235	128421	7500	快餐服务	辽宁省沈阳市和平区
北京肯德基有限公司	44825	143861	10654	快餐服务	北京市东城区
天津肯德基有限公司	44062	103236	6241	快餐服务	天津市南开区
杭州饮食服务集团有限公司	43796	22056	1828	正餐服务	浙江省杭州市上城区
上海必胜客有限公司	34153	94528	1000	正餐服务	上海市浦东新区
麦当劳餐厅(深圳)有限公司	33512	56452	3220	快餐服务	广东省深圳市福田区
百胜餐饮(深圳)有限公司	32883	69851	6937	快餐服务	广东省深圳市福田区
青岛肯德基有限公司	32830	72888	6592	快餐服务	山东省青岛市市南区
南京肯德基有限公司	31740	51882	7272	快餐服务	江苏省南京市白下区
上海美林阁餐饮经营管理有限公司	31256	25770	2150	正餐服务	上海市松江区
武汉市亢龙太子酒轩有限责任公司	29620	15252	1294	正餐服务	湖北省武汉市武昌区
上海华联麦当劳有限公司	28738	46284	3880	快餐服务	上海市卢湾区
北京必胜客比萨饼有限公司	25813	41168	5586	正餐服务	北京市东城区
北京郭林家常菜食品有限责任公司	23216	32753	3361	正餐服务	北京市西城区
百胜餐饮(武汉)有限公司	23192	52792	4682	快餐服务	湖北省武汉市江汉区
苏州肯德基有限公司	23014	81741	5217	快餐服务	江苏省苏州市虎丘区
天津麦当劳食品有限公司	21088	31130	1393	快餐服务	天津市河西区
无锡市肯德基有限公司	17572	56954	3357	快餐服务	江苏省无锡市崇安区
陕西松茂食品有限公司	17495	17674	1000	快餐服务	陕西省西安市碑林区
浙江麦当劳餐厅食品有限公司	16494	23965	2126	快餐服务	浙江省杭州市下城区
深圳面点王饮食连锁有限公司	16343	27810	2186	正餐服务	广东省深圳市福田区
厦门肯德基有限公司	16128	23001	2178	快餐服务	福建省厦门市思明区
重庆市德庄饮食文化有限公司	15239	16080	1468	正餐服务	重庆市南岸区
南京麦当劳餐饮食品有限公司	14891	38506	2057	快餐服务	江苏省南京市玄武区
湖北三五酒店有限公司	14798	16251	1653	正餐服务	湖北省武汉市江汉区
上海豫园商城老城隍庙饮食有限公司	14736	27210	1218	其他餐饮服务	上海市黄浦区
武汉小南京健康美食酒店管理公司	14415	17938	2926	正餐服务	湖北省武汉市江汉区
长沙肯德基有限公司	14141	14786	3604	快餐服务	湖南省长沙市天心区
上海统一星巴克咖啡有限公司	13551	33963	1539	饮料及冷饮服务	上海市长宁区
聚德华天控股有限公司	13334	16827	1355	正餐服务	北京市西城区
武汉麦当劳餐饮食品有限公司	13318	26149	2112	快餐服务	湖北省武汉市江汉区
上海领先餐饮管理有限公司	12511	22679	1980	其他餐饮服务	上海市浦东新区
太原肯德基有限公司	12215	28104	1956	快餐服务	山西省太原市迎泽区
东莞肯德基有限公司	11911	24425	1628	快餐服务	广东省东莞市
北京吉野家快餐有限公司	11551	28449	1708	快餐服务	北京市东城区
东莞市麦当劳食品有限公司	11527	24278	1080	快餐服务	广东省东莞市
北京美大星巴克咖啡有限公司	11220	18184	873	饮料及冷饮服务	北京市朝阳区
百胜餐饮(成都)有限公司	10588	28362	1900	快餐服务	四川省成都市青羊区
百胜餐饮(福州)有限公司	9880	32843	1215	快餐服务	福建省福州市鼓楼区
沈阳麦当劳(餐厅食品)有限公司	9735	18173	1050	快餐服务	辽宁省沈阳市皇姑区
大连肯德基有限公司	9520	25218	1500	快餐服务	辽宁省大连市中山区
上海麦当劳 食品有限公司	8413	172074	1133	快餐服务	上海市黄浦区
南宁肯德基有限公司	8053	16081	1348	快餐服务	广西壮族自治区南宁市青秀区
北京机场饮食服务有限公司	7443	15893	870	正餐服务	北京市顺义区
南昌肯德基有限公司	7122	19733	1442	快餐服务	江西省南昌市东湖区
上海新亚大家乐餐饮有限公司	6800	18706	2219	快餐服务	上海市虹口区
西安福临门大香港鲍翅有限公司	6097	15296	1446	正餐服务	陕西省西安市雁塔区

4－5 分地区大型批发零售和住宿餐饮企业名单及主要指标情况

企业名称	资产总计（万元）	销售额（万元）	全部从业人员年平均人数（人）	所属行业	企业所在地
北京市					
中国粮油食品(集团)有限公司	5361044	1837824	501	谷物、豆及薯类批发	北京市东城区
诺基亚(中国)投资有限公司	1553380	4574658	2348	通讯及广播电视设备批发	北京市大兴区
西门子(中国)有限公司	1342240	562433	4921	通讯及广播电视设备批发	北京市朝阳区
五矿钢铁有限责任公司	1311598	5503311	230	金属及金属矿批发	北京市海淀区
中国航空技术进出口总公司	1172899	233191	540	其他未列明的批发	北京市朝阳区
松下电器(中国)有限公司	1108145	1334432	1569	家用电器批发	北京市朝阳区
中国北方工业公司	1048162	285288	523	其他未列明的批发	北京市宣武区
中国石油天然气股份有限公司华北销售分公司	942122	3820275	212	石油及制品批发	北京市朝阳区
中国石油物资装备(集团)总公司	874060	271293	282	金属及金属矿批发	北京市西城区
中国机械设备进出口总公司	818430	470352	513	其他机械设备及电子产品批发	北京市宣武区
中化化肥有限公司	746770	1915984	2332	化肥批发	北京市西城区
中国石化国际事业有限公司	719965	372342	354	贸易经纪与代理	北京市朝阳区
索尼(中国)有限公司	703469	1620729	1639	家用电器批发	北京市朝阳区
中国石油化工股份有限公司北京石油分公司	554178	2533408	6093	机动车燃料零售	北京市朝阳区
一汽丰田汽车销售有限公司	534808	4745880	540	汽车、摩托车及零配件批发	北京市海淀区
中国矿产有限责任公司	473959	1927489	237	金属及金属矿批发	北京市海淀区
国美电器有限公司	473187	478278	3222	家用电器零售	北京市朝阳区
北京华联综合超市股份有限公司	406337	129334	1744	百货零售	北京市西城区
中国神华能源股份有限公司煤炭销售中心	382858	2404359	571	煤炭及制品批发	北京市东城区
施耐德电气(中国)投资有限公司	379741	679918	2188	其他机械设备及电子产品批发	北京市朝阳区
北电网络(中国)有限公司	352720	177550	1092	通讯及广播电视设备批发	北京市东城区
索尼爱立信移动通信产品(中国)有限公司	324495	825477	642	其他机械设备及电子产品批发	北京市朝阳区
北京王府井百货(集团)股份有限公司	313965	140667	2037	百货零售	北京市东城区
中国电子进出口总公司	309600	266022	308	贸易经纪与代理	北京市海淀区
北京京客隆商业集团股份有限公司	298510	574690	5451	超级市场零售	北京市朝阳区
中国烟草总公司北京市公司	289605	670460	993	烟草制品批发	北京市东城区
乐金电子(中国)有限公司	271002	915564	2293	家用电器批发	北京市朝阳区
佳能(中国)有限公司	267712	780078	932	其他机械设备及电子产品批发	北京市朝阳区
北京物美商业集团股份有限公司	265939	202594	864	超级市场零售	北京市石景山区
卡特彼勒(中国)投资有限公司	258539	336113	254	其他机械设备及电子产品批发	北京市朝阳区
北京市大中电器有限公司	240635	728725	2660	家用电器零售	北京市石景山区
北京城乡贸易中心股份有限公司	232088	121847	787	百货零售	北京市海淀区
北京九华山庄国际保健俱乐部集团有限公司	226955	38120	2653	旅游饭店	北京市昌平区
中国化工建设总公司	220323	175818	247	其他化工产品批发	北京市朝阳区
北京物美综合超市有限公司	217169	308937	1411	超级市场零售	北京市大兴区
中国铁路物资北京公司	212094	1013553	252	金属及金属矿批发	北京市宣武区
北京医药股份有限公司	187251	364098	848	西药批发	北京市东城区
百盛商业发展有限公司	185313	190599	623	百货零售	北京市西城区
北京李宁体育用品有限公司	182275	357936	688	服装批发	北京市崇文区
北京市北京饭店	165888	29698	1587	旅游饭店	北京市东城区
中钢设备公司	147885	162110	268	其他机械设备及电子产品批发	北京市东城区
北京市西单商场股份有限公司	146642	118855	3038	百货零售	北京市西城区
中国出国人员服务总公司	136103	59188	547	贸易经纪与代理	北京市朝阳区
北京天伦饭店有限公司	131828	20625	917	旅游饭店	北京市东城区
国药集团药业股份有限公司	129682	313211	289	西药批发	北京市崇文区
中国石油天然气股份有限公司北京销售分公司	126212	653680	2249	石油及制品批发	北京市朝阳区
北京庄胜崇光百货商场	116753	152834	780	百货零售	北京市宣武区
中国医药对外贸易公司	116317	151349	239	西药批发	北京市海淀区

4－5　续表1

企业名称	资产总计（万元）	销售额（万元）	全部从业人员年平均人数（人）	所属行业	企业所在地
北京中石化首创石油投资经营有限公司	113072	266189	921	石油及制品批发	北京市朝阳区
大金(中国)投资有限公司	112332	51133	1307	其他机械设备及电子产品批发	北京市东城区
阿尔派电子(中国)有限公司	110373	67370	436	汽车、摩托车及零配件批发	北京市朝阳区
中国电子器材总公司	106830	168371	749	其他机械设备及电子产品批发	北京市海淀区
北京易初莲花连锁超市有限公司	103486	196149	1045	超级市场零售	北京市朝阳区
北京家乐福商业有限公司	92315	266100	2928	超级市场零售	北京市丰台区
中国药材集团公司	91150	87703	238	中药材及中成药批发	北京市宣武区
北京市糖业烟酒公司	88581	135585	477	糕点、糖果及糖批发	北京市崇文区
赛特集团有限公司	87365	138905	1706	百货零售	北京市朝阳区
北京宜家家居有限公司	87359	51775	509	家具零售	北京市朝阳区
中国再生资源开发公司	86469	2004790	435	再生物资回收与批发	北京市西城区
中国医药保健品有限公司	85410	85390	267	中药材及中成药批发	北京市崇文区
北京双安商场有限责任公司	81150	126360	1028	百货零售	北京市海淀区
中国大饭店	79213	63440	1131	旅游饭店	北京市朝阳区
北京燕莎中心有限公司	77034	34176	1102	旅游饭店	北京市朝阳区
北京国际俱乐部有限公司	75377	35644	862	旅游饭店	北京市朝阳区
北京超市发连锁股份有限公司	75183	155243	3148	其他食品零售	北京市海淀区
北京翠微大厦股份有限公司	74330	165475	1607	百货零售	北京市海淀区
北京市新华书店	71544	19177	1041	图书零售	北京市西城区
北京国际饭店	69576	25525	1158	旅游饭店	北京市东城区
北京世纪金源大饭店有限责任公司	69575	26825	981	旅游饭店	北京市海淀区
华糖洋华堂商业有限公司	64932	210378	1700	百货零售	北京市朝阳区
北京燕莎友谊商城有限公司	64863	290565	1813	百货零售	北京市朝阳区
北京麦当劳食品有限公司	64838	93460	3340	快餐服务	北京市东城区
北京稻香村食品有限责任公司	63411	37712	2073	糕点、面包零售	北京市东城区
中国全聚德(集团)股份有限公司	62981	48288	1991	正餐服务	北京市宣武区
北京服装进出口股份有限公司	61615	122501	303	服装批发	北京市朝阳区
中贸联万客隆商业有限公司	60118	84561	772	超级市场零售	北京市朝阳区
北京当代商城实业公司	59922	89059	786	百货零售	北京市海淀区
北京美廉美连锁商业有限公司	58706	174703	2271	超级市场零售	北京市海淀区
北京苏宁电器有限公司	58484	306053	2330	家用电器零售	北京市通州区
奥林巴斯(北京)销售服务有限公司	58457	44564	821	医疗用品及器材零售	北京市东城区
北京物美大卖场商业管理有限公司	58212	124776	2359	超级市场零售	北京市大兴区
北京长安商场有限责任公司	58049	88535	1273	百货零售	北京市西城区
松下电工(中国)有限公司	57906	32558	467	五金、交电批发	北京市东城区
中糖世纪股份有限公司	56616	102081	200	糕点、糖果及糖批发	北京市西城区
北京友谊宾馆	56058	30151	2426	旅游饭店	北京市海淀区
北京方正延中信息系统有限公司	55621	75206	399	计算机、软件及辅助设备批发	北京市海淀区
北京中邮普泰移动通信设备有限责任公司	53716	164110	232	通讯及广播电视设备批发	北京市丰台区
北京中友百货有限责任公司	52634	145271	859	百货零售	北京市西城区
北京甘家口大厦	49315	46251	1052	百货零售	北京市海淀区
北京市恒物金属材料有限公司	48841	188048	246	金属及金属矿批发	北京市宣武区
北京新华书店首都发行所有限公司	48739	102423	561	图书批发	北京市西城区
北京图书大厦有限责任公司	48199	51799	735	图书零售	北京市西城区
北京昆仑饭店有限公司	48016	33832	1441	旅游饭店	北京市朝阳区
中国电子器件工业有限公司	46501	115269	215	计算机、软件及辅助设备批发	北京市海淀区
嘉事堂药业股份有限公司	44899	44029	1234	药品零售	北京市海淀区
北京肯德基有限公司	44825	143861	10654	快餐服务	北京市东城区
北京师范大学出版社发行部	43129	66811	255	图书批发	北京市海淀区
杰伟世(中国)投资有限公司	41560	98505	206	家用电器批发	北京市朝阳区

4－5 续表2

企业名称	资产总计（万元）	销售额（万元）	全部从业人员年平均人数（人）	所属行业	企业所在地
北京亮马河大厦有限公司	41380	26194	954	旅游饭店	北京市朝阳区
华普超市有限公司	41071	92124	2085	超级市场零售	北京市朝阳区
北京小白羊超市连锁总店	35846	51290	1752	超级市场零售	北京市石景山区
北京明炬达科技发展有限公司	34900	174434	216	计算机、软件及辅助设备批发	北京市朝阳区
三星电子(北京)技术有限公司	34392	64262	291	家用电器批发	北京市朝阳区
北京市京新龙医药销售有限公司	34270	159588	378	西药批发	北京市朝阳区
北京蓝岛大厦	33182	80159	1277	百货零售	北京市朝阳区
北京市西苑饭店	33011	17901	1225	旅游饭店	北京市海淀区
中油燃气有限责任公司	32578	104549	260	石油及制品批发	北京市西城区
北京新世界商场	32001	140944	780	百货零售	北京市崇文区
北京市长城饭店公司	30792	30372	940	旅游饭店	北京市朝阳区
北京中复电讯设备有限责任公司	28929	111513	1113	通信设备零售	北京市朝阳区
北京双鹤药业经营有限责任公司	28496	113472	864	西药批发	北京市东城区
华润雪花啤酒(中国)有限公司	28002	43923	741	饮料及茶叶批发	北京市东城区
北京春晖园文化娱乐有限责任公司	26071	15073	872	旅游饭店	北京市顺义区
北京必胜客比萨饼有限公司	25813	41168	5586	正餐服务	北京市东城区
北京沃尔玛百货有限公司	24438	107669	1810	超级市场零售	北京市石景山区
北京一商美洁商业有限公司	23334	114803	484	化妆品及卫生用品批发	北京市丰台区
北京郭林家常菜食品有限责任公司	23216	32753	3361	正餐服务	北京市西城区
捷成(中国)贸易有限公司	22293	53818	309	饮料及茶叶批发	北京市东城区
北京华融家乐福商业有限公司	20887	57646	526	超级市场零售	北京市朝阳区
北京顺义西单商场	20557	64086	924	百货零售	北京市顺义区
中国出版对外贸易总公司	20225	39079	710	图书批发	北京市朝阳区
北京旺市百利商业有限公司	18109	72602	1555	超级市场零售	北京市朝阳区
北京物美京北大世界商贸有限公司	17978	31517	635	超级市场零售	北京市怀柔区
北京亿客隆商业股份有限公司	17315	25021	843	超级市场零售	北京市丰台区
北京市昌平新世纪商城	17258	30474	910	百货零售	北京市昌平区
北京市房山华冠商贸有限公司	17197	56296	841	超级市场零售	北京市房山区
华润超级市场有限公司	17017	60326	1230	超级市场零售	北京市朝阳区
北京崇文门菜市场物美综合超市有限公司	16704	27259	553	其他食品零售	北京市崇文区
北京天超仓储超市有限责任公司	16527	76259	1706	超级市场零售	北京市崇文区
北京欧尚超市有限公司	15818	94632	780	超级市场零售	北京市海淀区
北京屈臣氏首创连锁商店有限责任公司	15691	44875	845	超级市场零售	北京市朝阳区
北京中得高雅经贸有限公司	15643	31832	500	其他日用品批发	北京市朝阳区
北京金象大药房医药连锁有限责任公司	15401	36894	707	药品零售	北京市西城区
北京鑫方盛五金交电有限公司	15084	63313	711	五金、交电批发	北京市丰台区
中油北京销售有限公司	15068	107451	362	石油及制品批发	北京市海淀区
北京市复兴商业城有限公司	14665	34141	655	百货零售	北京市西城区
北京东方君悦大酒店	13701	59493	1267	旅游饭店	北京市东城区
聚德华天控股有限公司	13334	16827	1355	正餐服务	北京市西城区
北京首航国力商贸有限公司	11870	57611	1464	超级市场零售	北京市丰台区
北京吉野家快餐有限公司	11551	28449	1708	快餐服务	北京市东城区
北京市汽车贸易公司	11478	37642	259	汽车、摩托车及零配件批发	北京市朝阳区
北京迪亚首联商业零售有限公司	11352	36525	1361	超级市场零售	北京市朝阳区
北京美大星巴克咖啡有限公司	11220	18184	873	饮料及冷饮服务	北京市朝阳区
北京紫竹医药经营有限公司	10854	59844	295	西药批发	北京市海淀区
北京兴宇班尼路服装服饰有限公司	10046	25364	644	服装零售	北京市东城区
北京顺天府商贸有限公司	9376	55868	1072	超级市场零售	北京市丰台区
北京家世界超市有限公司	9140	32480	662	超级市场零售	北京市丰台区
北京蒙牛宏达乳制品有限责任公司	8981	105719	1032	饮料及茶叶批发	北京市丰台区

4－5 续表3

企业名称	资产总计（万元）	销售额（万元）	全部从业人员年平均人数（人）	所属行业	企业所在地
统杰法宝(北京)超市有限公司	8633	21758	514	超级市场零售	北京市朝阳区
北京机场饮食服务有限公司	7443	15893	870	正餐服务	北京市顺义区
北京同仁堂连锁药店有限责任公司	7139	28636	992	药品零售	北京市西城区
北京青岛啤酒北方销售有限公司	6249	68778	691	饮料及茶叶批发	北京市密云县
北京市尧舜建材供应站	5242	41596	663	建材批发	北京市丰台区
北京星城商厦商贸有限责任公司	4382	17888	750	百货零售	北京市大兴区
北京宝盛道吉体育用品有限公司	4362	43646	725	体育用品批发	北京市东城区
北京 TCL 电子销售有限公司	3882	32202	214	家用电器批发	北京市西城区
北京港佳好邻居连锁便利店有限责任公司	3801	15828	712	其他综合零售	北京市西城区
天津市					
天津市亚益成工贸有限责任公司	487451	609194	466	金属及金属矿批发	天津市西青区
中国石化销售有限公司华北分公司	461301	13200000	333	石油及制品批发	天津市和平区
中国石油化工股份有限公司天津石油分公司	241534	1341042	6076	石油及制品批发	天津市南开区
天津一商友谊股份有限公司	206634	180455	1446	百货零售	天津市河西区
中国烟草总公司天津市公司	206185	347659	1093	烟草制品批发	天津市和平区
国药控股天津有限公司	139658	580343	977	西药批发	天津市和平区
中国铁路物资天津公司	137037	757399	256	金属及金属矿批发	天津市河东区
天津劝业场(集团)股份有限公司	136229	173377	1683	百货零售	天津市和平区
中国石油天然气股份有限公司天津销售分公司	126793	374325	2173	机动车燃料零售	天津市河西区
天津国美电器有限公司	117420	271076	1438	家用电器零售	天津市南开区
天津太平(集团)有限公司	103520	350942	920	西药批发	天津市和平区
天津家世界连锁超市有限公司	96024	227200	5430	超级市场零售	天津市东丽区
天津滨江商厦有限公司	95555	47117	1012	百货零售	天津市和平区
中原百货集团股份有限公司	75578	170536	850	百货零售	天津市和平区
中国农业机械华北集团有限公司	64375	68402	282	汽车、摩托车及零配件批发	天津市和平区
天津服装进出口股份有限公司	47448	175350	202	服装批发	天津市河西区
天津肯德基有限公司	44062	103236	6241	快餐服务	天津市南开区
天津金元宝商厦集团有限公司	40708	81970	1302	百货零售	天津市塘沽区
渤海石油物资供应公司	37826	73535	534	石油及制品批发	天津市塘沽区
天津滨江购物中心	34656	28210	641	百货零售	天津市和平区
天津市正泰实业总公司	25109	99446	276	家用电器批发	天津市河北区
天津家世界家居建材超市有限公司	24075	67428	1171	其他室内装修材料零售	天津市东丽区
天津苏宁电器连锁加盟有限公司	22761	77759	624	家用电器零售	天津市和平区
天津海尔工贸有限公司	21272	77053	450	家用电器批发	天津市北辰区
天津麦当劳食品有限公司	21088	31130	1393	快餐服务	天津市河西区
天津劝业家乐福超市有限公司	19792	59333	943	超级市场零售	天津市南开区
天津华润超级市场有限公司	19609	49712	1182	超级市场零售	天津市和平区
天津罗升企业有限公司	18973	43015	221	其他机械设备及电子产品批发	天津市东丽区
天津易初莲花连锁超市有限公司	17896	32017	1267	超级市场零售	天津市河西区
天津福业商业有限公司	16592	43504	717	超级市场零售	天津市南开区
天津泰达易买得超市有限公司	15428	34172	550	超级市场零售	天津市河西区
天津百货商务贸易总公司	13379	35240	205	其他日用品批发	天津市和平区
天津市津工超市有限责任公司	11962	75205	2006	超级市场零售	天津市东丽区
天津市人人乐商业有限公司	11326	36545	1356	超级市场零售	天津市南开区
天津裕华经济贸易总公司	11131	66845	319	其他化工产品批发	天津市和平区
天津市新的纺织品进出口有限公司	10420	31779	219	纺织品、针织品及原料批发	天津市和平区
天津市新中国现代文化用品有限责任公司	9916	16536	500	文具用品零售	天津市和平区
天津天服三悦服装有限责任公司	9856	53366	233	服装批发	天津市西青区
天津国药渤海医药有限公司	8833	35095	200	西药批发	天津市南开区

4－5　续表4

企业名称	资产总计（万元）	销售额（万元）	全部从业人员年平均人数（人）	所属行业	企业所在地
沃尔玛深国投百货有限公司天津和平路分店	8766	33067	883	百货零售	天津市和平区
天津一商联华超市有限公司	7893	23058	555	超级市场零售	天津市塘沽区
天津劝宝超市有限责任公司	4905	15024	864	超级市场零售	天津市宝坻区
天津TCL电器销售有限公司	1488	41659	325	家用电器批发	天津市河西区
河北省					
唐山市冀东物贸集团有限公司	246322	398419	657	汽车零售	河北省唐山市滦县
秦皇岛渤海物流控股股份有限公司	162249	85570	2460	百货零售	河北省秦皇岛市海港区
石家庄北国商城有限责任公司	113901	357599	2146	百货零售	河北省石家庄市桥东区
中国石油化工有限公司河北石家庄分公司	104451	468366	2386	石油及制品批发	河北省石家庄市裕华区
华北制药集团销售有限公司	88208	93542	695	西药批发	河北省石家庄市长安区
中国石油化工股份有限公司河北唐山分公司	84503	504916	1349	石油及制品批发	河北省唐山市路北区
石家庄东方城市广场	75836	91851	1143	百货零售	河北省石家庄市新华区
中国石油天然气股份有限公司河北销售分公司	74531	125978	6904	石油及制品批发	河北省廊坊市广阳区
河北省烟草公司石家庄分公司	73360	272826	1520	烟草制品批发	河北省石家庄市桥西区
中国石油化工股份有限公司河北保定市石油分公司	70489	267927	1143	石油及制品批发	河北省保定市南市区
唐山百货大楼集团有限责任公司	70397	200578	3080	百货零售	河北省唐山市路北区
河北保龙仓商业连锁有限公司	67597	64145	1280	超级市场零售	河北省石家庄市裕华区
河北省烟草公司唐山分公司	65007	221087	807	烟草制品批发	河北省唐山市路北区
河北省新华书店	63866	133020	410	图书批发	河北省石家庄市桥西区
河北圣仑进出口集团公司	60499	183740	676	服装批发	河北省石家庄市新华区
河北省烟草公司廊坊分公司	56901	122065	708	烟草制品批发	河北省廊坊市广阳区
河北省烟草公司保定分公司	53220	268751	1708	烟草制品批发	河北省保定市北市区
黄骅信誉楼商贸有限公司	51556	47931	5726	百货零售	河北省沧州市黄骅市
石家庄乐仁堂股份有限公司	51411	189025	1145	西药批发	河北省石家庄市桥西区
河北省烟草公司沧州分公司	48376	160831	1382	烟草制品批发	河北省沧州市运河区
河北保百集团有限公司	47217	161910	1661	百货零售	河北省保定市南市区
河北省烟草公司邯郸分公司	47012	183637	1437	烟草制品批发	河北省邯郸市丛台区
河北东盛英华医药有限公司	46956	165037	400	西药批发	河北省邢台市邢台县
河北省烟草公司邢台分公司	43359	134070	1449	烟草制品批发	河北省邢台市桥东区
石家庄人民商场股份有限公司	42958	51599	1278	百货零售	河北省石家庄市桥西区
邯郸市新世纪商业广场股分有限公司	41643	59064	1404	百货零售	河北省邯郸市丛台区
中国石油化工股份有限公司河北邯郸石油分公司	41488	273122	1060	石油及制品批发	河北省邯郸市邯山区
河北恒祥医药集团有限公司	40675	101144	296	西药批发	河北省邢台市桥西区
中国石油天然气股份有限公司河北保定销售分公司	39494	171630	1424	石油及制品批发	河北省保定市新市区
中国石化股份有限公司河北邢台石油分公司	32991	228432	842	石油及制品批发	河北省邢台市桥西区
廊坊市商业明珠大厦	31065	72407	1221	百货零售	河北省廊坊市广阳区
河北省烟草公司张家口分公司	30893	118987	773	烟草制品批发	河北省张家口市桥东区
河北省烟草公司秦皇岛分公司	30788	84554	615	烟草制品批发	河北省秦皇岛市海港区
中国石油化工股份有限公司河北衡水分公司	30465	182067	1189	石油及制品批发	河北省衡水市桃城区
河北省宏远国际经贸集团公司	28565	71548	349	纺织品、针织品及原料批发	河北省石家庄市新华区
保定银河棉业有限公司	26486	35164	371	棉、麻批发	河北省保定市新市区
中国石油化工股份有限公司河北承德石油分公司	25726	181767	1246	石油及制品批发	河北省承德市双桥区
中国石油天然气股份有限公司衡水销售分公司	24282	64312	630	机动车燃料零售	河北省衡水市桃城区
中国石油化工股份有限公司河北廊坊石油分公司	24115	183741	978	石油及制品批发	河北省廊坊市广阳区
河北保定时代商厦有限公司	22401	75406	1432	百货零售	河北省保定市新市区
中国石油化工股份有限公司河北张家口石油分公司	21902	184129	1048	石油及制品批发	河北省张家口市桥东区
保定市科美贸易有限公司	20958	221747	485	汽车、摩托车及零配件批发	河北省保定市南市区
河北华北油田商业有限公司	20394	28135	779	百货零售	河北省沧州市任丘市
河北省烟草公司衡水分公司	20071	94315	1057	烟草制品批发	河北省衡水市桃城区

4－5 续表 5

企业名称	资产总计（万元）	销售额（万元）	全部从业人员年平均人数（人）	所属行业	企业所在地
河北机械进出口公司	19982	60906	206	其他机械设备及电子产品批发	河北省石家庄市新华区
中国石油天然气股份有限公司河北沧州销售公司	19269	69146	685	石油及制品批发	河北省沧州市运河区
中国石油河北销售廊坊分公司	18253	95075	768	石油及制品批发	河北省廊坊市广阳区
河北烟草公司承德分公司	16906	84388	587	烟草制品批发	河北省承德市双桥区
河北国美电器有限公司	14847	52373	565	家用电器零售	河北省石家庄市桥西区
中油河北秦皇岛销售分公司	14719	86525	826	机动车燃料零售	河北省秦皇岛市北戴河区
唐山华盛超市有限公司	14465	58378	681	超级市场零售	河北省唐山市路南区
保定商场股份有限公司	14329	52034	1059	百货零售	河北省保定市南市区
张市帝达购物广场有限公司	14175	25277	800	百货零售	河北省张家口市桥东区
中国船舶燃料供应秦皇岛公司	13363	64225	241	石油及制品批发	河北省秦皇岛市海港区
河北常青实业集团有限公司	12244	38008	720	石油及制品批发	河北省石家庄市井陉县
衡水百货大楼（集团）股份有限公司	11409	16411	744	百货零售	河北省衡水市桃城区
中盐河北盐业专营有限公司	10994	33846	261	盐及调味品批发	河北省石家庄市桥东区
唐山市金客隆仓储批发超级商场	10521	45852	863	超级市场零售	河北省唐山市丰润区
邢台大众汽车广场有限公司	9780	32916	230	汽车、摩托车及零配件批发	河北省邢台市邢台县
河北世纪联华超市有限公司	8621	18666	801	超级市场零售	河北省石家庄市新华区
唐山市家世界超市有限公司	8452	26858	600	超级市场零售	河北省唐山市路北区
中国石油天然气有限公司唐山销售分公司	7246	94323	1147	机动车燃料零售	河北省唐山市路北区
秦皇岛市家惠商贸有限公司	6142	20081	1200	超级市场零售	河北省秦皇岛市海港区
中国石油天然气股份有限公司河北承德分公司	5020	53807	452	石油及制品批发	河北省承德市双桥区
秦皇岛广缘商厦有限公司	3453	15062	686	超级市场零售	河北省秦皇岛市海港区
山西省					
山西煤炭进出口集团公司	935271	1167572	210	煤炭及制品批发	山西省太原市杏花岭区
中国石油化工股份有限公司山西石油分公司	388736	81489	255	石油及制品批发	山西省太原市万柏林区
中国石油天然气股份有限公司山西销售分公司	167034	137638	447	石油及制品批发	山西省太原市小店区
晋城市阳城公路煤炭销售有限公司	122905	191453	629	煤炭及制品批发	山西省晋城市阳城县
晋城金驹实业有限公司	113837	53298	4470	煤炭及制品批发	山西省晋城市城区
山西省农业生产资料公司	89273	103117	264	化肥批发	山西省太原市迎泽区
大同市东周窑煤炭集团有限责任公司	68788	39435	2380	煤炭及制品批发	山西省大同市左云县
山西大昌汽车集团有限公司	64668	232305	502	汽车零售	山西省太原市小店区
山西省烟草公司太原市分公司	61050	224059	621	烟草制品批发	山西省太原市迎泽区
山西华宇商业发展股份有限公司	56893	86261	1060	百货零售	山西省太原市迎泽区
山西双鹤药业有限公司	51708	80385	689	药品零售	山西省太原市迎泽区
山西美特好连锁超市有限公司	51159	108728	2762	超级市场零售	山西省太原市杏花岭区
山西新华书店集团有限公司	46182	89570	429	图书批发	山西省太原市迎泽区
山西省烟草公司大同市公司	44666	139216	725	烟草制品批发	山西省大同市城区
山西省烟草公司临汾市公司	42730	166526	820	烟草制品批发	山西省临汾市尧都区
山西山姆士超市有限公司	41206	49845	1600	超级市场零售	山西省太原市小店区
盂县煤炭运销公司	40684	193316	1069	煤炭及制品批发	山西省阳泉市盂县
山西省烟草公司吕梁市公司	37832	139106	473	烟草制品批发	山西省吕梁市 离石区
山西省烟草公司长治公司	37452	126543	712	烟草制品批发	山西省长治市城区
山西省烟草公司运城市公司	37184	150699	989	烟草制品批发	山西省运城市盐湖区
太原贵都百货有限公司	36245	19311	860	服装零售	山西省太原市迎泽区
山西省灵石县煤炭运销公司	33895	35402	255	煤炭及制品批发	山西省晋中市灵石县
山西省烟草公司晋中市公司	32408	131212	620	烟草制品批发	山西省晋中市榆次区
山西省烟草公司忻州市公司	27977	112038	732	烟草制品批发	山西省忻州市忻府区
山西省煤炭运销公司临汾分公司乡宁县公司	25986	50337	662	煤炭及制品批发	山西省临汾市乡宁县
山西省烟草公司晋城市公司	23790	86584	450	烟草制品批发	山西省晋城市城区
大同市华林有限责任公司	23724	28451	4037	百货零售	山西省大同市城区

4－5 续表6

企业名称	资产总计（万元）	销售额（万元）	全部从业人员年平均人数（人）	所属行业	企业所在地
山西省朔州市矿业公司金沙滩煤炭集运站	23660	50596	715	煤炭及制品批发	山西省朔州市怀仁县
太原可口可乐饮料有限公司	22360	28508	641	饮料及茶叶零售	山西省太原市小店区
山西省蒲县煤炭运销公司	19196	233772	779	煤炭及制品批发	山西省临汾市蒲县
太原海尔工贸有限公司	16909	72092	390	家用电器批发	山西省太原市小店区
中国石油化工股份有限公司山西运城石油分公司	16537	154995	880	机动车燃料零售	山西省运城市盐湖区
山西省临汾万家福仓储超市有限公司	15800	19318	1693	超级市场零售	山西省临汾市尧都区
山西省烟草公司阳泉市公司	15652	44661	269	烟草制品批发	山西省阳泉市城区
怀仁县南窑煤业有限责任公司	14695	38500	315	煤炭及制品批发	山西省朔州市怀仁县
大同北方电器有限责任公司	13970	32642	520	家用电器零售	山西省大同市城区
怀仁县宋庄煤炭运销站	12718	30654	500	煤炭及制品批发	山西省朔州市怀仁县
太原肯德基有限公司	12215	28104	1956	快餐服务	山西省太原市迎泽区
中国石油化工股份有限公司吕梁石油分公司	11351	164932	960	石油及制品批发	山西省吕梁市 孝义市
朔州矿业公司岱岳运销站	10977	66626	505	煤炭及制品批发	山西省朔州市山阴县
太原六味斋实业有限公司	10235	25451	509	肉、禽、蛋及水产品零售	山西省太原市小店区
晋城市沁水县公路煤炭销售有限公司	9868	89343	286	煤炭及制品批发	山西省晋城市沁水县
中国石油化工股份有限公司山西晋中石油分公司	9238	155468	1139	机动车燃料零售	山西省晋中市榆次区
山西省煤炭运销总公司临汾分公司尧都区公司	8890	97380	730	煤炭及制品批发	山西省临汾市尧都区
中国石化股份有限公司山西长治分公司	8166	131199	599	机动车燃料零售	山西省长治市城区
百盛商业发展有限公司太原分公司	6277	24816	1467	百货零售	山西省太原市小店区
山西省平遥县煤炭运销公司	5763	30107	228	煤炭及制品批发	山西省晋中市平遥县
中国石油化工股份有限公司忻州石油分公司	3708	105684	623	石油及制品批发	山西省忻州市忻府区
中石油化工股份有限公司山西临汾石油分公司	1889	103669	314	石油及制品批发	山西省临汾市尧都区
中国石油化工股份有限公司山西阳泉石油分公司	1747	77826	576	机动车燃料零售	山西省阳泉市城区
内蒙古自治区					
神华煤焦化工有限责任公司	305081	117299	646	煤炭及制品批发	内蒙古自治区乌海市海勃湾区
内蒙古阿拉善盟吉兰泰进出口贸易公司	165631	71596	2547	盐及调味品批发	内蒙古自治区阿拉善盟阿拉善左旗
内蒙古利丰集团有限公司	139772	143668	925	汽车零售	内蒙古自治区呼和浩特市回民区
包头市金荣装饰建材城有限责任公司	75727	58534	1965	其他室内装修材料零售	内蒙古自治区包头市青山区
内蒙古鄂尔多斯羊绒制品股份公司原料分公司	58576	111139	474	纺织品、针织品及原料批发	内蒙古自治区鄂尔多斯市东胜区
内盟古铁鑫煤化有限公司	56771	135000	256	煤炭及制品批发	内蒙古自治区包头市东河区
内蒙古民族商场有限责任公司	54043	107728	780	百货零售	内蒙古自治区呼和浩特市回民区
中国天然气股份有限公司呼伦贝尔销售分公司	50177	191569	1720	机动车燃料零售	内蒙古自治区呼伦贝尔市海拉尔区
内蒙古自治区烟草公司呼市分公司	49136	171167	625	烟草制品批发	内蒙古自治区呼和浩特市玉泉区
中国石油天然气股份有限公司内蒙古赤峰分公司	47425	238500	2274	石油及制品批发	内蒙古自治区赤峰市红山区
中国石油公司呼和浩特分公司	38672	208930	1756	石油及制品批发	内蒙古自治区呼和浩特市新城区
中国石油天然气股份有限公司锡林郭勒分公司	35995	129410	1238	机动车燃料零售	内蒙古自治区锡林郭勒盟锡林浩特市
内蒙古自治区烟草公司包头分公司	35772	115102	366	烟草制品批发	内蒙古自治区包头市青山区
内蒙古自治区烟草公司赤峰公司	31644	83916	696	烟草制品批发	内蒙古自治区赤峰市红山区
中国石油内蒙古通辽销售分公司	30161	209843	718	机动车燃料零售	内蒙古自治区通辽市科尔沁区
中国石油天然气内蒙古巴彦淖尔销售分公司	29758	130967	1110	石油及制品批发	内蒙古自治区巴彦淖尔市临河区
内蒙古自治区烟草公司乌兰察布分公司	26699	80524	512	烟草制品批发	内蒙古自治区乌兰察布市集宁区
中国石油天然气股份有限公司内蒙古鄂尔多斯销售分公司	25556	214318	1413	机动车燃料零售	内蒙古自治区鄂尔多斯市东胜区
中国石油天然气股份有限公司内蒙古乌兰察布销售分公司	24808	136957	1882	石油及制品批发	内蒙古自治区乌兰察布市集宁区
鄂尔多斯市蒙凯汽车销售有限责任公司	24678	33955	214	汽车、摩托车及零配件批发	内蒙古自治区鄂尔多斯市东胜区
内蒙古自治区烟草公司通辽分公司	22640	66902	604	烟草制品批发	内蒙古自治区通辽市科尔沁区
包头百货大楼股份有限公司	18392	44690	862	百货零售	内蒙古自治区包头市昆都仑区
内蒙古河套酒业集团销售有限公司	18142	53073	467	饮料及茶叶批发	内蒙古自治区巴彦淖尔市杭锦后旗
内蒙古自治区烟草公司兴安分公司	17673	39658	354	烟草制品批发	内蒙古自治区兴安盟乌兰浩特市
内蒙古烟草公司巴彦淖尔市公司	17034	59113	325	烟草制品批发	内蒙古自治区巴彦淖尔市临河区
呼伦贝尔烟草公司	16587	64072	644	烟草制品批发	内蒙古自治区呼伦贝尔市海拉尔区

4－5 续表7

企业名称	资产总计（万元）	销售额（万元）	全部从业人员年平均人数（人）	所属行业	企业所在地
中国石油股份有限公司内蒙古兴安销售分公司	16391	97622	1184	石油及制品批发	内蒙古自治区兴安盟乌兰浩特市
呼伦贝尔友谊有限责任公司	15570	28270	1121	百货零售	内蒙古自治区呼伦贝尔市海拉尔区
包头宁鹿石油有限公司	12556	94513	283	石油及制品批发	内蒙古自治区包头市九原区
包头王府井百货有限责任公司	10368	37068	2386	百货零售	内蒙古自治区包头市昆都仑区
内蒙古石油公司乌海分公司	8284	92949	585	机动车燃料零售	内蒙古自治区乌海市海勃湾区
内蒙古维多利商厦有限公司	8097	26130	2343	百货零售	内蒙古自治区呼和浩特市回民区
包头市远大蔬菜瓜果副食品有限公司	3153	50807	739	果品、蔬菜批发	内蒙古自治区包头市东河区
内蒙古呱呱叫实业集团农副产品交易分公司	2019	39060	1160	其他农畜产品批发	内蒙古自治区包头市东河区
辽宁省					
大连东展集团有限公司	656027	966890	453	金属及金属矿批发	辽宁省大连市沙河口区
鞍钢集团国际经济贸易公司	639938	3850396	583	金属及金属矿批发	辽宁省鞍山市铁东区
大商集团股份有限公司	532462	429918	5932	百货零售	辽宁省大连市中山区
辽宁成大股份有限公司	262131	179775	253	纺织品、针织品及原料批发	辽宁省大连市中山区
中国铁路物资沈阳公司	231405	861089	405	金属及金属矿批发	辽宁省沈阳市和平区
中国烟草总公司大连市烟草公司	203564	349431	796	烟草制品批发	辽宁省大连市西岗区
中国石油天然气股份有限公司大连销售分公司	176615	873541	3905	石油及制品批发	辽宁省大连市中山区
大连美罗药业股份有限公司	155107	147517	1091	药品零售	辽宁省大连市甘井子区
沈阳商业城股份有限公司	143558	114849	2340	百货零售	辽宁省沈阳市沈河区
大连友谊（集团）股份有限公司	140352	104151	825	百货零售	辽宁省大连市中山区
大连国际商贸大厦有限公司	121394	137045	1465	百货零售	辽宁省大连市中山区
沈阳市烟草公司	113918	353971	1440	烟草制品批发	辽宁省沈阳市沈河区
沈阳温州城商品交易市场有限公司	101917	318182	1342	盐及调味品批发	辽宁省沈阳市和平区
青岛润泰事业有限公司沈阳分公司	101192	208267	820	超级市场零售	辽宁省沈阳市和平区
中兴沈阳商业大厦（集团）股份有限公司	101145	245335	3496	百货零售	辽宁省沈阳市和平区
中国石油天然气股份有限公司辽宁沈阳销售分公司	86057	660046	2838	机动车燃料零售	辽宁省沈阳市沈河区
辽宁卓展时代广场百货有限公司	80292	18975	850	百货零售	辽宁省沈阳市沈河区
辽宁兴隆百货集团有限公司	66470	88599	1200	百货零售	辽宁省盘锦市兴隆台区
沈阳市第一粮库	60727	33643	339	米、面制品及食用油批发	辽宁省沈阳市铁西区
大商集团沈阳新玛特购物休闲广场有限公司	56760	67878	585	百货零售	辽宁省沈阳市大东区
百胜餐饮（沈阳）有限公司	54235	128421	7500	快餐服务	辽宁省沈阳市和平区
沈阳国美电器有限公司	50487	93105	1300	家用电器零售	辽宁省沈阳市沈河区
辽宁成大方圆医药连锁有限公司	50179	110345	3633	药品零售	辽宁省沈阳市和平区
中国烟草总公司辽宁省丹东分公司	49867	66580	379	烟草制品批发	辽宁省丹东市振兴区
中国石油天然气股份有限公司辽宁鞍山销售分公司	45526	287484	1318	石油及制品批发	辽宁省鞍山市铁东区
沈阳家乐福商业有限公司	44385	116872	2538	超级市场零售	辽宁省沈阳市沈河区
中铁物资集团东北有限公司	42282	71045	276	金属及金属矿批发	辽宁省沈阳市大东区
沈阳市联营公司	38678	66570	1627	百货零售	辽宁省沈阳市和平区
中国石油天然气股份有限公司辽宁丹东销售分公司	37667	136975	891	机动车燃料零售	辽宁省丹东市振兴区
大商集团抚顺百货大楼有限公司	33290	165009	535	百货零售	辽宁省抚顺市新抚区
锦州中百商厦有限公司	30696	43042	1225	百货零售	辽宁省锦州市凌河区
中国石油天然气股份有限公司辽宁营口销售分公司	30110	155715	699	石油及制品批发	辽宁省营口市站前区
中国烟草总公司辽宁省铁岭分公司	30078	86662	883	烟草制品批发	辽宁省铁岭市银州区
中国烟草总公司辽宁省鞍山分公司	29929	123466	526	烟草制品批发	辽宁省鞍山市铁东区
中国烟草总公司辽宁省烟草公司营口分公司	28353	72320	384	烟草制品批发	辽宁省营口市站前区
辽宁省烟草公司朝阳市公司	27598	67288	587	烟草制品批发	辽宁省朝阳市双塔区
中国石油天然气股份有限公司辽宁葫芦岛销售分公司	27306	178555	841	机动车燃料零售	辽宁省葫芦岛市龙港区
中国石油天然气股份有限公司辽宁辽阳销售分公司	27203	127656	711	石油及制品批发	辽宁省辽阳市太子河区
大连国美电器有限公司	27169	82313	714	家用电器零售	辽宁省大连市中山区
中国石油天然气股份有限公司辽宁本溪销售分公司	26170	134218	566	石油及制品批发	辽宁省本溪市明山区

4－5　续表 8

企业名称	资产总计（万元）	销售额（万元）	全部从业人员年平均人数（人）	所属行业	企业所在地
抚顺石化经济技术开发实业总公司	25965	168315	256	其他化工产品批发	辽宁省抚顺市新抚区
大连经济技术开发区星航石化产品销售中心	25043	76041	480	石油及制品批发	辽宁省大连市金州区
沈阳乐购超市有限公司	24549	28337	583	超级市场零售	辽宁省沈阳市皇姑区
中国石油天然气股份有限公司辽宁抚顺销售分公司	24403	207461	659	石油及制品批发	辽宁省抚顺市新抚区
朝阳商业城集团有限责任公司	23239	27147	2800	百货零售	辽宁省朝阳市双塔区
大连经济技术开发区昌临旺客隆连锁有限公司	23089	18518	865	超级市场零售	辽宁省大连市金州区
中国石油天然气股份有限公司辽宁盘锦销售分公司	23068	111913	792	石油及制品批发	辽宁省盘锦市双台子区
中国烟草总公司辽宁葫芦岛分公司	22899	82330	393	烟草制品批发	辽宁省葫芦岛市龙港区
沈阳铁西百货大楼有限公司	22791	78695	751	百货零售	辽宁省沈阳市铁西区
大连家乐福商业有限公司	22520	74402	914	超级市场零售	辽宁省大连市沙河口区
中国船舶燃料供应大连公司	21414	54653	327	石油及制品批发	辽宁省大连市中山区
沈阳十二线农副产品有限公司	20791	38331	254	果品、蔬菜批发	辽宁省沈阳市和平区
中国石油天然气股份有限公司辽宁阜新销售分公司	20609	118784	701	石油及制品批发	辽宁省阜新市海州区
辽宁省烟草公司抚顺市公司	20599	81894	361	烟草制品批发	辽宁省抚顺市新抚区
抚顺罕王商场有限公司	20542	29539	1003	百货零售	辽宁省抚顺市新抚区
大商集团本溪商业大厦有限公司	19786	43394	1209	百货零售	辽宁省本溪市平山区
沈阳维康医药连锁有限公司	19518	31953	1183	药品零售	辽宁省沈阳市铁西区
新华书店北方图书城有限公司	17866	17352	850	图书零售	辽宁省沈阳市沈河区
铁岭兴隆百货有限公司	17620	33587	979	百货零售	辽宁省铁岭市银州区
辽宁省烟草公司阜新市公司	17058	55829	528	烟草制品批发	辽宁省阜新市海州区
中国烟草总公司辽宁省本溪分公司	16951	62318	296	烟草制品批发	辽宁省本溪市明山区
大商集团阜新新玛特购物广场有限公司	16698	34966	558	百货零售	辽宁省阜新市海州区
本溪华联商厦有限公司	16299	23470	569	百货零售	辽宁省本溪市平山区
大石桥市兴隆百货有限公司	15934	26596	656	百货零售	辽宁省营口市大石桥市
大商集团锦州百货大楼有限公司	15898	54315	561	百货零售	辽宁省锦州市凌河区
葫芦岛市百货大楼	15898	48458	1600	百货零售	辽宁省葫芦岛连山区
中国烟草总公司辽宁省辽阳市分公司	14576	64434	280	烟草制品批发	辽宁省辽阳市文圣区
中国烟草总公司辽宁省盘锦分公司	14348	49934	215	烟草制品批发	辽宁省盘锦市兴隆台区
大连沃尔玛百货有限公司	13759	63179	1372	超级市场零售	辽宁省大连市西岗区
大连海尔工贸有限公司	13688	51297	303	其他机械设备及电子产品批发	辽宁省大连市中山区
葫芦岛宏运商厦有限公司	12418	15848	550	百货零售	辽宁省葫芦岛连山区
大连旅顺供销大厦有限公司	12267	20804	700	百货零售	辽宁省大连市旅顺口区
辽宁众汇实业发展有限公司	12213	37653	356	服装批发	辽宁省大连市中山区
中国石油天然气股份有限公司辽宁朝阳销售分公司	11601	144028	668	石油及制品批发	辽宁省朝阳市双塔区
中国石油天然气股份有限公司辽宁锦州分公司	11328	103058	1024	机动车燃料零售	辽宁省锦州市古塔区
沈阳麦当劳(餐厅食品)有限公司	9735	18173	1050	快餐服务	辽宁省沈阳市皇姑区
营口经济技术开发区商业大厦有限公司	9614	22280	1010	百货零售	辽宁省营口市鲅鱼圈区
大连肯德基有限公司	9520	25218	1500	快餐服务	辽宁省大连市中山区
沈阳沃尔玛百货有限公司	9371	35018	739	超级市场零售	辽宁省沈阳市大东区
大商集团抚顺商贸大厦有限公司	7592	17402	1061	百货零售	辽宁省抚顺市望花区
盘锦兴隆大厦二百有限公司	6690	22924	700	百货零售	辽宁省盘锦市双台子区
辽宁成大方圆医药有限公司	6188	52451	250	西药批发	辽宁省沈阳市和平区
大连联华快客中山便利商业有限公司	5603	23836	1259	其他综合零售	辽宁省大连市中山区
中国烟草总公司辽宁公司	－562	131828	247	烟草制品批发	辽宁省沈阳市沈河区
吉林省					
中国烟草公司吉林省公司	190632	110862	341	烟草制品批发	吉林省长春市朝阳区
长春欧亚集团股份有限公司	189920	668058	3279	百货零售	吉林省长春市朝阳区
长春卓展时代广场百货有限公司	79264	117818	698	百货零售	吉林省长春市朝阳区
长春百货大楼集团股份有限公司	64815	113876	853	百货零售	吉林省长春市朝阳区

4－5 续表9

企业名称	资产总计（万元）	销售额（万元）	全部从业人员年平均人数（人）	所属行业	企业所在地
吉林省新华书店集团有限责任公司	57854	58024	287	图书批发	吉林省长春市二道区
吉林省烟草公司长春分公司	56715	202454	1030	烟草制品批发	吉林省长春市二道区
中石油吉林长春销售分公司	53413	248186	1064	机动车燃料零售	吉林省长春市朝阳区
延边国际贸易大厦有限责任公司	50733	38624	1200	百货零售	吉林省延边朝鲜族自治州延吉市
吉林省北方医药有限责任公司	49358	75303	900	西药批发	吉林省长春市宽城区
中国石油天然气股份有限公司吉林白城销售分公司	42656	103163	708	机动车燃料零售	吉林省白城市洮北区
吉林省烟草公司延边州公司	41099	74452	384	烟草制品批发	吉林省延边朝鲜族自治州延吉市
中油吉林省吉林市销售分公司	39853	239190	1732	石油及制品批发	吉林省吉林市昌邑区
吉林省烟草公司吉林分公司	36679	119742	781	烟草制品批发	吉林省吉林市丰满区
吉林省威宝恒客隆仓储百货有限公司	30790	39080	875	超级市场零售	吉林省长春市朝阳区
中国石油天然气股份有限公司吉林四平分公司	28784	98120	1060	机动车燃料零售	吉林省四平市铁西区
吉林农安国家粮食储备库	25547	44067	508	谷物、豆及薯类批发	吉林省长春市农安县
延吉百货大楼股份有限公司	23296	45811	679	百货零售	吉林省延边朝鲜族自治州延吉市
中油吉林松原销售分公司	21806	90916	312	石油及制品批发	吉林省松原市宁江区
中国石油天然气股份有限公司吉林通化销售分公司	21558	119278	1024	机动车燃料零售	吉林省通化市东昌区
吉林省烟草公司松原分公司	20025	57607	428	烟草制品批发	吉林省松原市宁江区
中国石油天然气股份有限公司吉林延边销售分公司	19515	148229	989	机动车燃料零售	吉林省延边朝鲜族自治州延吉市
吉林省烟草公司四平分公司	18034	52626	527	烟草制品批发	吉林省四平市铁东区
吉林省烟草公司通化分公司	17169	73961	387	烟草制品批发	吉林省通化市东昌区
中国石油天然气股份有限公司吉林省白山销售分公司	15295	72703	688	机动车燃料零售	吉林省白山市八道江区
吉林敖东医药有限责任公司	14475	34830	645	中药材及中成药批发	吉林省延边朝鲜族自治州延吉市
吉林省烟草公司白城分公司	14007	44509	350	烟草制品批发	吉林省白城市洮北区
吉林省烟草公司辽源市公司	13207	31610	304	烟草制品批发	吉林省辽源市龙山区
吉林大药房药业股份有限公司	13141	22284	997	药品零售	吉林省长春市南关区
吉林省烟草公司白山分公司	10952	34453	275	烟草制品批发	吉林省白山市八道江区
长春海尔工贸有限公司	10596	49322	248	家用电器批发	吉林省长春市宽城区
大商集团吉林百货大楼有限公司	9703	22281	509	百货零售	吉林省吉林市昌邑区
长春远方实业集团有限公司	9663	20500	893	超级市场零售	吉林省长春市朝阳区
吉林市吉润发超市有限公司	8748	27359	530	超级市场零售	吉林省吉林市昌邑区
中国石油吉林长春销售分司榆树经营处	4592	43734	253	石油及制品批发	吉林省长春市榆树市
黑龙江省					
黑龙江省农业生产资料公司	490224	546390	344	化肥批发	黑龙江省哈尔滨市道外区
哈药集团医药有限公司	125060	306819	3757	药品零售	黑龙江省哈尔滨市道里区
中国铁路物资哈尔滨公司	124962	510625	275	石油及制品批发	黑龙江省哈尔滨市南岗区
中国石油天然气股份有限公司黑龙江哈尔滨销售分公司	113574	351183	2231	石油及制品批发	黑龙江省哈尔滨市道里区
哈尔滨市烟草公司	97127	273387	709	烟草制品批发	黑龙江省哈尔滨市道里区
哈尔滨秋林集团股份有限公司	80561	29980	1830	百货零售	黑龙江省哈尔滨市南岗区
黑龙江省远大购物中心有限责任公司	75437	136002	700	百货零售	黑龙江省哈尔滨市南岗区
中油黑龙江农垦石油有限公司	69176	209306	1567	石油及制品批发	黑龙江省哈尔滨市动力区
哈尔滨中央红集团股份有限公司	67360	121011	2802	百货零售	黑龙江省哈尔滨市道里区
黑龙江华宇工贸(集团)有限责任公司	61119	79340	330	金属及金属矿批发	黑龙江省牡丹江市东宁县
绥化市医药有限公司	58703	72481	1457	西药批发	黑龙江省绥化市北林区
黑龙江黑天鹅家电经销实业有限公司	48444	118955	760	家用电器零售	黑龙江省哈尔滨市南岗区
大商集团股份有限公司大庆新玛特购物休闲广场	38433	86802	3213	百货零售	黑龙江省大庆市龙凤区
东宁吉信工贸(集团)有限责任公司	37912	72800	1150	鞋帽批发	黑龙江省牡丹江市东宁县
哈尔滨家乐福超市有限公司	34187	81571	1205	超级市场零售	黑龙江省哈尔滨市道外区
中国石油天燃汽股份有限公司黑龙江齐齐哈尔销售分公司	32197	146118	1890	石油及制品批发	黑龙江省齐齐哈尔市铁锋区
中国石油天然气股份有限公司东北销售大庆分公司	31591	1521444	474	石油及制品批发	黑龙江省大庆市龙凤区
大商集团股份有限公司大庆百货大楼	31389	105649	1044	百货零售	黑龙江省大庆市萨尔图区

4－5 续表10

企业名称	资产总计（万元）	销售额（万元）	全部从业人员年平均人数（人）	所属行业	企业所在地
黑龙江省烟草公司牡丹江烟叶公司	30229	69859	885	烟草制品批发	黑龙江省牡丹江市宁安市
中国石油天然气股份有限公司鸡西销售分公司	28052	101029	431	石油及制品批发	黑龙江省鸡西市鸡冠区
哈尔滨联强商业发展有限公司	27847	93051	900	百货零售	黑龙江省哈尔滨市道里区
黑龙江烟草公司大庆分公司	22824	96983	410	烟草制品批发	黑龙江省大庆市萨尔图区
大商集团牡丹江百货大楼有限公司	22247	44210	992	百货零售	黑龙江省牡丹江市东安区
黑龙江省烟草公司齐齐哈尔分公司	22230	110434	711	烟草制品批发	黑龙江省齐齐哈尔市龙沙区
大商集团牡丹江新玛特购物广场有限公司	20318	21023	998	百货零售	黑龙江省牡丹江市西安区
黑龙江省烟草公司绥化分公司	20117	92239	1004	烟草制品批发	黑龙江省绥化市北林区
黑龙江省新华书店	19270	40193	228	图书批发	黑龙江省哈尔滨市道里区
中油黑龙江牡丹江销售分公司	17951	103847	360	石油及制品批发	黑龙江省牡丹江市阳明区
黑龙江省农业机械有限责任公司	17239	46563	219	农业机械批发	黑龙江省哈尔滨市南岗区
黑龙江省烟草公司牡丹江分公司	15723	67466	440	烟草制品批发	黑龙江省牡丹江市爱民区
大商集团鸡西新玛特购物广场有限公司	15299	42558	2498	百货零售	黑龙江省鸡西市鸡冠区
大庆市庆客隆连锁商贸有限公司	15246	36509	813	超级市场零售	黑龙江省大庆市萨尔图区
黑龙江双鸭山市石油公司	14200	83306	766	石油及制品批发	黑龙江省双鸭山市尖山区
沃尔玛深国投百货有限公司哈尔滨中山路分店	13781	44190	1089	超级市场零售	黑龙江省哈尔滨市南岗区
黑龙江省烟草公司佳木斯分公司	13751	66567	521	烟草制品批发	黑龙江省佳木斯市向阳区
哈尔滨海尔工贸有限公司	13668	107949	450	家用电器批发	黑龙江省哈尔滨市道外区
大商集团佳木斯百货大楼	13502	43478	3225	百货零售	黑龙江省佳木斯市向阳区
中石油天然气股份有限公司黑龙江鹤岗分公司	13436	47076	370	石油及制品批发	黑龙江省鹤岗市工农区
中国石油天然气股分有限公司黑龙江佳木斯销售分公司	12894	75639	1102	石油及制品批发	黑龙江省佳木斯市向阳区
中国石油天然气股份有限公司黑龙江大庆销售分公司	12880	168491	402	石油及制品批发	黑龙江省大庆市龙凤区
大庆商厦	12871	36071	649	百货零售	黑龙江省大庆市让胡路区
齐齐哈尔百货大楼股份有限公司	12445	18028	1030	百货零售	黑龙江省齐齐哈尔市龙沙区
中国烟草总公司黑龙江省鸡西分公司	11309	47349	339	烟草制品批发	黑龙江省鸡西市鸡冠区
哈尔滨新世界百货商场有限公司	11284	35018	525	百货零售	黑龙江省哈尔滨市南岗区
大商集团佳木斯华联商厦有限公司	10507	21910	918	百货零售	黑龙江省佳木斯市向阳区
黑龙江省双鸭山市烟草分公司	10439	45146	265	烟草制品批发	黑龙江省双鸭山市尖山区
大商集团股份有限公司大庆新东风购物广场	9577	15344	4066	百货零售	黑龙江省大庆市萨尔图区
黑河市烟草公司	9365	41023	358	烟草制品批发	黑龙江省黑河市市辖区
内蒙古伊利实业集团股份公司杜尔伯特分公司	9283	45159	364	其他农畜产品批发	黑龙江省大庆市杜尔伯特蒙古族自治县
中国石油天然气股份有限公司七台河分公司	8619	56946	570	石油及制品批发	黑龙江省七台河市桃山区
中国石油天然气股份有限公司黑龙江实华销售分公司	7790	40692	390	石油及制品批发	黑龙江省哈尔滨市道里区
黑龙江泰华医药有限公司	7467	20553	873	药品零售	黑龙江省绥化市北林区
昆山润华商业有限公司牡丹江分公司	7053	18703	500	超级市场零售	黑龙江省牡丹江市东安区
中油天然气服份有限公司黑龙江肇东销售公司	6997	47335	486	石油及制品批发	黑龙江省绥化市肇东市
黑龙江好又多百货商业广场有限公司	6845	25667	860	超级市场零售	黑龙江省哈尔滨市南岗区
大连大商集团有限公司大庆让胡路商场	5659	17547	836	百货零售	黑龙江省大庆市让胡路区
中国石油天然气股份有限公司黑龙江富锦销售分公司	5341	50558	268	石油及制品批发	黑龙江省佳木斯市富锦市
中国石油黑龙江省绥化销售分公司	4245	111286	924	石油及制品批发	黑龙江省绥化市北林区
上海市					
联华超市股份有限公司	873820	2379728	46167	超级市场零售	上海市虹口区
上海市医药股份有限公司	683387	1028642	3036	西药批发	上海市浦东新区
中化国际控股股份有限公司	672290	1134887	313	其他化工产品批发	上海市浦东新区
上海百联集团股份有限公司	535506	238419	2864	百货零售	上海市黄浦区
农工商超市(集团)有限公司	484716	1724097	28470	超级市场零售	上海市普陀区
上海浦东国际机场航空油料有限责任公司	440359	1227094	208	石油及制品批发	上海市浦东新区
中石化上海石油分公司	426188	3054472	6487	机动车燃料零售	上海市黄浦区
上海易初莲花连锁超市有限公司	399930	734483	2891	超级市场零售	上海市浦东新区

4-5 续表11

企业名称	资产总计（万元）	销售额（万元）	全部从业人员年平均人数（人）	所属行业	企业所在地
上海新世界股份有限公司	368078	191359	1380	百货零售	上海市黄浦区
上海大润发有限公司	362084	91211	1674	超级市场零售	上海市闸北区
上海华冶钢铁集团有限公司	293238	454295	261	金属及金属矿批发	上海市宝山区
上海永达(集团)股份有限公司	230215	915046	1860	汽车、摩托车及零配件批发	上海市卢湾区
上海永达控股(集团)有限公司	230215	307947	1860	汽车零售	上海市卢湾区
欧莱雅(中国)有限公司	214682	400184	1418	化妆品及卫生用品批发	上海市静安区
松下电器机电(上海)有限公司	209032	1056323	594	其他机械设备及电子产品批发	上海市浦东新区
锦江麦德龙现购自运有限公司	203969	936734	7667	超级市场零售	上海市普陀区
国药控股有限公司	192129	672065	399	西药批发	上海市黄浦区
上海市五金矿产进出口公司	183027	446012	432	金属及金属矿批发	上海市闸北区
上海联家超市有限公司	181979	451083	5118	超级市场零售	上海市普陀区
中国铁路物资上海公司	175935	918604	335	金属及金属矿批发	上海市闸北区
施耐德电气(中国)投资有限公司上海分公司	161679	279464	1200	其他机械设备及电子产品批发	上海市普陀区
上海海烟物流发展有限公司	155183	622591	661	烟草制品批发	上海市静安区
上海雷允上药业有限公司	151200	217582	3250	中药材及中成药批发	上海市黄浦区
英迈(中国)商业有限公司	147869	578814	220	其他未列明的批发	上海市徐汇区
上海新华传媒有限公司	146999	207586	3471	图书批发	上海市黄浦区
埃克森美孚(中国)投资有限公司	142716	318922	596	石油及制品批发	上海市徐汇区
上海云峰(集团)有限公司	133534	99162	418	汽车、摩托车及零配件批发	上海市闵行区
东方国际创业股份有限公司	131794	151929	243	服装批发	上海市长宁区
上海世纪联华超市发展有限公司	128345	735483	16551	超级市场零售	上海市虹口区
上海市机械设备成套(集团)有限公司	128075	345909	386	其他机械设备及电子产品批发	上海市普陀区
上海新宇钟表集团股份有限公司	127736	200999	243	其他日用品批发	上海市卢湾区
上海国美地电器有限公司	127390	299575	1800	家用电器零售	上海市普陀区
上海第一八佰伴有限公司	127217	214623	852	百货零售	上海市浦东新区
上海市药材有限公司	117993	92480	1332	中药材及中成药批发	上海市黄浦区
中国浦发机械工业股份有限公司	110914	220987	250	其他机械设备及电子产品批发	上海市黄浦区
泰科电子(上海)有限公司	108555	153586	253	其他未列明的批发	上海市浦东新区
上海家得利超市有限公司	108184	269897	2845	超级市场零售	上海市徐汇区
明尼苏达矿业制造(上海)国际贸易有限公司	104492	281199	650	其他未列明的批发	上海市长宁区
上海伊藤忠商事有限公司	102502	383646	223	其他未列明的批发	上海市浦东新区
上海烟草集团黄浦烟草糖酒有限公司	101579	200719	550	烟草制品批发	上海市黄浦区
上海兰生股份有限公司	97512	174491	1066	鞋帽批发	上海市虹口区
华联超市股份有限公司	94265	221338	4215	超级市场零售	上海市杨浦区
上海太平洋百货有限公司	93552	228237	1085	百货零售	上海市徐汇区
瑞表国际贸易(上海)有限公司	92469	288260	243	其他日用品批发	上海市徐汇区
上海电力物资有限公司	90586	586667	236	其他机械设备及电子产品批发	上海市黄浦区
上海市农业生产资料公司	80077	158854	299	化肥批发	上海市闸北区
华联集团吉买盛购物中心有限公司	78030	363267	3619	超级市场零售	上海市闸北区
上海丝绸集团股份有限公司	77175	466128	443	服装批发	上海市徐汇区
上海永乐家用电器有限公司	76074	744713	4254	家用电器零售	上海市浦东新区
上海燃料浦东有限责任公司	75700	619369	212	石油及制品批发	上海市黄浦区
上海中发电气(集团)有限公司	74785	42596	337	其他机械设备及电子产品批发	上海市普陀区
开利空调销售服务(上海)有限公司	73106	191193	850	其他机械设备及电子产品批发	上海市黄浦区
上海市第一食品商店股份有限公司	72059	50806	799	其他食品零售	上海市浦东新区
上海锦江国际酒店(集团)股份有限公司	70277	21477	1035	旅游饭店	上海市卢湾区
大金(中国)投资有限公司上海分公司	70049	389399	628	计算机、软件及辅助设备批发	上海市静安区
库柏电气(上海)有限公司	69463	172177	301	其他机械设备及电子产品批发	上海市浦东新区
富士施乐实业发展(上海)有限公司	65612	143571	902	其他未列明的批发	上海市浦东新区
佳杰科技(上海)有限公司	65494	482671	475	计算机、软件及辅助设备批发	上海市长宁区

4－5 续表12

企业名称	资产总计（万元）	销售额（万元）	全部从业人员年平均人数（人）	所属行业	企业所在地
上海电力燃料有限工司	65116	539287	563	煤炭及制品批发	上海市卢湾区
中化上海公司	63743	121575	211	其他化工产品批发	上海市黄浦区
金佰利(中国)有限公司	62034	74684	1053	化妆品及卫生用品批发	上海市黄浦区
上海三联(集团)有限公司	60352	122855	1219	钟表、眼镜零售	上海市黄浦区
上海博世力士乐液压及自动化有限公司	57863	112978	235	其他机械设备及电子产品批发	上海市浦东新区
上海宏图三胞电脑发展有限公司	57336	121365	887	计算机、软件及辅助设备零售	上海市长宁区
上海广电信息电子销售有限公司	57034	77854	312	家用电器批发	上海市徐汇区
上海肯得基有限公司	56981	154366	11980	快餐服务	上海市徐汇区
上海烟草(集团)奉贤烟草糖酒有限公司	56506	83820	1637	其他综合零售	上海市奉贤区
上海神州数码有限公司	55774	351060	453	计算机、软件及辅助设备批发	上海市长宁区
上海锦江饭店有限公司	53588	24112	1212	旅游饭店	上海市卢湾区
静安希尔顿饭店(上海)	52326	47463	1142	旅游饭店	上海市静安区
上海易买得超市有限公司	51376	113169	1464	百货零售	上海市虹口区
上海苏宁电器有限公司	47529	241401	3300	家用电器零售	上海市虹口区
德利多富信息系统(上海)有限公司	46113	100316	300	其他未列明的批发	上海市浦东新区
上海史泰博企业发展有限公司	45206	85827	658	文具用品批发	上海市长宁区
雅培贸易(上海)有限公司	45058	73280	327	其他食品批发	上海市黄浦区
上海海尔工贸有限公司	44665	217175	256	家用电器批发	上海市浦东新区
上海中燃船舶燃料有限公司	43503	108008	824	石油及制品批发	上海市虹口区
上海欧尚超市有限公司	42784	150766	1421	超级市场零售	上海市杨浦区
上海南浦食品公司浦东分公司	41343	102143	584	其他食品批发	上海市浦东新区
上海罗捷斯迪电子有限公司	40322	371517	212	其他未列明的批发	上海市浦东新区
百安居(中国)家居有限公司	39852	42688	677	其他室内装修材料零售	上海市普陀区
上海烟草集团虹口烟草糖酒有限公司	39408	108188	905	烟草制品零售	上海市虹口区
上海市轻工业品进出口有限公司	39032	211015	219	贸易经纪与代理	上海市普陀区
上海锐力运动用品有限公司	38025	78480	700	体育用品零售	上海市黄浦区
上海家化销售有限公司	37844	107725	223	化妆品及卫生用品批发	上海市虹口区
上海烟草集团闵行烟草糖酒有限公司	37597	76129	403	烟草制品批发	上海市闵行区
上海好德便利有限公司	37205	158274	4162	其他综合零售	上海市普陀区
上海五申汽车销售有限公司	36784	24206	731	汽车零售	上海市普陀区
美敦力医疗用品技术服务(上海)有限公司	36107	97667	534	医疗用品及器材批发	上海市浦东新区
上海烟草集团卢湾烟草糖酒有限公司	35672	50891	770	烟草制品批发	上海市卢湾区
上海市医药保健品进出口公司	35067	173623	221	西药批发	上海市黄浦区
香奈尔(中国)贸易有限公司	34780	38766	388	服装批发	上海市浦东新区
上海东方商厦	34580	130019	959	百货零售	上海市徐汇区
上海必胜客有限公司	34153	94528	1000	正餐服务	上海市浦东新区
达能食品贸易(中国)有限公司	33888	91114	428	糕点、糖果及糖批发	上海市徐汇区
上海烟草集团松江烟草糖酒有限公司	33116	69042	357	其他食品批发	上海市松江区
金山烟草糖酒有限公司	33037	82613	858	烟草制品批发	上海市金山区
华普信息技术有限公司	32895	66642	556	计算机、软件及辅助设备批发	上海市浦东新区
上海东风柴油机销售公司	32885	193897	268	其他机械设备及电子产品批发	上海市杨浦区
上海伍缘现代杂货有限公司	32620	80163	2437	其他综合零售	上海市普陀区
上海烟草集团浦东烟草糖酒有限公司	32571	112160	491	烟草制品批发	上海市浦东新区
上海文峰千家惠购物中心有限公司	32534	65446	522	超级市场零售	上海市浦东新区
上海美林阁餐饮经营管理有限公司	31256	25770	2150	正餐服务	上海市松江区
上海雷允上药业西区有限公司	31201	35710	347	西药批发	上海市静安区
上海烟草集团嘉定烟草糖烟有限公司	30789	98212	682	烟草制品批发	上海市嘉定区
上海复星药业有限公司	30384	49263	219	中药材及中成药批发	上海市普陀区
上海浦星贸易有限公司	30127	159610	279	其他食品批发	上海市浦东新区
上海联华快客便利有限公司	30106	290834	7439	其他综合零售	上海市虹口区

4－5 续表 13

企业名称	资产总计（万元）	销售额（万元）	全部从业人员年平均人数（人）	所属行业	企业所在地
上海可的便利店有限公司	30093	238337	7026	其他综合零售	上海市闸北区
上海屈臣氏日用品有限公司	30053	69036	913	化妆品及卫生用品零售	上海市徐汇区
上海百红商业贸易有限公司	29297	93822	255	化妆品及卫生用品批发	上海市闸北区
上海烟草集团宝山烟草糖酒有限公司	28880	62545	527	烟草制品批发	上海市宝山区
上海华联麦当劳有限公司	28738	46284	3880	快餐服务	上海市卢湾区
上海七宝乐购购物中心有限公司	28685	65631	594	超级市场零售	上海市闵行区
吉列（上海）产品服务有限公司	28395	125856	239	其他日用品批发	上海市浦东新区
上海烟草集团崇明烟草糖酒有限公司	27673	110347	1173	烟草制品批发	上海市崇明县
伊藤忠纤维贸易（中国）有限公司	27375	98570	376	纺织品、针织品及原料批发	上海市长宁区
上海实业外联发国际物流有限公司	26725	30728	381	其他机械设备及电子产品批发	上海市浦东新区
上海天成企业发展有限公司	25567	44656	258	其他食品批发	上海市浦东新区
尤尼佳生活用品服务（上海）有限公司	24553	91511	268	化妆品及卫生用品批发	上海市黄浦区
上海烟草集团青浦烟草糖酒有限公司	23714	75195	645	烟草制品批发	上海市青浦区
沃尔玛华东百货有限公司	23435	26535	607	超级市场零售	上海市浦东新区
花园饭店（上海）	22505	32532	912	旅游饭店	上海市卢湾区
施华洛世奇（上海）贸易有限公司	22300	42701	216	其他日用品批发	上海市黄浦区
上海银河宾馆有限公司	21864	17681	832	旅游饭店	上海市长宁区
上海烟草集团南汇烟草糖酒有限公司	21768	63318	500	烟草制品批发	上海市南汇区
上海森联木业发展有限公司	21466	63975	258	建材批发	上海市黄浦区
上海市果品有限公司	21142	37857	500	果品、蔬菜批发	上海市黄浦区
友讯电子设备（上海）有限公司	20278	45803	203	计算机、软件及辅助设备批发	上海市长宁区
上海喜士多便利连锁有限公司	19749	24573	864	其他综合零售	上海市闸北区
上海市江桥批发市场经营管理有限公司	19564	217266	646	果品、蔬菜批发	上海市嘉定区
上海雅马哈建设摩托车销售有限公司	18834	186369	238	汽车、摩托车及零配件批发	上海市徐汇区
上海捷强烟草糖酒（集团）连锁有限公司	18514	84864	1679	超级市场零售	上海市徐汇区
永安百货有限公司	18480	54567	688	百货零售	上海市黄浦区
上海良友金伴便利连锁有限公司	18276	103194	3116	其他综合零售	上海市徐汇区
上海虹桥药业有限公司	18196	65867	429	其他未列明的批发	上海市闵行区
上海麦考林国际邮购有限公司	17613	28904	652	邮购及电子销售	上海市徐汇区
上海烟草集团杨浦区烟草糖酒有限公司	16875	50930	363	烟草制品批发	上海市杨浦区
上海市良菱配销有限公司	16828	36739	564	米、面制品及食用油批发	上海市徐汇区
上海烟草集团普陀烟草糖酒有限公司	16399	63818	431	烟草制品批发	上海市普陀区
上海迪亚联华零售有限公司	16126	52162	1714	其他综合零售	上海市浦东新区
花王（上海）产品服务有限公司	15879	49893	362	化妆品及卫生用品批发	上海市黄浦区
上海烟草集团静安烟草糖酒有限公司	14793	30132	238	烟草制品批发	上海市静安区
上海豫园商城老城隍庙饮食有限公司	14736	27210	1218	其他餐饮服务	上海市黄浦区
傲胜（中国）商业有限公司	14572	34292	705	家用电器零售	上海市浦东新区
上海雷允上北区药业股份有限公司	14482	44468	471	中药材及中成药批发	上海市虹口区
上海东洋之花经贸有限公司	14371	32056	272	化妆品及卫生用品批发	上海市浦东新区
上海华联罗森有限公司	14240	41961	1288	其他综合零售	上海市静安区
上海烟草集团长宁烟草糖酒有限公司	14239	44803	296	烟草制品批发	上海市长宁区
上海华氏大药房配送中心有限公司	14045	62018	420	西药批发	上海市虹口区
乐金生活健康贸易（上海）有限公司	13985	58508	447	化妆品及卫生用品批发	上海市徐汇区
穆勒电气（上海）有限公司	13847	38087	221	其他机械设备及电子产品批发	上海市黄浦区
泰科医疗器材国际贸易（上海）有限公司	13618	36464	345	医疗用品及器材批发	上海市徐汇区
上海统一星巴克咖啡有限公司	13551	33963	1539	饮料及冷饮服务	上海市长宁区
上海微欣工贸有限公司	13243	68944	269	计算机、软件及辅助设备批发	上海市长宁区
上海古今内衣有限公司	12997	60580	1141	服装零售	上海市卢湾区
上海汇丰医药药材有限责任公司	12756	38944	312	西药批发	上海市徐汇区
上海领先餐饮管理有限公司	12511	22679	1980	其他餐饮服务	上海市浦东新区

4－5 续表 14

企业名称	资产总计（万元）	销售额（万元）	全部从业人员年平均人数（人）	所属行业	企业所在地
上海药房股份有限公司	12297	46225	604	药品零售	上海市卢湾区
国药集团化学试剂有限公司	11480	40056	371	西药批发	上海市黄浦区
上海中油大庆石油化工销售公司	10580	45405	219	石油及制品批发	上海市虹口区
上海蒙牛乳业有限公司	10488	81339	437	其他食品批发	上海市闸北区
上海三联集团钟表眼镜照相器材批发中心	10306	55256	452	其他日用品批发	上海市黄浦区
上海颐盛商贸有限公司	10235	58080	735	服装零售	上海市黄浦区
上海第一食品连锁发展有限公司	9988	32338	251	其他食品批发	上海市黄浦区
上海立丰食品有限公司	9735	44169	577	肉、禽、蛋及水产品批发	上海市静安区
昆山润华商业有限公司松江分公司	9563	44500	523	超级市场零售	上海市松江区
上海青岛啤酒华东销售有限公司	9388	72747	355	其他食品批发	上海市宝山区
上海诚达百货商业有限公司	8952	64138	939	超级市场零售	上海市徐汇区
上海雨润肉食品有限公司	8671	61931	280	其他农畜产品批发	上海市普陀区
上海麦当劳 食品有限公司	8413	172074	1133	快餐服务	上海市黄浦区
上海思创服饰有限公司	8327	57295	845	服装批发	上海市长宁区
上海好德企业发展有限公司	8287	35047	220	其他食品批发	上海市卢湾区
上海雷允上连锁经营有限公司	7067	31287	1196	药品零售	上海市黄浦区
上海新亚大家乐餐饮有限公司	6800	18706	2219	快餐服务	上海市虹口区
上海苏食肉品销售有限公司	5270	45193	349	肉、禽、蛋及水产品批发	上海市虹口区
上海家家乐商业发展有限公司	4181	31396	743	超级市场零售	上海市浦东新区
上海蜂星电讯设备连锁有限公司	4122	22649	510	通信设备零售	上海市卢湾区
上海梅林正广和便利连锁有限公司	3877	37673	1829	其他综合零售	上海市杨浦区
上海江杨农产品批发市场经营管理有限公司	888	275646	340	果品、蔬菜批发	上海市宝山区
江苏省					
中国石油化工股份有限公司江苏石油分公司	679159	3186529	17671	石油及制品批发	江苏省南京市鼓楼区
江苏省海外企业集团有限公司	426543	416144	1197	建材批发	江苏省南京市玄武区
江苏国泰国际集团有限公司	411796	1312775	2018	纺织品、针织品及原料批发	江苏省苏州市张家港市
苏宁电器连锁集团股份有限公司	386268	474341	4584	家用电器零售	江苏省南京市鼓楼区
江苏苏美达集团公司	371559	718346	4175	纺织品、针织品及原料批发	江苏省南京市玄武区
江苏省烟草公司南京分公司	326369	504040	218	烟草制品批发	江苏省南京市白下区
南京纺织品进出口股份有限公司	323609	789343	357	纺织品、针织品及原料批发	江苏省南京市鼓楼区
江苏五星电器有限公司	307722	564398	7356	家用电器零售	江苏省南京市鼓楼区
江苏省烟草公司苏州分公司	290615	593046	250	烟草制品批发	江苏省苏州市金阊区
苏宁电器股份有限公司南京采购中心	277574	1876822	654	家用电器批发	江苏省南京市鼓楼区
苏果超市有限公司	238422	798208	15217	超级市场零售	江苏省南京市白下区
江苏舜天国际集团机械进出口股份有限公司	235271	358510	342	其他机械设备及电子产品批发	江苏省南京市白下区
江苏省烟草公司无锡分公司	225975	467106	854	烟草制品批发	江苏省无锡市崇安区
南京新街口百货商店股份有限公司	220806	158026	2127	百货零售	江苏省南京市白下区
江苏无锡商业大厦集团有限公司	216206	434207	2118	百货零售	江苏省无锡市崇安区
中国石油天然气股份有限公司江苏销售分公司	212302	606605	5389	石油及制品批发	江苏省南京市鼓楼区
江苏舜天股份有限公司	194148	128473	295	服装批发	江苏省南京市白下区
江苏开元股份有限公司	192007	380993	316	纺织品、针织品及原料批发	江苏省南京市白下区
南京金属物流集团有限公司	161592	401907	446	金属及金属矿批发	江苏省南京市白下区
宜兴华地百货有限公司	153843	94500	1438	百货零售	江苏省无锡市宜兴市
江阴市长江钢管有限公司	149456	227880	458	金属及金属矿批发	江苏省无锡市江阴市
南京金鹰国际购物集团有限公司	148711	180540	656	百货零售	江苏省南京市白下区
南京中央商场股份有限公司	148435	160760	2077	百货零售	江苏省南京市白下区
江苏省新华书店集团有限公司	141677	282082	399	图书批发	江苏省南京市玄武区
江苏博西家用电器销售有限公司	140678	539249	1931	家用电器批发	江苏省南京市鼓楼区
南京红太阳农资商贸连锁有限公司	137932	248883	338	农药批发	江苏省南京市高淳县

4－5　续表15

企业名称	资产总计（万元）	销售额（万元）	全部从业人员年平均人数（人）	所属行业	企业所在地
江苏时代超市有限公司	133689	555827	9890	其他食品批发	江苏省南通市崇川区
江苏弘业国际集团有限公司	129588	209397	2775	纺织品、针织品及原料批发	江苏省南京市白下区
江苏省烟草公司常州分公司	127304	268022	461	烟草制品批发	江苏省常州市钟楼区
江苏开元国际集团轻工业品进出口股份有限公司	125699	182771	282	其他日用品批发	江苏省南京市白下区
江苏苏豪国际集团股份有限公司	116357	410375	304	纺织品、针织品及原料批发	江苏省南京市白下区
江苏省烟草公司盐城分公司	112519	285292	1035	烟草制品批发	江苏省盐城市市辖区
江苏省烟草公司扬州分公司	111343	280966	1053	烟草制品批发	江苏省扬州市郊区
江苏省烟草公司徐州分公司	104286	258216	1484	烟草制品批发	江苏省徐州市云龙区
江苏省烟草公司泰州分公司	100854	246529	246	烟草制品批发	江苏省泰州市海陵区
江苏省烟草公司镇江分公司	100182	226906	709	烟草制品批发	江苏省镇江市京口区
江苏明都汽车摩托车有限公司	97598	199178	980	汽车零售	江苏省常州市武进区
南京宏图三胞企业发展有限公司	88950	236597	547	计算机、软件及辅助设备零售	江苏省南京市玄武区
南京森昊木业集团有限公司	86922	33119	400	建材批发	江苏省南京市白下区
江苏文峰大世界连锁发展股份有限公司南通分公司	85174	124532	1233	百货零售	江苏省南通市崇川区
江苏省燃料总公司	82496	424213	214	金属及金属矿批发	江苏省南京市鼓楼区
万年能源集团有限公司	81253	56793	450	煤炭及制品批发	江苏省连云港市新浦区
常州百货大楼股份有限公司	74994	97726	1030	百货零售	江苏省常州市天宁区
苏州市苏创集团有限公司	67531	33252	230	石油及制品批发	江苏省苏州市太仓市
江苏省烟草公司淮安分公司	67231	145166	790	烟草制品批发	江苏省淮安市清浦区
江苏小天鹅营销有限责任公司	66067	314345	480	家用电器批发	江苏省无锡市北塘区
常州药业股份有限公司	57799	87730	351	西药批发	江苏省常州市天宁区
江苏省烟草公司连云港分公司	52410	128679	862	烟草制品批发	江苏省连云港市新浦区
徐州医药股份有限公司	51454	149057	1199	药品零售	江苏省徐州市鼓楼区
南京蓝燕石化储运实业有限公司	49494	154724	263	石油及制品批发	江苏省南京市栖霞区
江苏省烟草公司宿迁分公司	48929	107175	775	烟草制品批发	江苏省宿迁市宿城区
江苏苏舜工贸集团有限公司	47992	118732	315	汽车、摩托车及零配件批发	江苏省南京市玄武区
常熟市交电家电有限责任公司	46262	123639	216	家用电器批发	江苏省苏州市常熟市
苏州函数集团有限责任公司	46249	79823	1450	百货零售	江苏省苏州市平江区
江阴华地百货有限公司	45825	38426	998	百货零售	江苏省无锡市江阴市
无锡市第一百货(集团)有限公司	45781	66450	655	百货零售	江苏省无锡市北塘区
江苏开元国际集团畜产进出口股份有限公司	44496	148078	233	服装批发	江苏省南京市白下区
南京药业股份有限公司	44442	109734	565	中药材及中成药批发	江苏省南京市白下区
宜兴新苏南商厦有限责任公司	42454	57724	1566	百货零售	江苏省无锡市宜兴市
南京悦家超市有限公司	42325	58721	1056	超级市场零售	江苏省南京市下关区
昆山商厦股份有限公司	41603	112935	596	百货零售	江苏省苏州市昆山市
江苏省苏南盐业有限公司	41099	42885	362	盐及调味品批发	江苏省苏州市金阊区
南京华东医药有限责任公司	40204	137062	439	中药材及中成药批发	江苏省南京市玄武区
南京友谊华联(集团)有限责任公司	39597	15746	994	服装零售	江苏省南京市白下区
无锡山禾医药集团物流股份有限公司	38185	107259	461	西药批发	江苏省无锡市南长区
苏州人民商场股份有限公司	37350	144750	527	百货零售	江苏省苏州市平江区
镇江百盛商城有限公司	35824	50492	804	百货零售	江苏省镇江市京口区
江苏大德生药房连锁有限公司	33654	106406	941	西药批发	江苏省扬州市广陵区
南京肯德基有限公司	31740	51882	7272	快餐服务	江苏省南京市白下区
徐州中央百货大楼股份有限公司	31085	66650	1043	百货零售	江苏省徐州市云龙区
江苏悦达集团有限公司	29555	79431	261	煤炭及制品批发	江苏省盐城市市辖区
江苏鹏润国美电器有限公司	29523	98681	747	家用电器零售	江苏省南京市白下区
无锡朝阳股份有限公司	29156	221398	501	果品、蔬菜批发	江苏省无锡市南长区
江苏华瑞国际实业集团有限公司	29075	119271	240	服装批发	江苏省南京市白下区
徐州金鹰国际实业有限公司	28149	60098	2125	百货零售	江苏省徐州市鼓楼区
江苏五洋集团有限公司	27896	36775	226	其他化工产品批发	江苏省苏州市太仓市

4－5　续表16

企业名称	资产总计（万元）	销售额（万元）	全部从业人员年平均人数（人）	所属行业	企业所在地
南京商厦股份有限公司	27837	52196	1054	百货零售	江苏省南京市玄武区
无锡八佰伴经济管理有限公司	27581	117749	827	百货零售	江苏省无锡市崇安区
常州新世纪商城有限公司	27443	56938	558	百货零售	江苏省常州市钟楼区
华润万家(苏州)超市有限公司	27219	80700	2630	超级市场零售	江苏省苏州市平江区
苏州欧尚超市有限公司	27130	84770	500	超级市场零售	江苏省苏州市平江区
昆山市润华商业有限公司百润发分公司	26361	77363	612	超级市场零售	江苏省苏州市昆山市
南京海尔工贸有限公司	25917	99898	689	家用电器批发	江苏省南京市玄武区
南京东沛国际贸易有限公司	25485	188453	204	其他机械设备及电子产品批发	江苏省南京市白下区
无锡悦家商业有限公司	24106	69003	735	超级市场零售	江苏省无锡市南长区
丹阳华地百货有限公司	23760	39631	1100	百货零售	江苏省镇江市丹阳市
南京福中信息产业集团有限公司	23358	100045	513	计算机、软件及辅助设备零售	江苏省南京市玄武区
苏州肯德基有限公司	23014	81741	5217	快餐服务	江苏省苏州市虎丘区
溧阳华地百货有限公司	22955	25389	530	百货零售	江苏省常州市溧阳市
江苏中央新亚百货股份有限公司	21860	55514	1145	百货零售	江苏省淮安市清河区
江阴国际购物中心有限公司	21091	22346	820	百货零售	江苏省无锡市江阴市
江阴华联商厦有限公司	20952	31856	566	百货零售	江苏省无锡市江阴市
耐克体育(中国)有限公司	19921	31915	435	鞋帽批发	江苏省苏州市太仓市
常州糖烟酒股份有限公司	19630	78306	206	其他食品批发	江苏省常州市钟楼区
昆山双鹤医药有限责任公司	19305	56795	371	西药批发	江苏省苏州市昆山市
江苏永乐家用电器有限公司	18632	120668	677	家用电器批发	江苏省无锡市崇安区
连云港市康缘医药商业有限公司	17775	37086	273	西药批发	江苏省连云港市新浦区
无锡市肯德基有限公司	17572	56954	3357	快餐服务	江苏省无锡市崇安区
江苏雅家乐集团有限公司	17146	52938	1282	超级市场零售	江苏省盐城市市辖区
南京新华书店	16925	26000	604	图书零售	江苏省南京市白下区
无锡海尔工贸有限公司	16816	81423	589	家用电器批发	江苏省无锡市锡山区
江苏盐阜人民商场有限公司	16623	47755	686	百货零售	江苏省盐城市市辖区
宜兴市药业有限公司	15743	27115	603	药品零售	江苏省无锡市宜兴市
江苏通灵翠钻有限公司	15446	55986	320	首饰、工艺品及收藏品批发	江苏省南京市白下区
南京麦当劳餐饮食品有限公司	14891	38506	2057	快餐服务	江苏省南京市玄武区
昆山润华商业有限公司苏州高新区分公司	14477	53102	612	超级市场零售	江苏省苏州市虎丘区
江苏宏信商贸股份有限公司	13581	52619	900	百货零售	江苏省扬州市江都市
泰州第一百货商店股份有限公司	13314	42873	598	百货零售	江苏省泰州市海陵区
中油石油天然气股份有限公司江苏淮安分公司	13262	45862	400	石油及制品批发	江苏省淮安市清河区
南京山西路大楼有限责任公司	13209	16250	573	百货零售	江苏省南京市鼓楼区
中石化长江燃料有限公司南京分公司	12141	217062	474	石油及制品批发	江苏省南京市下关区
扬州市广润发超市有限公司	11821	39471	535	超级市场零售	江苏省扬州市广陵区
无锡天惠超市股份有限公司	11228	35242	1005	超级市场零售	江苏省无锡市南长区
常熟市百润发超市有限责任公司	11087	37730	520	超级市场零售	江苏省苏州市常熟市
江苏联发进出口有限公司	10947	52384	241	纺织品、针织品及原料批发	江苏省南通市海安县
镇江家世界万方连锁超市有限责任公司	10327	16588	520	超级市场零售	江苏省镇江市京口区
盐城商业大厦股份有限公司	9508	35077	801	百货零售	江苏省盐城市市辖区
仪征怡华商贸发展有限公司	9479	78027	366	其他化工产品批发	江苏省扬州市仪征市
南京宝庆银楼首饰有限公司	9381	30849	502	珠宝首饰零售	江苏省南京市白下区
南京医药南通健桥有限公司	9145	31958	265	西药批发	江苏省南通市如东县
南京中央金城仓储超市有限责任公司	8339	34786	538	超级市场零售	江苏省南京市白下区
苏州联华超市有限公司	8147	23886	724	超级市场零售	江苏省苏州市虎丘区
江苏海王星辰健康药房连锁有限公司	7510	15666	1059	药品零售	江苏省苏州市平江区
南通通润发超市有限公司	7130	46134	569	超级市场零售	江苏省南通市崇川区
常州市武进明都超市有限公司	6791	22694	826	超级市场零售	江苏省常州市武进区
江苏真维斯服饰有限公司	6730	31776	800	服装批发	江苏省南京市雨花台区

4－5　续表 17

企业名称	资产总计（万元）	销售额（万元）	全部从业人员年平均人数（人）	所属行业	企业所在地
无锡北方化学工业公司	6523	33300	440	其他化工产品批发	江苏省无锡市锡山区
南京 TCL 电器销售有限公司	6416	94748	980	家用电器批发	江苏省南京市玄武区
南京家居乐龙蟠建材有限公司	6397	17537	560	其他室内装修材料零售	江苏省南京市秦淮区
常州市信特超市有限公司	5350	22689	895	超级市场零售	江苏省常州市天宁区
南京华诚超市有限公司	5277	35207	1719	超级市场零售	江苏省南京市白下区
苏州市物资回收利用有限公司	4721	30985	201	金属及金属矿批发	江苏省苏州市平江区
江苏超越超市连锁发展有限公司	4198	35016	502	超级市场零售	江苏省南通市崇川区
常熟华地百货有限公司	4114	16932	800	百货零售	江苏省苏州市常熟市
镇江市恺源旅游商贸有限责任公司	1864	17831	528	百货零售	江苏省镇江市京口区
浙江省					
中国石油化工股份有限公司浙江石油分公司	665925	1713891	5448	石油及制品批发	浙江省杭州市上城区
浙江物产金属集团有限公司	402513	1677178	516	金属及金属矿批发	浙江省杭州市下城区
浙江省新华书店集团有限公司	346582	183284	610	图书批发	浙江省杭州市西湖区
浙江物产国际贸易有限公司	262778	1251625	432	金属及金属矿批发	浙江省杭州市下城区
宁波市慈溪进出口股份有限公司	201776	504597	674	首饰、工艺品及收藏品批发	浙江省宁波市慈溪市
浙江康桥汽车工贸集团股份有限公司	192542	388876	2090	汽车、摩托车及零配件批发	浙江省杭州市拱墅区
浙江中油华电能源有限公司	178349	411949	250	石油及制品批发	浙江省温州市洞头县
华东医药股份有限公司	173078	348902	1055	药品零售	浙江省杭州市下城区
浙江远大进出口有限公司	159052	849920	200	其他化工产品批发	浙江省宁波市北仑区
浙江特产集团有限公司	158441	359775	292	其他机械设备及电子产品批发	浙江省杭州市上城区
浙江新大集团有限公司	158309	346328	568	纺织品、针织品及原料批发	浙江省杭州市滨江区
浙江海越股份有限公司	139892	139139	764	机动车燃料零售	浙江省绍兴市诸暨市
中基宁波对外贸易股份有限公司	136056	594239	212	服装批发	浙江省宁波市鄞州区
浙江凯喜雅国际股份有限公司	134672	194778	271	纺织品、针织品及原料批发	浙江省杭州市下城区
航天通信控股集团股份有限公司	127769	81482	228	通讯及广播电视设备批发	浙江省杭州市上城区
浙江英特药业有限责任公司	110923	312077	266	西药批发	浙江省杭州市下城区
浙江省烟草公司温州分公司	108977	429788	338	烟草制品批发	浙江省温州市鹿城区
杭州联华华商集团有限公司	108657	148639	3032	超级市场零售	浙江省杭州市下城区
浙江省土产畜产进出口集团公司	101919	310105	240	其他食品批发	浙江省杭州市下城区
百大集团股份有限公司	101526	152108	992	百货零售	浙江省杭州市下城区
杭州大厦有限公司	100559	4526	1205	旅游饭店	浙江省杭州市下城区
宁波三江购物俱乐部有限公司	98971	203283	4714	超级市场零售	浙江省宁波市海曙区
浙江中大集团股份有限公司	94447	348203	327	纺织品、针织品及原料批发	浙江省杭州市下城区
中国石油化工股份有限公司浙江宁波石油分公司	91847	884526	305	石油及制品批发	浙江省宁波市海曙区
浙江省茶叶进出口有限公司	91846	314892	226	服装批发	浙江省杭州市下城区
浙江省粮油食品进出口股份有限公司	89885	198684	298	米、面制品及食用油批发	浙江省杭州市下城区
温州菜篮子集团有限公司	88282	83456	1907	果品、蔬菜批发	浙江省温州市鹿城区
浙江省烟草公司绍兴分公司	81026	284607	285	烟草制品批发	浙江省绍兴市越城区
德力西集团营销有限公司	80531	205903	310	其他机械设备及电子产品批发	浙江省温州市乐清市
杭州解百集团股份有限公司	78674	124092	996	百货零售	浙江省杭州市上城区
浙江东方集团股份有限公司	77307	394830	537	服装批发	浙江省杭州市上城区
浙江省纺织品进出口集团有限公司	77080	313186	354	其他机械设备及电子产品批发	浙江省杭州市上城区
宁波波导销售有限公司	74637	270627	881	通讯及广播电视设备批发	浙江省宁波市奉化市
浙江震元股份有限公司	70883	61912	333	中药材及中成药批发	浙江省绍兴市越城区
浙江省邮电器材公司	69329	171818	232	通讯及广播电视设备批发	浙江省杭州市下城区
浙江省烟草公司嘉兴分公司	64161	288658	230	烟草制品批发	浙江省嘉兴市秀洲区
杭州肯德基有限公司	64032	34836	12105	快餐服务	浙江省杭州市西湖区
镇海炼化物资装备股份有限责任公司	62942	196222	245	其他机械设备及电子产品批发	浙江省宁波市镇海区
浙江省工艺品进出口有限公司	61702	190776	312	首饰、工艺品及收藏品批发	浙江省杭州市下城区

4－5 续表18

企业名称	资产总计（万元）	销售额（万元）	全部从业人员年平均人数（人）	所属行业	企业所在地
浙江省烟草公司湖州分公司	58268	210824	350	烟草制品批发	浙江省湖州市吴兴区
湖州市浙北大厦有限责任公司	57574	145232	1449	百货零售	浙江省湖州市吴兴区
湖州浙北大厦有限公司	57574	2664	1449	旅游饭店	浙江省湖州市吴兴区
宁波市北仑加贝购物俱乐部	57430	83146	3635	超级市场零售	浙江省宁波市北仑区
浙江省烟草公司杭州市萧山区公司	56943	119532	222	烟草制品批发	浙江省杭州市萧山区
浙江省医药保健品进出口有限责任公司	55639	240758	200	中药材及中成药批发	浙江省杭州市下城区
温州金州集团有限公司	55199	154886	315	服装批发	浙江省温州市鹿城区
浙江省烟草公司台州分公司	54796	304931	276	烟草制品批发	浙江省台州市椒江区
杭州国际大厦有限责任公司	54028	16682	900	旅游饭店	浙江省杭州市下城区
宁波医药股份有限公司	52916	199884	256	西药批发	浙江省宁波市海曙区
玉环县环洲钢业股份有限公司	52836	159750	300	金属及金属矿批发	浙江省台州市玉环县
浙江省五金交电化工有限公司	52568	90917	210	家用电器批发	浙江省杭州市上城区
浙江慈客隆超市有限公司	52440	138466	1537	超级市场零售	浙江省宁波市慈溪市
浙江省烟草宁波分公司	51723	523736	277	烟草制品批发	浙江省宁波市江东区
浙江雄风实业集团有限公司	48154	83755	619	家用电器零售	浙江省绍兴市诸暨市
浙江省烟草公司金华分公司	47357	273224	270	烟草制品批发	浙江省金华市婺城区
浙江国美电器有限公司	47061	76997	655	家用电器零售	浙江省杭州市下城区
浙江省烟草公司温岭市公司	45135	98936	269	烟草制品批发	浙江省台州市温岭市
浙江金冶实业集团有限公司	44374	68851	204	建材批发	浙江省湖州市吴兴区
宁波浙国美电器有限公司	44343	73058	1025	家用电器零售	浙江省宁波市海曙区
杭州饮食服务集团有限公司	43796	22056	1828	正餐服务	浙江省杭州市上城区
浙江上百贸易有限公司	43638	82559	550	百货零售	浙江省绍兴市上虞市
华润万家生活超市(浙江)有限公司	42265	90145	2522	超级市场零售	浙江省杭州市下城区
绍兴大通商城股份有限公司	41275	76140	507	百货零售	浙江省绍兴市上虞市
杭州万事利丝绸科技有限公司	40244	63841	279	纺织品、针织品及原料批发	浙江省杭州市江干区
台州医药有限公司	38662	104163	319	西药批发	浙江省台州市椒江区
宁波博洋服饰有限公司	35452	73280	481	服装批发	浙江省宁波市海曙区
浙江华联商厦有限公司	34913	78305	1378	百货零售	浙江省宁波市余姚市
浙江省烟草公司桐乡市公司	34053	76145	235	烟草制品批发	浙江省嘉兴市桐乡市
浙江东菱股份有限公司	33699	167443	215	金属及金属矿批发	浙江省嘉兴市秀城区
浙江省烟草公司瑞安市公司	32896	80661	207	烟草制品批发	浙江省温州市瑞安市
浙江江南大厦股份有限公司	32521	36641	542	百货零售	浙江省嘉兴市秀城区
浙江雄城商贸股份有限公司	32358	52278	951	百货零售	浙江省绍兴市诸暨市
浙江人本超市有限公司	31900	149888	3421	超级市场零售	浙江省温州市鹿城区
浙江东兴商厦股份有限公司	30774	41205	625	百货零售	浙江省嘉兴市桐乡市
浙江省烟草公司义乌市公司	30413	88308	231	烟草制品批发	浙江省金华市义乌市
新世纪控股集团有限公司	29959	150637	315	五金、交电批发	浙江省台州市椒江区
温州人本机电城有限公司	27939	103710	312	其他机械设备及电子产品批发	浙江省温州市鹿城区
浙江省烟草公司苍南县公司	27539	67799	213	烟草制品批发	浙江省温州市苍南县
台州市耀达商场有限公司	27402	33176	515	百货零售	浙江省台州市临海市
浙江温岭市医药药材有限公司	27363	73567	256	西药批发	浙江省台州市温岭市
绍兴供销超市有限公司	27208	120001	1235	百货零售	浙江省绍兴市越城区
浙江省再生资源有限公司	26020	374684	200	金属及金属矿批发	浙江省杭州市上城区
浙江新世纪国际贸易有限公司	25953	134506	277	五金、交电批发	浙江省金华市东阳市
浙江烟草公司余姚市公司	25396	90347	250	烟草制品批发	浙江省宁波市余姚市
绍兴市国商大厦有限责任公司	24235	37288	502	百货零售	浙江省绍兴市越城区
杭州市轻工工艺纺织品进出口有限公司	24029	216176	270	服装批发	浙江省杭州市拱墅区
上虞市医药有限责任公司	23500	50572	217	西药批发	浙江省绍兴市上虞市
浙江星普五星电器有限公司	23172	38191	634	家用电器零售	浙江省杭州市西湖区
浙江省烟草公司衢州分公司	22280	118575	208	烟草制品批发	浙江省衢州市柯城区

4－5　续表 19

企业名称	资产总计（万元）	销售额（万元）	全部从业人员年平均人数（人）	所属行业	企业所在地
杭州萧山医药有限公司	21839	53176	214	西药批发	浙江省杭州市萧山区
宁波欧尚超市有限公司	20907	43148	779	超级市场零售	浙江省宁波市海曙区
浙江省诸暨市对外经济贸易有限公司	20317	54758	241	服装批发	浙江省绍兴市诸暨市
浙江国商实业股份有限公司	20317	40861	263	家用电器批发	浙江省台州市椒江区
温州成功集团有限公司	20017	52244	244	服装批发	浙江省温州市鹿城区
杭州海尔工贸有限公司	19724	62291	800	家用电器批发	浙江省杭州市上城区
杭州物美大卖场商业有限公司	18972	51967	626	超级市场零售	浙江省杭州市西湖区
宁波新江厦连锁超市有限公司	18884	37539	683	超级市场零售	浙江省宁波市鄞州区
浙江温州医药商业集团有限公司	18762	41009	305	西药批发	浙江省温州市鹿城区
绍兴县华通医药有限公司	18570	38471	422	西药批发	浙江省绍兴市绍兴县
浙江康恩贝医药销售有限公司	18357	49873	210	西药批发	浙江省杭州市上城区
宁波大榭海尔工贸有限公司	17279	59652	500	家用电器批发	浙江省宁波市北仑区
浙江苏宁电器有限公司	16987	106329	869	家用电器零售	浙江省杭州市下城区
宁波乐购生活购物有限公司	16660	43308	599	超级市场零售	浙江省宁波市海曙区
浙江麦当劳餐厅食品有限公司	16494	23965	2126	快餐服务	浙江省杭州市下城区
杭州果品有限公司	15541	59590	207	果品、蔬菜批发	浙江省杭州市江干区
宁波市鄞州医药药材有限公司	14644	32315	215	西药批发	浙江省宁波市江东区
金华市医药有限公司	14434	37903	262	西药批发	浙江省金华市婺城区
浙江易川服饰有限公司	13568	24904	732	服装零售	浙江省金华市婺城区
中国石油天然气股份有限公司浙江宁波销售分公司	13494	103034	276	石油及制品批发	浙江省宁波市江东区
浙江帅康营销有限公司	13163	76831	504	家用电器批发	浙江省宁波市余姚市
温州开太百货有限公司	12611	43652	1475	百货零售	浙江省温州市鹿城区
宁波布利杰进出口有限公司	11108	72209	212	服装批发	浙江省宁波市江东区
温岭市食品总公司	10260	41013	525	肉、禽、蛋及水产品批发	浙江省台州市温岭市
仙居制药销售有限公司	10211	48264	627	西药批发	浙江省台州市仙居县
舟山市民生商厦有限责任公司	10180	26316	656	超级市场零售	浙江省舟山市定海区
浙江省烟草公司象山县公司	10080	68008	251	烟草制品批发	浙江省宁波市象山县
绍兴好又多百货有限公司	9463	30113	700	超级市场零售	浙江省绍兴市越城区
中国石油天然气股份有限公司浙江舟山销售分公司	8056	88733	229	石油及制品批发	浙江省舟山市普陀区
金华市中洋超市有限公司	6925	20048	762	超级市场零售	浙江省金华市婺城区
嘉兴市嘉润商业有限责任公司	6788	32020	507	超级市场零售	浙江省嘉兴市秀洲区
浙江天天惠超市有限公司	6558	21162	510	超级市场零售	浙江省舟山市定海区
浙江福泰隆连锁超市有限公司	6309	19519	586	超级市场零售	浙江省金华市婺城区
台州市三和自选商场有限公司	6264	25830	500	超级市场零售	浙江省台州市温岭市
浙江黄岩食品总公司	6122	18130	748	肉、禽、蛋及水产品零售	浙江省台州市黄岩区
浙江宏图三胞科技发展有限公司	5623	27935	500	计算机、软件及辅助设备零售	浙江省杭州市西湖区
宁海县太平洋百货有限公司	5521	18619	630	百货零售	浙江省宁波市宁海县
台州人本超市有限公司	4756	21693	555	超级市场零售	浙江省台州市温岭市
台州市路桥区商业有限公司	4521	15743	566	肉、禽、蛋及水产品零售	浙江省台州市路桥区
杭州好又多百货有限公司	4055	18109	587	超级市场零售	浙江省杭州市西湖区
杭州梯西爱乐（TCL）电器销售有限公司	3753	79635	421	家用电器批发	浙江省杭州市上城区
中国石油化工股份有限公司浙江绍兴石油分公司		349102	578	石油及制品批发	浙江省绍兴市越城区
安徽省					
安徽省徽商股份有限公司	164554	758855	410	金属及金属矿批发	安徽省合肥市包河区
安徽辉隆农资集团有限公司	134389	161858	213	化肥批发	安徽省合肥市庐阳区
安徽商之都有限责任公司	123030	298700	693	百货零售	安徽省合肥市庐阳区
合肥百货大楼集团股份有限公司	122000	199392	1108	百货零售	安徽省合肥市庐阳区
安徽华源医药股份有限公司	109814	841681	1712	西药批发	安徽省阜阳市太和县
安徽风之星汽车股份有限公司	108547	193949	850	汽车零售	安徽省合肥市蜀山区

4－5 续表 20

企业名称	资产总计（万元）	销售额（万元）	全部从业人员年平均人数（人）	所属行业	企业所在地
合肥丰乐种业股份有限公司	97938	33725	422	种子、饲料批发	安徽省合肥市蜀山区
联合利华服务(合肥)有限公司	83523	545536	931	其他化工产品批发	安徽省合肥市蜀山区
安徽省技术进出口股份有限公司	80401	472374	356	其他机械设备及电子产品批发	安徽省合肥市蜀山区
安徽新兴格力空调销售有限公司	75099	151904	278	家用电器批发	安徽省合肥市瑶海区
中国石油化工股份有限公司安徽阜阳石油分公司	65202	156256	750	石油及制品批发	安徽省阜阳市市辖区
安徽省烟草公司合肥市公司	63536	244241	624	烟草制品批发	安徽省合肥市蜀山区
安徽省烟草公司安庆公公司	62810	157638	1252	烟草制品批发	安徽省安庆市迎江区
安徽省服装进出口股份有限公司	62525	144742	269	服装批发	安徽省合肥市庐阳区
中石化股份安徽合肥石油分公司	61092	383120	1260	石油及制品批发	安徽省合肥市包河区
中国石油化工股份有限公司安徽分公司	59502	195493	314	石油及制品批发	安徽省蚌埠市龙子湖区
安徽亚夏实业股份有限公司	58600	23505	1400	汽车零售	安徽省宣城市宁国市
南京医药合肥天星有限公司	56267	124854	461	西药批发	安徽省合肥市庐阳区
安徽省烟草公司六安市公司	52961	135128	251	烟草制品批发	安徽省六安市金安区
安徽安粮国际发展股份有限公司	51320	205143	259	纺织品、针织品及原料批发	安徽省合肥市庐阳区
安徽省烟草公司宣城市公司	51093	125316	712	烟草制品批发	安徽省宣城市宣州区
芜湖市烟草公司	48584	107488	228	烟草制品批发	安徽省芜湖市马塘区
合肥海尔空调器有限公司	46796	210500	799	家用电器批发	安徽省合肥市蜀山区
巢湖市烟草公司	46206	147469	1091	烟草制品批发	安徽省巢湖市居巢区
芜湖亚夏实业有限公司	44899	104917	360	汽车、摩托车及零配件批发	安徽省芜湖市鸠江区
中石化安徽滁州石油公司	42041	103988	547	石油及制品批发	安徽省滁州市琅琊区
中国石油化工股份有限公司黄山分公司	41929	67883	320	石油及制品批发	安徽省黄山市屯溪区
中国石化工股份有限公司安徽宣城石油分公司	41554	106551	482	石油及制品批发	安徽省宣城市宣州区
安徽省商厦股份有限公司	40148	56558	1010	百货零售	安徽省阜阳市市辖区
安徽省烟草公司滁州市公司	39686	126124	798	烟草制品批发	安徽省滁州市琅琊区
宿州中石化公司	38547	129076	747	石油及制品批发	安徽省宿州市墉桥区
宿州华夏商社	38252	52680	1050	超级市场零售	安徽省宿州市墉桥区
宿州烟草公司	37939	106738	1097	烟草制品批发	安徽省宿州市墉桥区
中石化巢湖公司	37563	80864	200	石油及制品批发	安徽省巢湖市居巢区
合肥鼓楼商厦有限责任公司	37450	78567	707	百货零售	安徽省合肥市庐阳区
安徽阜阳医药集团有限公司	36989	117155	260	西药批发	安徽省阜阳市市辖区
安徽徽商农家福有限公司	36784	137780	410	化肥批发	安徽省合肥市包河区
安徽省阜阳市烟草公司	33614	143942	1300	烟草制品批发	安徽省阜阳市市辖区
安徽国生电器有限责任公司	33455	163687	865	家用电器批发	安徽省合肥市庐阳区
合肥百大合家福连锁超市有限责任公司	31578	74882	1175	超级市场零售	安徽省合肥市包河区
安徽省徽商集团食品有限公司	29694	135043	914	超级市场零售	安徽省合肥市庐阳区
安徽省烟草公司黄山市公司	29101	67192	439	烟草制品批发	安徽省黄山市屯溪区
合肥悦家商业有限公司	27736	61827	998	超级市场零售	安徽省合肥市蜀山区
安徽洽洽食品有限公司	27240	113973	1008	其他食品批发	安徽省合肥市蜀山区
安徽省烟草公司淮南市公司	26952	94810	438	烟草制品批发	安徽省淮南市田家庵区
安徽省烟草公司淮北市公司	26683	56595	381	烟草制品批发	安徽省淮北市相山区
蚌埠市烟草专卖局(公司)	26675	89026	722	烟草制品批发	安徽省蚌埠市禹会区
安徽轻工国际贸易有限公司	26642	118300	216	其他日用品批发	安徽省合肥市蜀山区
中国石油天然气股份有限公司安徽合肥分公司	26233	97822	620	石油及制品批发	安徽省合肥市庐阳区
安徽省烟草公司池州市公司	26079	62322	539	烟草制品批发	安徽省池州市市辖区
安徽省烟草公司马鞍山市公司	25355	65086	392	烟草制品批发	安徽省马鞍山市花山区
芜湖华亿国际购物中心有限责任公司	24413	41866	737	百货零售	安徽省芜湖市镜湖区
安徽省烟草公司亳州市公司	23886	91415	1275	烟草制品批发	安徽省亳州市谯城区
淮南华联商厦责任公司	22524	30480	845	百货零售	安徽省淮南市田家庵区
合肥百货大楼集团蚌埠百货大楼有限责任公司	20627	30036	550	百货零售	安徽省蚌埠市蚌山区
合肥新华书店有限公司	20312	20192	598	图书零售	安徽省合肥市庐阳区

4－5 续表 21

企业名称	资产总计（万元）	销售额（万元）	全部从业人员年平均人数（人）	所属行业	企业所在地
中国石油化工股份有限公司安徽淮南分公司	19878	149402	632	石油及制品批发	安徽省淮南市田家庵区
安徽省烟草公司铜陵市公司	18789	46564	224	烟草制品批发	安徽省铜陵市狮子山区
芜湖中油石油有限公司	18165	79617	373	石油及制品批发	安徽省芜湖市鸠江区
合肥海尔工贸有限公司	18129	90295	892	家用电器批发	安徽省合肥市瑶海区
安徽五星电器有限公司	14951	55548	653	家用电器零售	安徽省合肥市庐阳区
安徽省阜阳国贸商城有限公司	13886	20188	502	百货零售	安徽省阜阳市市辖区
合肥百货大楼集团铜陵合百商厦有限责任公司	11796	20005	819	百货零售	安徽省铜陵市铜官山区
中石化股份有限公司安徽淮北石油分公司	10880	80678	335	石油及制品批发	安徽省淮北市相山区
阜阳华联超市有限公司	10581	25253	965	超级市场零售	安徽省阜阳市市辖区
中国石油天然气股份有限公司安徽阜阳销售分公司	9817	33858	257	石油及制品批发	安徽省阜阳市市辖区
安徽省庐江县安德利贸易中心有限公司	9782	19675	602	百货零售	安徽省巢湖市庐江县
安庆华联购物广场有限责任公司	8855	24370	2000	超级市场零售	安徽省安庆市迎江区
中国石油化工股份有限公司安徽铜陵石油分公司	8848	66610	230	石油及制品批发	安徽省铜陵市铜官山区
安徽省宣城市医药有限公司	8324	34635	300	西药批发	安徽省宣城市宣州区
世纪联华发展有限公司	8274	26922	693	超级市场零售	安徽省芜湖市镜湖区
淮南苏果超市有限公司	7155	28178	525	超级市场零售	安徽省淮南市田家庵区
宿州美惠多超市	6235	21292	1569	超级市场零售	安徽省宿州市埇桥区
马鞍山市蓝天废旧物资回收有限公司	3654	31119	485	再生物资回收与批发	安徽省马鞍山市金家庄区
安徽商之都六安商厦	2035	17775	1000	百货零售	安徽省六安市金安区
合肥 TCL 电器销售有限公司	1464	49495	270	家用电器批发	安徽省合肥市瑶海区
福建省					
厦门建发股份有限公司	701315	1284531	871	服装批发	福建省厦门市思明区
厦门象屿集团有限公司	427819	653571	266	其他未列明的批发	福建省厦门市湖里区
厦门国贸集团股份有限公司	404836	1049005	405	金属及金属矿批发	福建省厦门市思明区
福建省烟草公司	247636	424551	268	烟草制品批发	福建省福州市鼓楼区
中国(福建)对外贸易中心集团	228237	204235	765	贸易经纪与代理	福建省福州市鼓楼区
福建省烟草公司泉州分公司	154657	604244	1292	烟草制品批发	福建省泉州市丰泽区
福建省烟草公司三明分公司	150223	263457	273	烟草制品批发	福建省三明市梅列区
厦门集力发展股份有限公司	138727	129872	266	其他机械设备及电子产品批发	福建省厦门市思明区
福建省农资集团公司	113672	177615	604	化肥批发	福建省福州市鼓楼区
福建省烟草公司福州分公司	113412	466350	1176	烟草制品批发	福建省福州市晋安区
福建省龙岩烟草分公司	112527	195950	399	烟草制品批发	福建省龙岩市新罗区
中国石油化工股份有限公司福建福州分公司	97637	534333	2856	石油及制品批发	福建省福州市鼓楼区
福建省烟草公司漳州分公司	85150	272238	864	烟草制品批发	福建省漳州市芗城区
厦门烟草分公司	76630	631401	282	烟草制品批发	福建省厦门市思明区
中国石油化工股份有限公司福建漳州分公司	75202	255470	1749	机动车燃料零售	福建省漳州市芗城区
石油化工股份有限公司福建泉州石油分公司	74210	446088	1959	石油及制品批发	福建省泉州市鲤城区
福建华闽进出口有限公司	71274	217725	497	鞋帽批发	福建省福州市鼓楼区
福建同春药业股份有限公司	62032	123097	928	西药批发	福建省福州市仓山区
福州国美电器有限公司	57594	143038	580	家用电器零售	福建省福州市晋安区
福建省烟草公司南平分公司	52640	104368	282	烟草制品批发	福建省南平市延平区
福建省烟草公司宁德市公司	48430	143189	703	烟草制品批发	福建省宁德市 蕉城区
福建省烟草公司莆田分公司	39733	131579	430	烟草制品批发	福建省莆田市城厢区
厦门医药采购供应站	39613	87927	424	医疗用品及器材批发	福建省厦门市思明区
福州福大自动化科技有限公司	28921	46382	552	其他未列明的零售	福建省福州市鼓楼区
厦门夏商农产品集团有限公司	28811	339031	250	果品、蔬菜批发	福建省厦门市湖里区
中石化股份有限公司福建厦门石油分公司	26385	307698	795	机动车燃料零售	福建省厦门市思明区
厦门永乐思文家电有限公司	24601	88324	727	家用电器零售	福建省厦门市思明区
福建省医药(集团)有限责任公司	24216	47129	316	中药材及中成药批发	福建省福州市鼓楼区

4－5 续表22

企业名称	资产总计（万元）	销售额（万元）	全部从业人员年平均人数（人）	所属行业	企业所在地
福建远洋渔业集团公司	23899	33161	739	肉、禽、蛋及水产品批发	福建省福州市鼓楼区
福建省烟草公司宁化县公司	21972	37954	697	烟草制品批发	福建省三明市宁化县
中国石油化工股份有限公司福建莆田石油分公司	21165	108184	785	石油及制品批发	福建省莆田市涵江区
中国石油天然气股份有限公司泉州销售分公司	20555	63651	544	机动车燃料零售	福建省泉州市丰泽区
沃尔玛深国投百货有限公司福州山姆会员店	20037	38100	1493	超级市场零售	福建省福州市鼓楼区
中国石油化工股份有限公司福建宁德石油分公司	18600	113911	798	机动车燃料零售	福建省宁德市蕉城区
中国石油化工股份有限公司福建南平石油分公司	18369	143611	785	机动车燃料零售	福建省南平市延平区
中石油天然气股份有限公司福建福州销售分公司	17223	90902	342	石油及制品批发	福建省福州市鼓楼区
福建九州通医药有限公司	16972	64120	297	西药批发	福建省福州市马尾区
厦门肯德基有限公司	16128	23001	2178	快餐服务	福建省厦门市思明区
中国石油化工股份有限公司三明石油分公司	15725	144693	860	石油及制品批发	福建省三明市梅列区
厦门青岛啤酒东南营销有限公司	13869	64161	460	其他食品批发	福建省厦门市思明区
厦门富山诚达百货商业广场有限公司	13673	53475	856	超级市场零售	福建省厦门市思明区
福州海尔工贸有限公司	13226	59828	563	家用电器批发	福建省福州市鼓楼区
福安市医药有限公司	12975	42247	332	西药批发	福建省宁德市 福安市
厦门银祥食品有限公司	11568	43715	831	肉、禽、蛋及水产品零售	福建省厦门市同安区
中国石油化工股份有限公司福建龙岩石油分公司	11183	153931	731	机动车燃料零售	福建省龙岩市新罗区
福建省烟草公司永安市公司	11007	30180	233	烟草制品批发	福建省三明市永安市
百胜餐饮（福州）有限公司	9880	32843	1215	快餐服务	福建省福州市鼓楼区
厦门海尔工贸有限公司	9272	47445	280	家用电器批发	福建省厦门市思明区
泉州新华都购物广场有限公司	9193	47955	844	其他综合零售	福建省泉州市丰泽区
福建吉马经贸有限公司	6413	36627	1096	饮料及茶叶批发	福建省漳州市芗城区
福州闽台茶业有限公司	4382	68345	853	饮料及茶叶零售	福建省福州市晋安区
江西省					
南昌洪城大厦股份有限公司	119985	141714	709	百货零售	江西省南昌市西湖区
南昌百货大楼股份有限公司	87467	188816	2230	百货零售	江西省南昌市东湖区
中国石油天然气股份公司江西销售分公司	78034	197534	1252	石油及制品批发	江西省南昌市青山湖区
中国石油化工股分有限公司赣州石油分公司	72516	237041	1201	石油及制品批发	江西省赣州市章贡区
江西汇仁集团医药科研营销有限公司	67981	168552	440	中药材及中成药批发	江西省南昌市青山湖区
江西省烟草公司南昌分公司	66726	229413	863	烟草制品批发	江西省南昌市西湖区
江西南华医药有限公司	59040	93053	577	西药批发	江西省南昌市西湖区
江西省烟草公司赣州分公司	50737	143707	1917	烟草制品批发	江西省赣州市章贡区
中国石油化工股份有限公司江西南昌石油分公司	50071	279558	1300	石油及制品批发	江西省南昌市青山湖区
江西省烟草公司上饶市公司	42758	186886	1155	烟草制品批发	江西省上饶市信州区
江西省宜春市烟草分公司	41793	150312	1062	烟草制品批发	江西省宜春市袁州区
江西省烟草公司九江分公司	40680	168608	858	烟草制品批发	江西省九江市浔阳区
中国石油化工股份有限公司江西九江分公司	38982	156925	770	石油及制品批发	江西省九江市浔阳区
中国石油化工股份有限公司江西宜春石油分公司	35928	140365	232	石油及制品批发	江西省宜春市袁州区
江西洪客隆实业有限公司	34684	63989	1398	百货零售	江西省南昌市东湖区
中国石油化工股份公司江西吉安分公司	34394	192655	988	石油及制品批发	江西省吉安市吉州区
江西省抚州石油分公司	33338	137579	784	石油及制品批发	江西省抚州市临川区
吉安市烟草公司	30229	108349	813	烟草制品批发	江西省吉安市吉州区
江西省烟草公司抚州分公司	29987	113879	1201	烟草制品批发	江西省抚州市临川区
思创数码科技股份有限公司	28424	63716	414	计算机、软件及辅助设备批发	江西省南昌市青山湖区
中国石油化工股份有限公司上饶分公司	27437	181048	760	石油及制品批发	江西省上饶市信州区
江西江中医贸有限责任公司	25963	125958	557	中药材及中成药批发	江西省南昌市青山湖区
中国石油化工股份有限公司江西景德镇分公司	25047	94296	496	石油及制品批发	江西省景德镇市珠山区
江西四特酒营销有限责任公司	19624	67819	732	饮料及茶叶批发	江西省宜春市樟树市
江西黄庆仁栈华氏大药房有限公司	18196	23152	2878	药品零售	江西省南昌市西湖区

4－5 续表 23

企业名称	资产总计（万元）	销售额（万元）	全部从业人员年平均人数（人）	所属行业	企业所在地
中国石油化工股份有限公司江西萍乡石油分公司	18080	70029	391	石油及制品批发	江西省萍乡市安源区
中国石油化工股份有限公司江西新余石油分公司	17892	86162	563	石油及制品批发	江西省新余市渝水区
江西省烟草公司萍乡分公司	16452	65290	377	烟草制品批发	江西省萍乡市安源区
江西省烟草公司鹰潭分公司	15956	50473	269	烟草制品批发	江西省鹰潭市月湖区
江西省仁和药业有限公司	14178	65574	3000	中药材及中成药批发	江西省宜春市樟树市
江西鹏润国美电器有限公司	14112	42993	567	家用电器零售	江西省南昌市青云谱区
江西创力医药有限公司	12422	40096	218	西药批发	江西省南昌市青山湖区
九江市派拉蒙百货有限公司	12112	33469	891	超级市场零售	江西省九江市浔阳区
江西省烟草公司新余分公司	11592	40612	252	烟草制品批发	江西省新余市渝水区
南昌海尔工贸有限公司	11557	45876	690	家用电器批发	江西省南昌市青山湖区
九江石化三鑫实业总公司	10755	166226	201	石油及制品批发	江西省九江市浔阳区
江西青龙集团商厦有限公司	9988	24782	1788	超级市场零售	江西省宜春市袁州区
南昌肯德基有限公司	7122	19733	1442	快餐服务	江西省南昌市东湖区
江西步步高商业连锁有限公司	5302	15587	800	超级市场零售	江西省南昌市东湖区
上饶市福昌国际家具城管理有限公司	3458	17505	516	家具零售	江西省上饶市上饶县
赣州国光购物广场有限责任公司	2503	15728	955	超级市场零售	江西省赣州市章贡区
山东省					
淄川服装城管委会	800000	937200	3000	服装批发	山东省淄博市淄川区
山东银座商城股份有限公司	517468	572175	2903	百货零售	山东省济南市历下区
利群集团股份有限公司	327029	846521	4822	百货零售	山东省青岛市崂山区
润华集团股份有限公司	286722	156589	786	汽车零售	山东省济南市槐荫区
三联商社	255877	213407	1394	家用电器零售	山东省济南市历下区
山东省机械进出口集团公司	239370	510220	576	其他机械设备及电子产品批发	山东省青岛市市南区
青岛益佳国际贸易集团有限公司	236876	242783	691	服装批发	山东省青岛市市南区
烟台张裕葡萄酿酒公司销售有限公司	205302	211706	345	饮料及茶叶批发	山东省烟台市芝罘区
中石化股份有限公司山东临沂石油分公司	194267	192631	1285	机动车燃料零售	山东省临沂市河东区
青岛海尔国际贸易有限公司	177211	474670	320	其他机械设备及电子产品批发	山东省青岛市崂山区
中石化山东威海石油分公司	171344	70282	257	石油及制品批发	山东省威海市环翠区
山东潍坊海王银河医药有限公司	170026	431000	776	中药材及中成药批发	山东省潍坊市奎文区
淄博金彩沙发城有限公司	160000	398500	3316	其他未列明的批发	山东省淄博市周村区
山东新华书店	151023	219722	794	图书批发	山东省济南市市中区
山东潍坊百货集团股份有限公司	134394	182032	7471	超级市场零售	山东省潍坊市奎文区
山东潍坊烟草有限公司	125264	247505	2484	烟草制品批发	山东省潍坊市奎文区
山东省农业生产资料有限责任公司	123823	215747	230	化肥批发	山东省济南市历下区
烟台市振华百货集团股份有限公司振华商厦	119916	101405	829	百货零售	山东省烟台市芝罘区
淄博商厦股份有限公司	117253	420343	2855	百货零售	山东省淄博市张店区
青岛市烟草专卖局青岛烟草有限公司	105829	369713	1130	烟草制品批发	山东省青岛市市北区
山东绮丽集团公司	97649	142602	2981	服装批发	山东省青岛市市南区
青岛永旺东泰商业有限公司	96049	116057	1369	百货零售	山东省青岛市市南区
济南华联商厦集团股份有限公司	90908	205738	730	百货零售	山东省济南市槐荫区
中国石化山东泰山石油股份有限公司	88877	302135	265	石油及制品批发	山东省泰安市泰山区
山东临沂烟草有限公司	88184	263796	1421	烟草制品批发	山东省临沂市兰山区
济南人民大润发商业有限公司	86229	261373	1022	超级市场零售	山东省济南市历下区
山东省威海糖酒采购供应站	81657	444736	5468	超级市场零售	山东省威海市环翠区
青岛维客集团股份有限公司	79353	105981	1038	百货零售	山东省青岛市李沧区
中国石油化工股份有限公司山东省潍坊分公司	78790	222481	1890	石油及制品批发	山东省潍坊市潍城区
烟台市农业生产资料总公司	78328	156070	273	化肥批发	山东省烟台市芝罘区
山东翔龙实业集团有限公司	72637	55724	208	化肥批发	山东省临沂市兰山区
中石化山东淄博石油分公司	72210	308880	240	石油及制品批发	山东省淄博市张店区

4－5　续表 24

企业名称	资产总计（万元）	销售额（万元）	全部从业人员年平均人数（人）	所属行业	企业所在地
山东烟台烟草有限公司	69326	254263	975	烟草制品批发	山东省烟台市莱山区
青岛海尔工贸有限公司	66378	158746	1495	家用电器批发	山东省青岛市崂山区
山东济南烟草有限公司	64518	214996	943	烟草制品批发	山东省济南市历城区
山东道恩集团有限公司	64474	311960	290	其他化工产品批发	山东省烟台市龙口市
山东德州百货大楼(集团)有限责任公司	63050	251889	2100	百货零售	山东省德州市德城区
山东济宁烟草有限公司	62145	222322	1536	烟草制品批发	山东省济宁市市中区
中国石油化工股份有限公司山东烟台石油分公司	54443	367194	1604	石油及制品批发	山东省烟台市芝罘区
山东蓝海股份有限公司	54248	19551	1214	正餐服务	山东省东营市东营区
日照百货大楼有限公司	53567	37707	1092	百货零售	山东省日照市东港区
青岛第一百盛有限公司	53511	61946	555	百货零售	山东省青岛市市南区
青岛国美电器有限公司	48408	107238	843	家用电器零售	山东省青岛市四方区
济南人民商场集团有限公司	47571	71281	888	百货零售	山东省济南市市中区
山东机械设备进出口集团公司	45562	53071	239	其他机械设备及电子产品批发	山东省青岛市市南区
山东大陆集团有限公司	44292	48633	1322	金属及金属矿批发	山东省临沂市兰山区
山东新星购销总部	43728	301759	2718	饮料及茶叶批发	山东省淄博市淄川区
中国石油化工股份有限公司山东滨州分公司	43354	57291	230	石油及制品批发	山东省滨州市滨城区
潍坊百货大楼股份有限公司	42212	60768	1255	百货零售	山东省潍坊市潍城区
青岛利客来商贸股份有限公司	41836	42729	680	百货零售	山东省青岛市李沧区
山东省福瑞达集团有限公司	41538	30979	796	金属及金属矿批发	山东省淄博市周村区
山东德州扒鸡集团有限公司	41397	44042	1450	肉、禽、蛋及水产品批发	山东省德州市德城区
济南舜耕山庄	39721	15428	111	旅游饭店	山东省济南市市中区
威海华联商厦股份有限公司	39600	36981	825	百货零售	山东省威海市环翠区
济南药业集团有限责任公司	39047	102025	846	中药材及中成药批发	山东省济南市市中区
临沂九州经贸有限责任公司	37731	51979	1016	百货零售	山东省临沂市兰山区
青岛家乐福商业有限公司	37633	61526	1485	超级市场零售	山东省青岛市市南区
青岛森泰达橡胶有限公司	37108	58990	265	金属及金属矿批发	山东省青岛市城阳区
寿光百货大楼有限公司	36631	132234	1036	百货零售	山东省潍坊市寿光市
青岛北方国贸大厦股份有限公司	36296	110096	507	百货零售	山东省青岛市李沧区
山东淄博烟草有限公司	36186	123315	1011	烟草制品批发	山东省淄博市张店区
烟台开发区舒家批发市场有限公司	35860	217908	1000	其他食品批发	山东省烟台市福山区
山东北药鲁抗有限公司	35297	133582	1679	西药批发	山东省济宁市市中区
中国石化山东日照石油分公司	35159	191005	497	石油及制品批发	山东省日照市东港区
济南中信医药有限公司	34993	131760	530	西药批发	山东省济南市槐荫区
山东菏泽烟草有限公司	34948	168862	1550	烟草制品批发	山东省菏泽市牡丹区
青岛润泰事业有限公司	34794	29819	555	超级市场零售	山东省青岛市市南区
东营鲁能方大集团有限责任公司	34725	39147	236	其他机械设备及电子产品批发	山东省东营市东营区
山东威海烟草有限公司	34389	91162	1180	烟草制品零售	山东省威海市环翠区
济南海尔工贸有限公司	33069	151068	682	家用电器批发	山东省济南市历城区
青岛肯德基有限公司	32830	72888	6592	快餐服务	山东省青岛市市南区
济南大观园股份有限公司	32274	52435	1647	百货零售	山东省济南市市中区
山东日照烟草有限公司	31948	76705	932	烟草制品批发	山东省日照市东港区
山东枣庄烟草有限公司	30952	112785	877	烟草制品批发	山东省枣庄市滕州市
山东瑞康药业有限公司	30565	55881	200	西药批发	山东省烟台市芝罘区
潍坊市钢联金属材料有限公司	30375	135803	405	金属及金属矿批发	山东省潍坊市潍城区
青岛圣元乳业有限公司	29224	48737	402	饮料及茶叶批发	山东省青岛市黄岛区
淄博东泰集团	29111	47633	693	百货零售	山东省淄博市临淄区
青岛海天大酒店有限公司	28936	25913	127	旅游饭店	山东省青岛市市南区
东营银座购物广场有限公司	28216	63716	802	百货零售	山东省东营市东营区
中国石油化工股份有限公司山东聊城石油分公司	27994	165656	863	石油及制品批发	山东省聊城市东昌府区
山东康惠医药有限公司	27682	66552	204	西药批发	山东省潍坊市奎文区

4－5 续表 25

企业名称	资产总计（万元）	销售额（万元）	全部从业人员年平均人数（人）	所属行业	企业所在地
山东德州烟草有限公司	27248	98190	939	烟草制品批发	山东省德州市德城区
山东省淄博糖酒站股份有限公司	26443	40095	1083	其他食品零售	山东省淄博市张店区
苍山县供销合作社联合社	25327	26695	522	其他综合零售	山东省临沂市苍山县
淄博银座商城有限责任公司	24946	38602	1500	百货零售	山东省淄博市张店区
山东泰安烟草有限公司	24855	114622	954	烟草制品批发	山东省泰安市泰山区
章丘市供销合作社	24532	35535	1944	百货零售	山东省济南市章丘市
山东省东营市百货大楼	24419	63231	1125	百货零售	山东省东营市东营区
山东省东营市日用工业品公司	23001	42093	604	百货零售	山东省东营市东营区
烟台市供销石油公司	22837	62671	277	石油及制品批发	山东省烟台市芝罘区
山东威海百货大楼集团股份有限公司	21324	34992	633	百货零售	山东省威海市环翠区
烟台天航汽车销售服务有限公司	19612	32520	200	汽车、摩托车及零配件批发	山东省烟台市芝罘区
山东药山医药有限公司	19411	105127	330	西药批发	山东省济南市历城区
山东东营烟草有限公司	19317	69264	384	烟草制品批发	山东省东营市东营区
山东荣庆物流有限公司	19270	48214	2660	果品、蔬菜批发	山东省临沂市苍山县
中国船舶燃料供应青岛公司	18937	217701	345	石油及制品批发	山东省青岛市市北区
济宁九龙家电有限公司	18833	37189	656	家用电器零售	山东省济宁市市中区
济南市新华书店	18542	23410	584	图书零售	山东省济南市历下区
山东聊城烟草有限公司	18478	105950	955	烟草制品批发	山东省聊城市东昌府区
济宁海尔工贸有限公司	17642	59493	350	家用电器批发	山东省济宁市任城区
枣庄购物中心有限公司	17290	58206	690	百货零售	山东省枣庄市市中区
烟台市家家悦超市有限公司	17143	75042	3837	超级市场零售	山东省烟台市芝罘区
山东滨州烟草有限公司	16871	95508	702	烟草制品批发	山东省滨州市滨城区
山东省聊城市百货大楼有限责任公司	15751	40511	1082	百货零售	山东省聊城市东昌府区
淄博奥德隆经贸有限公司	15134	62851	686	百货零售	山东省淄博市临淄区
泰安银座商城有限公司	14810	47580	729	百货零售	山东省泰安市岱岳区
沾化县王尔庄海产品有限公司	14200	203567	367	肉、禽、蛋及水产品批发	山东省滨州市沾化县
山东龙口市博商购物广场	12974	26933	933	百货零售	山东省烟台市龙口市
山东鲁南蔬菜产业有限公司	12957	135701	369	果品、蔬菜批发	山东省临沂市苍山县
山东鲁抗药品经营有限公司	12510	53249	221	西药批发	山东省济宁市任城区
山东馨百商贸有限公司	12078	26960	826	百货零售	山东省莱芜市莱城区
山东统一银座商业有限公司	11805	27726	963	超级市场零售	山东省济南市历下区
莱州市百货大楼	11639	25954	1332	超级市场零售	山东省烟台市莱州市
菏泽中油石油销售有限公司	11443	74257	331	石油及制品批发	山东省菏泽市牡丹区
滨州银座购物广场有限公司	11426	32302	1150	超级市场零售	山东省滨州市滨城区
山东梁山水泊商场	11325	15681	524	百货零售	山东省济宁市梁山县
兖州市广场商厦	11306	29119	1315	百货零售	山东省济宁市兖州市
山东莱芜烟草有限公司	11166	32602	272	烟草制品批发	山东省莱芜市莱城区
菏泽牡丹医药责任有限公司	11005	16302	894	药品零售	山东省菏泽市牡丹区
邹城市百货大楼有限责任公司	10774	30889	958	百货零售	山东省济宁市邹城市
招远市百货金都有限公司	10479	21271	512	百货零售	山东省烟台市招远市
中国石油天然气股份有限公司山东聊城销售分公司	10454	34765	304	石油及制品批发	山东省聊城市东昌府区
泰安凌云经贸有限公司	10403	19800	752	百货零售	山东省泰安市宁阳县
烟台开发区德胜商城	9710	31821	1300	纺织品及针织品零售	山东省烟台市福山区
济南轻骑销售有限公司	8237	69603	280	汽车、摩托车及零配件批发	山东省济南市历下区
青岛国运集团有限公司	8204	31372	311	汽车、摩托车及零配件批发	山东省青岛市李沧区
济南果品总公司	7761	51980	337	果品、蔬菜批发	山东省济南市市中区
济阳方正家具市场	7082	19437	620	家具零售	山东省济南市济阳县
威海长江糖酒有限公司	6787	25409	1373	百货零售	山东省威海市文登市
济南漱玉平民大药房有限公司	5792	24236	938	药品零售	山东省济南市历下区
青岛中百佳乐家超市有限公司	5402	17482	692	超级市场零售	山东省青岛市平度市

4－5　续表 26

企业名称	资产总计（万元）	销售额（万元）	全部从业人员年平均人数（人）	所属行业	企业所在地
内蒙古伊利实业集团股份有限公司济南分公司	5391	97543	280	饮料及茶叶批发	山东省济南市历下区
胜利油田胜大贸易公司胜大自选商店	5105	30300	578	超级市场零售	山东省东营市东营区
海阳市胶东水产品批发市场	3200	55990	420	其他食品批发	山东省烟台市海阳市
肥城市银宝食品有限公司	2986	52911	840	肉、禽、蛋及水产品批发	山东省泰安市肥城市
济南 TCL 电器销售有限公司	2885	74374	665	家用电器批发	山东省济南市历城区
山东世纪泰华集团有限公司	2238	31625	1260	百货零售	山东省潍坊市奎文区
河南省					
中国石油化工股份有限公司河南分公司	647336	3200436	12257	石油及制品批发	河南省郑州市金水区
中国石油天然气股份有限公司河南销售分公司	208901	546837	1083	石油及制品批发	河南省郑州市金水区
河南省新华书店	114017	221079	588	图书批发	河南省郑州市金水区
睢阳区棉麻公司	108215	42697	1590	棉、麻批发	河南省商丘市睢阳区
开封机电设备股份有限公司	106974	57939	416	汽车、摩托车及零配件批发	河南省开封市郊区
河南省烟草公司许昌分公司	83336	136725	280	烟草制品批发	河南省许昌市魏都区
河南省粮油食品进出口公司	82847	115232	218	米、面制品及食用油批发	河南省郑州市金水区
河南平高电气销售有限责任公司	79738	140149	210	其他机械设备及电子产品批发	河南省郑州市管城回族区
河南省烟草公司平顶山分公司	78722	76284	446	烟草制品批发	河南省平顶山市新华区
中国石油化工股份有限公司河南郑州石油分公司	69224	375291	503	石油及制品批发	河南省郑州市管城回族区
河南省烟草公司南阳分公司	65599	254126	484	烟草制品批发	河南省南阳市宛城区
河南省烟草公司洛阳分公司	57956	69310	391	烟草制品批发	河南省洛阳市洛龙区
中国石化集团河南石油总公司南阳公司	55973	226391	469	石油及制品批发	河南省南阳市卧龙区
中国石化集团河南石油总公司商丘公司	53395	94944	650	机动车燃料零售	河南省商丘市梁园区
中国石油化工股份有限公司安阳石油分公司	51822	108470	417	石油及制品批发	河南省安阳市北关区
河南省烟草公司郑州分公司	51704	293131	418	烟草制品批发	河南省郑州市中原区
中国石化股份公司河南信阳分公司	45009	152032	757	机动车燃料零售	河南省信阳市平桥区
河南省烟草公司信阳分公司	43760	159107	1800	烟草制品批发	河南省信阳市平桥区
河南省烟草公司周口分公司	40460	182143	2320	烟草制品批发	河南省周口市川汇区
郑州海尔工贸有限公司	39975	151257	1030	家用电器批发	河南省郑州市管城回族区
中国石油化工股份有限公司河南开封分公司	39487	101869	573	机动车燃料零售	河南省开封市鼓楼区
河南九州通医药有限公司	36717	161351	462	西药批发	河南省郑州市管城回族区
中国石油化工股份有限公司河南焦作石油分公司	35568	115257	590	石油及制品批发	河南省焦作市山阳区
中国石油化工股份有限公司河南新乡石油分公司	34702	130911	243	石油及制品批发	河南省新乡市卫滨区
河南省烟草公司驻马店分公司	32682	187860	349	烟草制品批发	河南省驻马店市驿城区
中国石油化工股份有限公司河南平顶山石油分公司	29587	84469	220	石油及制品批发	河南省平顶山市卫东区
河南省烟草公司安阳分公司	28388	116767	869	烟草制品批发	河南省安阳市北关区
河南省烟草公司漯河分公司	28352	60534	1416	烟草制品批发	河南省漯河市郾城区
河南省烟草公司新乡分公司新乡市烟草专买	27778	35204	875	果品、蔬菜批发	河南省新乡市牧野区
河南省烟草公司开封分公司	27396	108059	823	烟草制品批发	河南省开封市鼓楼区
信阳亚兴集团有限责任公司	26500	30133	4000	超级市场零售	河南省信阳市师河区
中国石油化工股份有限公司河南濮阳石油分公司	26357	136015	410	石油及制品批发	河南省濮阳市华龙区
驻马店中油销售有限公司	25131	31832	233	石油及制品批发	河南省驻马店市驿城区
河南永乐生活电器有限公司	25078	97574	677	超级市场零售	河南省郑州市金水区
河南思达连锁商业有限公司	22887	51515	1253	超级市场零售	河南省郑州市金水区
襄城县烟草公司	20557	36109	591	烟草制品批发	河南省许昌市襄城县
河南九头崖集团平顶山商业连锁有限公司	19801	16449	748	超级市场零售	河南省平顶山市卫东区
中国石油化工股份有限公司河南漯河石油分公司	19620	93030	450	石油及制品批发	河南省漯河市召陵区
河南大张实业有限公司	15651	44624	1283	超级市场零售	河南省洛阳市涧西区
河南华联商厦有限公司	15183	39424	587	百货零售	河南省郑州市二七区
河南省烟草公司焦作分公司	14993	64748	692	烟草制品批发	河南省焦作市山阳区
河南世纪联华超市有限公司	14569	66930	1033	超级市场零售	河南省郑州市金水区

4-5 续表 27

企业名称	资产总计（万元）	销售额（万元）	全部从业人员年平均人数（人）	所属行业	企业所在地
洛阳丹尼斯量贩有限公司	13650	29843	537	超级市场零售	河南省洛阳市涧西区
郑州铁路煤炭运销有限公司	12671	76096	349	煤炭及制品批发	河南省郑州市二七区
信阳市西亚商业有限公司	12195	15800	1352	超级市场零售	河南省信阳市师河区
郑州正道花园商厦股份有限公司	11991	27340	531	百货零售	河南省郑州市金水区
焦作市百货大楼股份有限公司	11425	23188	1339	百货零售	河南省焦作市解放区
郑州市易初莲花连锁超市有限公司	11303	24642	610	超级市场零售	河南省郑州市管城回族区
平顶山市普生药业零售连锁有限公司	10110	24878	666	药品零售	河南省平顶山市卫东区
商丘市华杰医药有限公司	9131	40600	202	西药批发	河南省商丘市睢阳区
洛阳鼎信御安药业有限公司	8995	36735	200	中药材及中成药批发	河南省洛阳市西工区
三门峡百货大楼股份有限公司	8812	17173	694	百货零售	河南省三门峡市湖滨区
郑州市紫荆山百货大楼	8789	17535	502	百货零售	河南省郑州市金水区
许昌市胖东来商贸集团有限公司	8708	21722	711	超级市场零售	河南省许昌市魏都区
洛阳长仑农业机械有限公司	8305	52364	400	农业机械批发	河南省洛阳市涧西区
河南中油高速公路油品股份有限公司	7703	129154	518	石油及制品批发	河南省郑州市金水区
河南省烟草公司鹤壁分公司	7471	33104	307	烟草制品批发	河南省鹤壁市淇滨区
河南省烟草公司邓州市公司	5904	32590	1238	烟草制品批发	河南省南阳市邓州市
河南波导销售有限公司	5089	41692	816	通讯及广播电视设备批发	河南省郑州市二七区
范县濮城镇军寨市场	4500	20218	792	超级市场零售	河南省濮阳市范县
河南苏宁电器有限公司	3381	23858	552	家用电器零售	河南省郑州市二七区
河南家世界超市有限公司	2504	26317	550	超级市场零售	河南省郑州市金水区
中国石油天然气股份有限公司河南商丘销售分公司	1357	72443	651	石油及制品批发	河南省商丘市睢阳区
湖北省					
武钢集团国际经济贸易公司	838320	488156	1389	贸易经纪与代理	湖北省武汉市青山区
武汉武商集团股份有限公司	341710	839292	7201	百货零售	湖北省武汉市江汉区
中百集团股份有限公司	308766	948011	11096	超级市场零售	湖北省武汉市江汉区
湖北银丰实业集团有限责任公司	298279	152875	1515	棉、麻批发	湖北省武汉市江岸区
湖北省烟草公司武汉市公司	191478	534684	2047	烟草制品批发	湖北省武汉市东西湖区
武汉中商集团股份有限公司	147444	600106	4815	百货零售	湖北省武汉市武昌区
湖北省烟草公司恩施州公司	146964	55283	3294	烟草制品批发	湖北省恩施州恩施市
湖北联谊实业集团有限公司	130869	264344	214	其他化工产品批发	湖北省武汉市武昌区
武汉医药集团股份有限公司	101732	61525	378	西药批发	湖北省武汉市江岸区
中国铁路物资武汉公司	101121	364155	330	金属及金属矿批发	湖北省武汉市武昌区
中石化长江燃料有限公司	84503	52911	2466	石油及制品批发	湖北省武汉市江岸区
湖北九洲通医药有限公司	82208	268068	647	西药批发	湖北省武汉市汉阳区
武汉市汉商集团股份有限公司	81954	49101	1838	百货零售	湖北省武汉市汉阳区
武汉市工贸有限公司	80819	273441	1350	家用电器零售	湖北省武汉市乔口区
湖北新兴格力电器销售有限公司	74460	104962	630	家用电器批发	湖北省武汉市乔口区
中国石化武汉石油(集团)股份有限公司	59503	360420	1866	石油及制品批发	湖北省武汉市江汉区
武汉群光广场管理有限公司	58448	70283	570	百货零售	湖北省武汉市洪山区
湖北省烟草公司襄樊市公司	57499	154154	1481	烟草制品批发	湖北省襄樊市樊城区
三环集团公司(贸易部分)	55186	148590	1113	汽车零售	湖北省武汉武昌区
湖北省烟草公司荆州市公司	51121	177782	1949	烟草制品批发	湖北省荆州市沙市区
东风裕隆汽车销售有限公司	50919	293925	334	汽车、摩托车及零配件批发	湖北省武汉市经济开发区
武汉国美电器有限公司	47669	107124	1130	家用电器零售	湖北省武汉市江汉区
武汉市新华书店股份有限公司	47661	35200	1471	图书零售	湖北省武汉市江岸区
湖北省烟草公司宜昌市公司	47656	162125	1201	烟草制品批发	湖北省宜昌市西陵区
中国邮电器材中南公司	47529	181031	285	通讯及广播电视设备批发	湖北省武汉市江岸区
武汉汉福超市有限公司	46338	126401	1694	超级市场零售	湖北省武汉市汉阳区
湖北省烟草公司黄冈市公司	45730	156596	1046	烟草制品批发	湖北省黄冈市市辖区

4－5　续表 28

企业名称	资产总计（万元）	销售额（万元）	全部从业人员年平均人数（人）	所属行业	企业所在地
中石化湖北宜昌石油分公司	39432	37832	1010	石油及制品批发	湖北省宜昌市伍家岗区
湖北省金城大厦(集团)实业公司	35432	55117	1340	百货零售	湖北省荆门市东宝区
湖北省烟草公司孝感市分公司	34297	129133	790	烟草制品批发	湖北省孝感市孝南区
湖北省十堰市烟草公司	34047	87307	623	烟草制品批发	湖北省十堰市茅箭区
武汉鲁巷广场购物中心	32042	47951	645	百货零售	湖北省武汉市洪山区
荆门市东方百货大厦	31557	49311	948	百货零售	湖北省荆门市市辖区
武汉华联综合超市有限公司	31023	33466	1012	超级市场零售	湖北省武汉市武昌区
中国石油化工股份有限公司湖北襄樊分公司	30425	166857	1259	石油及制品批发	湖北省襄樊市樊城区
湖北省新华书店	30411	98839	355	图书批发	湖北省武汉市乔口区
武汉市亢龙太子酒轩有限责任公司	29620	15252	1294	正餐服务	湖北省武汉市武昌区
中化石油股份有限公司湖北分公司	29596	18852	983	机动车燃料零售	湖北省黄冈市市辖区
中国石油化工股份有限公司湖北黄石石油分公司	28531	84024	415	石油及制品批发	湖北省黄石市黄石港区
湖北省烟草公司黄石分公司	25601	80484	381	烟草制品批发	湖北省黄石市西塞山区
中国石油化工股份有限公司湖北高速公路油站	25222	117298	470	石油及制品批发	湖北省武汉市乔口区
湖北省烟草公司荆门市公司	24796	71188	398	烟草制品批发	湖北省荆门市东宝区
中国石化股份有限公司荆门石油分公司	23453	67336	668	石油及制品批发	湖北省荆门市掇刀区
百胜餐饮(武汉)有限公司	23192	52792	4682	快餐服务	湖北省武汉市江汉区
武汉海尔工贸有限公司	23181	106759	1420	家用电器批发	湖北省武汉市东西湖区
湖北省烟草公司咸宁分公司	22434	83197	731	烟草制品批发	湖北省咸宁市市辖区
中石化湖北石油公司恩施分公司	19397	85848	620	石油及制品批发	湖北省恩施州恩施市
武汉苏宁电器有限公司	19205	36544	529	家用电器零售	武汉市武汉市江岸区
湖北省十堰市人民商场股份有限公司	18303	58486	953	百货零售	湖北省十堰市茅箭区
湖北三五酒店有限公司	14798	16251	1653	正餐服务	湖北省武汉市江汉区
武汉小南京健康美食酒店管理公司	14415	17938	2926	正餐服务	湖北省武汉市江汉区
烟草公司	13855	48355	380	烟草制品批发	湖北省随州市市辖区
武汉麦当劳餐饮食品有限公司	13318	26149	2112	快餐服务	湖北省武汉市江汉区
湖北省十堰市寿康永乐有限公司	12889	39727	973	超级市场零售	湖北省十堰市茅箭区
襄樊鼓楼商场股份有限公司	12007	26875	1080	百货零售	湖北省襄樊市襄城区
仙桃市供销商城大厦有限责任公司	11020	27663	500	百货零售	湖北省仙桃市仙桃市
青岛润泰产业有限公司武汉分公司	10255	30552	572	超级市场零售	湖北省武汉市江汉区
湖北省烟草公司鄂州市公司	9996	34183	200	烟草制品批发	湖北省鄂州市鄂城区
湖北省烟草公司天门分公司	9349	36358	221	烟草制品批发	湖北省天门市天门市
黄石市金虹大厦股份有限公司	8459	19952	510	超级市场零售	湖北省黄石市黄石港区
十堰市京华超市有限公司	8418	24740	686	超级市场零售	湖北省十堰市茅箭区
湖北富迪有限公司	7564	32527	4500	超级市场零售	湖北省仙桃市仙桃市
武汉易初莲花连锁超市有限公司	7111	20903	606	超级市场零售	湖北省武汉市江岸区
襄樊襄江商场股份有限公司	6197	19093	1891	百货零售	湖北省襄樊市樊城区
湖北雅斯连锁商业有限公司	5781	17800	534	超级市场零售	湖北省宜昌市西陵区
中国石油化工股份有限公司湖北石油直属销售分公司	4870	289790	1250	石油及制品批发	湖北省武汉市乔口区
湖北新一佳超市有限公司	4670	22252	503	超级市场零售	湖北省武汉市洪山区
武汉市好又多百货商业有限公司	3648	18406	511	超级市场零售	湖北省武汉市江岸区
中石化股份有限公司湖北荆州石油分公司	3497	219462	1296	石油及制品批发	湖北省荆州市沙市区
随州市百货公司	3289	16631	596	百货零售	湖北省随州市曾都区
中国石油化工股份有限公司十堰石油分公司	1714	112215	401	石油及制品批发	湖北省十堰市茅箭区
武汉 TCL 电器销售有限公司	1441	40087	328	家用电器批发	湖北省武汉市江岸区
中国石油化工股份有限公司湖北咸宁石分公司	1438	110558	605	石油及制品批发	湖北省咸宁市市辖区
湖南省					
长沙通程实业集团有限公司	231447	114474	1749	百货零售	湖南省长沙市雨花区
湖南友谊阿波罗股份有限公司	204322	176951	3997	百货零售	湖南省长沙市芙蓉区

4-5 续表 29

企业名称	资产总计（万元）	销售额（万元）	全部从业人员年平均人数（人）	所属行业	企业所在地
湖南华天大酒店股份有限公司	130245	23057	1306	旅游饭店	湖南省长沙市雨花区
湖南省烟草公司长沙市公司	148791	344616	919	烟草制品批发	湖南省长沙市芙蓉区
南方建材股份有限公司	132053	174770	1502	建材批发	湖南省长沙市芙蓉区
步步高商业连锁股份有限公司	116903	350002	17000	超级市场零售	湖南省湘潭市雨湖区
湖南省粮油食品进出口集团有限公司	107675	100000	999	米、面制品及食用油批发	湖南省长沙市芙蓉区
湖南省新华书店	94909	204376	552	图书批发	湖南省长沙市芙蓉区
郴州市烟草公司	94685	263386	3517	烟草制品批发	湖南省郴州市北湖区
湖南省烟草专卖局衡阳市公司	82010	280263	577	烟草制品批发	湖南省衡阳市蒸湘区
岳阳市烟草公司	71954	229902	792	烟草制品批发	湖南省岳阳市岳阳楼区
湖南平和堂实业有限公司	67886	91631	868	百货零售	湖南省长沙市天心区
长沙双鹤医药有限责任公司	65274	224597	619	西药批发	湖南省长沙市岳麓区
湖南省烟草公司株洲市公司	64940	204723	369	饮料及茶叶批发	湖南省株洲市芦淞区
湖南省烟草公司常德市公司	63403	70394	892	烟草制品批发	湖南省常德市武陵区
湖南长沙新一佳商业投资有限公司	61850	138495	3275	超级市场零售	湖南省长沙市开福区
湖南省烟草公司永州市公司	59860	229220	1999	烟草制品批发	湖南省永州市冷水滩区
湖南省烟草公司湘西自治州公司	59363	128185	1534	烟草制品批发	湖南省湘西土家族苗族自治州吉首市
中国石油化工股份有限公司湖南益阳石油分公司	52993	112168	582	机动车燃料零售	湖南省益阳市赫山区
中国石油化工股份有限公司湖南永州石油公司	52050	97841	576	石油及制品批发	湖南省永州市冷水滩区
邵阳市烟草公司	48720	45337	1043	烟草制品批发	湖南省邵阳市大祥区
湖南国美电器有限公司	43484	72407	656	家用电器零售	湖南省长沙市开福区
中国石油化工股分有限公司湖南衡阳石油分公司	37397	234752	1323	机动车燃料零售	湖南省衡阳市蒸湘区
湖南省烟草公司怀化分公司	36497	33676	650	烟草制品批发	湖南省怀化市鹤城区
湖南省烟草公司湘潭市公司	35866	52933	391	烟草制品批发	湖南省湘潭市岳塘区
湖南省烟草公司张家界市公司	34216	107717	746	烟草制品批发	湖南省张家界市永定区
湖南家润多超市有限公司	32829	101927	3609	超级市场零售	湖南省长沙市雨花区
中国石油化工股份有限公司常德石油分公司	32301	62891	893	机动车燃料零售	湖南省常德市武陵区
湖南省烟草公司娄底分公司	32121	139882	419	烟草制品批发	湖南省娄底市娄星区
株洲市百货有限公司	30827	83364	1377	百货零售	湖南省株洲市芦淞区
中国石油化工股份有限公司湖南邵阳石油分公司	26392	44305	930	石油及制品批发	湖南省邵阳市双清区
湖南双舟医药有限公司	23151	64692	202	西药批发	湖南省长沙市长沙县
中石化株洲石油分公司	22701	189567	822	汽车零配件零售	湖南省株洲市芦淞区
中国石油化工股份有限公司湖南娄底石油分公司	22001	93002	653	机动车燃料零售	湖南省娄底市娄星区
中国石油化工股份有限公司湖南郴州分公司	20283	179833	830	石油及制品批发	湖南省郴州市苏仙区
中国石油化工股份有限公司湖南怀化石油分公司	18474	51072	890	石油及制品批发	湖南省怀化市鹤城区
购宝乐商业(湖南)有限公司	18302	25574	1995	超级市场零售	湖南省长沙市雨花区
长沙海尔工贸有限公司	16604	78926	540	家用电器批发	湖南省长沙市天心区
湖南老百姓大药房连锁有限公司	15097	38100	1083	药品零售	湖南省长沙市开福区
湖南省印刷物资总公司	14406	40760	253	其他未列明的批发	湖南省长沙市开福区
长沙肯德基有限公司	14141	14786	3604	快餐服务	湖南省长沙市天心区
中国物资储运衡阳公司	13546	63675	217	金属及金属矿批发	湖南省衡阳市衡南县
湖南心连心实业有限公司	13435	22986	604	超级市场零售	湖南省湘潭市雨湖区
中国石化股份公司湘西自治州石油分公司	12848	39687	500	石油及制品批发	湖南省湘西土家族苗族自治州吉首市
湖南王一集团香江百货有限公司	11332	29064	1166	超级市场零售	湖南省衡阳市石鼓区
湖南南山食品有限公司(贸易)	9779	41750	220	其他未列明的批发	湖南省长沙市开福区
长沙东之杰运动产业发展有限公司	6751	31209	521	体育用品零售	湖南省长沙市天心区
长江 TCL 电器销售有限公司	2548	57497	353	家用电器批发	湖南省长沙市雨花区
中国石油天然气股份有限公司湖南销售湘潭分公司	1314	34354	276	石油及制品批发	湖南省湘潭市雨湖区
广东省					
深圳市中金岭南有色金属股份有限公司	719787	221682	8970	金属及金属矿批发	广东省深圳市福田区

4－5　续表 30

企业名称	资产总计（万元）	销售额（万元）	全部从业人员年平均人数（人）	所属行业	企业所在地
中国石化销售有限公司西南分公司	608036	5567251	922	石油及制品批发	广东省茂名市茂南区
国石油化工股份有限公司广东东莞石油分公司	583182	491638	1424	机动车燃料零售	广东省东莞市
中国石油化工股份有限公司广州石油分公司	495698	1318013	1874	石油及制品批发	广东省广州市越秀区
中国石油化工股份有限公司惠州分公司	421187	116162	1293	机动车燃料零售	广东省惠州市惠城区
深圳市天音通信发展有限公司	406189	1383134	2000	通讯及广播电视设备批发	广东省深圳市福田区
中石油化工股份有限公司湛江石油分公司	301030	220299	1322	机动车燃料零售	广东省湛江市霞山区
中国烟草总公司深圳市公司	298545	628660	271	烟草制品批发	广东省深圳市福田区
深圳茂业商厦有限公司	267450	316060	1300	百货零售	广东省深圳市罗湖区
广东物资集团汽车贸易公司	267126	980912	2396	汽车零售	广东省广州市白云区
广东省广新外贸轻纺控股公司	263318	728078	1209	服装批发	广东省广州市越秀区
中国石油化工股份有限公司广东清远分公司	259518	201809	1033	石油及制品批发	广东省清远市清城区
华润万家有限公司	254535	543550	5688	超级市场零售	广东省深圳市罗湖区
中国石化股份有限公司广东中山石油分公司	240765	216009	776	机动车燃料零售	广东省中山市
中国石油化工股份有限公司深圳石油分公司	238760	1704775	3011	石油及制品批发	广东省深圳市罗湖区
深圳市燃气集团有限公司	238404	143723	1395	石油及制品批发	广东省深圳市福田区
丽珠医药集团股份有限公司	221401	68646	2132	医疗用品及器材批发	广东省珠海市香洲区
广东省丝绸(集团)公司	209319	605958	425	纺织品、针织品及原料批发	广东省广州市越秀区
广州医药有限公司	207725	681826	547	西药批发	广东省广州市荔湾区
深圳市光汇石油化工股份有限公司	206291	102258	550	石油及制品批发	广东省深圳市龙岗区
广东省电信器材公司	204477	208818	314	通讯及广播电视设备批发	广东省广州市越秀区
中国石油化工股份有限公司广东河源分公司	199320	69244	451	石油及制品批发	广东省河源市源城区
沃尔玛深国投百货有限公司	186271	309417	6398	超级市场零售	广东省深圳市罗湖区
深圳市怡亚通供应链股份有限公司	175680	467434	232	贸易经纪与代理	广东省深圳市福田区
中国石油化工股份有限公司阳江石油分公司	170071	122133	635	石油及制品批发	广东省阳江市江城区
中国石油化工股份有限公司广东梅州石油分公司	160401	145903	747	机动车燃料零售	广东省梅州市梅江区
深圳市国有免税商品(集团)有限公司	157329	111685	849	烟草制品零售	广东省深圳市罗湖区
广东中烟工业公司	156465	1083460	240	烟草制品批发	广东省广州市天河区
广东省建材公司	148454	261717	224	建材批发	广东省广州市越秀区
深圳天虹商场有限公司	148341	446992	4436	百货零售	广东省深圳市福田区
深圳市国美电器有限公司	147285	224492	2706	家用电器零售	广东省深圳市福田区
广东省金属材料公司	145762	451347	212	金属及金属矿批发	广东省广州市黄埔区
深圳市广聚能源股份有限公司	145000	61403	356	石油及制品批发	广东省深圳市南山区
广州友谊商店股份有限公司	142376	206000	1147	百货零售	广东省广州市越秀区
广州百佳超级市场有限公司	136394	265467	1245	超级市场零售	广东省广州市天河区
广东烟草广州市有限公司	133867	617834	1156	烟草制品批发	广东省广州市天河区
广东省机械进出口股份有限公司	122224	307342	330	其他机械设备及电子产品批发	广东省广州市越秀区
国药控股广州有限公司	119087	387363	350	西药批发	广东省广州市荔湾区
广州纺织品进出口集团有限公司	112849	189236	316	服装批发	广东省广州市越秀区
中石化中海船舶燃料供应有限公司	110399	760557	673	石油及制品批发	广东省广州市天河区
深圳一致药业股份有限公司	108600	144324	305	西药批发	广东省深圳市福田区
广东新华发行集团股份有限公司	103810	131276	620	图书批发	广东省广州市越秀区
广州市好又多百货商业广场有限公司	102369	154507	1970	百货零售	广东省广州市天河区
深圳市爱施德实业有限公司	100022	246716	216	通讯及广播电视设备批发	广东省深圳市福田区
松下电器机电(深圳)有限公司	99690	491563	280	其他机械设备及电子产品批发	广东省深圳市福田区
深圳岁宝百货有限公司	99183	148370	1537	百货零售	广东省深圳市福田区
广东省食品进出口集团公司	97658	160348	2179	肉、禽、蛋及水产品批发	广东省广州市越秀区
深圳市发行(集团)公司	92455	47447	1850	图书零售	广东省深圳市罗湖区
广东中人企业(集团)有限公司	90154	62465	427	石油及制品批发	广东省广州市天河区
广州市立白企业集团有限公司	86837	476326	1400	厨房、卫生间用具及日用杂货批发	广东省广州市荔湾区
新一佳超市有限公司	84779	162598	4931	超级市场零售	广东省深圳市罗湖区

4－5　续表31

企业名称	资产总计（万元）	销售额（万元）	全部从业人员年平均人数（人）	所属行业	企业所在地
广州市东方宾馆股份有限公司	82523	29316	1478	旅游饭店	广东省广州市越秀区
广州市粮食集团有限责任公司	82065	63946	502	米、面制品及食用油批发	广东省广州市越秀区
广州市广百股份有限公司	79422	195173	1435	百货零售	广东省广州市越秀区
东莞市百业进出口有限公司	77958	144105	219	建材批发	广东省东莞市
国石油化工股份有限公司广东佛山石油分公司	77605	790816	1697	石油及制品批发	广东省佛山市禅城区
广州鹰泰数码动力科技有限公司	77592	237151	584	通讯及广播电视设备批发	广东省广州市天河区
广东新协力集团有限公司	77096	276678	872	汽车零售	广东省佛山市顺德区
广州市国美电器有限公司	76320	199953	4015	家用电器零售	广东省广州市萝岗区
广东省轻工进出口股分有限公司	75914	303788	1420	贸易经纪与代理	广东省广州市越秀区
华润万家生活超市广州有限公司	75215	108497	2251	超级市场零售	广东省广州市越秀区
深圳三九医药贸易有限公司	74425	139181	1069	中药材及中成药批发	广东省深圳市罗湖区
深圳市民润农产品配送连锁商业有限公司	74373	64898	2000	超级市场零售	广东省深圳市罗湖区
深圳市青岛啤酒华南营销有限公司	74021	259579	1200	饮料及茶叶批发	广东省深圳市罗湖区
广州食品企业集团有限公司	73978	30397	547	肉、禽、蛋及水产品批发	广东省广州市荔湾区
中国石油化工股份有限公司广东江门石油分公司	68656	302783	1679	石油及制品批发	广东省江门市蓬江区
广东烟草东莞市有限公司	68223	310136	533	服装批发	广东省东莞市
广州易初蓬花连锁超市有限公司	65519	178661	1164	超级市场零售	广东省广州市白云区
广东华农温氏畜牧股份有限公司	64032	81341	1937	肉、禽、蛋及水产品批发	广东省云浮市新兴县
白天鹅宾馆	62860	43200	1797	旅游饭店	广东省广州市荔湾区
百胜餐饮(广东)有限公司	61213	59126	11231	快餐服务	广东省广州市越秀区
深圳市华孚进出口有限公司	60349	100952	365	纺织品、针织品及原料批发	广东省深圳市福田区
深圳招商石化有限公司	60216	42762	670	其他化工产品批发	广东省深圳市南山区
中山市物资集团有限公司	58949	232073	272	金属及金属矿批发	广东省中山市
广东亚洲国际大酒店	58749	18892	897	旅游饭店	广东省广州市越秀区
广州市番禺番龙石油化工有限公司	57231	84242	217	石油及制品批发	广东省广州市番禺区
广东三元麦当劳食品有限公司	54713	68726	5340	快餐服务	广东省广州市越秀区
深圳市顺电连锁股份有限公司	54242	169435	999	家用电器零售	广东省深圳市福田区
人人乐连锁商业集团有限公司	53386	176606	1987	超级市场零售	广东省深圳市南山区
珠海市燃气集团有限公司	52535	151011	577	石油及制品批发	广东省珠海市香洲区
广东天河城百货有限公司	52414	140624	702	百货零售	广东省广州市天河区
中石化工股份有限公司广东肇庆石油分公司	52175	90404	1036	石油及制品批发	广东省肇庆市端州区
广东省肇庆土产进出口公司	51901	226883	351	五金、交电批发	广东省肇庆市端州区
广东省土产进出口(集团)公司	50304	160753	268	饮料及茶叶批发	广东省广州市海珠区
广州市番禺沙园集团有限公司	49966	72155	304	家用电器批发	广东省广州市番禺区
广东中域电讯连锁有限公司	49936	87921	465	通讯及广播电视设备批发	广东省东莞市
广东烟草梅州市有限公司	49408	187329	228	烟草制品批发	广东省梅州市梅江区
广州格力空调销售有限公司	47327	71980	250	家用电器批发	广东省广州市越秀区
中石化广东粤东石油公司	46871	185585	297	石油及制品批发	广东省汕头市龙湖区
广州花园酒店	46853	32217	2018	旅游饭店	广东省广州市越秀区
国石油化工股份有限公司广东韶关石油分公司	45202	237136	788	石油及制品批发	广东省韶关市浈江区
深圳百安居装饰建树有限公司	44485	82386	1000	其他室内装修材料零售	广东省深圳市罗湖区
中油碧辟石油有限公司广州分公司	43806	259207	1894	其他未列明的零售	广东省广州市海珠区
广州市药材公司	43190	115194	397	中药材及中成药批发	广东省广州市荔湾区
广州联新能源发展有限公司	43186	105213	570	石油及制品批发	广东省广州市越秀区
广州市新华书店集团有限公司	43130	20089	848	图书零售	广东省广州市越秀区
广州长隆酒店有限公司	42877	15057	860	旅游饭店	广东省广州市番禺区
广东九州通医药有限公司	42783	193684	449	西药批发	广东省中山市
广东佛陶集团物资工贸有限公司	42064	43809	320	金属及金属矿批发	广东省佛山市禅城区
广东茶叶进出口有限公司	42013	40859	208	饮料及茶叶批发	广东省广州市天河区
深圳市香格里拉大酒店有限公司	41511	24595	818	旅游饭店	广东省深圳市罗湖区

4－5　续表32

企业名称	资产总计（万元）	销售额（万元）	全部从业人员年平均人数（人）	所属行业	企业所在地
深圳市海王星辰医药有限公司	40598	58651	2600	药品零售	广东省深圳市南山区
广州市振戎燃气连锁经营有限公司	40047	139624	650	石油及制品批发	广东省广州市天河区
深圳天俊实业股份有限公司	39928	31412	332	牲畜批发	广东省深圳市罗湖区
深圳健安医药有限公司	39830	91262	1423	西药批发	广东省深圳市福田区
国石油化工股份有限公司广东珠海石油分公司	38726	132329	450	石油及制品批发	广东省珠海市香洲区
广州屈臣氏个人用品商店有限公司	38460	235210	807	超级市场零售	广东省广州市越秀区
深圳市金活医药有限公司	37865	50285	212	中药材及中成药批发	广东省深圳市罗湖区
广州海尔工贸有限公司	37048	127724	670	家用电器批发	广东省广州市越秀区
金利来（中国）有限公司广州分公司	36619	58190	241	纺织品、针织品及原料批发	广东省广州市天河区
深圳市金立通信设备有限公司	36428	221173	356	通讯及广播电视设备批发	广东省深圳市福田区
深圳虎威制衣有限公司广州分公司	35666	104122	445	服装批发	广东省广州市越秀区
中石化股份有限公司广东揭阳石油分公司	35306	42236	406	石油及制品批发	广东省揭阳市榕城区
深圳岁宝连锁商业发展有限公司	34953	55482	761	百货零售	广东省深圳市福田区
广州家广超市有限公司（家乐福万国店）	33993	129516	1800	超级市场零售	广东省广州市海珠区
广州友谊班尼路服饰有限公司	33741	195260	3035	服装零售	广东省广州市天河区
麦当劳餐厅（深圳）有限公司	33512	56452	3220	快餐服务	广东省深圳市福田区
百胜餐饮（深圳）有限公司	32883	69851	6937	快餐服务	广东省深圳市福田区
佛山宾馆有限公司	32865	20021	830	旅游饭店	广东省佛山市禅城区
深圳市康哲药业有限公司	32749	30362	550	西药批发	广东省深圳市福田区
广州市煤建公司	31600	55205	611	煤炭及制品批发	广东省广州市越秀区
广州市宏丽有限公司	30991	64705	968	百货零售	广东省广州市白云区
中国大酒店	30399	47928	1760	一般旅馆	广东省广州市越秀区
广东省中山食品水产进出口集团有限公司	30296	394394	832	肉、禽、蛋及水产品批发	广东省中山市
广东烟草普宁市有限责任公司	30167	127794	289	烟草制品批发	广东省揭阳市普宁市
广东烟草惠州市有限责任公司	29678	176572	216	烟草制品批发	广东省惠州市惠城区
广州神州数码有限公司	29591	275696	425	通讯及广播电视设备批发	广东省广州市天河区
深圳乐荣超市有限公司	29511	66046	870	超级市场零售	广东省深圳市南山区
深圳家乐福商业有限公司	29268	36179	500	超级市场零售	广东省深圳市福田区
广州市新大新公司	29094	76514	768	百货零售	广东省广州市越秀区
广东烟草南雄市有限公司	28445	53937	738	烟草制品批发	广东省韶关市南雄市
深圳恒波商业连锁有限公司	27803	91446	1106	通信设备零售	广东省深圳市罗湖区
TCL家用电器（惠州）有限公司	27052	97829	1250	家用电器批发	广东省惠州市惠城区
福达（中国）投资有限公司	27006	44239	378	盐及调味品批发	广东省广州市从化市
深圳市亨吉利世界名表中心有限公司	26917	30121	654	其他日用品批发	广东省深圳市南山区
广东吉之岛天贸百货有限公司	26837	60002	630	百货零售	广东省广州市天河区
佛山市顺德区乐从镇供销集团有限公司	26835	136436	1933	金属及金属矿批发	广东省佛山市顺德区
茂名市明湖百货有限公司	26808	37015	597	超级市场零售	广东省茂名市茂南区
佛山市日丰企业有限公司	25930	89256	385	建材批发	广东省佛山市禅城区
深圳市百佳华百货有限公司	25619	102876	2802	百货零售	广东省深圳市宝安区
珠海格力空调销售有限公司	25106	64422	300	家用电器批发	广东省珠海市香洲区
深圳圣廷苑酒店有限公司	24719	17555	1053	旅游饭店	广东省深圳市福田区
深圳市沙头角商业外贸有限公司	24249	40067	335	烟草制品批发	广东省深圳市盐田区
广东苏宁电器有限公司	24148	145937	1626	家用电器零售	广东省广州市海珠区
广东省中山食品进出口有限公司	24003	136596	422	肉、禽、蛋及水产品批发	广东省中山市
东莞市长安供销社	23984	20430	562	百货零售	广东省东莞市
广东烟草潮阳有限公司	23689	114721	215	烟草制品批发	广东省汕头市潮阳区
三星（中国）投资有限公司广州分公司	23492	251192	260	家用电器批发	广东省广州市越秀区
中国船舶燃料供应广州公司	22462	273924	384	石油及制品批发	广东省广州市黄埔区
佛山市顺德区越大化工贸易有限公司	22175	156246	568	其他化工产品批发	广东省佛山市顺德区
东莞市国贸超级市场有限公司	21981	63008	550	超级市场零售	广东省东莞市

4－5　续表33

企业名称	资产总计（万元）	销售额（万元）	全部从业人员年平均人数（人）	所属行业	企业所在地
中山市壹加壹商业连锁有限公司	19615	97496	1897	百货零售	广东省中山市
广州购书中心有限公司	19529	31907	595	图书零售	广东省广州市天河区
广东烟草中山市有限责任公司	19230	123149	250	烟草制品批发	广东省中山市
深圳市苏宁电器有限公司	18924	88950	1300	家用电器零售	广东省深圳市福田区
广东省南海食品进出口有限公司	18675	94231	202	其他食品批发	广东省佛山市南海区
广东龙粤通信设备有限公司	18525	83916	505	通讯及广播电视设备批发	广东省广州市天河区
国石油化工股份有限公司广东云浮石油分公司	17844	59232	354	石油及制品批发	广东省云浮市云城区
茂名市实业发展集团公司	17745	44188	329	其他化工产品批发	广东省茂名市茂南区
深圳市金海马实业有限公司	17706	28559	630	家具零售	广东省深圳市罗湖区
深圳市海尔贸易有限公司	17453	48075	791	家用电器批发	广东省深圳市福田区
深圳市深燃石油气有限公司	17012	66617	1003	其他未列明的零售	广东省深圳市福田区
东莞沃尔玛百货有限公司	16592	37778	1025	超级市场零售	广东省东莞市
深圳面点王饮食连锁有限公司	16343	27810	2186	正餐服务	广东省深圳市福田区
广州城建开发宏城连锁超级市场有限公司	16005	37243	991	超级市场零售	广东省广州市天河区
深圳西武百货有限公司	15633	48354	911	百货零售	广东省深圳市罗湖区
广州百佳超级市场有限公司深圳分公司	15346	61924	1250	超级市场零售	广东省深圳市罗湖区
广州爱联科技有限公司	15080	77542	210	计算机、软件及辅助设备批发	广东省广州市天河区
东莞市会展国际大酒店	14898	19268	1300	旅游饭店	广东省东莞市
深圳市深南燃气有限公司	14865	63387	502	生活用燃料零售	广东省深圳市南山区
佛山市顺德区北窖镇供销社	14765	33697	290	家用电器批发	广东省佛山市顺德区
广东省烟草兴宁市有限公司	14531	49278	202	烟草制品批发	广东省梅州市兴宁市
广东烟草南海市有限公司	14274	113511	210	烟草制品批发	广东省佛山市南海区
佛山市联强电通贸易有限公司	13999	33678	200	家用电器批发	广东省佛山市顺德区
深圳永旺友谊商业有限公司	13547	44926	1053	百货零售	广东省深圳市福田区
深圳市永安南城百货有限公司	13450	24305	850	百货零售	广东省深圳市福田区
深圳市领跑体育用品有限公司	12400	21549	928	体育用品零售	广东省深圳市福田区
广州龙粤通信设备有限公司	12304	49139	585	通信设备零售	广东省广州市天河区
东莞肯德基有限公司	11911	24425	1628	快餐服务	广东省东莞市
珠海民润商业有限公司	11625	22683	596	超级市场零售	广东省珠海市香洲区
东莞市麦当劳食品有限公司	11527	24278	1080	快餐服务	广东省东莞市
深圳市信南实业发展有限公司	11448	18780	772	超级市场零售	广东省深圳市宝安区
广东益华百货有限公司	11316	31241	562	百货零售	广东省中山市
新兴县温氏食品联营有限公司	11019	33136	327	肉、禽、蛋及水产品批发	广东省云浮市新兴县
深圳市大水联合酒业有限公司	10937	38540	712	饮料及茶叶批发	广东省深圳市罗湖区
广州开发区中穗燃气有限公司	10878	162851	264	石油及制品批发	广东省广州市黄埔区
广州玛莉雅实业有限公司	10742	21168	536	家具零售	广东省广州市海珠区
深圳市国美电器有限公司东莞市分公司	10566	47520	748	家用电器零售	广东省东莞市
华润万家生活超市(珠海)有限公司	10315	40141	714	百货零售	广东省珠海市香洲区
深圳市中联大药房有限公司	10301	22219	831	药品零售	广东省深圳市罗湖区
曲江县宜达燃料开发有限公司	10272	44722	318	煤炭及制品批发	广东省韶关市曲江区
广东赛壹便利店有限公司	9802	34301	1463	超级市场零售	广东省广州市越秀区
广东温氏食品集团有限公司稔村分公司	9437	31699	384	肉、禽、蛋及水产品批发	广东省云浮市新兴县
广东赛壹便利店有限公司深圳公司	9141	18819	683	其他综合零售	广东省深圳市罗湖区
深圳市有荣配销有限公司	9079	25886	1300	超级市场零售	广东省深圳市福田区
大金(中国)投资有限公司广州分公司	9063	66018	217	家用电器批发	广东省广州市天河区
东莞市天和商贸有限公司	8651	34107	1130	百货零售	广东省东莞市
东莞市大地通讯连锁服务有限公司	8647	39131	235	通讯及广播电视设备批发	广东省东莞市
广东烟草五华县有限公司	8630	42445	397	烟草制品批发	广东省梅州市五华县
广东温氏食品集团有限公司勒竹分公司	8427	32219	535	肉、禽、蛋及水产品批发	广东省云浮市新兴县
广州东方四海科技有限公司	7798	83269	366	计算机、软件及辅助设备批发	广东省广州市天河区

4－5 续表 34

企业名称	资产总计（万元）	销售额（万元）	全部从业人员年平均人数（人）	所属行业	企业所在地
深圳市兴万家商业发展有限公司	7536	16242	577	其他日用品零售	广东省深圳市罗湖区
深圳市乌娜贸易有限公司	7390	57666	1250	饮料及茶叶批发	广东省深圳市福田区
广东烟草梅县在限公司	6345	34180	290	烟草制品批发	广东省梅州市梅县
佛山市好又多怡东百货商业有限公司	6316	23857	559	超级市场零售	广东省佛山市禅城区
广州 TCL 电器销售有限公司	6303	76100	317	家用电器批发	广东省广州市越秀区
广东温氏食品集团有限公司车岗分公司	6294	32914	417	肉、禽、蛋及水产品批发	广东省云浮市新兴县
惠州市人人乐商业有限公司	6276	35428	856	超级市场零售	广东省惠州市惠城区
深圳市好又多量贩百货有限公司	6264	22860	600	超级市场零售	广东省深圳市罗湖区
深圳市一致医药连锁有限公司	6182	22240	1650	药品零售	广东省深圳市福田区
江门市逸豪酒店有限公司	5618	15572	1083	旅游饭店	广东省江门市蓬江区
广州市海王星辰医药连锁有限公司	5456	27663	779	医疗用品及器材零售	广东省广州市海珠区
信宜市粤信肉类食品有限公司	5060	43528	643	肉、禽、蛋及水产品批发	广东省茂名市信宜市
高州市食品企业集团公司	4168	46535	847	肉、禽、蛋及水产品批发	广东省茂名市高州市
东莞市苏宁电器有限公司	3701	25343	530	家用电器零售	广东省东莞市
深圳市晨光乳业有限公司	3057	40756	412	饮料及茶叶批发	广东省深圳市宝安区
青岛海信营销有限公司广州分公司	2725	36965	300	五金、交电批发	广东省广州市海珠区
广东省东莞畜产进出口有限公司	2588	34200	236	其他机械设备及电子产品批发	广东省东莞市
深圳市鑫荣懋实业发展有限公司	1545	30559	216	果品、蔬菜批发	广东省深圳市罗湖区
宇龙计算机通信科技（深圳）有限公司销售分公司	687	97301	600	通讯及广播电视设备批发	广东省深圳市福田区
广西壮族自治区					
中国石油化工股份有限公司广西石油分公司	332610	54407	11152	石油及制品批发	广西壮族自治区南宁市青秀区
中国石油天然气股份有限公司柳州分公司	121863	54422	220	石油及制品批发	广西壮族自治区柳州市柳北区
中国石油天然气股份有限公司广西销售分公司	115693	121560	2588	石油及制品批发	广西壮族自治区南宁市青秀区
南宁百货大楼股份有限公司	90509	103421	980	百货零售	广西壮族自治区南宁市兴宁区
广西新华书店集团有限公司	52721	78423	667	图书批发	广西壮族自治区南宁市青秀区
广西壮族自治区百色市烟草公司	48129	101803	1135	烟草制品批发	广西壮族自治区百色市右江区
桂林市烟草公司	44164	123132	800	烟草制品批发	广西壮族自治区桂林市象山区
广西南宁康迈商业有限责任公司	37283	33756	874	超级市场零售	广西壮族自治区南宁市西乡塘区
广西壮族自治区南宁市烟草公司	34800	112148	968	烟草制品批发	广西壮族自治区南宁市西乡塘区
柳州市百货股份公司	32640	31135	689	百货零售	广西壮族自治区柳州市城中区
柳州工贸厦股份有限公司	29628	38069	1773	百货零售	广西壮族自治区柳州市城中区
广西柳州市烟草公司	28630	62857	544	烟草制品批发	广西壮族自治区柳州市柳北区
博白县食品总公司	27046	36575	722	牲畜批发	广西壮族自治区玉林市兴业县
桂林微笑堂实业发展有限公司	26770	63044	833	百货零售	广西壮族自治区桂林市秀峰区
广西河池市烟草公司	26010	82744	743	烟草制品批发	广西壮族自治区河池市金城江区
广西联华超市股份公司	25366	55507	1220	超级市场零售	广西壮族自治区柳州市城中区
广西族自治区贺州市烟草公司	24301	40674	646	烟草制品批发	广西壮族自治区贺州市兴宁区
玉林市烟草公司	20747	91561	621	烟草制品批发	广西壮族自治区玉林市玉州区
南宁市医药有限责任公司	17285	30378	278	西药批发	广西壮族自治区南宁市西乡塘区
梧州市烟草公司	16815	67873	202	烟草制品批发	广西壮族自治区梧州市长洲区
玉林金城商厦有限责任公司	16583	17537	693	百货零售	广西壮族自治区玉林市玉州区
广西壮族自治区贵港市烟草公司	14772	68310	464	烟草制品批发	广西壮族自治区贵港市港北区
广西壮族自治区北海市烟草公司	14709	43715	240	烟草制品批发	广西壮族自治区北海市海城区
广西壮族自治区烟草公司钦州分公司	11835	52152	426	烟草制品批发	广西壮族自治区钦州市钦南区
广西南宁梦之岛购物中心	11060	22805	770	百货零售	广西壮族自治区南宁市青秀区
广西壮族自治区来宾市烟草公司	10229	48998	364	烟草制品批发	广西壮族自治区来宾市兴宾区
南宁肯德基有限公司	8053	16081	1348	快餐服务	广西壮族自治区南宁市青秀区
南宁市王者通讯设备有限公司	8025	45551	376	通讯及广播电视设备批发	广西壮族自治区南宁市青秀区
广西辉煌交通石化有限公司	6962	72264	513	机动车燃料零售	广西壮族自治区南宁市青秀区

4－5 续表 35

企业名称	资产总计（万元）	销售额（万元）	全部从业人员年平均人数（人）	所属行业	企业所在地
南宁海尔工贸有限公司	4943	37145	443	家用电器批发	广西壮族自治区南宁市兴宁区
广西壮族自治区贵港市食品有限公司	3709	30739	308	肉、禽、蛋及水产品批发	广西壮族自治区贵港市港北区
广西王者通讯设备有限公司	3605	34338	274	通讯及广播电视设备批发	广西壮族自治区南宁市青秀区
中国石油广西桂林销售分公司	2806	75918	300	石油及制品批发	广西壮族自治区桂林市七星区
中国石油天然气股份有限公司玉林销售公司	1950	47708	268	石油及制品批发	广西壮族自治区玉林市玉州区
中石油天然气公司河池分公司	51	49054	260	石油及制品批发	广西壮族自治区河池市金城江区
海南省					
中国石化股份有限公司海南石油分公司	122574	527302	2173	石油及制品批发	海南省海口市秀英区
海南省烟草公司海口公司	23321	180341	431	烟草制品批发	海南省海口市龙华区
海南省烟草公司琼海公司	12716	68289	210	烟草制品批发	海南省琼海市琼海市
海南省烟草公司三亚公司	10427	76080	256	烟草制品批发	海南省三亚市市辖区
重庆市					
重庆商社集团有限公司	870077	1737751	17589	百货零售	重庆市渝中区
重庆市烟草公司	416260	1095666	8473	烟草制品批发	重庆市江北区
重庆医药股份有限公司	282211	483442	5155	西药批发	重庆市渝中区
中国石油天然气股份有限公司重庆销售分公司	267149	932839	7647	石油及制品批发	重庆市渝中区
重庆新华书店(集团)有限责任公司	176386	122719	3382	图书批发	重庆市渝中区
重庆桐君阁股份有限公司	170587	230475	1920	中药材及中成药批发	重庆市渝中区
九禾农资股份有限公司	168372	382075	279	化肥批发	重庆市九龙坡区
重庆中汽西南实业有限公司	163014	335790	1324	汽车、摩托车及零配件批发	重庆市九龙坡区
重庆陶然居饮食文化(集团)有限公司	147948	11473	12622	正餐服务	重庆市九龙坡区
重庆海尔电器销售有限公司	138748	193782	600	家用电器批发	重庆市江北区
重庆力帆实业集团销售有限公司	93855	132315	1105	汽车、摩托车及零配件批发	重庆市沙坪坝区
重庆华轻商业公司	80136	170003	251	金属及金属矿批发	重庆市渝中区
重庆建设销售有限责任公司	66885	122088	651	汽车、摩托车及零配件批发	重庆市九龙坡区
重庆国美电器有限公司	62649	136615	2380	家用电器零售	重庆市沙坪坝区
重庆新兴格力电器销售有限责任公司	58695	121565	361	家用电器批发	重庆市九龙坡区
重庆家乐福商业有限公司	44619	61723	1250	超级市场零售	重庆市渝中区
中国邮电器材重庆公司	42633	82983	580	通讯及广播电视设备批发	重庆市渝中区
重庆市盐业公司	36864	45830	1400	盐及调味品批发	重庆市渝中区
重庆东风渝安汽车销售有限公司	35894	160401	212	汽车、摩托车及零配件批发	重庆市沙坪坝区
重庆金属回收有限责任公司	26128	163583	231	再生物资回收与批发	重庆市渝中区
重庆市新大兴实业(集团)有限公司	18592	36537	2821	百货零售	重庆市涪陵区
重庆苏宁电器连锁加盟有限公司	17810	67161	680	家用电器零售	重庆市渝中区
重庆市德庄饮食文化有限公司	15239	16080	1468	正餐服务	重庆市南岸区
宗申产业集团重庆动力产品销售有限公司	15089	111317	250	汽车、摩托车及零配件批发	重庆市九龙坡区
重庆煤炭集团物资有限责任公司	14881	62713	215	煤炭及制品批发	重庆市渝中区
重庆科渝药品经营有限责任公司	10889	61090	296	西药批发	重庆市南岸区
重庆桐君阁大药房连锁有限责任公司	9361	24108	931	药品零售	重庆市渝中区
重庆永辉实业有限公司	8687	30587	503	超级市场零售	重庆市江北区
重庆市人人乐商业有限公司	6726	25070	950	超级市场零售	重庆市沙坪坝区
重庆好又多百货商业有限公司	6300	33592	908	百货零售	重庆市南岸区
重庆金材物流有限公司	4895	44822	225	金属及金属矿批发	重庆市渝中区
四川省					
中国石油天然气股份有限公司四川销售分公司	463425	1968566	16637	石油及制品批发	四川省成都市青羊区
四川新华文轩连锁股份有限公司	255678	274793	5792	图书零售	四川省成都市锦江区
四川省烟草公司凉山州公司	242483	307855	2780	烟草制品批发	四川省凉山州西昌市

4－5　续表 36

企业名称	资产总计（万元）	销售额（万元）	全部从业人员年平均人数（人）	所属行业	企业所在地
中国石化销售有限公司川渝分公司	210148	1121558	2952	石油及制品批发	四川省成都市青羊区
四川烟草公司成都分公司	209894	594162	700	烟草制品批发	四川省成都市青羊区
中国铁路物资成都公司	168424	319229	453	金属及金属矿批发	四川省成都市青羊区
成都人民商场(集团)股份有限公司	117049	115213	2705	百货零售	四川省成都市锦江区
成都国美电器有限公司	98329	194807	1082	家用电器零售	四川省成都市金牛区
四川九寨天堂温泉酒店有限公司	79393	17200	905	旅游饭店	四川省阿坝州九寨沟县
攀钢集团国贸攀枝花有限公司	76242	478774	329	金属及金属矿批发	四川省攀枝花市东区
成都西部医药经营有限公司	61000	203900	245	西药批发	四川省成都市金牛区
四川科伦医药贸易公司	54564	172497	340	中药材及中成药批发	四川省成都市新都区
四川省烟草公司泸州市公司	52647	93192	1280	烟草制品批发	四川省泸州市江阳区
烟草公司绵阳分公司	50552	134214	689	烟草制品批发	四川省绵阳市游仙区
成都红旗连锁有限公司	48744	311611	4761	超级市场零售	四川省成都市武侯区
四川省烟草公司宜宾市公司	44676	134773	1339	烟草制品批发	四川省宜宾市翠屏区
成都伊滕洋华堂有限公司	39239	146624	1565	百货零售	四川省成都市武侯区
四川省烟草公司攀枝花市公司	38945	63154	212	烟草制品批发	四川省攀枝花市东区
四川省烟草公司德阳市分公司	36621	110174	520	烟草制品批发	四川省德阳市旌阳区
四川省烟草公司达州分公司	35879	119832	918	烟草制品批发	四川省达州市通川区
宜宾智溢酒业有限公司	35583	73899	1000	饮料及茶叶批发	四川省宜宾市翠屏区
成都市家乐福超市有限公司	33799	53001	913	超级市场零售	四川省成都市武侯区
四川省医药有限公司	32069	83708	200	西药批发	四川省成都市青羊区
四川省烟草公司广元市公司	29056	76344	632	烟草制品批发	四川省广元市市中区
中国石油天然气股份有限公司四川岷江销售分公司	27369	127030	786	机动车燃料零售	四川省成都市都江堰市
四川省烟草公司南充分公司南充市烟草专卖局	27038	118609	723	烟草制品批发	四川省南充市顺庆区
绵阳市酒鑫鑫商贸有限公司	25944	43565	438	饮料及茶叶批发	四川省绵阳市绵阳市
四川锦江宾馆	23632	19290	1465	旅游饭店	四川省成都市锦江区
四川省烟草公司内江分公司	23631	96727	525	烟草制品批发	四川省内江市东兴区
成都海尔工贸有限公司	21115	94855	728	家用电器批发	四川省成都市青羊区
四川省烟草公司自贡分公司	21069	76321	340	烟草制品批发	四川省自贡市自流井区
家福来电器有限公司	20579	25754	605	家用电器零售	四川省绵阳市游仙区
四川省绵阳药业集团公司	19962	42342	623	西药批发	四川省绵阳市涪城区
四川省烟草公司眉山分公司	19791	74681	342	烟草制品批发	四川省眉山市东坡区
中国石油天然汽股份有限公司四川绵阳销售分公司	19238	57364	581	石油及制品批发	四川省绵阳市涪城区
四川省烟草公司广安分公司	19103	75184	459	烟草制品批发	四川省广安市广安区
中国石油四川广元销售分公司	18871	77518	653	石油及制品批发	四川省广元市市中区
中国石油天然气股份有限公司攀枝花分公司	18814	57760	619	石油及制品批发	四川省攀枝花市东区
成都百货大楼集团有限公司	18768	34050	513	百货零售	四川省成都市锦江区
中国石油天然气股份有限公司四川南充销售分公司	18712	99116	747	石油及制品批发	四川省南充市顺庆区
四川省烟草公司资阳市公司	18620	61689	523	烟草制品批发	四川省资阳市雁江区
中国石油天然气股份有限公司四川德阳销售分公司	18007	117800	705	石油及制品批发	四川省德阳市旌阳区
中国石油天然气股份公司四川宜宾销售分公司	17626	112750	643	石油及制品批发	四川省宜宾市翠屏区
中国石油四川川南销售分公司	17432	61599	360	石油及制品批发	四川省自贡市自流井区
四川本草堂药业有限公司	17308	73650	230	西药批发	四川省成都市金牛区
四川永乐家用电器连锁有限公司	17132	73606	760	家用电器零售	四川省成都市金牛区
中国石油天然气股份有限公司四川凉山销售分公司	16367	88989	535	石油及制品批发	四川省凉山州西昌市
成都讯捷通讯有限公司	15660	69558	500	通信设备零售	四川省成都市青羊区
四川省烟草公司雅安分公司	15492	42163	238	烟草制品批发	四川省雅安市雨城区
四川射洪沱牌曲酒营萧有限公司	15381	71628	215	饮料及茶叶批发	四川省遂宁市射洪县
中国石油天然气股份有限公司四川达州销售分公司	14379	91242	613	石油及制品批发	四川省达州市通川区
中国石油天然气股份有限公司四川资阳销售分公司	14092	68472	568	机动车燃料零售	四川省资阳市雁江区
四川省烟草公司阿坝州公司	13821	30897	212	烟草制品批发	四川省阿坝州汶川县

4－5　续表 37

企业名称	资产总计（万元）	销售额（万元）	全部从业人员年平均人数（人）	所属行业	企业所在地
成都新亚通讯技术有限公司	13785	56867	514	通讯及广播电视设备批发	四川省成都市武侯区
成都市人人乐商业有限公司	13771	46476	1901	超级市场零售	四川省成都市青羊区
成都好又多百货商业广场有限公司	13583	67791	1754	超级市场零售	四川省成都市青羊区
自贡九鼎实业有限公司	13446	15765	2100	百货零售	四川省自贡市自流井区
四川省互惠商业有限责任公司	13329	46245	1066	超级市场零售	四川省成都市新都区
成都德仁堂药业有限公司	12757	32488	405	中药材及中成药批发	四川省成都市青羊区
四川省烟草公司巴中分公司	12521	50623	387	烟草制品批发	四川省巴中市巴州区
中国石油天然气股份有限公司四川眉山分公司	11994	67950	562	机动车燃料零售	四川省眉山市东坡区
中国石油天然气股份有限公司四川雅安销售分公司	11949	64942	331	石油及制品批发	四川省雅安市雨城区
四川省盐业总公司成都分公司	11877	31447	233	盐及调味品批发	四川省成都市青羊区
泸州摩尔商业有限公司	11850	21461	800	百货零售	四川省泸州市江阳区
成都市医药工业有限公司	11356	48322	202	西药批发	四川省成都市金牛区
德阳洋洋百盛实业有限公司	11261	20875	1298	百货零售	四川省德阳市旌阳区
中国石油天然气股份有限公司四川巴中销售公司	10882	42846	352	石油及制品批发	四川省巴中市巴州区
百胜餐饮(成都)有限公司	10588	28362	1900	快餐服务	四川省成都市青羊区
成都苏宁电器连锁加盟有限公司	10499	131401	1190	家用电器零售	四川省成都市金牛区
成都神州数码有限公司	9298	151666	240	计算机、软件及辅助设备批发	四川省成都市武侯区
攀钢集团钢城企业总公司	8651	44771	550	金属及金属矿批发	四川省攀枝花市东区
成都泰立电信商场有限公司	6200	50609	565	通讯及广播电视设备批发	四川省成都市青羊区
中油四川甘孜销售分公司	5312	55353	252	石油及制品批发	四川省甘孜州康定县
四川省烟草公司乐山分公司	3000	95512	465	烟草制品批发	四川省乐山市市中区
成都 TCL 电器销售有限公司	2051	37151	258	家用电器批发	四川省成都市武侯区
内蒙古伊利集团成都分公司	1492	37524	259	其他食品批发	四川省成都市成华区
南充盛华堂商业管理有限公司	1030	18700	836	服装零售	四川省南充市顺庆区
贵州省					
遵义市烟草专卖局(分公司)	285968	462652	7094	烟草制品批发	贵州省遵义市红花岗区
贵州省烟草公司毕节分公司	214302	337326	10782	烟草制品批发	贵州省毕节地区毕节市
贵州省烟草公司贵阳市分公司	92646	251443	1748	烟草制品批发	贵州省贵阳市南明区
贵州省烟草公司黔西南州分公司	81990	128146	1993	烟草制品批发	贵州省黔西南州兴义市
贵州省烟草公司铜仁分公司	77212	123706	1982	烟草制品批发	贵州省铜仁地区铜仁市
贵州省烟草公司黔南分公司	71829	87222	2198	烟草制品批发	贵州省黔南布依族苗族自治州都匀市
中国石油化工股份有限公司贵州贵阳分公司	47395	242312	990	石油及制品批发	贵州省贵阳市南明区
贵州省烟草公司安顺分公司	42109	89918	1536	烟草制品批发	贵州省安顺市西秀区
贵州省烟草公司六盘水分公司	38749	71622	1262	烟草制品批发	贵州省六盘水市钟山区
贵州省烟草公司黔东南分公司	38614	94445	1402	烟草制品批发	贵州省黔东南苗族侗族自治州凯里市
贵州省新华书店	32432	67500	270	图书批发	贵州省贵阳市云岩区
贵州省医药(集团)有限责任公司	26937	59472	237	西药批发	贵州省贵阳市云岩区
贵阳星力百货有限责任公司	22313	41130	927	百货零售	贵州省贵阳市云岩区
中国石油化工股份有限公司六盘水石油分公司	19524	75260	621	石油及制品批发	贵州省六盘水市钟山区
贵阳友谊集团股份有限公司	18682	17512	561	服装零售	贵州省贵阳市云岩区
中国石化股份有限公司黔南石油分公司	18286	77280	287	石油及制品批发	贵州省黔南布依族苗族自治州都匀市
中国石油化工股份有限公司黔东南石油分公司	17266	64915	420	石油及制品批发	贵州省黔东南苗族侗族自治州凯里市
贵阳国贸广场商贸有限公司	10289	28967	699	服装零售	贵州省贵阳市云岩区
贵阳海尔工贸有限公司	4792	32506	375	家用电器批发	贵州省贵州省云岩区
云南省					
云南红塔烟叶有限责任公司	1358442	410468	835	其他农畜产品批发	云南省玉溪市红塔区
云南省烟草公司曲靖公司	413845	700972	1804	烟草制品批发	云南省曲靖市麒麟区
云南省烟草公司红河州公司	288236	331121	2185	烟草制品批发	云南省红河哈尼族彝族自治州弥勒县

4－5　续表 38

企业名称	资产总计（万元）	销售额（万元）	全部从业人员年平均人数（人）	所属行业	企业所在地
昆明船舶设备集团有限公司	207411	127523	317	其他机械设备及电子产品批发	云南省昆明市盘龙区
云南省烟草烟叶公司	181241	333643	336	烟草制品批发	云南省昆明市官渡区
云南省烟草楚雄州公司	160267	277291	329	烟草制品批发	云南省楚雄州楚雄市
云南省烟草保山市公司	135070	173639	1648	烟草制品批发	云南省保山市隆阳区
云南省烟草公司昭通市公司	123596	241380	1250	烟草制品批发	云南省昭通市昭阳区
云南红塔物资有限责任公司	81402	373562	261	其他机械设备及电子产品批发	云南省玉溪市红塔区
云南省医药有限公司	73719	233633	360	西药批发	云南省昆明市盘龙区
云南省烟草宣威市公司	71793	118808	501	烟草制品批发	云南省曲靖市宣威市
云南省烟草陆良县公司	63702	75685	373	烟草制品批发	云南省曲靖市陆良县
云南省烟草丽江市公司	56803	91069	396	烟草制品批发	云南省丽江市古城区
云南省烟草思茅市公司	50562	116184	747	烟草制品批发	云南省思茅市翠云区
昆明国美电器有限公司	46970	80800	892	家用电器零售	云南省昆明市五华区
昆明七彩云南实业股份有限公司	42213	65407	903	首饰、工艺品及收藏品批发	云南省昆明市呈贡县
云南省烟草寻甸回族彝族自治县公司	39482	36379	318	烟草制品批发	云南省昆明市寻甸回族彝族自治县
云南省烟草罗平县公司	37112	56496	1382	烟草制品批发	云南省曲靖市罗平县
昆明家乐福超市有限公司	36702	72470	925	超级市场零售	云南省昆明市五华区
云南省烟草江川县公司	36127	35026	376	烟草制品批发	云南省玉溪市江川县
昆明云顺和商业发展有限公司	35218	60451	634	百货零售	云南省昆明市五华区
云南香格里拉金六福酒业销售有限公司	33796	135119	4000	其他未列明的批发	云南省迪庆藏族自治州香格里拉县
师宗县烟草公司	33366	48495	929	烟草制品批发	云南省曲靖市师宗县
昆明百货大楼商业有限公司	32990	65035	742	百货零售	云南省昆明市五华区
云南省华宁县烟草公司	32300	35304	463	其他农畜产品批发	云南省玉溪市华宁县
云南省沾益县公司	31784	47629	210	烟草制品批发	云南省曲靖市沾益县
昆明金龙百货有限公司	30121	55218	868	百货零售	云南省昆明市盘龙区
云南沃尔玛百货有限公司	28400	104194	1886	超级市场零售	云南省昆明市五华区
云南省烟草镇雄县公司	27170	62921	691	烟草制品批发	云南省昭通市镇雄县
云南省烟草石林彝族自治县公司	27017	45480	824	烟草制品批发	云南省昆明市石林彝族自治县
云南东骏药业有限公司	26250	63735	1396	西药批发	云南省昆明市西山区
云南新华书店图书有限公司	25564	32801	202	图书批发	云南省昆明市官渡区
云南烟草易门分公司	25535	27098	1454	烟草制品零售	云南省玉溪市易门县
中国石油化工股份有限公司云南大理分公司	23602	132453	231	石油及制品批发	云南省大理白族自治州大理市
云南省烟草公司马龙县公司	22060	33189	304	烟草制品批发	云南省曲靖市马龙县
云南省祥云县烟草公司	21949	34491	268	烟草制品批发	云南省大理白族自治州祥云县
云南烟草西双版纳傣族自治州公司	20553	43313	226	烟草制品批发	云南省西双版纳州景洪市
云南省烟草禄劝县公司	19359	33794	211	烟草制品批发	云南省昆明市禄劝彝族苗族自治县
云南玉溪百信商贸集团有限公司	16800	26495	1020	超级市场零售	云南省玉溪市红塔区
云南省烟草腾冲县公司	16062	46954	237	烟草制品批发	云南省保山市腾冲县
云南省烟草宾川县公司	15800	30465	289	其他农畜产品批发	云南省大理白族自治州宾川县
云南白药大药房有限公司	14612	42764	333	其他化工产品批发	云南省昆明市盘龙区
昆明新华书店连锁有限公司	14592	21927	646	图书零售	云南省昆明市五华区
楚雄州烟草楚雄市公司	14447	35182	284	烟草制品批发	云南省楚雄州楚雄市
云南省烟草大理市烟草公司	11952	35987	217	烟草制品批发	云南省大理白族自治州大理市
宣威市煤炭供销公司	9571	59015	233	煤炭及制品批发	云南省曲靖市宣威市
云南讯捷通讯有限公司	8938	54504	636	通信设备零售	云南省昆明市五华区
云南省烟草昭通市昭阳区公司	8118	55004	460	烟草制品批发	云南省昭通市昭阳区
云南健之佳连锁健康药房有限公司	7030	28701	1205	药品零售	云南省昆明市盘龙区
云南鸿翔药业有限公司	5772	71624	3076	药品零售	云南省昆明市西山区
西双版纳中化安联橡胶有限公司	5497	39264	290	其他化工产品批发	云南省西双版纳州景洪市
昆明海尔工贸有限公司	5416	34822	304	家用电器批发	云南省昆明市五华区
楚雄州烟草禄丰县公司	3662	36572	202	烟草制品批发	云南省楚雄州禄丰县

4－5 续表39

企业名称	资产总计（万元）	销售额（万元）	全部从业人员年平均人数（人）	所属行业	企业所在地
中国石油天然气股份有限公司云南销售分公司	1711	53800	261	石油及制品批发	云南省大理白族自治州大理市
西藏自治区					
中油西藏销售分公司拉萨公司	16239	63019	292	石油及制品批发	西藏自治区拉萨市市辖区
陕西省					
陕西东岭集团	256619	880026	291	金属及金属矿批发	陕西省宝鸡市金台区
西安民生集团股份有限公司	113695	207353	2587	百货零售	陕西省西安市新城区
西安开元商城有限公司	98337	210662	1032	百货零售	陕西省西安市碑林区
西安爱家商贸有限公司	95107	107121	1300	超级市场零售	陕西省西安市新城区
陕西省烟草公司西安分公司	94330	326420	1717	烟草制品批发	陕西省西安市碑林区
西安饮食服务(集团)股份有限公司	85234	46637	2980	正餐服务	陕西省西安市碑林区
宝鸡商场集团股份有限公司	73321	75667	3826	百货零售	陕西省宝鸡市渭滨区
西安市国美电器有限公司	61825	106266	757	家用电器零售	陕西省西安市莲湖区
陕西华远医药商业集团有限责任公司	56825	203258	980	西药批发	陕西省西安市碑林区
中国石油天然气股份有限公司陕西西安销售分公司	55580	255791	2275	石油及制品批发	陕西省西安市莲湖区
陕西家世界超市有限公司	50899	167956	2246	超级市场零售	陕西省西安市莲湖区
陕西省烟草公司咸阳分公司	48329	132677	1051	烟草制品批发	陕西省咸阳市秦都区
中国石化销售有限公司西北陕西分公司	47237	113489	825	石油及制品批发	陕西省西安市碑林区
宝鸡华通商厦有限责任公司	45483	40663	1220	百货零售	陕西省宝鸡市金台区
陕西省新华书店	36246	68243	381	图书批发	陕西省西安市莲湖区
陕西省烟草公司延安分公司	34958	96233	794	烟草制品批发	陕西省延安市宝塔区
榆林市烟草公司榆林分公司	33971	122357	667	烟草制品批发	陕西省榆林市榆阳区
陕西省烟草公司安康市公司	32566	91589	1170	烟草制品批发	陕西省安康市汉滨区
陕西省烟草公司宝鸡分公司	32339	94778	1160	烟草制品批发	陕西省宝鸡市渭滨区
中国石油天然气有限公司宝鸡分公司	31442	80197	955	石油及制品批发	陕西省宝鸡市金台区
西安市人人乐商业有限公司西关购物广场	30004	114832	2700	超级市场零售	陕西省西安市莲湖区
陕西海星连锁超级市场有限责任公司	28326	29504	850	其他综合零售	陕西省西安市经济技术开发区
西安市新华书店	25967	28744	980	图书零售	陕西省西安市新城区
陕西省军区军人服务社	25914	59100	1500	百货零售	陕西省西安市雁塔区
国药集团西北医药有限公司	25612	31315	786	西药批发	陕西省西安市碑林区
中国石油天然气股份有限公司榆林销售分公司	25432	197426	1381	石油及制品批发	陕西省榆林市绥德县
中国石油天然气股份有限公司渭南销售分公司	25013	117887	777	石油及制品批发	陕西省渭南市临渭区
中国石油股份有限公司陕西汉中销售公司	22177	84826	797	石油及制品批发	陕西省汉中市汉台区
陕西世纪金花高新购物中心有限公司	20800	19326	878	百货零售	陕西省西安市高新区
榆林市煤炭出口集团有限责任公司	19978	32056	349	煤炭及制品批发	陕西省府谷市府谷县
陕西省烟草公司汉中分公司	19863	93739	805	烟草制品批发	陕西省汉中市汉台区
西安易初莲花连锁超市有限公司	19622	30381	848	超级市场零售	陕西省西安市高新区
中国石油天然气股份有限公司安康销售分公司	19543	84500	595	石油及制品批发	陕西省安康市汉滨区
陕西省烟草公司商洛分公司	19055	49631	850	烟草制品批发	陕西省商洛市商州区
陕西松茂食品有限公司	17495	17674	1000	快餐服务	陕西省西安市碑林区
中油陕西延安销售公司	17491	330991	948	石油及制品批发	陕西省延安市宝塔区
延安百货大楼集团有限公司	13000	15677	996	百货零售	陕西省延安市宝塔区
西安秋林公司	11757	34001	810	百货零售	陕西省西安市碑林区
中石油集团股份有限公司商洛销售分公司	11289	65484	556	石油及制品批发	陕西省商洛市商州区

4－5　续表 40

企业名称	资产总计（万元）	销售额（万元）	全部从业人员年平均人数（人）	所属行业	企业所在地
陕西蜂星电讯有限责任公司	10481	76857	804	通信设备零售	陕西省西安市碑林区
西安新西北双鹤医药有限责任公司	10210	43929	208	中药材及中成药批发	陕西省西安市未央区
西安海尔工贸有限公司	10198	54456	365	家用电器批发	陕西省西安市碑林区
陕西苏宁电器有限责任公司	6577	64848	982	家用电器零售	陕西省西安市莲湖区
西安民生集团咸阳民生购物中心有限公司	6242	26352	812	超级市场零售	陕西省咸阳市秦都区
西安福临门大香港鲍翅有限公司	6097	15296	1446	正餐服务	陕西省西安市雁塔区
宝鸡人民商场股份有限公司	5871	34001	665	百货零售	陕西省宝鸡市渭滨区
甘肃省					
中国石油天然气股份有限公司西北销售分公司	618605	3247577	203	石油及制品批发	甘肃省兰州市城关区
兰州民百(集团)股份有限公司	76208	53949	1207	百货零售	甘肃省兰州市城关区
甘肃省烟草兰州公司	70001	173383	984	烟草制品批发	甘肃省兰州市城关区
兰州工贸集团股份有限公司	49194	28687	861	百货零售	甘肃省兰州市七里河区
兰州国芳百盛购物广场有限责任公司	38200	65537	992	百货零售	甘肃省兰州市城关区
甘肃省烟草公司庆阳分公司	37833	49872	670	烟草制品批发	甘肃省庆阳市西峰区
甘肃省烟草公司天水分公司	28465	83612	222	烟草制品批发	甘肃省天水市秦城区
甘肃省烟草公司陇南分公司	24618	60098	633	烟草制品批发	甘肃省陇南市武都区
甘肃省烟草公司白银分公司	19469	47399	376	烟草制品批发	甘肃省白银市白银区
甘肃省烟草公司武威分公司	16246	34418	350	烟草制品批发	甘肃省武威市凉州区
甘肃仕通汽车销售有限公司	12584	53224	278	汽车、摩托车及零配件批发	甘肃省兰州市七里河区
中国石油天然气股份有限公司酒泉销售分公司	6117	128504	720	石油及制品批发	甘肃省酒泉市肃州区
中国石油天然气股份有限公司甘肃武威销售分公司	6035	105387	620	石油及制品批发	甘肃省武威市凉州区
中国石油天然气有限公司甘肃省庆阳销售分公司	2755	102033	469	石油及制品批发	甘肃省庆阳市西峰区
中国石油天然气股份有限公司甘肃临夏销售分公司	2675	46594	360	石油及制品批发	甘肃省临夏州临夏市
中油甘肃定西销售分公司	2593	81754	490	石油及制品批发	甘肃省定西市安定区
中国石油天然气股份有限公司甘肃张掖销售分公司	2427	71529	468	石油及制品批发	甘肃省张掖市甘州区
青海省					
中国石油天然气股份有限公司青海销售分公司	91891	370238	2218	石油及制品批发	青海省西宁市
西宁大什字百货商店有限公司	16555	22506	739	百货零售	青海省西宁市城西区
青海华联综合超市有限公司	14758	20649	548	超级市场零售	青海省西宁市城中区
西宁中油燃起有限责任公司	42279	38667	257	石油及制品批发	青海省西宁市城中区
青海省烟草公司西宁分公司	11209	85547	305	烟草制品批发	青海省西宁市城西区
中国石化销售有限公司西北青海分公司	3980	35122	256	石油及制品批发	青海省西宁市城北区
西宁农业机械化有限责任公司	10357	115749	301	农业机械批发	青海省西宁市城西区
宁夏回族自治区					
银川新华百货商店股份有限公司	76364	87842	626	百货零售	宁夏回族自治区银川市兴庆区
宁夏回族自治区烟草公司银川市分公司	25116	80692	353	烟草制品批发	宁夏回族自治区银川市兴庆区
银川新华百货老大楼有限公司	17862	33015	774	百货零售	宁夏回族自治区银川市金凤区
银川新华百货购物中心有限公司	14707	31847	603	百货零售	宁夏回族自治区银川市兴庆区
银川新华百货东桥家电有限公司	19325	64039	340	家用电器批发	宁夏回族自治区银川市兴庆区
宁夏回族自治区烟草公司吴忠市分公司	13057	46214	239	烟草制品批发	宁夏回族自治区吴忠市利通区
宁夏回族自治区烟草公司固原分公司	8259	30124	234	烟草制品批发	宁夏回族自治区固原市原州区

4－5　续表 41

企业名称	资产总计（万元）	销售额（万元）	全部从业人员年平均人数（人）	所属行业	企业所在地
新疆维吾尔族自治区					
新疆农资(集团)有限责任公司	305758	178817	311	化肥批发	新疆维吾尔族自治区乌鲁木齐市天山区
新疆兵团棉麻公司	222915	245005	692	棉、麻批发	新疆维吾尔族自治区乌鲁木齐市沙依巴克区
新疆奎屯农七师供销棉麻总公司	165983	131426	411	棉、麻批发	新疆维吾尔族自治区伊犁州奎屯市
新疆友好集团股份有限公司	150106	90803	1508	百货零售	新疆维吾尔族自治区乌鲁木齐市沙依巴克区
巴楚县良种轧花厂	93810	72869	1103	棉、麻批发	新疆维吾尔族自治区喀什地区巴楚县
新疆生产建设兵团农业生产资料供应公司	75444	126314	206	化肥批发	新疆维吾尔族自治区乌鲁木齐市新市区
玛纳斯县供销社	68651	50657	1018	棉、麻批发	新疆维吾尔族自治区昌吉回族自治州玛纳斯县
新疆生产建设兵团石油有限公司	64557	250144	1501	石油及制品批发	新疆维吾尔族自治区乌鲁木齐市天山区
新疆机电设备有限责任公司	63722	120204	428	汽车、摩托车及零配件批发	新疆维吾尔族自治区乌鲁木齐市新市区
中国石油天然气股份有限公司喀什分公司	56207	98672	1082	机动车燃料零售	新疆维吾尔族自治区喀什地区喀什市
新疆维吾尔自治区新华书店	51900	84400	435	图书批发	新疆维吾尔族自治区乌鲁木齐市天山区
新疆巴州尉犁县棉麻公司	35419	44668	243	棉、麻批发	新疆维吾尔族自治区巴州尉犁县
中国石油天然气股份有限公司新疆阿克苏销售分公司	32989	128176	368	石油及制品批发	新疆维吾尔族自治区阿克苏地区阿克苏市
美克美家家具装饰有限公司	32773	26164	840	家具零售	新疆维吾尔族自治区乌鲁木齐市新市区
中国石油天燃气股份有限公司新疆库尔勒销售分公司	31097	165708	1139	石油及制品批发	新疆维吾尔族自治区巴州库尔勒市
新疆九州通医药有限公司	30907	90178	356	西药批发	新疆维吾尔族自治区乌鲁木齐市新市区
伊犁州伊欣棉业有限责任公司	29763	30457	241	棉、麻批发	新疆维吾尔族自治区伊犁州奎屯市
新疆维吾尔自治区烟草公司乌鲁木齐分公司	28973	132245	488	烟草制品批发	新疆维吾尔族自治区乌鲁木齐市天山区
新疆国美电器有限公司	26844	68101	787	家用电器零售	新疆维吾尔族自治区乌鲁木齐市沙依巴克区
中国石油天然气股份有限公司新疆伊犁销售分公司	25581	32191	903	石油及制品批发	新疆维吾尔族自治区伊犁州伊宁市
中油新疆乌鲁木齐销售公司	22587	63461	607	机动车燃料零售	新疆维吾尔族自治区乌鲁木齐市天山区
中国石油新疆和田销售分公司	21630	48846	293	石油及制品批发	新疆维吾尔族自治区和田地区和田市
中国石油天然气股份有限公司昌吉销售公司	20473	83342	837	机动车燃料零售	新疆维吾尔族自治区昌吉回族自治州昌吉市
中国石油天然气股份有限公司新疆吐鲁番销售分公司	15609	52737	418	石油及制品批发	新疆维吾尔族自治区吐鲁番地区吐鲁番市
新疆好家乡超市有限公司	14994	51776	918	超级市场零售	新疆维吾尔族自治区乌鲁木齐市天山区
中国石油天然气股份公司阿勒泰分公司	12693	55872	582	石油及制品批发	新疆维吾尔族自治区阿勒泰地区阿勒泰市
乌鲁木齐海尔工贸有限公司	9991	43519	735	家用电器批发	新疆维吾尔族自治区乌鲁木齐市天山区
新疆烟草公司巴州公司	9546	44749	205	烟草制品批发	新疆维吾尔族自治区巴州库尔勒市
中国石油新疆博州销售公司	6536	32429	323	石油及制品批发	新疆维吾尔族自治区博尔塔拉州博乐市
昌吉州烟草商贸有限责任公司	5878	46613	256	烟草制品批发	新疆维吾尔族自治区昌吉回族自治州昌吉市
新疆烟草公司阿克苏地区公司	5124	39226	225	烟草制品批发	新疆维吾尔族自治区阿克苏地区阿克苏市
新疆中石化基钰化工销售有限公司	1551	30110	242	石油及制品批发	新疆维吾尔族自治区乌鲁木齐市新市区

附　录

简要说明：

附录Ⅰ　统计上大中小型划分办法

附录Ⅱ　批发零售和住宿餐饮业统计限额标准

附录Ⅲ　主要统计指标解释

附录Ⅰ　统计上大中小型企业划分办法(暂行)

一、根据国家经贸委、国家计委、财政部、国家统计局《关于印发中小企业标准暂行规定的通知》(国经贸委中小企[2003]143号),结合统计工作的实际情况,特制定本办法。

二、本办法适用于统计上对工业(采矿业,制造业,电力、燃气及水的生产和供应业)、建筑业、交通运输、仓储和邮政业、批发和零售业、住宿和餐饮业的企业划分规模。

三、本办法以法人企业或单位作为对企业规模的划分对象,以从业人员数、销售额和资产总额三项指标为划分依据。企业规模的具体划分标准见附表。

四、企业规模由政府综合统计部门根据上年统计年报每年划分一次。企业规模一经确认,月度统计原则上不进行调整。

附表:统计上大中小型企业划分标准

行业名称	指标名称	计算单位	大　型	中　型	小　型
工业企业	从业人员数 销售额 资产总额	人 万元 万元	2000及以上 30000及以上 40000及以上	300~2000以下 3000~30000以下 4000~40000以下	300以下 3000以下 4000以下
建筑业企业	从业人员 数销售额 资产总额	人 万元 万元	3000及以上 30000及以上 40000及以上	600~3000以下 3000~30000以下 4000~40000以下	600以下 3000以下 4000以下
批发业企业	从业人员数 销售额	人 万元	200及以上 30000及以上	100~200以下 3000~30000以下	100以下 3000以下
零售业企业	从业人员数 销售额	人 万元	500及以上 15000及以上	100~500以下 1000~15000以下	100以下 1000以下
交通运输业企业	从业人员数 销售额	人 万元	3000及以上 30000及以上	500~3000以下 3000~30000以下	500以下 3000以下
邮政业企业	从业人员数 销售额	人 万元	1000及以上 30000及以上	400~1000以下 3000~30000以下	400以下 3000以下
住宿和餐饮业企业	从业人员数 销售额	人 万元	800及以上 15000及以上	400~800以下 3000~15000以下	400以下 3000以下

说明:1. 表中的"工业企业"包括采矿业、制造业、电力、燃气及水的生产和供应业三个行业的企业。

2. 工业企业的销售额以现行统计制度中的年产品销售收入代替;建筑业企业的销售额以现行统计制度中的年工程结算收入代替;批发和零售业的销售额以现行报表制度中的年销售额代替;交通运输和邮政业、住宿和餐饮业企业的销售额以现行统计制度中的年营业收入代替;资产总额以现行统计制度中的资产合计代替。

3. 大型和中型企业须同时满足所列各项条件的下限指标,否则下划一档。

附录Ⅱ　批发零售和住宿餐饮业统计限额标准

行业类别	统计指标名称	计量单位	限额标准
批发业	年末从业人员 年销售额	人 万元	20 及以上 2000 及以上
零售业	年末从业人员 年销售额	人 万元	60 及以上 500 及以上
住宿业	星级宾馆、饭店		
餐饮业	年末从业人员 年营业额	人 万元	40 及以上 200 及以上

说明:外贸企业按批发业标准执行。

附录Ⅲ　主要统计指标解释

一、批发、零售、餐饮业主要财务指标解释

1. 资产总计：指企业拥有或控制的能以货币计量的经济资源，包括各种财产、债权和其他权利。资产按其流动性（即资产的变现能力和支付能力）划分为：流动资产、长期投资、固定资产、无形资产、递延资产和其他资产。

2. 流动资产：指企业可以在一年内或者超过一年的一个生产周期内变现或者耗用的资产，包括现金及各种存款、短期投资，应收及预付款项、存货等。

3. 存货：指企业在生产经营过程中为销售或耗用而储备的各种资产，包括原材料、周转材料、包装物、低值易耗品、在产品、自制半成品、产成品等。

4. 固定资产原价：指企业在建造、购置、安装、改建、扩建、技术改造某项固定资产时所支出的全部货币总额。

5. 固定资产折旧：指对固定资产由于磨损和损耗而转移到产品中去的那一部分价值的补偿。

6. 负债合计：指企业所承担的能以货币计量，将以资产或劳务偿付的债务，偿还形式包括货币、资产或提供劳务。

7. 所有者权益合计：指企业投资人对企业净资产的所有权。企业净资产为企业全部资产与企业全部负债的差额，包括实收资本、资本公积、盈余公积、未分利润等。

8. 实收资本：指企业投资者实际投入的资本（或股本），包括货币、实物、无形资产等各种形式的投入。实收资本按投资主体可分为国家资本、集体资本、法人资本、个人资本、港澳台资本和外商资本。

9. 国家资本：指有权代表国家投资的政府部门或机构、直属事业单位对企业形成的资本金。

10. 集体资本：指由本企业职工等自然人集体投资或各种机构对企业进行扶持形成的集体性质的资本金。

11. 法人资本：指法人以其依法可支配的资产投入企业形成的资本金。

12. 个人资本：指自然人实际投入企业的资本金。

13. 港澳台资本：指我国香港、澳门和台湾地区投资者实际投入企业的资本金。

14. 外商资本：指外国投资者实际投入企业的资本金。

15. 营业收入合计：指企业在销售商品、提供劳务及让渡资产使用权等日常活动中所形成的经济利益的总收入。包括主营业务收入和其他业务收入。

16. 主营业务收入：指企业在从事销售商品、提供劳务等主要生产经营活动中所产生的收入总额。此项目应根据相关行业的“产品销售收入”、“商品销售额”、“主营业务收入”、“营业收入”、“经营收入”、“工程结算收入”等科目发生额填列。

17. 主营业务成本：指企业为销售商品、提供劳务等主要生产经营活动而发生的各种耗费。

18. 主营业务税金及附加：指企业根据实现收入的一定比例计提的营业税、城建税和教育费附加总额。

19. 主营业务利润：指企业在从事商品销售、提供服务等主要经营中所产生的利润之和。

20. 其他业务利润：批企业除销售商品、提供劳务等主要经营活动外的其他业务收入扣除其他业务成本及应负担的费用、税金后的净收入。

21. 营业费用：指企业在销售商品、提供劳务等生产经营中发生的各项经营费用和餐饮企业经营中发生的各项费用。包括运输费、装卸费、包装费、保险费、展览费、差旅费、广告费、商品损耗、进出口商品累计拥金、经营人员的工资及福利费等。

22. 管理费用：指企业行政管理部门为组织和管理生产经营活动而发生的各项费用。

23. 税金：指企业按规定从管理费用中支付的各种税金，包括房产税、土地使用税、车船使用税、印花税等。

24. 差旅费：指因公务出差所发生的各种费用，包含外埠差旅费、市内差旅费、各种出差补贴等。

25. 工会经费：指建立工会组织的企业事业按每月全部职工工资总额的一定比例向工会拨缴的经费。

26. 财务费用:指企业为筹集生产经营所需资金等而发生的费用,包括利息支出、汇兑损失以及相关的金融机构手续费等。

27. 利息净支出:指企业在生产经营期间利息支出扣除利息收入后的净额。

28. 营业利润:指企业从事生产经营活动所产生的利润,即主营业务利润加其他业务利润扣除管理费用、财务费用后的净额。

29. 利润总额:指企业在生产经营过程中各种收入扣除各种耗费后的盈余,反映企业在报告期内实现的亏盈总额,包括营业利润、补贴收入、投资净收益和营业外收支净额。

30. 应交所得税:指企业按税法规定,应从生产经营等活动的所得中交纳的税金。

31. 劳动、失业保险费):指企业向社会保障部门和保险公司为本单位职工支付的劳动保险、失业保险的费用。

32. 住房公积金和住房补贴:指企业单位、及其在职职工缴存的长期住房储金和国家为职工解决住房问题而给予的住房补贴资助。

33. 本年应付工资总额:指企业应支付给本单位职工的全部工资,它反映企业本期累计应付的工资总额,而不是会计"应付工资"科目的余额。

34. 本年应付福利费总额:指企业累计提取的福利费总额,它反映本期应付福利费的全部发生额,而不是会计"应付福利费"科目的余额。

35. 本年应交增值税(批发和零售企业填写)(80):指企业按税法规定,从事货物销售或提供加工、修理修配劳务等增加货物价值的活动本期应交纳的税金。指企业在报告期应交增值税额。

36. 全部从业人员年平均人数:指年内各月平均拥有的人数。计算公式为:

$$\text{本年应交增值税} = \text{销项税额} - (\text{进项税额} - \text{进项税额转出}) - \text{出口抵减内销产品应纳税额} - \text{减免税款} + \text{出口退税}$$

36. 全部从业人员年平均人数:指年内各月平均拥有的人数,其计算公式为:

$$\text{全部从业人员平均人数} = \frac{(\text{1 月平均人数} + \text{2 月平均人数} + \cdots + \text{12 月平均人数})}{12}$$

$$\text{月平均人数} = \frac{\left(\text{月初从业人员数} + \text{月末从业人员数}\right)}{2}$$

二、批发和零售业商品流转统计指标解释

1. 商品购进总额:指从本企业以外的单位和个人购进(包括从国外直接进口)作为转卖或加工后转卖的商品金额。本指标由从生产者购进额、从批发和零售业购进额、进口额和其他项组成,反映批发和零售业从国内外市场上购进商品的价值总量。

2. 进口:指直接从国外进口的商品和委托外贸部门代理进口的商品,不包括从国内有关单位购进的进口商品。外贸企业只能统计自主经营进口的商品,不包括受托代理进口的商品。

3. 商品销售总额(销售额):指售予本企业以外的单位和个人的商品金额(含增值税)。销售总额包括零售额和批发额两部分,其中零售额包括:售予居民和社会集团商品的金额;批发额包括:售予生产经营单位商品的金额和出口商品的金额。这个指标反映批发和零售业在国内市场上销售商品以及出口商品的价值总量。

4. 批发额:指批发和零售业企业(单位)向生产经营企业(单位)销售的商品金额。

6. 零售额:指批发和零售业企业(单位)售予城乡居民用于生活消费和社会集团用于公共消费的商品金额。具体包括:

(1)售予城乡居民的各种生活消费品;

(2)售予入境旅游的外国人、华侨、港澳台同胞的各类商品;

(3)售予行政事业单位、社会团体、军队和武警等机构的商品,以及以零售方式售予各类企业的商品。具体包括:用于非生产和社会交往的办公用品,如通讯设备、计算器具和设备、电讯网络设备、文印设备、音像视听器材和设备、纸张、本册、文具及装订文印材料、家具、日用电器、针纺织品、清洁卫生用品、文体用品、奖品、纪念品、礼品等;供内部人员乘坐的交通工具和燃料;用于办公设施修缮的各类配件、材料、工具等;用于取暖和防暑降温的设备、燃料、材料及食品等;专用于教学的用品和设备;非营利医疗机构的中、西药品、中药材和医疗设备器材;非专用的劳动保护用品;不对外营业的内部食堂用的餐具、炊具、设备、清洁卫生工具和食品、燃料等;军队、武警用于其人员生活的衣着品和个人用品;其他各类非生产性设备和用品。不包括:

(1)售予城乡居民已确知是用于生产、经营的商品;

(2)售予各类农业生产者的生产资料类商品;

（3）售予企业单位生产上专用的劳动保护用品。

7. 期（年）末库存总额：指批发和零售业企业（单位）已取得所有权的全部商品金额。这个指标反映批发和零售业的商品库存情况，以及对市场商品供应的保证程度。期末库存包括：

（1）存放在本单位（如门市部、批发站、采购站、经营处）的仓库、货场、货柜和货架中的商品；

（2）挑选、整理、包装中的商品；

（3）已记入购进而尚未运到本单位的商品，即发货单或银行承兑凭证已到而货未到的商品；

（4）寄放他处的商品，如因购货方拒绝付款而暂时存在购货方的商品；

（5）委托其他单位代销（未作销售或调出）尚未售出的商品；

（6）代其他单位购进尚未交付的商品。

期末库存不包括：

（1）所有权不属于本单位的商品，如商品已作销售但买方尚未取走的商品，代替他人保管、运输、加工的商品，代其他单位销售（未做购进或调入）而未售出的商品；

（2）委托外单位加工的商品（包括本单位所属加工厂和其他生产单位加工生产尚未收回成品的商品）；

（3）外贸企业代理其他单位从国外进口，尚未付给订货单位的商品；

（4）代国家储备部门保管的商品。

企业的库存商品金额可以采用进价进行核算，采用进价核算的商品，应按商品进货原则（或实际采购成本）计算期末库存；采用售价核算的商品，应按商品的售价计算期末库存。购入的商品，在商品到达验收入库后计算期末库存（对已记入购进尚未运到的商品，也可计算期末库存）；对于月终尚未开出承兑商业汇票的入库商品，按应付给供货单位的价款暂估计算期末库存；年度终了，凡已转入库存和已作销售的进口商品，属于国外以离岸价格成交、有应付未付国外运保费的，应先估计期末库存，委托其他单位代销的商品包括在期末库存中；委托外单位加工的商品，在发出商品时作减少期末库存，当加工商品收回时增加期末库存（包括商品进货原价、加工费用、加工税金等）。

三、住宿和餐饮业经营情况指标解释

1. 营业额：指住宿和餐饮业法人企业、产业活动单位在经营活动中因提供服务或销售商品等取得的收入。包括：客房收入、餐费收入、商品销售额（含增值税）和其他收入。

2. 客房收入：指住宿和餐饮业法人企业、产业活动单位在经营活动中因提供住宿服务取得的收入。

3. 餐费收入：指住宿和餐饮业法人企业、产业活动单位因为顾客提供就餐服务取得的收入。包括：经烹饪、调制加工后出售的各种食品，如主食、炒菜、凉拌菜等的收入。

4. 商品销售额：指住宿和餐饮业法人企业、产业活动单位出售商品的销售总额（含增值税）。

5. 其他收入：指营业额中除客房收入、餐费收入、商品销售额（含增值税）以外的其他收入。包括：娱乐、健身和商务服务等。

6. 床位数：指宾馆、饭店、酒店、旅馆等供应旅客使用的床位数，不包括临时加的床位和宾馆、饭店、酒店、旅馆等内部工作人员使用的床位。该指标按年内正常情况下的实有数统计。

7. 餐位数：指住宿和餐饮业法人企业、产业活动单位为顾客提供就餐服务时，正常可同时容纳就餐人员的餐位数量，不包括临时加的餐位。该指标按年内正常情况下的实有数统计。

8. 年末餐饮营业面积：指住宿和餐饮业法人企业、产业活动单位对外提供就餐服务的门店建筑面积和从事食品加工、烹饪、调制的厨房面积，不包括办公用房和仓库等面积。该指标按年末实有面积统计。